CW00408247

£12.75

Il existe un autre Afghanistan que celui décrit par les médias, et Cédric Bannel, écrivain aux multiples vies né en 1966, le pratique depuis des années, des banlieues poussiéreuses de Kaboul aux montagnes impénétrables du Badakhchan. Ses romans sont traduits dans de nombreux pays. *Baad* a reçu le Prix du Meilleur Polar des lecteurs de Points.

Cédric Bannel

# L'HOMME
# DE KABOUL

ROMAN

*Robert Laffont*

TEXTE INTÉGRAL

ISBN 978-2-7578-7240-6
(ISBN 978-2-221-11715-6, 1re publication)

© Éditions Robert Laffont, S.A., Paris, 2011
© Éditions Robert Laffont, S.A., Paris, 2018, pour la présente édition

I

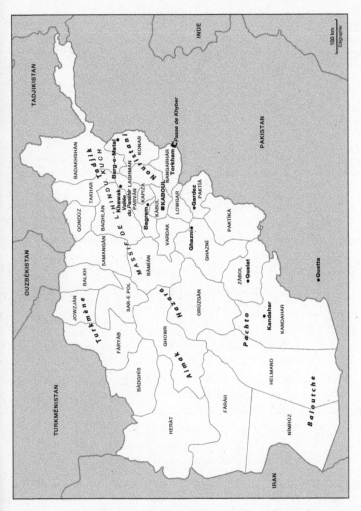

Afghanistan

# 1

– À quoi pensais-tu en appuyant sur la détente ?
demanda Oussama.

– À appuyer sur la détente.

– Tu avais conscience qu'au lieu de punir seulement l'homme que tu visais, tes balles risquaient de
décimer toute une famille ? Les deux femmes d'Abdul
sont décédées avec lui. Trois de ses enfants sont entre
la vie et la mort.

– Ce salaud d'Abdul, il m'a volé tout mon stock
de tissu, tenta de plaider le prisonnier. Huit mille
afghanis !

Oussama Kandar, commandant en chef de la brigade criminelle de Kaboul, se leva brusquement, en
proie à un accès de colère. Attaché à sa chaise par des
menottes, le prisonnier eut un mouvement de crainte
qui manqua le faire tomber. Oussama n'y prêta pas
attention. Il y avait bien longtemps qu'il avait cessé de
remarquer les réactions que son physique hors norme
provoquait. Âgé d'un peu plus de cinquante ans, Oussama mesurait deux mètres. Sec (il pesait à peine
quatre-vingt-dix kilos), il en imposait avec sa barbe
veinée de gris, taillée court, ses cheveux ras. Ses yeux
d'un vert métallique hypnotisaient ses adversaires.

– Tu es un crétin et un meurtrier ! Tu as tiré sur une famille à la kalachnikov, tout ça pour un stock de tissu. Pour rien !

– Pas pour rien. Il m'avait volé pour huit mille afghanis, répéta le prisonnier, buté.

Oussama secoua la tête, dégoûté. La plupart des meurtres commis dans la capitale l'étaient à la kalachnikov, souvent à la suite de dettes non remboursées ou de vols, quand il ne s'agissait pas de meurtres d'honneur. Les coupables ignoraient que la pendaison les attendait au bout du chemin.

Renonçant à discuter avec un prisonnier aussi stupide, il s'apprêtait à appeler un de ses adjoints afin que ce dernier le remplace pour la suite de l'audition lorsqu'un planton entra dans son bureau. Jeune, les yeux bridés typiques d'un Hazara, une large cicatrice barrant sa joue gauche.

– *Qomaandaan*, on nous signale que le ministre de la Sécurité vient d'arriver sur les lieux d'un suicide.

– Un attentat suicide, tu veux dire ?

– *Na*, un vrai suicide.

Surpris, Oussama dévisagea le policier. Le taux de mortalité à Kaboul étant l'un des plus élevés au monde, il ne chômait pas, mais les suicides étaient rares. Ceux qui parvenaient à échapper aux attentats, aux gangs, aux règlements de comptes, aux crimes familiaux et aux fatwas lancées par les talibans étaient assez peu portés sur le suicide. En Afghanistan, chaque jour vécu en un seul morceau était un don de Dieu.

– Qu'est-ce que le ministre va faire là-bas ? murmura-t-il. Tu sais qui est le défunt ?

– Na.

– Tu sais où ça s'est passé ?

– Chez un homme d'affaires, pas très loin du terminal de bus de Serai Shomali. Il paraît qu'il a tué son gardien avant de se suicider. Ses domestiques l'ont trouvé ce matin.

– Tu as son nom ?

– Na, qomaandaan.

Sa curiosité piquée au vif, Oussama ouvrit un tiroir de son bureau branlant et en sortit un téléphone portable, cadeau de la Coalition. Comme beaucoup de ses compatriotes, Oussama supportait de moins en moins la présence de la Coalition, avec son lot de bavures et de vexations imposées aux populations locales. Mais il était légaliste, et les forces de l'Otan étaient dans son pays en vertu d'un mandat de l'Onu, avec la bénédiction des autorités officielles. Grâce à elles, il bénéficiait de moyens techniques inconnus jusqu'alors, et surtout de fonds pour payer ses hommes.

Il rangea l'appareil dans une poche de sa veste, enfila son *chakman* de laine grossière et mit sa toque d'astrakan, car il faisait encore très froid en ce début du mois de mars. Oussama s'habillait toujours à l'afghane, *shalwar* marron bouffant et serré aux chevilles, chemise *kurta* ample sortie du pantalon.

– J'y vais ! lança-t-il au jeune policier.

Dans le couloir il héla Babrak Khan Wardak, son adjoint, un jeune universitaire multidiplômé qui avait atterri dans la police Dieu sait par quel hasard. Comme beaucoup de jeunes Afghans, Babrak avait le visage glabre, portait des jeans et ses kurtas rentrées dans la ceinture, à l'occidentale, un choix qui suffisait à vous envoyer en prison du temps des talibans. Signe qui ne trompait pas sur le regain d'influence des islamistes,

11

depuis quelque temps de plus en plus d'hommes laissaient leur chemise sortie…

Le 4 × 4 d'Oussama attendait déjà, un policier au volant. Un pick-up américain vert foncé était garé derrière, avec trois hommes assis sur des fauteuils soudés au plateau arrière, uniforme impeccable, chapeau de brousse sur la tête, fusil d'assaut à la main. Les deux véhicules étaient neufs. Un cadeau de l'Onu, comme presque tous les véhicules officiels circulant à Kaboul. Oussama avait entendu des rumeurs concordantes selon lesquelles un dessous-de-table d'au moins trente pour cent de la valeur des véhicules avait été versé au ministre des Transports. À Kaboul, tout s'achetait, à commencer par la famille et les proches du président Karzaï, qui avaient bâti des fortunes en dollars : comme si la guerre, la misère, les millions de morts et de disparus ne suffisaient pas aux malheurs des Afghans, la corruption généralisée était devenue une plaie supplémentaire.

Le chauffeur démarra en trombe. Oussama se cala dans son siège pour réfléchir. En tant que responsable de la brigade criminelle de Kaboul, il était systématiquement appelé pour tous les décès survenant dans la ville. Chaque année, des centaines de personnes mouraient de causes non naturelles, mais plus des trois quarts des morts étaient liées au terrorisme, sortant ainsi des statistiques policières. Dans ces cas-là, Oussama restait prudemment à l'écart et laissait les autorités de la Coalition intervenir. En dépit de leur sympathie de façade, les Américains se méfiaient de lui, comme de tous les Afghans, méfiance renforcée par son prénom. Comment leur expliquer que lorsque son père, Mohamed Kandar, troisième du nom, berger et fils de berger baloutche, l'avait prénommé ainsi, le cheikh Oussama Ben Laden n'était qu'un jeune enfant saoudien totalement inconnu, dont le seul titre de gloire était d'être né avec une cuillère en argent dans la bouche ? Mais c'était ainsi, se prénommer Oussama n'était pas un atout lorsqu'on était qomaandaan de police dans un pays occupé par les forces de l'Otan…

Depuis la banquette arrière, Babrak se pencha sur son épaule, tout sourire.

– Si un ministre s'est dérangé, c'est qu'il s'agit d'une affaire importante. En tout cas, c'est mon premier suicide d'homme ! Jusqu'ici, je n'ai eu que des suicides de femmes qui refusaient un mariage arrangé.

– C'était peut-être un membre de sa famille. Je me demande pourquoi il a été averti avant nous. Mais je te préviens, tu risques d'être déçu.

– Pourquoi ?

– D'un point de vue policier, les suicides sont sans grand intérêt. Ce sont toujours des histoires banales et tristes, des existences brisées. Les familles s'en remettent difficilement.

– Je ne savais pas que vous en aviez traité.

– J'en ai vu plusieurs pendant mon séjour à Moscou.

Oussama possédait un don rare pour les langues. Outre le dari, il parlait couramment l'anglais et un peu le turc. Il avait également appris le russe au cours d'un stage de perfectionnement comme jeune inspecteur à Moscou, peu avant la période d'occupation soviétique. Dès son retour, il avait été nommé membre de la toute nouvelle brigade criminelle.

Un coup de frein du chauffeur le propulsa contre le pare-brise, interrompant ses réflexions.

– *Bok soyun !*

Le chauffeur turkmène envoya une bordée d'injures au minibus qui leur avait coupé la route. D'instinct, Oussama s'était crispé. Beaucoup de destins se terminaient de la même manière : une voiture qui vous coupe la route, des hommes qui descendent et vous tirent dessus à la kalachnikov ou, pire, le chauffeur qui fait sauter sa ceinture d'explosifs et se paye un aller direct au paradis en même temps que son objectif. En tant que fonctionnaire du régime, Oussama était une cible pour les talibans, même s'il était connu pour sa piété. Chaque jour qui passait, à chaque nouvelle bavure ou humiliation, la haine du peuple afghan pour la Coalition croissait. Les fonctionnaires fidèles avaient tendance à être assimilés à des « collabos », ce qui augmentait le risque pour eux d'être les prochaines victimes d'un attentat suicide. Pour Oussama, il n'y avait pourtant aucun autre choix : il détestait profondément les talibans, après avoir vu ce qu'ils avaient infligé à son pays durant les cinq années de leur « règne ».

Une demi-heure plus tard, le 4 × 4 s'arrêta à l'entrée d'une ruelle étroite.

– Il faut continuer à pied, lâcha le chauffeur.

Il descendit aussitôt, sa kalachnikov à la main, suivi d'Oussama et de son adjoint. Deux autres hommes avaient bondi du pick-up et fermaient la marche. Ceux-là étaient équipés d'armes allemandes, dons des forces de la Coalition à la police de Kaboul.

Des femmes, certaines en *burqa* bleue, d'autres coiffées d'un voile multicolore, se pressaient, leur panier de provisions à la main. Des écoliers sortaient de classe, les filles en uniforme noir et voile blanc, les garçons tout de bleu vêtus. Quelques enfants en haillons vendaient de pauvres produits dans l'espoir de gagner quelques afghanis.

Après une centaine de mètres, la ruelle devint encore plus étroite et ils durent jouer des coudes. Tout le quartier grouillait d'activité, d'hommes portant paquets, ballots, cartons sur les épaules. Des mobylettes sur lesquelles s'entassaient trois personnes se faufilaient dans des échappements de fumée. Il flottait dans l'air une odeur de grillades et d'épices, plutôt agréable. Alors qu'ils passaient devant une petite mosquée, un homme au visage hostile, barbe broussailleuse de taliban, cracha devant Oussama. Celui-ci feignit de ne rien voir. Dans cette partie de Kaboul, les fonctionnaires du régime, surtout les policiers, n'étaient pas les bienvenus.

Au bout de la ruelle, son chauffeur s'arrêta devant une grande porte en bois. Plusieurs hommes attendaient, arme à l'épaule, dont un lance-roquettes. Oussama remarqua avec surprise deux Occidentaux bardés d'armes, en treillis noir, avec équipement de transmission et oreillette. Les attributs habituels des Blackwater, mercenaires utilisés par la Coalition dans les missions sensibles. Confrontée à de multiples scandales, l'entreprise s'était rebaptisée X$^e$, un nom moins sinistre, mais c'étaient les mêmes hommes sous une autre dénomination. Personne n'étant dupe, tout le monde continuait à les appeler Blackwater.

Un des Occidentaux fit mine de l'arrêter, Oussama lui montra sa carte plastifiée. L'autre l'examina attentivement, avant de le laisser passer avec un geste de la main désinvolte. Oussama réprima un mouvement d'humeur. Les Blackwater n'avaient théoriquement aucun droit en Afghanistan, encore moins celui de contrôler le chef de la brigade criminelle de Kaboul. Dans les faits, ils étaient les rois de la ville, personne ne pouvait s'opposer à eux. Il se demanda ce qu'ils faisaient sur les lieux d'un suicide.

– Le mort n'est pas un Occidental, n'est-ce pas ? demanda-t-il à Babrak.

– Non, un Afghan.

Derrière les discrets murs ocre, Oussama découvrit non pas l'habituelle maison en ruine mais une splendide demeure. Il traversa d'abord un patio aux murs de marbre, puis une pièce ornée de tapis précieux.

Un cadavre gisait sur un sofa, une balle dans la tête. Un homme était accroupi à ses côtés, l'air indifférent, mâchonnant un bâtonnet de réglisse. Une crosse de pistolet dépassait de son *kiyepanak*.

– C'est lui ? demanda Oussama.

Le policier sortit le bâtonnet de sa bouche pour répondre :

– Na, le gardien de nuit. Le propriétaire l'a abattu avant de se suicider.

Ils poursuivirent, attirés par le bruit d'une conversation, traversèrent un salon meublé à l'occidentale. Le sol était en parquet, un luxe que peu d'Afghans pouvaient se payer, le bois étant rare et cher. Oussama se demanda ce qui avait poussé le propriétaire à édifier pareille maison dans ce quartier populaire. Pourquoi un tel souci de discrétion ? Perplexe, il remarqua de nombreux tableaux accrochés aux murs.

Il traversa un autre salon, d'apparat et de style afghan celui-là, avant de pénétrer dans un vaste bureau. Quatre hommes, dont un Occidental en treillis, se tenaient autour d'une forme allongée sur le sol, baignant dans son sang. Oussama reconnut au milieu du groupe Burhanuddin Khan Durrani, le ministre de la Sécurité. Son chef direct, un Pachtoun corrompu et stupide, qu'il méprisait.

Il devina une ombre de contrariété, vite réprimée, sur le visage de son supérieur hiérarchique, qui le héla :

– Ah, Kandar ! Nous attendions un simple inspecteur du district, ce n'était pas la peine de vous déplacer.

Dans ce cas, pourquoi lui, membre du gouvernement et chef de clan, était-il présent ? se demanda Oussama en se gardant bien de répliquer. Il s'avança, essayant de photographier mentalement la scène.

Le cadavre allongé sur le sol était celui d'un homme d'une cinquantaine d'années, bien en chair, vêtu du traditionnel *pankan*. Il tenait encore une arme à la main, qu'Oussama identifia comme un Beretta automatique. La balle avait pénétré par la bouche et explosé tout l'arrière du crâne, laissant le visage intact. Du sang avait giclé sur le mur et le plafond, mêlé d'une matière grise visqueuse. Les yeux de l'homme étaient grands ouverts. Il avait l'air surpris. Oussama remarqua une tache sombre sur le devant de son pantalon – il s'était uriné dessus.

– Qui était-ce ?

Il avait reconnu l'homme mais voulait entendre la réponse de son supérieur.

– Wali Wadi, répondit ce dernier avec un petit rire méprisant.

Wadi était un intermédiaire plutôt médiocre, connu pour divers trafics en lien avec les autorités d'occupation. Sa spécialité consistait à récupérer de l'essence dans des dépôts militaires et à la revendre à des réseaux de stations-service. Il avait aussi trempé dans plusieurs affaires de détournement de camions et d'aide alimentaire, ainsi que dans des trafics d'armes légères, jamais rien de suffisamment sérieux pour s'attirer de vrais ennuis. Oussama le connaissait de réputation. Wadi était ouzbek, ce qui l'avait mis à l'abri des luttes sanglantes entre clans pachtouns et tadjiks. C'était aussi un homme prudent, apprécié des Russes, des Occidentaux comme des talibans pour son respect scrupuleux de la parole donnée.

– Il y a des témoins ?

– Il a abattu son domestique avant de se tuer. La nuit, les autres membres du personnel ne dorment pas là. Alors, Kandar, comment dit-on, en Russie, lorsqu'on abat les membres de sa famille avant de se donner la mort ?

Il avait fini sa tirade en anglais. Ce rappel insistant au stage qu'Oussama avait effectué en URSS avait pour seul objectif de le déprécier aux yeux de l'Occidental. Ce dernier s'était crispé à cette mention.

– Suicide altruiste, répondit-il. Mais là, il s'agit d'un domestique, pas d'un membre de sa famille.

– Il vivait seul. Il paraît qu'il préférait les garçons aux femmes. C'est peut-être pour cela qu'il s'est suicidé.

– Peut-être. J'aimerais quand même questionner les domestiques.

– Vous perdez votre temps, Kandar.

Oussama comprit. Pour une raison qu'il ignorait, le gouvernement souhaitait enterrer l'affaire. Khan Durrani était là pour dissuader ses propres services de faire leur boulot.

– Vous me permettrez de mener mon enquête selon la procédure, monsieur le ministre, répliqua Oussama en insistant sur le « mon ». Toutefois, je veillerai à ne pas gaspiller le temps de mes hommes.

Khan Durrani se radoucit immédiatement.

– Bien sûr, faites votre travail. Vous me tiendrez informé. Dès que vous aurez clos le dossier, vous me le ferez savoir.

Il sortit, les autres visiteurs sur ses talons, laissant Oussama seul dans la pièce avec ses hommes. Alors que le petit groupe passait devant lui, il remarqua un discret insigne sur le torse de l'Occidental en treillis. Ce n'était pas celui de X[e] mais celui de Dyncorps, la société chargée de la protection du président Karzaï, et de lui seul.

Un des membres de son escorte s'avança.

– Que fait-on, *hadji* ?

Ayant accompli le pèlerinage rituel à La Mecque, comme tout musulman pieux doit le faire au moins une fois dans sa vie, Oussama avait le droit au titre de hadji, « saint homme », que lui préféraient les plus religieux de ses hommes. Les laïcs, une petite poignée sur les trente hommes de son service, dont son adjoint, l'appelaient simplement « chef » ou « qomaandaan ».

Sans répondre, il sortit une paire de gants en latex de sa poche. À Kaboul, les procédures n'avaient rien à voir avec ce qui se faisait en Occident : ici, pas de chaussons en papier, pas de préservation de la scène de crime, pas de télémètre laser, pas d'échantillons recueillis pour être analysés au spectromètre de masse ou au microscope électronique... Oussama travaillait à l'ancienne, avec son cerveau, un minimum de soutien technique et le souvenir du manuel de la brigade criminelle de Moscou. Les Russes avaient des défauts, mais ils étaient sérieux. Oussama avait tout appris grâce à eux.

Il palpa le mort, sentit une protubérance. Un holster de cheville. Il dégagea l'arme, la considéra, intrigué. C'était un pistolet compact, léger, en matière composite. Il n'en avait jamais vu de pareil.

— Babrak ! héla-t-il.

Son adjoint se précipita.

— C'est quoi ?

— Un GSH-18 russe, répondit Babrak sans hésitation. Un automatique destiné aux forces spéciales.

Oussama remarqua que le cran de sûreté était enlevé. Il fit glisser la culasse. Une cartouche s'éjecta avec un bruit sec.

— Il était prêt, avec une cartouche engagée. Il se sentait en danger, remarqua-t-il d'une voix douce.

— Qu'est-ce que cela veut dire ? demanda Babrak, étonné.

— Regarde si tu peux trouver d'autres armes dans la maison, répliqua Oussama.

Il s'assit sur le canapé. Cette affaire le mettait mal à l'aise. Babrak revint un quart d'heure plus tard, tenant dans les bras trois autres pistolets, deux kalachnikovs, un fusil de chasse et plusieurs grenades. Rien d'extravagant. Oussama les examina avec intérêt.

— Bizarre.

— Quelque chose vous dérange, chef ?

— Wadi a commencé à faire du trafic au début des années 1980, avec le soutien des Russes. Il leur doit tout. Le pistolet qu'il portait sur lui était russe. Et toutes ces armes aussi. Russes. Même le fusil de chasse. Même les grenades. Alors, pourquoi s'est-il suicidé avec un Beretta, italien ?

Babrak haussa les épaules, dépassé.

Désormais en alerte, Oussama renifla les mains du mort, ne sentit pas d'odeur de poudre sur la gauche, celle qui avait tenu le pistolet. Il y avait une trace de brûlure sur la lèvre, là où l'automatique avait fait feu. Délicatement, il entrouvrit la chemise, à la recherche de signes de lutte. Aucune contusion sur le corps.

– Tu as vu quelque chose dans la maison ?

– Rien.

Remarquant son air gêné, Oussama insista :

– Tu es sûr ?

Babrak s'empourpra avant de sortir maladroitement un paquet de sa poche. Oussama reconnut un bloc de pavot base, à partir duquel on fabrique l'héroïne. Il devait y en avoir un demi-kilo. L'équivalent de huit mois de salaire.

– Il n'en aura plus besoin, argumenta Babrak, et ma télévision est tombée en panne.

Oussama haussa les épaules. Quoi qu'il décide, un autre policier le volerait, autant que son adjoint, qui avait des enfants en bas âge, en profite.

– Garde-le, mais essaye d'en vérifier la provenance et la qualité. À ma connaissance, Wadi ne versait pas dans le trafic de drogue. Tu n'as pas trouvé d'autres stupéfiants ?

– Aucun. C'était peut-être un vieux lot. On dirait plus un échantillon qu'autre chose.

Par sécurité, Oussama prit le temps de visiter lui-même la maison. La chambre était immense, avec un lit à baldaquin doré à l'or. Une pile de revues porno était posée à côté du lit, des revues occidentales gay.

Il en feuilleta une avant de la reposer, gêné. Celles-là aussi seraient volées et revendues à grand prix, les talibans ayant la réputation d'être particulièrement friands de ce type de marchandise, en dépit de leurs discours moralisateurs.

Dans la salle de bains, il y avait de multiples produits de beauté de marque française. Oussama remarqua un stick de déodorant. Un tube de dentifrice était ouvert, non rebouché. La pâte n'avait pas eu le temps de sécher. Il toucha la brosse à dents. Elle était encore un peu humide. Il continua sa visite. Dans la cuisine, plusieurs paquets de nourriture pour chat, la nouvelle mode à Kaboul : on trouvait désormais des rayons spécialisés dans toutes les épiceries, posséder un animal domestique, et plus particulièrement un chat, étant devenu le must de la nouvelle bourgeoisie. Sur un plateau étaient posés une assiette sale, un verre en cristal et une bouteille de cognac entamée, ainsi que les restes d'un gâteau aux pistaches. L'alcool était formellement interdit de détention comme de consommation pour les Afghans, mais il n'était pas rare que de riches hommes d'affaires en boivent en cachette. Même du temps des talibans, où sa simple détention était punie de mutilation ou de mort, il était possible de trouver de l'alcool à Kaboul.

Oussama tourna encore quelques instants dans la maison vide et revint jusqu'au corps. À nouveau, il défit la chemise. Sous les aisselles, il devina les traces du déodorant. En dépit d'une légère odeur de cadavre, il sentit aussi le parfum fugace de l'eau de toilette française sur la peau du mort. Quand il fut certain qu'il ne trouverait rien d'intéressant, il se releva et ordonna :

– On rentre au commissariat. Convoque les autres domestiques là-bas, nous les interrogerons au sous-sol.

Les salles d'interrogatoire du commissariat, sans fenêtres et aux murs maculés de traces suspectes, avaient le don de rendre bavard le plus récalcitrant des témoins.

En sortant, Babrak demanda :

– Qu'en pensez-vous ?

– Et toi ?

– Ce n'est pas le dossier du siècle. Il s'est suicidé. Enfin, je veux dire, c'est évident qu'il s'est fait sauter la tête tout seul.

– Je n'en suis pas si sûr.

– Mais l'arme, les lieux, tout coïncide… Pourquoi en doutez-vous ?

– Wali Wadi a dîné, a mangé la moitié d'un gâteau aux pistaches, s'est lavé, a mis du parfum et du déodorant, s'est brossé les dents, a planqué une arme automatique sur lui, puis il s'est tiré une balle dans la tête avec la seule arme non russe de la maison ?

– Les suicides sont souvent des histoires tristes, c'est vous qui l'avez dit.

– Tristes, d'accord, mais pas invraisemblables.

*

Il existait à Berne une structure très discrète chargée de missions secrètes pour le compte exclusif de quelques gouvernements et grandes entreprises multinationales. Elle s'abritait derrière divers paravents qui en constituaient les visages officiels, entreprises, associations à but non lucratif ou instituts aux noms évocateurs : Office of Strategic Affairs, Institut d'analyse du risque économique, International Investigation Company… Ces coquilles, toutes suisses, possédaient de nombreuses filiales étrangères, couvrant ainsi les besoins d'opérations dans le monde entier. La structure elle-même n'avait pas de nom. Ceux qui faisaient appel à ses services ou y travaillaient la nommaient l'Entité.

Depuis plusieurs jours, l'Entité était chargée de retrouver le directeur financier de Willard Consulting, un puissant groupe de lobbying de Lausanne. L'homme avait disparu avec des données dont la divulgation devait à tout prix être évitée. Il était vingt-deux heures mais, comme la plupart de ses collègues de l'Entité, Nick Snee, un jeune analyste, continuait à travailler, plongé dans une base de données du ministère suisse des Transports.

L'affaire était classée « Flash Priorité Rubis », le plus haut degré d'urgence. La tempête qui devait plonger la vie de Nick dans un chaos indicible s'annonça sous la forme la plus banale qui soit : un appel téléphonique. Werner, le partenaire de Nick, un trentenaire nerveux au corps de culturiste, affublé d'un accent germanique à couper au couteau, avait abandonné ses dossiers quelques minutes plus tôt, épuisé, et surfait sur Internet pour se détendre.

— Tu décroches à ma place ? dit Werner. Je suis en train de m'acheter un bateau.

— Ça fait six mois que tu t'achètes un bateau, rétorqua Nick, et je n'ai toujours pas vu l'ombre d'une quille.

— Justement, faut que je me bouge si je veux trouver mon bonheur. Allez, fais-moi plaisir.

Nick s'empara du portable tout en le passant en mode haut-parleur.

– Lucas ? fit une voix inconnue.

La procédure standard à l'Entité était de ne jamais donner sa véritable identité. Pour l'extérieur, Werner, si c'était son vrai prénom, était Lucas.

– Salut, Mickey ! hurla Werner à l'autre bout de la pièce.

Mickey était un dealer affublé d'oreilles démesurées qui lui avaient valu son surnom. Il était l'un des indicateurs que Werner, qui avait passé six ans à la brigade des stupéfiants de la police de Zurich, avait mis sur l'affaire, partant du principe qu'un homme en fuite peut avoir besoin de contacter des personnes frayant dans les milieux interlopes.

– C'est Noël, mon pote ! Papa Mickey est arrivé avec son beau traîneau.

Nick sentit son cœur s'emballer. Jamais il n'aurait pensé que le fugitif, homme discret, riche et respecté, puisse croiser la route d'un des voyous connus de son collègue.

– J'ai trouvé un gars qui ressemble à celui que vous cherchez, reprit le dealer. Un bourge en cavale, friqué, genre cadre de banque. Il se planque dans un squat, à côté de Zurich. Il a un flingue et une sacoche bourrée de documents. Ça pourrait être le mec que tu cherches. Ça t'intéresse ?

– Et comment ! Mickey, tu peux être plus précis sur le squat où il se planque ? demanda Werner.

– Ouais. C'est une ancienne usine désaffectée. Dans une zone industrielle, tout au nord. Chimic Cystine, ça s'appelle. Les toxicos l'appellent l'Usine.

Werner leva le pouce vers Nick en signe de victoire. Ils échangèrent encore quelques informations, puis Werner raccrocha après avoir promis à Mickey de lui verser sa prime dès le lendemain.

– Je préviens le général, dit Werner, très excité.

Le général était le fondateur de l'Entité. Il parlait anglais, français, allemand et russe sans accent, personne ne connaissait sa véritable identité, ni ne savait exactement de quelle nationalité il était. Werner revint quelques instants plus tard, l'air déçu.

– Il est comme fou ! Il envoie une équipe K complète là-bas, pour récupérer le fugitif, mais il ne m'a pas proposé d'y aller avec eux. On est placardisés, mon pote.

– En quel honneur ?

– Tu connais le général, cet enfoiré a-t-il déjà daigné te donner la moindre raison à l'une de ses décisions ?

– Toute cette histoire est bizarre, remarqua Nick. J'aimerais bien comprendre pourquoi ce dossier est mis à un tel niveau de priorité. Flash Rubis, il paraît que c'est la première fois qu'un truc pareil arrive.

– Allons voir nous-mêmes ce qui se passe, proposa Werner.

Nick posa les pieds sur la table.

– Je crois qu'on devrait rester à l'écart. Je n'aime pas cette affaire. Je ne sais pas pourquoi, je ne la sens pas.

– Allez, Nick, arrête de te faire des nœuds au cerveau ! C'est moi qui ai trouvé le gars, j'ai le droit de savoir. On y va.

Quelques instants plus tard, ils filaient à toute vitesse vers Zurich. L'Entité n'avait théoriquement pas le droit de mener des actions de terrain en Suisse, chasse gardée des services officiels de contre-espionnage, mais les écarts étaient nombreux. En fait, l'Entité ne respectait aucune loi, à commencer par la subtile et complexe répartition des missions entre organisations fédérales suisses.

– Tu m'exaspères, avec cet air de chien battu. Qu'est-ce qui t'arrive ? Tu as peur ? demanda Werner.

– Toute cette histoire pue. Je te répète qu'on ferait mieux de se tenir à l'écart, c'est tout. On est des analystes, point barre, pas des K.

Les K étaient les troupes de choc de l'Entité. Une vingtaine d'hommes qui vivaient dans un secret encore plus absolu que le reste de l'équipe. Nick en avait aperçu quelques-uns au siège, au hasard des missions, il avait aussi entendu des dizaines d'histoires sur les exploits insensés qu'ils étaient censés avoir réalisés. Si elles étaient vraies, ces hommes méritaient le respect. Ils étaient dirigés par Joseph, le numéro deux de l'Entité, un homme taciturne à l'aura de mystère et de danger.

Nick croisa son propre regard dans le rétroviseur : il n'avait vraiment pas le look d'un K, c'était le moins que l'on puisse dire. Il était de taille moyenne et, s'il pratiquait de nombreux sports de plein air, il avait plus l'air d'un étudiant attardé que d'un agent secret. Il portait ses cheveux châtains et bouclés mi-longs, un peu au-dessous du col de sa chemise. Il avait des yeux bleus rieurs et sa mère lui avait légué des fossettes qui éclairaient son visage à chaque sourire.

Dès l'entrée dans la banlieue de Zurich, le paysage urbain changea.

– Je suis paumé. Tu as téléchargé le plan sur Google Maps ?

– C'est bon, répondit Werner, qui s'activait sur la tablette posée sur ses genoux. Je vais te guider.

Mickey leur avait expliqué que le fugitif se cachait au premier étage du complexe abandonné, dans la « chambre d'amour ».

« La chambre d'amour ? avait questionné Nick.

– Ouais, c'est l'endroit où les toxicos qui veulent se faire du fric retrouvent leurs clients. Là où ils vendent leur cul pour de la poudre, quoi ! »

Tandis qu'ils se rapprochaient de leur destination, l'environnement se dégradait. Immeubles et entrepôts vides, carcasses de voitures désossées reposant sur des essieux.

– On se croirait à Beyrouth, dit Nick, tendu. C'est quoi, cet endroit ?

– L'envers du modèle suisse, mon pote.

L'éclairage public était en panne, tout était plongé dans la pénombre. Des voitures circulaient pourtant en assez grand nombre, contribuant à rendre l'atmosphère encore plus étrange.

– Qui sont ces gens ? demanda Nick.

– Des clients. Ils cherchent des putes ou de la drogue. Parfois les deux.

Finalement, une silhouette fantomatique se dressa devant eux. Immense. Une ruine urbaine, balayée par la pluie. Les deux cheminées de brique érigées de chaque côté du bâtiment ressemblaient à d'étranges proues inutiles. Les canettes vides et les seringues craquaient sous les roues de la voiture. Nick se gara à côté d'une benne avant de couper le moteur.

– Cet endroit me fout la trouille, avoua-t-il.

– Le jeune Nick Snee découvre à trente ans que la Suisse n'est pas composée que de zones pavillonnaires, comme celle où il a grandi avec maman, railla Werner. Je rêve ! C'est un squat, rien de plus. Un trou à rats rempli de losers défoncés.

– Et probablement dangereux.

– Tu parles ! Dès qu'ils nous verront, ils fileront comme les cafards qu'ils sont.

– Qu'est-ce qu'on fait, maintenant ? On attend l'équipe de choc ?

– Tu ne veux pas savoir pourquoi le général envoie dix K récupérer un mec seul ? répondit Werner. Cette histoire pue, c'est toi qui l'as dit.

Nick prit les jumelles de vision nocturne.

– C'est dingue, murmura-t-il. Il y a du mouvement dans tout le bâtiment. J'aperçois quelques lumières.

– Ils ont fait un branchement sauvage sur un câble. Ils font toujours ça dans les squats.

– Non, c'est trop vacillant pour être de l'électricité. Ce sont des lampes à gaz ou des bougies.

Une heure passa sans qu'ils voient le moindre commando investir les lieux. Soudain, Werner passa le bras à l'arrière et ramena un fusil à pompe, caché sous une couverture. Le bruit de la culasse claqua dans l'habitacle.

– Qu'est-ce que tu fabriques avec ce truc ? On n'a pas le droit d'utiliser d'arme sans autorisation.

– Tu te fous de ma gueule ?

– Werner, on ne peut pas entrer là-dedans tout seuls. On va se faire massacrer par les dealers.

– Parole d'ex-flic, on va y aller, mon pote. Il y a un flingue dans la boîte à gants, tu n'as qu'à le prendre.

– Je te répète que je suis un a-na-lys-te. Je suis complètement nul au tir.

– On va amener la voiture de l'autre côté de l'usine. La tour sud forme un angle mort, personne ne nous verra. Arrête de geindre et démarre, mollasson.

À contrecœur, Nick entama une approche lente vers le bâtiment, tous feux éteints. De près, l'usine désaffectée était encore plus effrayante. Werner eut un ricanement.

– La cathédrale de la dope…

Une fois garés sous l'une des cheminées, ils attendirent quelques minutes en silence.

– Allez, on y va ! décida brusquement Werner. De toute manière, ces mecs des équipes K sont des pros de l'approche discrète, on pourrait faire les poireaux toute la nuit pour découvrir ensuite qu'ils sont déjà repartis avec le fugitif.

Ils s'engouffrèrent dans le bâtiment par un trou dans le mur. Nick marchait depuis une cinquantaine de mètres lorsqu'il s'arrêta brusquement, terrassé par une odeur pestilentielle. Werner s'était figé lui aussi.

– Putain, Werner, c'est quoi, cette odeur ? gémit Nick. Ça sent la pisse !

Il se détourna pour vomir, imité quelques secondes plus tard par son ami. L'odeur d'urine était tellement forte qu'ils suffoquaient, la bouche ouverte comme des poissons hors de l'eau. Brusquement, la mémoire revint à Werner.

– Oh, merde ! Je suis sûr d'avoir lu un article sur cette usine. Elle a fermé il y a deux ans. Ce médicament, la cystine, ça se fabrique à partir d'urine de bovin ou de porc, de plumes d'oiseau et d'autres trucs dégueulasses. C'est pourquoi ça pue. La municipalité

30

les a fait partir, ils veulent convertir toute la zone en habitations.

– On ne peut pas rester là, plaida Nick, au bord de la syncope. Faut aller chercher des masques ! Rentrons au bureau.

Une seconde, son collègue fut tenté d'accepter. Puis il pensa au fugitif. C'était normalement à la police fédérale de rechercher les personnes en fuite. Pour que l'Entité mette tous ses moyens sur une affaire en apparence aussi banale, il fallait qu'elle soit vraiment explosive.

– J'ai trouvé ce type, je vais le ramener enrobé de papier cadeau au général, dit-il d'un ton qui ne souffrait pas la contradiction.

Un mouchoir devant la bouche, ils s'enfoncèrent dans le bâtiment. Le rez-de-chaussée était gigantesque, plus de deux cents mètres de long, une vingtaine de mètres de haut, au moins. Il était encombré par des alambics encore à moitié remplis de liquide jaunâtre. C'était là que l'odeur était la plus forte. De grosses gouttes tombaient à intervalles réguliers. *Ploc. Ploc. Ploc.* Nick et Werner avançaient en titubant, avec l'impression que leur marche était rythmée par les gouttes de liquide nauséabond qui s'écrasaient au sol avec une régularité de métronome.

Il y avait du monde dans cette nef, des dizaines de morts vivants maigres comme des clous, allongés pour beaucoup sur des paillasses. Devant chacune, des bougies brûlaient. Ils passèrent devant ce qui avait dû être une jolie fille, pas plus de trente ans, qui tourna vers eux un visage ravagé. Il lui manquait une dent sur deux. Du liquide jaunâtre lui coulait dessus depuis l'un des alambics, sans qu'elle réagisse. Le cœur de

Nick se serra mais il accéléra le pas. Il n'y avait rien à faire pour elle, en tout cas rien que *lui* puisse faire.

Ils passèrent une porte et se retrouvèrent dans une seconde nef, plus petite, où il n'y avait presque pas de bougies. Ceux qui résidaient là étaient au bord de la mort, trop pauvres pour pouvoir s'éclairer. Les grilles du sol étaient bouchées par des détritus immondes. Ils pataugeaient dans des flaques jaunasses, souillant leur pantalon. Deux ou trois hommes s'approchèrent, mais la vue du fusil les fit reculer, ils s'égaillèrent comme des oiseaux. Nick désigna un escalier en béton sur sa droite. Le fugitif se cachait au premier étage, avait dit Mickey. Là-haut, ils s'arrêtèrent : à cet endroit, l'air était respirable.

– Mon Dieu, de l'air pur ! s'extasia Nick.

– On finit par l'oublier, fit une voix.

Ils se retournèrent en même temps, pour voir sortir de l'ombre une silhouette décharnée. C'était une femme, le crâne couvert de croûtes. Il était impossible de lui donner un âge, n'importe lequel entre trente et soixante ans. Elle était vêtue d'un short de cycliste rose, qui moulait son sexe comme une seconde peau, d'un bustier de mariée en dentelle blanche constellé de taches, d'un coupe-vent vert et de vieilles baskets jaunes usagées. Une vision sortie d'un film d'épouvante.

– Qu'est-ce qu'on finit par oublier ? demanda Werner, qui avait retrouvé ses esprits.

– L'odeur. Au rez-de-chaussée, dans la zone, c'est l'horreur. Seuls les zombies supportent. Paraît que les cuves de pisse vont mettre encore deux ans pour se vider. Ici, on oublie l'odeur. La pisse te pleut pas dessus et l'air frais passe par la toiture. C'est la zone première classe.

Elle ne plaisantait pas. Même en enfer, il y avait une première classe.

– Qui que vous cherchez ? demanda-t-elle.

– Un fugitif. Friqué, pas un look de toxico.

– Je vois, dit-elle avec mépris. L'est arrivé avant-hier, fait que dégueuler. S'habitue pas à l'odeur. Veut même pas baiser avec les filles. Doit attendre que'que chose, vot' gars. L'a pas une tronche à se piquer.

– Tu sais où il est ?

La femme tendit la main. Elle arracha le billet des doigts de Werner, avant de l'enfouir dans son coupe-vent.

– Suivez-moi.

Après la nef du bas, le premier étage offrait une vision radicalement différente. C'était une ruche où se mêlaient clochards, toxicos et dealers, une humanité interlope cachée des autres. Leur passage déclencha une sorte de murmure vite éteint. Arrivée à une intersection, la femme tira Nick par le bras, pour les entraîner dans un couloir étroit. L'air résonnait de bruits aisément reconnaissables, entrecoupés de cris.

– Faut passer par là, dit la femme à Nick, un horrible sourire aux lèvres. Tu verras, ça te donnera p't-être envie.

Il s'agissait d'une pièce tout en longueur, séparée en de multiples alcôves. Les portes des box avaient été volées mais l'intimité était assurée par des rideaux, certains ouverts, d'autres non. Des bougies étaient posées un peu partout, dans des trous creusés dans les murs. Des clients s'agitaient dans un concert de gémissements et de grognements obscènes.

– La chambre d'amour, souffla la femme.

Nick avait l'impression de se trouver dans un tableau de Jérôme Bosch. Encore un couloir, encore des pièces. Puis une porte fermée. La première depuis qu'ils étaient entrés dans l'usine.

– C'est derrière, dit la femme.

Brusquement, elle s'enfuit par un escalier dérobé.

– Attends ! cria Nick.

Mais la femme avait disparu… Werner ouvrit la porte, une barrière d'acier de plusieurs mètres de haut. Un premier couloir, vide, formait un coude à angle droit. Il s'accroupit et risqua un coup d'œil.

– Tu vois quoi ? chuchota Nick.

– Un couloir immense. Deux mecs armés à trente mètres, assis devant une table au milieu du couloir. Ils doivent garder le stock de dope. Impossible de passer sans casse.

Nick glissa une tête. Au même moment, deux points rouges apparurent sur la tête des hommes.

– Des pointeurs laser. C'est l'équipe K, murmura Werner.

Une courte rafale, couverte par des silencieux, claqua. Les dealers s'effondrèrent, tués net.

– Ils ont tiré sans sommation ! s'exclama Werner en se retournant vers Nick, abasourdi.

Plusieurs hommes jaillirent au même moment d'un autre escalier. Combinaisons et cagoules noires, armes à l'horizontale. L'un d'eux se retourna d'un bloc en voyant Nick et Werner. Celui-ci se releva brusquement en levant les mains.

– C'est moi.

Une rafale déchira l'air, l'atteignant au torse. Il s'effondra.

— Werner ! hurla Nick.

Comme dans un cauchemar, il vit l'arme dévier dans sa direction, le canon noir braqué sur sa tête, l'index de l'homme crispé sur la détente. Puis brusquement le canon du fusil se releva. Le K fit un signe à Nick pour lui signifier qu'il l'avait reconnu, avant de lâcher quelques mots à voix basse dans son micro. Nick se pencha sur Werner. Son collègue avait les yeux grands ouverts. Le sang giclait d'une horrible blessure au torse. Bouleversé, Nick lui prit la main.

— Werner, s'il te plaît. Reviens. Reviens.

Le commando s'approcha.

— Vous êtes cinglés ! hurla Nick. Vous l'avez tué. Il est mort !

— Vous auriez dû vous identifier, répondit le K froidement. On vous avait ordonné de rester à l'extérieur. Toute personne se trouvant dans l'enceinte de ce bâtiment est une cible potentielle.

Nick ne voyait que ses yeux, à cause de la cagoule. Il reconnut pourtant l'homme, qu'il ne connaissait que par son prénom : Wilfrid. Il n'y avait pas la moindre trace de honte ou de regret dans la voix de Wilfrid. Comme s'il avait écrasé un insecte.

— Les portables ne marchent pas ici ! cria Nick.

— Vous ne deviez pas être à l'intérieur. On doit récupérer le fugitif à tout prix, ce sont les instructions. On supprime tout ce qu'il y a entre nous et lui.

— Mais, bon sang, pourquoi ? Qui est ce type ?

— « La capture du fugitif est une priorité d'État, elle prime sur toute autre considération », récita le commando.

Il attrapa Nick par le col et le ramena jusqu'au couloir, où il le projeta de toutes ses forces. Nick se sentit voler, avant de retomber sur le sol en ciment. Le commando revint quelques secondes plus tard, avec le fusil, qu'il lui lança.

– Retourne au bureau. On s'occupe du fugitif et du corps de Werner.

Il disparut. Nick resta à terre quelques instants, essayant de reprendre son souffle, avant de se relever, des larmes plein les yeux. Que se passait-il ? Son monde s'effondrait. Il s'engagea en titubant vers la sortie. Dans la chambre d'amour régnait un silence de mort. La plupart des junkies s'étaient enfuis, les autres se terraient dans leurs cellules.

Alors qu'il passait devant un matelas, rencogné dans une sorte d'alcôve en plâtre, Nick remarqua que le tissu qui l'obstruait lorsqu'ils étaient passés était tiré. Un pardessus luxueux était posé sur une caisse, à côté de la paillasse. Surmontant sa peur, il entra dans l'alcôve. Il y avait un sac de voyage en cuir contre le mur. Il l'ouvrit. Des polos, des chemises, des sous-vêtements, tous neufs, tous de grandes marques. Aucun drogué ne pouvait se payer des objets d'un tel prix. Pas dans cet endroit.

– C'est là qu'il était, ton gars, dit soudain une voix derrière Nick.

Il se retourna. C'était la femme.

– Faut pas m'en vouloir, reprit-elle. Le gars que tu cherches, il m'avait donné deux cents francs pour envoyer dans la mauvaise direction tous ceux qui seraient après lui. Ton pote, il ne m'a donné que cinquante.

– Où est-il, maintenant ?

– Envolé. L'a pris un autre escalier. Oublie, tu le rattraperas pas ! Tes copains non plus.

Nick se laissa tomber sur le matelas, dépassé.

– Je sais pas qui est ce mec, dit la femme. Mais doit être vachement important, tes copains sont en train de massacrer tout le monde, de l'aut' côté, pour le retrouver.

Le regard de Nick accrocha soudain un protège-CD, posé à côté du matelas. Le couvercle était à moitié arraché, comme si le fugitif l'avait ouvert précipitamment avant de s'enfuir. Au dos de l'étui, il y avait une longue suite de lettres : *RD. JK. GN. AD. LP. OK. BR. TG. RR. OL. TA. SW. PM. ER. WAJ. GT. JKO. KL. PP. MK. JH. DF. GHJ. KLP.*

Il le retourna. Sur le couvercle était inscrit au feutre *Dossier Mandrake.*

## 2

Oussama rentra chez lui un peu plus tard que d'habitude, vers neuf heures du soir. Il habitait loin du centre de Kaboul, dans le quartier pauvre de Khirkoma, son salaire ne permettant pas de s'offrir mieux, même en y ajoutant celui de son épouse. Évidemment, s'il avait accepté des pots-de-vin, ou si sa femme avait officié dans le secteur privé, les choses auraient été différentes. Il aimait pourtant l'animation et la joie qui régnaient dans ce quartier familial, où beaucoup de voisins se fréquentaient, hommes et femmes de leur côté naturellement. Son grand plaisir, le samedi, était d'aller à pied jusqu'au marché de Panjsad Familli, tout près de chez lui, pour y déambuler sans but au milieu des vendeurs d'oiseaux. Les marchands connaissaient Oussama et aimaient à lui montrer leurs derniers spécimens. Parfois, il en prenait un. La sensation de cette petite boule soyeuse et sans défense dans ses grandes mains l'emplissait d'une vive émotion.

Il salua le policier en faction devant chez lui et ouvrit la porte d'entrée. C'était une maison modeste en brique et torchis, avec un toit plat, comme on en trouve dans tous les quartiers populaires des villes afghanes : un seul étage, trois chambres, un double living, une cuisine, le tout avec les fils électriques qui pendaient aux murs. Au moins possédait-elle l'eau courante : quelques centaines de mètres au-dessus de chez lui, on entrait dans le bidonville de Postakacho, où l'eau n'arrivait pas. Les femmes s'épuisaient à marcher des kilomètres quotidiennement, dans un froid glacial l'hiver et une chaleur torride l'été, pour rapporter quelques bidons à leur famille. La file de ces femmes lui serrait le cœur.

Il posa sa serviette sur le canapé, ouvrit une fenêtre pour aérer. Les tapis de laine de chèvre au sol étaient simples mais en bon état, il possédait plusieurs meubles, ainsi que des boîtes multicolores peintes à la main pour ses biens les plus précieux. Luxe suprême, la salle de bains était équipée d'un vieux ballon russe qui fournissait de l'eau chaude. En revanche, il n'avait jamais pu réunir l'argent pour acheter un chauffage moderne et devait se contenter d'un vieux poêle.

Il entendit du bruit dans la cuisine. Sa femme était rentrée de l'hôpital. Elle pénétra dans le salon, drapée dans une robe d'intérieur orange, ses longs cheveux roux cascadant sur ses épaules, une revue occidentale à la main.

Malalai Kandar était gynécologue. Indépendante, féministe et libre d'esprit, elle avait effectué l'essentiel de ses études de médecine à Bakou, du temps de l'Union soviétique. Elle supportait tant bien que mal l'ordre moral afghan, sa tâche rendue plus facile par le fait que tous ses patients étaient des femmes. Pour les autres spécialités médicales, la vie était devenue impossible : les femmes ne pouvaient plus soigner les hommes ni côtoyer de collègues masculins, médecins, cadres ou infirmiers. Depuis le départ des Russes, la nasse intégriste se refermait lentement mais sûrement sur les Afghanes, les réduisant à la soumission absolue.

– Comment s'est passée ta journée ? demanda-t-elle.

– Intéressante. Je viens d'hériter d'une histoire bizarre.

Malgré trente ans de mariage et deux enfants aujourd'hui adultes, le troisième étant décédé durant la guerre contre les Russes, leur couple affichait une solidité aussi parfaite qu'au premier jour. Oussama n'avait jamais trompé sa femme, ni songé à en prendre une plus jeune. La loi islamique l'autorisait à posséder jusqu'à quatre épouses, pourvu qu'il leur assure le même niveau de vie, mais Malalai lui avait promis qu'elle partirait avec ses attributs virils dans la poche s'il essayait de discuter d'une pareille éventualité avec elle. Il n'avait pas insisté. Plusieurs de ses collègues « multicartes » se moquaient de lui dans son dos, et de la pseudo-domination que sa femme exerçait sur leur couple. Il savait que cela le fragilisait dans son métier, mais il était heureux comme cela. Il n'avait pas besoin de quatre épouses.

– Tu me racontes ?

Après une hésitation, il lui décrivit le suicide de Wali Wadi, ses doutes, la présence du ministre et de l'Américain de Dyncorps.

– Khan Durrani est un moins-que-rien, cracha-t-elle, un imbécile corrompu. Il mangeait dans la main des Russes, puis dans celle des talibans, maintenant dans celle de la Coalition. Si les Martiens débarquent demain, il leur vendra des dattes. C'est à cause de ce genre d'hommes que nous vivons comme au Moyen Âge !

— Il n'est pas pire que beaucoup d'autres.

— Ne dis pas des choses que tu ne penses pas.

— Ça s'améliore, tempéra Oussama. Le président Karzaï a été réélu malgré la pression des talibans. Les écoles ont rouvert, l'économie redémarre…

— Et les filles doivent mettre la burqa de plus en plus jeunes…, compléta Malalai. Quand les Russes étaient là, je pouvais me promener habillée normalement, aller dans un café, sortir avec mes amies au cinéma ou au restaurant, acheter ce type de revue idiote sans avoir à me cacher. Maintenant, j'ai l'impression d'être prisonnière.

Depuis sa réélection, le président Karzaï jouait un jeu dangereux. Sous couvert de réconciliation nationale avec les ex-talibans, il ouvrait sournoisement l'appareil d'État à leur influence, préparant *de facto* leur retour au pouvoir, sous une forme plus ou moins déguisée. Des ministres, des députés, des durs anti-talibans, comme le patron des services secrets, plusieurs conseillers influents avaient été poussés dehors, remplacés par des islamistes. La pression qui pesait sur les femmes augmentait. La peur était en train de changer de camp.

— Fais attention, répondit Oussama, on pourrait t'accuser de communisme.

— Je préfère les communistes aux talibans. Au moins, avec eux, les femmes avaient des droits.

Oussama ne répondit pas, sachant que son épouse avait raison. Et puis il n'avait jamais été un habile débatteur, ce n'était pas la peine de se disputer avec Malalai, elle finissait toujours par trouver l'argument qui le laissait interdit.

– Comment vas-tu empêcher cet imbécile de ministre de te créer des problèmes ?

– Je ne sais pas encore. Il faudra que je me méfie, cette histoire sent mauvais.

– Ne prends pas de risque.

– Je dois finir mon enquête. Si cet homme a été assassiné, je dois trouver le coupable.

– Mon pauvre chéri, dit Malalai en le prenant par le cou. Tu es bien le seul à faire ton travail, dans ce pays. Allons dîner, j'ai préparé du *qabali palaw* et du *mantu* bien relevé, comme tu aimes.

Devant l'air inquiet de sa femme, Oussama se leva.

– Je serai prudent, je te promets, dit-il. Maintenant, je vais prier. Nous dînerons après.

*

Sur le chemin de retour vers son bureau, Nick ne réussit pas à joindre ses chefs. À chacun de ses appels, un opérateur anonyme lui serinait la même phrase :

– Aucune communication téléphonique, même cryptée, sur ce sujet. Revenez au bureau.

Au siège de l'Entité, il régnait une activité fébrile. L'*open space* central était bondé malgré l'heure tardive. Il croisa des hommes qu'il n'avait jamais vus auparavant. Des K, encore en train de se débarrasser de leur barda dans la salle de briefing : gilets pare-balles, casques, matériel de transmission, fusils d'assaut équipés de réducteurs de son. Wilfrid, le commando qui avait tué Werner, aperçut Nick et se dirigea vers lui d'une démarche chaloupée.

– Désolé pour ton copain, dit-il d'un ton traînant.

– C'est une bavure inqualifiable !

– C'est toi qui as merdé, Nick, toi et Werner. On vous avait interdit de rentrer dans le bâtiment. Qu'est-ce que vous foutiez là-dedans ?

– Tirer sans sommation est un crime ! Si tu avais réfléchi avant de tirer, Werner serait encore vivant.

– J'ai appliqué la procédure. Werner et toi, vous vous êtes comportés comme des amateurs.

Nick s'apprêtait à bondir sur lui lorsque le général arriva à grands pas.

– Arrêtez immédiatement cette scène, ordonna-t-il.

Son air furieux parlait de lui-même. Depuis sa création, c'était le premier échec – et de taille – de l'Entité. Il dévisagea successivement Wilfrid et Nick. Pressé par le temps, il avait délibérément choisi d'envoyer ses K malgré l'absence de Joseph, leur chef, en déplacement en France. Il avait laissé Wilfrid, moins expérimenté, mener l'assaut. L'équipe avait étudié les plans de l'usine avant d'intervenir, mais ces derniers, incomplets, ne mentionnaient pas certains tuyaux d'évacuation des eaux usées. Le fugitif s'était enfui par là.

Le général se tourna vers Nick.

– Snee, dans mon bureau. Immédiatement.

Le général occupait le bureau d'un homme puissant : soixante-dix mètres carrés, une vue dégagée grâce à trois immenses fenêtres aux vitres blindées. Il était meublé dans un style anglais traditionnel, un peu affecté, égayé par quelques maquettes de bombardiers à hélices de la Seconde Guerre mondiale. Une gigantesque peinture à l'huile représentant un B52 larguant ses bombes au-dessus d'une rizière occupait tout un pan de mur. Une réminiscence d'un début de carrière dans les troupes aéroportées, murmuraient certains.

Nick, quant à lui, avait l'impression très nette que le général préférait les avions aux hommes.

— Asseyez-vous, ordonna le général sèchement.

Bien qu'il soit habillé en civil, il émanait de lui une autorité naturelle, renforcée par des années de commandement militaire.

— Vous avez merdé, Snee. Vous êtes entrés dans cette usine sans prévenir nos équipes. Vous vous êtes découverts au moment de l'intervention. Des fautes de débutants. À cause de vous, Werner est mort.

— Nos hommes n'avaient pas à ouvrir le feu sans sommation.

— Des sommations ? Où vous croyez-vous ? Il n'est pas question de sommations, nous ne sommes pas des flics, Snee. Nous sommes des soldats en guerre, même si nous opérons en civils.

— Mais…

— On va prévenir la famille de votre collègue qu'il est décédé pendant un entraînement. Werner était divorcé, il n'avait pas d'enfant. Il n'y aura pas d'enquête, et je vous demande de fermer votre grande gueule sur cet incident. En fait, je vous l'ordonne. Si vous posez le moindre problème, je vous écrase.

Malgré lui, Nick opina.

— Snee, dites « Oui, mon général », ordonna son interlocuteur d'une voix forte.

— Oui, mon général.

Il avait l'impression d'être un enfant humilié par son maître d'école. Son ami était mort, le général le traitait comme un gamin, pourtant il s'écrasait sans réagir. Bon Dieu, pourquoi ne se levait-il pas pour dire ses quatre vérités à ce psychopathe ?

Soudain, le visage du général s'éclaira d'un sourire.

– Vous verrez, Snee, vous oublierez. À la guerre, on perd des hommes. C'est triste, mais c'est la réalité. Nous travaillons pour la civilisation, l'Occident avec un grand O, cela vaut la peine de prendre des risques. Maintenant, donnez-moi une raison, une seule bonne raison, de ne pas vous révoquer immédiatement de l'Entité pour ne pas avoir appliqué les ordres de vos supérieurs.

Nick était stupéfait par le changement d'attitude de son chef. Il avait déjà passé la mort de Werner par pertes et profits.

– Je n'ai pas de raison à vous donner. J'ai fait ce que je croyais bien, et n'ai aucune responsabilité dans la mort de Werner, quoi que vous pensiez. J'ai moi aussi une question pour vous. Est-ce que vous cherchez un document appelé « Dossier Mandrake » ?

Le général manqua de s'étrangler.

– Bon Dieu, de quoi parlez-vous ?

– De ça.

Nick posa sur le bureau l'étui de CD qu'il avait ramassé à l'Usine. Après un moment d'hésitation, le général l'examina sous toutes les coutures. Il jaugea Nick, avant de lâcher :

– Rentrez chez vous.

– Sait-on ce qui se trouve dans ce rapport Mandrake ?

– Nick, je vous interdis formellement de discuter de tout cela avec quiconque, y compris au sein de l'Entité.

Nick devina qu'on ne lui dirait rien de plus. Alors qu'il passait la porte, le général ajouta :

– L'existence de ce dossier est classifiée. Même son nom est un secret. Nous nous comprenons ?

Après une matinée peu intéressante, Oussama avait fini par recevoir de Gulbudin, son autre adjoint, la première ébauche de rapport sur le suicide de Wali Wadi. Âgé de quarante-cinq ans, Gulbudin était inspecteur en chef depuis dix ans. Il avait perdu un pied sur une mine russe dans les montagnes du Khawak, quelques années plus tôt, mais se déplaçait très facilement grâce à une prothèse offerte par un programme de soutien des Nations unies. Il avait également perdu un œil, « souvenir » d'un éclat d'obus lorsqu'en 1996 les troupes de Massoud avaient provoqué un véritable massacre en bombardant Kaboul, s'attirant la haine de la majorité de ses habitants. Grièvement blessé à cette occasion, il avait été ramassé par Oussama, qui l'avait amené lui-même à l'hôpital, en dépit des obus qui s'abattaient autour d'eux. Depuis, Gulbudin lui était fidèle jusqu'à la mort. Autre atout, il était hazara et non pachtoun.

Ayant lu son rapport attentivement, Oussama rabattit la couverture de la chemise cartonnée. Le rapport était parfait, ne privilégiait aucune piste, mais n'en fermait aucune non plus. La prose de Gulbudin était unique en son genre. Pour Oussama, qui avait parfois du mal à évoluer dans le milieu bureaucratique et alambiqué du ministère de la Sécurité, c'était une aide précieuse. La plupart des jeunes policiers étaient d'une génération qui n'avait connu que les écoles coraniques, les talibans ayant fermé les universités laïques, et le niveau de leur expression écrite s'en ressentait. C'était l'une des raisons pour lesquelles, outre leur fidélité et leur intelligence, Gulbudin et Babrak lui étaient indispensables : ils étaient des intellectuels autant que des policiers. Oussama était fier d'avoir des adjoints plus diplômés que lui et ne ratait jamais une occasion de les mettre en valeur devant ses supérieurs.

Il sortit dans le couloir et convoqua les autres membres de sa garde rapprochée : Abdul, un jeune policier prometteur qui avait passé deux ans en stage au sein de la police criminelle allemande, ainsi que Djihad et Rangin, deux enquêteurs d'une trentaine d'années, redoutables tous les deux. Djihad était un ancien artificier de l'Alliance du Nord, un des rares Pachtouns ayant rejoint les troupes tadjikes de Massoud. Il était né dans une famille de croyants adeptes du wahhabisme, l'une des formes les plus rigides de l'islam. Ses quatre frères s'appelaient Djihad et ses cinq sœurs Palestine. Pourtant, Djihad vénérait l'Amérique, le hard rock et le cinéma. Il accomplissait ses prières rituelles, comme il se devait dans un pays où l'islam était religion d'État, mais mollement. Oussama ne discernait pas la moindre conviction religieuse en lui. D'ailleurs, Djihad était toujours rasé de près, s'habillait comme un étudiant occidental, en jean et baskets. Pour sa part, Rangin était fils d'un laïc communiste convaincu, qui avait travaillé pour le Khad, les services secrets, du temps des Russes. Le père de Rangin avait été assassiné par les talibans dès leur arrivée au pouvoir. Rangin était roux aux yeux verts, comme certains Afghans du Nord, mais son apparence était tellement slave qu'elle faisait jaser au commissariat : beaucoup spéculaient sur la réalité de ses origines, Rangin ayant été conçu quelques mois après l'invasion russe... À la différence de Djihad, il était plutôt puritain, même s'il s'habillait à l'européenne et portait le visage glabre. Rangin et Djihad étaient les meilleurs amis du monde et travaillaient toujours en duo. Ils étaient les seuls Pachtouns de son équipe en qui Oussama avait une confiance absolue.

– Le rapport de Gulbudin est excellent, déclarat-il tout de go. Avec ça, on devrait pouvoir continuer à travailler sans encombre pendant encore quelques jours. Bravo !

Gulbudin baissa modestement les yeux.

– Que doit-on penser de la présence du ministre au domicile de Wali Wadi ? demanda Djihad.

– Que doit-on penser d'un homme qui porte une Rolex au poignet ? Méfiez-vous de lui, de tous ceux qui travaillent pour lui, des hommes de son clan. À partir d'aujourd'hui, on fonctionne en vase clos, aucune déclaration à vos collègues, pas de confidences. C'est d'accord ?

– Oui, qomaandaan.

Oussama se tourna vers Babrak.

– Le corps ?

– J'ai réclamé une autopsie dès aujourd'hui. Le *daktar* Mimouda était de garde, mais sachant ce que vous pensez de lui j'ai demandé au daktar Katoun de l'effectuer. Il accepte de s'en occuper, parce que c'est vous. Je lui ai promis que vous lui offririez un panier de ces fraises dont il raffole dès qu'elles arriveront sur les marchés.

Oussama grogna. Les fruits de la vallée du Panshir étaient réputés dans toute la région, surtout les premières fraises de printemps. Cela allait lui coûter au moins cinquante afghanis, mais c'était pour la bonne cause. Katoun était un chirurgien réputé et honnête, qui avait fait son internat en Azerbaïdjan, alors qu'il soupçonnait Mimouda, médecin-chef des universités, de ne pas avoir son baccalauréat. Mimouda faisait partie de ces hommes incultes et intrigants qui avaient émergé pendant l'ère des talibans, mais qu'on n'avait pas osé révoquer à leur départ, au cas où…

– Demande au daktar de regarder le cou du mort. Je n'ai pas vu de marque, mais s'il a été étranglé, sa glotte a peut-être été abîmée. Qu'il cherche aussi des traces de peau sous ses ongles.

– On l'aurait tenu pendant qu'il… se suicidait ?

– Quelque chose comme ça. Il me faut un test de poudre sur les mains, je n'ai rien senti. Enfin, qu'il analyse ses aisselles, sa peau, le contenu de son estomac ainsi que ses gencives. Si on peut confirmer qu'il s'est lavé les dents avant de mourir, on aura un argument. Et, surtout, qu'il envoie le rapport au ministère de la Justice en même temps qu'il me le fait passer.

Babrak hocha la tête d'un air entendu. Depuis 2002, l'accord préalable d'un procureur était indispensable pour lancer une enquête criminelle. Malgré leurs efforts, les policiers n'avaient pas réussi à bloquer cette réforme, inspirée du système italien. Heureusement, le ministre de la Justice, un Tadjik qui avait fait ses études en Russie, détestait Khan Durrani. S'il avait le rapport, il serait difficile au ministre de la Sécurité d'exiger qu'on le réécrive ou, pire, d'influencer le bureau du procureur pour empêcher le lancement d'une enquête officielle.

– Que fait-on, maintenant ? demanda Gulbudin.

– Il faut visiter les bureaux de Wadi, déclara Oussama. Gulbudin et Babrak uniquement, les autres, vous continuez à travailler sur le dossier.

Son 4 × 4 attendait déjà dehors, avec l'habituel pick-up plein de policiers aux regards farouches derrière lui.

Les bureaux de Wali Wadi se trouvaient dans le vieux quartier de Murad Khane. Ce n'était pas très loin du commissariat central. En dépit des consignes de sécurité, Oussama avait laissé sa vitre ouverte, humant les parfums de la ville. Kaboul se reconstruisait, des chantiers étaient en cours un peu partout. La Coalition faisait pleuvoir les dollars sur la capitale, aussitôt détournés par les divers clans qui s'agitaient autour du président Karzaï, mais il en restait suffisamment pour soutenir une croissance comme la ville n'en avait jamais connu depuis l'arrivée des Russes. Et puis, il y avait les milliards de l'argent de la drogue, qui alimentaient une spéculation foncière effrénée. Si la guerre reprenait, les roquettes Katioucha des talibans tirées depuis les montagnes proches raseraient tout cela une énième fois, et la ville entamerait un nouveau cycle descendant. C'était décourageant, mais Oussama était bien obligé d'en prendre son parti. Kaboul était sa ville, il n'avait pas envie d'émigrer.

Une explosion retentit soudain dans le lointain. Une fraction de seconde plus tard, les vitres de la voiture tremblèrent. Oussama échangea un regard avec Gulbudin. Encore un attentat suicide. Rien que dans les dix jours précédents, deux groupes de talibans s'étaient fait sauter au milieu de la foule, une fois au passage d'un convoi de *contractors* occidentaux, une autre pour éliminer un haut responsable des services secrets. Kaboul vivait au rythme de ces attaques-surprises dévastatrices.

– On saura tout à l'heure où ça a sauté, dit Babrak d'un air excité. À mon avis, c'était une grosse.

Au bout d'une demi-heure au coude à coude, le chauffeur se gara en double file devant un immeuble moderne décati. Dans le hall, un gardien avachi ne leur demanda même pas qui ils allaient voir. Il faut dire que les trois policiers en civils qui entouraient Oussama, kalachnikov à la main, étaient pour le moins dissuasifs.

À côté de la guérite, une plaque de bronze annonçait « Wali Wadi Holding, 3e étage ». L'ascenseur était en panne, ils prirent un escalier étroit jusqu'au palier du troisième. Une seule porte, avec la même plaque qu'au rez-de-chaussée. Oussama entra sans frapper. À l'intérieur, l'ambiance était radicalement différente. Vaste entrée, parquet élégant, peinture neuve aux murs agrémentés de tableaux modernes, semblables à ceux qu'il avait déjà vus au domicile de Wali Wadi. Un jeune homme était au téléphone derrière un bureau. En voyant les hommes armés, il pâlit et raccrocha précipitamment. Oussama sortit sa carte.

– Vous travailliez avec Wali Wadi ?

– Oui, *sahib*, j'étais son secrétaire particulier, répondit le jeune homme à voix basse. Je vous attendais.

De près, Oussama s'aperçut qu'il avait les yeux soulignés de khôl, ce qui lui donnait un regard de biche, mais cela ne signifiait rien. Les jeunes talibans *aussi* avaient l'habitude de se maquiller.

– Je peux voir son bureau ?

La pièce était immense, avec des doubles rideaux qui la maintenaient dans une semi-pénombre. Les bruits de la rue étaient inaudibles. Des fenêtres blindées, pensa Oussama. Une table de travail en bois sombre, moderne, plusieurs fauteuils tarabiscotés, sans doute libanais, un canapé. Wadi avait mieux réussi dans les affaires qu'il ne l'imaginait.

– Des collègues sont-ils déjà passés ? demanda Oussama.

– Personne, répondit le jeune homme. J'ai appris la nouvelle de la mort de sahib Wadi par la radio ce matin.

Ils avaient donc un temps d'avance sur les sbires du ministre de la Sécurité, songea Oussama avec satisfaction.

– Tout est normal ? Il n'y a pas eu de signes d'effraction ?

– L'alarme était branchée, le bureau était rangé. Je n'ai rien remarqué d'anormal. Personne n'a touché au coffre.

– Il y a un coffre, ici ?

– Derrière le tableau.

Le jeune homme enleva une lithographie, découvrant la porte d'un coffre de dimension respectable, avec un clavier numérique et un petit écran encastré. Sur la porte, Oussama aperçut un logo occidental. « Hartmann ». C'était la première fois qu'il voyait un modèle aussi moderne, on ne trouvait normalement que des vieux coffres russes à Kaboul. Il l'examina de près. Une serrure très profonde. Il avait l'air neuf, donnait l'impression d'être invulnérable.

– Sahib Wali Wadi l'a reçu le mois dernier, précisa le jeune homme. C'est un modèle européen, il l'a fait venir spécialement. C'est le seul modèle de ce genre en Afghanistan, ajouta-t-il fièrement.

Oussama se demanda si Wali Wadi avait un trousseau de clefs sur lui lorsqu'on avait trouvé le corps. Il se tourna vers Gulbudin, celui-ci s'était fait la même réflexion.

– Je n'ai pas fait attention, chef. Je vérifierai en rentrant.

Oussama reporta son attention vers le jeune homme.

– Est-ce que ton patron t'a paru différent ces derniers temps ? Soucieux ou déprimé ?

– Il ne me disait pas grand-chose. Les affaires semblaient bonnes. Excellentes, même.

– Pourquoi a-t-il acheté ce coffre ?

– Sahib Wadi m'a dit que maintenant qu'il jouait dans la cour des grands il fallait qu'il renforce sa sécurité.

– Il a dit « dans la cour des grands » ?

– Oui. Il a acheté le même pour chez lui.

À nouveau, Oussama regarda son adjoint, qui secoua la tête. Le coffre avait échappé à leurs recherches. Oussama maudit sa légèreté. Il faudrait tout reprendre, et plus sérieusement.

– Nous avions changé les serrures du bureau il y a trois mois, poursuivit le jeune homme, et installé une caméra devant la porte d'entrée.

– Je ne l'ai pas vue.

– Elle est bien cachée dans le plafond, seul l'objectif dépasse. C'est également un modèle européen.

Oussama sentit son pouls s'accélérer.

– Tu sais où sont stockés les enregistrements ?

Le jeune homme opina du chef. Il mena Oussama dans une petite pièce contiguë à la cuisine. Un ordinateur dernier cri ronronnait sur une table.

– Tout est sur le disque dur.

– Parfait.

Oussama ordonna qu'on récupère les données. La fouille du bureau ne donna lieu à aucune découverte particulière, à part quelques bouteilles d'alcool, whisky, vodka et vins français, et une pile imposante de revues pornographiques toutes neuves. D'un regard, Oussama autorisa Babrak et Gulbudin, ravis, à embarquer les bouteilles. Ils les revendraient un bon prix à des journalistes ou des coopérants occidentaux. Pour eux, c'était un jour faste.

Lorsque ses hommes revinrent avec le moniteur de l'ordinateur de surveillance, c'était l'heure de la prière du matin. Oussama déplia son tapis au milieu du bureau et se livra à sa prière rituelle, invoquant la miséricorde d'Allah, sous le regard de ses adjoints. Gulbudin et Babrak n'étaient pas pieux, pour des raisons différentes. Gulbudin car au fond de lui il était un laïc convaincu qui regrettait le temps du gouvernement communiste, Babrak parce que, comme beaucoup de jeunes de sa génération, il préférait écouter de la musique occidentale, s'amuser avec ses amis et surfer sur Internet plutôt que prier un Dieu qui avait abandonné son pays depuis belle lurette. Oussama s'en accommodait, lui dont la foi était profonde.

## 3

Le général relut les derniers messages en provenance de Kaboul. Il ne comprenait pas pourquoi la
police enquêtait sérieusement et cela l'inquiétait. Mais
le plus grave était ici, à Berne. Il sortit du coffre le
dossier personnel de Nick, dans lequel il se plongea.
Vingt-neuf ans. Une mère suisse, infirmière, un père
anglais, avocat pénaliste dans un prestigieux cabinet
londonien, un frère plus âgé de quatre ans, banquier
à Singapour. Le divorce des parents de Nick avait
laissé des traces, les deux frères ne se parlaient plus
guère, les parents encore moins. La mère de Nick
s'était remariée avec une sorte d'hurluberlu, apicul-
teur de son état, avec qui elle vivait dans l'est de la
France. Études secondaires médiocres pour Nick, placé
en pension dès quatorze ans, puis un très honorable
double cursus de mathématiques et de langues orien-
tales à l'université de Genève. Déjà, Nick s'était fait
remarquer par sa passion pour les sports extrêmes,
qui cadrait mal avec son air réservé et son physique
d'intellectuel. Une manière d'échapper à sa routine
d'enfant divorcé, plus ou moins délaissé par deux
parents lointains ? Poussé par un de ses professeurs
de langues rares, Nick avait ensuite postulé au SRS,

les services fédéraux suisses de sécurité. Il avait été rapidement remarqué comme « élément exceptionnel ». Classé premier de sa classe d'analystes chaque année. Trois ans plus tard, après un stage en France sous les ordres de Nicole Laguna, *la* spécialiste des criminels en fuite, il avait rejoint l'Entité et intégré l'unité d'analyse stratégique. Depuis son arrivée, Nick avait monté deux opérations qui avaient contribué à lui forger une véritable légende en interne. La première, baptisée « Air kamikaze », une mission noire complexe, avait été réalisée avec l'aide de la DGSE : monter un réseau d'agences de voyages destinées aux candidats djihadistes mais contrôlées par l'Occident. Une banque du Golfe très présente en Suisse avait fort opportunément fourni les crédits et les conseils à une dizaine d'agences pakistanaises et dubaïotes. À leur tête, des islamistes moyen-orientaux et pakistanais purs et durs, classés comme dangereux. Évidemment, ces derniers ignoraient que leur développement était organisé et financé par l'Europe, et leurs activités surveillées par tous les moyens électroniques dont les services occidentaux disposaient. Les agences avaient vendu nombre de billets d'avion à des apprentis terroristes, immédiatement mis sous surveillance lorsqu'ils arrivaient dans des pays amis. Plusieurs attentats avaient ainsi été déjoués, sans que quiconque se doute de la manipulation. À ce jour, les agences continuaient à fonctionner.

La deuxième opération montée par Nick était celle dite du « cochon hallal ». L'affaire avait commencé lorsqu'un religieux, l'imam Sadar, avait fait savoir dans une fatwa particulièrement documentée que, contrairement à ce que croyaient la plupart des musulmans, le cochon n'était pas en lui-même impur : il pouvait être consommé et même apprivoisé comme animal domestique dès lors qu'il était d'une race pure du Golfe persique datant de l'ère du Prophète, appelée « cochon hallal ». Un site anti-cochon hallal avait immédiatement vu le jour, en arabe, persan, dari, anglais, français, puis dans une douzaine d'autres langues, appelant à la rébellion contre l'imam Sadar, accusé d'être un mécréant et un agent sioniste. La controverse avait fait boule de neige, créant un énorme mouvement d'opinion. Le site anti-cochon hallal devint un lieu de rassemblement connu de millions de musulmans à travers le monde. Dans tous les cybercafés du Moyen-Orient et d'ailleurs, des croyants se précipitèrent pour soutenir des fatwas allant du blâme à la décapitation de l'imam Sadar. Les croyants pouvaient également soutenir par des SMS les frères qui proposaient de le pourchasser à travers le monde pour le tuer. Des centaines de milliers de musulmans pétitionnèrent en faveur de la fatwa meurtrière, sans compter ceux, encore plus nombreux, qui envoyèrent des SMS de soutien. Toute cette opération, qui ressemblait à une farce mais avait marché au-delà des rêves les plus fous de Nick, était née de son imagination. L'imam Sadar n'existait pas, quant au site qui avait lancé l'appel à la révolte, il avait été créé par deux analystes de son équipe. Chaque connexion Internet aux pages de soutien aux fatwas meurtrières déclenchait l'envoi d'un cookie discret, qui permettait d'enregistrer l'adresse IP de son propriétaire. De même, les SMS envoyés par les croyants trop crédules étaient enregistrés. Une fois ces éléments recoupés par les gigantesques ordinateurs du réseau Échelon, le site avait permis d'offrir aux différents services occidentaux la plus belle base de données mondiale – totalement illégale, bien sûr – de sympathisants islamistes. Pour les rares responsables occidentaux qui étaient dans la confidence, l'affaire du cochon hallal était devenue un exemple de l'espionnage du xxi<sup>e</sup> siècle – un mélange d'audace, de ruse et de technologie.

Le général poursuivit sa lecture :

Plusieurs petites amies s'étaient succédé au bras de Nick ces dernières années, pour autant que l'Entité était au courant. Il avait également eu une liaison secrète de quelques mois avec une analyste de l'Entité un peu plus âgée que lui, Margaret Hoffman, trente-deux ans. Les relations sentimentales entre agents étaient formellement interdites mais, après le succès de l'opération « cochon hallal », les services de sécurité internes avaient laissé passer. D'après le dossier, Nick et Margaret s'étaient séparés en septembre de l'année précédente, aucune sanction n'avait donc été prise contre eux. L'évaluation de Nick par l'ancien directeur des opérations du SRS était ainsi rédigée :

*Nick Snee : Aptitudes médiocres au combat. Aptitudes médiocres au tir. Aptitudes médiocres aux opérations de terrain. Très intelligent, mais trop gâté, il n'a pas connu la difficulté ni la souffrance. Il ne pourra jamais être un opérationnel de haut niveau compte tenu de son émotivité et de sa résistance insuffisante à la douleur.*

Celle de la Française, Nicole Laguna, auprès de qui il avait été en stage, disait, à l'inverse :

*Si le côté boy-scout de Nick Snee peut le desservir dans la suite de sa carrière, il possède une intelligence et une capacité d'élaboration absolument exceptionnelles, ainsi que l'imagination et la touche d'originalité qui font les plus grands espions. En dépit de son jeune âge, c'est le meilleur analyste que j'aie jamais eu sous mes ordres.*

Le général referma le dossier. Nick était un élément prometteur, une de ces rares personnes capables de créer la rupture à elles toutes seules. Dommage qu'il ait aperçu l'emballage du CD, avec ses vingt-quatre paires d'initiales. Vingt-quatre noms qui n'auraient jamais dû se trouver dans un rapport comme celui-là.

Avec un soupir, il rejoignit la salle de réunion sécurisée. Joseph l'y attendait, assis de l'autre côté de la grande table. C'était un homme de taille moyenne, habillé d'un docker et d'un pull à col roulé noir qui soulignait ses hanches étroites et ses épaules puissantes. Il était impossible de lui donner un âge. Il portait ses cheveux gris coiffés en arrière. Son visage était curieux, avec des joues lisses comme celles d'un enfant, des yeux bleu clair froids comme la mort. Lorsqu'on les croisait, on n'y lisait aucun sentiment, aucune chaleur, rien. La plupart des gens avaient la chair de poule rien qu'en regardant Joseph dans les yeux.

Dans tous les organes de renseignement du monde, le bon équilibre entre civils et militaires est un exercice complexe. Les militaires ont l'avantage de la rigueur, de l'endurance, de l'entraînement et d'une capacité d'obéissance jamais démentie. En revanche, les civils font souvent preuve de plus d'imagination, d'originalité, et ils ont généralement une meilleure capacité à intervenir en milieu urbain. Depuis toujours, espions civils et militaires se supportent, sans vraiment se comprendre. Entre le général et Joseph, c'était différent. Le général avait une confiance absolue dans le chef de son service action, même si c'était un civil, parce qu'il le considérait comme le meilleur de sa catégorie, tout simplement. De son côté, Joseph n'était pas capable d'empathie, pas plus envers le général qu'envers un autre humain, mais il reconnaissait son professionnalisme, son sens stratégique aigu et sa capacité à prendre des coups. Il considérait son chef comme un de ces grands guerriers, à la fois rustiques par leurs valeurs un peu désuètes et redoutablement sophistiqués par leur intelligence, comme l'Occident en produit parfois.

— Où en est la traque ? demanda le général. C'est long. Notre client commence à perdre patience.

— Si Willard Consulting n'avait pas merdé, nous n'en serions pas là. Laissez-moi le temps nécessaire.

— Ce n'est pas leur manière de voir, chez Willard.

— Vu le bordel qu'ils ont créé, ils feraient mieux de se calmer.

C'était vrai, songea le général avec aigreur. Pris de panique en découvrant l'existence de deux exemplaires du rapport Mandrake, l'un à Zurich, l'autre à Kaboul, les dirigeants de Willard Consulting avaient lancé en catastrophe une double opération simultanée. L'élimination de leur directeur financier avait échoué, faisant comprendre à ce dernier qu'il valait mieux prendre la fuite. Le contractor chargé d'éliminer Wali Wadi n'avait, quant à lui, pas réussi à mettre la main sur le document caché quelque part à Kaboul.

Un beau fiasco.

– Comment pouvons-nous reprendre la main ? reprit-il.

– En nettoyant le terrain. Ici et à Kaboul.

Les lèvres trop minces de Joseph se rétractèrent, accroissant l'étrangeté de son visage lisse. Comme s'il était mort, ce qu'il était, d'une certaine manière. Il n'avait pas de famille, pas d'ami, personne sur qui il pouvait compter. Personne ne l'aimait, et il n'aimait personne. Personne ne s'endormait dans son lit le soir, et quand il couchait avec une fille, c'était une prostituée. Il avait tué plus de cent fois et tuerait encore. À cet instant, même si rien ne transparaissait dans son attitude, il éprouvait une sensation proche de la rage, à cause de l'échec de son équipe à l'Usine.

– Nick a-t-il la moindre idée de ce qui se trouve dans le rapport Mandrake ? demanda-t-il calmement.

– Non. Mais il est suffisamment intelligent pour additionner deux et deux. Si par malheur il devine certains des noms auxquels mènent les initiales, nous aurons un problème. Majeur.

– Dois-je agir ?

– Pas tout de suite. Je souhaite d'abord lui donner un rôle plus opérationnel dans la recherche du fugitif.

– Pourquoi ?

– Désormais, que nous le voulions ou non, il est impliqué dans cette affaire. Or Werner et lui ont trouvé le fugitif avant tout le monde : cela prouve qu'il peut rendre service. Nous avons besoin de lui, il est le meilleur analyste de l'Entité. Peut-être trouvera-t-il une piste qui a échappé à tout le monde.

– Et s'il la trouve ?

Le général soupira. Il aimait bien Nick mais, dans cette affaire, les sentiments n'étaient pas de mise.

– Nous verrons s'il faut lâcher vos hommes à ce moment-là. Cela dépendra de beaucoup de choses.

Magnanime, Joseph leva une main.

– Je ferai ce qu'il faut.

– Quand partez-vous pour Kaboul ?

– Tout à l'heure.

– Bien. Coupez toutes les pistes, par tous les moyens. Personne ne doit relier la mort de Wadi Wali au rapport Mandrake. Jamais.

– Avez-vous bien compris que l'enquête officielle se poursuit, là-bas ? Le ministre de la Sécurité a l'air inquiet. Il n'est pas certain de pouvoir arrêter le flic qui la mène.

Pourtant, il le fallait. Les informaticiens de l'Entité avaient démontré que Wali Wadi avait fait une copie du rapport Mandrake sur un CD-Rom. Le policier qui enquêtait à Kaboul pouvait tomber dessus. Le cauchemar absolu pour Willard Consulting comme pour les quelques officiels occidentaux, triés sur le volet, qui suivaient l'affaire.

– Nos ordres sont clairs, stoppez-le. Nous avons carte blanche.

*

L'après-midi, Oussama se mit à la recherche d'un spécialiste capable d'ouvrir les coffres de Wali Wadi. Il appela Reza, un de ses amis, qui dirigeait la section du renseignement de la police de Kaboul, un petit service concurrent du puissant NDS, les services secrets afghans.

– Alors, attaqua ce dernier, il paraît que tu as touché un suicide ? Qu'est-ce qui s'est passé, avec Wadi ? Il avait attrapé le sida ?

– Je ne sais pas encore, répondit Oussama, tout en se rendant compte qu'il faudrait que Katoun fasse une sérologie. L'affaire a l'air compliquée.

– On m'a dit que le patron suivait l'histoire de près. Tu crois qu'ils étaient en affaires ensemble ?

– Pour l'instant, je patauge. J'essaye juste de faire mon boulot sans me prendre une balle perdue.

– Dans ton cas, ce sera plutôt une grenade perdue, ricana Reza. Fais attention à toi. Bon, que me veux-tu ?

– Je cherche quelqu'un capable d'ouvrir un coffre. Un modèle européen dernier cri. Personne ne peut m'aider, à la police scientifique. Tu as ça sous la main ?

– Hum, pas évident. J'avais un spécialiste, dans le temps, un gars qui avait passé vingt ans en Allemagne, mais je ne sais plus où il est. Il paraît qu'il avait rejoint les rangs d'Al-Qaïda, il serait mort à Tora Bora fin 2001. À moins qu'il ne se cache dans la zone tribale. Autant dire sur la Lune…

– Comment fais-tu quand tu as une porte blindée à ouvrir ?

– Hé, Oussama, on n'est pas à Moscou ! Ça n'est jamais arrivé ces deux dernières années. La dernière fois que je n'ai pas pu entrer dans un local par la porte, les Américains ont enfoncé le mur avec un bulldozer.

– Bon, je vois, dit Oussama, déçu.

– Attends. Je crois que quelqu'un pourrait t'aider. Un garçon qui a fait plusieurs années de prison en Italie pour cambriolage. J'ai entendu dire que c'était un véritable génie de l'effraction.

– Où est-il ?

– C'est là qu'est le problème. Il est à Pul-e-Charkhi. Dans le bloc 7.

Pul-e-Charkhi était la principale prison de Kaboul, et le bloc 7, une prison dans la prison, était connu pour sa violence et la dureté de ses conditions de détention. On n'y enfermait que les détenus les plus dangereux.

– Tu sais pourquoi il y est ?

– Il a tué un soldat de la Coalition. Un Canadien.

Oussama marqua le coup. C'était le crime le plus grave qu'on puisse imaginer en Afghanistan. Mais c'était aussi le genre d'acte qui vous attirait la sympathie des partisans d'Al-Qaïda. Pul-e-Charkhi avait été un fief des talibans, il en restait sans doute quelques-uns bien cachés, à des postes de responsabilité.

– Ne me dis pas que tu penses à ce que je pense, fit Reza.

– Si, justement.

– Tu ne peux pas le faire sortir, même pour une enquête officielle. Même pour quelques heures.

– J'en ai besoin. Qui pourrait m'aider ?

Son ami réfléchit.

– Le directeur de la prison, tu te souviens de lui ?

– Oui, grogna Oussama. Nous nous sommes rencontrés dans le Nord lorsque nous étions moudjahiddines. Il s'était tiré une balle dans la main pour ne pas remonter au front, je l'avais puni sévèrement. Il aurait dû être fusillé, mais il a réussi à s'échapper.

– J'avais entendu l'histoire, mais je ne savais pas qu'elle était vraie. Il te déteste toujours copieusement, je suppose.

– Je ne vois pas pourquoi il en serait autrement…

– OK, il faut trouver autre chose, une voie non officielle. – Après quelques instants de réflexion, Reza

66

reprit : – On pourrait essayer par mollah Bakir. Il a été l'imam attitré de la prison, avant d'être renvoyé après la tentative d'évasion de juin 2008. Je pense qu'il avait brigué ce poste parce que cela lui permettait de rester en relation avec des membres influents des clans talibans qui y sont emprisonnés. Il doit conserver beaucoup de contacts là-bas. Tu le connais ?

– De nom, bien sûr.

Mollah Bakir était un véritable personnage, il avait dirigé une émission très populaire à la radio nationale du temps des talibans, avant que les médias ne soient fermés pour d'obscures raisons religieuses. Tous les Afghans avaient entendu sa voix très particulière, traînante et légèrement nasillarde. Érudit, considéré comme un intellectuel sophistiqué, il tenait la mosquée du cimetière de Shahe Du Shamsera, dans le centre de Kaboul. Mollah Bakir avait fait partie du Conseil secret des talibans entre 1996 et 2001. Il n'avait pas été inquiété depuis, un gage donné à l'autre camp par certains proches du président Karzaï, au cas où… Il avait la réputation d'être le plus occidentalisé des talibans, pour autant que ce mot puisse vraiment s'appliquer à des gens qui prônaient un retour à l'islam le plus archaïque.

– Tu penses qu'un ancien chef taliban accepterait de m'aider ? J'ai tué beaucoup d'entre eux.

– Mollah Bakir est différent. C'est un homme avec qui on peut discuter. Les oppositions entre membres du Conseil des talibans sont restées secrètes, mais tu peux me faire confiance, elles étaient parfois violentes. J'ai tout un dossier sur lui, il était indubitablement le chef de file des modérés. Il était contre la lapidation des femmes, contre les châtiments corporels, contre l'interdiction des loisirs occidentaux. C'est aussi le seul dignitaire taliban à s'être réellement opposé à mollah Omar au sujet de l'asile donné à Ben Laden ainsi qu'à l'organisation Al-Qaïda. Il était contre leur stratégie d'agression envers l'Occident, conscient des risques que cela faisait peser sur le régime taliban.

La suite lui avait donné raison… Un homme pareil était forcément surveillé par la police secrète, pensa Oussama. Il devait être prudent s'il voulait le contacter sans alerter le pouvoir.

— Comment pourrait-il m'aider ?

— Il a beaucoup d'influence sur le directeur. Si tu le convaincs de te « prêter » le détenu quelques heures, je suis certain qu'il peut le faire sortir.

— Comment éviter que le NDS le sache ?

Reza éclata de rire.

— C'est Amrullah Saleh qui l'a aidé à avoir le poste.

L'ancien chef du NDS ! Un ex-moudjahid tadjik, ami de Massoud, qui avait lui-même tué des dizaines de talibans…

— Arrête de te prendre la tête, ajouta Reza. Je me porte garant de lui. Cela te va ?

— D'accord. J'irai le voir, déclara Oussama.

Il raccrocha et déplia son tapis. Il avait besoin de prier avant de jouer ce coup délicat.

\*

La mosquée Shahe Du Shamsera avait l'aspect curieusement décalé d'un vieux palais européen avec ses murs peints en jaune pâle, son toit pentu, ses fenêtres arrondies et ses colonnes ornant une façade surmontée d'un unique et minuscule minaret.

L'intérieur sentait le moisi et les pieds. Quelques fidèles priaient sur des tapis élimés. Oussama se dirigea vers les appartements du mollah, à l'arrière. Il était venu seul, en taxi, après avoir effectué une rupture de filature, au cas où il aurait été déjà surveillé par les sbires du ministre de la Sécurité. Il avait enfilé un turban et enroulé une écharpe autour de son visage, pour éviter d'être reconnu. Comme seule protection, il avait un pistolet et deux grenades dans la poche de son *jelak*. Piètre sécurité, en vérité, car il n'y avait rien à faire contre un *shahid* décidé à se faire sauter.

Un unijambiste appuyé sur une canne attendait devant le bureau du mollah. Fidèle, espion pour le compte de la frange dure des talibans ou indicateur du NDS… peut-être les trois à la fois. Oussama avait prévu le cas : il lui tendit une enveloppe kraft fermée avec du ruban adhésif. À l'intérieur, il avait placé son badge.

– Donne l'enveloppe fermée à mollah Bakir, dis-lui que je veux lui parler.

L'homme se retira sur une courbette. Il revint quelques instants plus tard.

– Le mollah vous attend, sahib.

Il introduisit Oussama dans une minuscule antichambre, puis le fit entrer dans une vaste pièce qui tenait lieu à la fois de bureau, de salon, de cuisine et de chambre, avec dans un coin un petit lit pour une seule personne. Le sol était en terre battue, les meubles bancals et vieillots, les murs de torchis et le plafond fissurés étaient sales, mais une immense bibliothèque occupait tout un mur et plusieurs écrans plats trônaient sur la table de travail, reliés à des ordinateurs. Encore plus surprenant, des piles de revues américaines ou anglaises étaient disposées un peu partout :

*Newsweek, Times, Foreign Affairs*... L'unijambiste ferma la porte, les laissant seuls.

Mollah Bakir attendait Oussama devant un thé fumant. C'était un homme de petite taille aux yeux rieurs, doté d'une forte corpulence. Il se leva péniblement, lui tendit une main molle, un signe de bonne éducation en Afghanistan, puis commença la série de salutations traditionnelles afghanes :

— Votre foyer va-t-il bien, votre corps est-il fort ? *Manda na bashi*. Puisse votre foyer prospérer. Puissiez-vous vivre longtemps.

Il avait toujours cette même voix curieuse, nasillarde et lente, détachant chaque syllabe et entrecoupant chaque phrase d'un silence, comme s'il s'adressait à une assemblée. Oussama s'assit en face de lui. Le mollah lui servit un thé et poussa dans sa direction une coupelle de biscuits. Oussama fut surpris par son air rusé et par l'élégance qui se dégageait de sa personne, en dépit de sa mise simple. Il décida de redoubler de prudence.

— Alors, que me vaut votre visite, qomaandaan ? J'entends beaucoup de choses sur votre compte. Certaines très positives, il paraît que vous êtes l'un des rares à faire vos prières journalières, au commissariat. Mais il paraît aussi que votre femme professe des idées communistes et qu'elle soutient les infidèles. Ce sont vos stages passés à Moscou qui l'influencent ainsi ?

— Puisque vous êtes si bien informé, vous devriez savoir que ce stage a eu lieu avant l'invasion. J'étais un jeune policier de vingt ans. Beaucoup de fonctionnaires allaient se perfectionner là-bas, à cette époque. Vous connaissez la suite.

— Vous faites référence à votre entrée ultérieure dans les troupes de ce chien de Massoud ? Je suis au courant. Je sais le rôle que vous avez joué au sein du bataillon qui a mené la bataille de Talogan en tuant plus de trente Russes en une journée. Je sais même que vous avez tué beaucoup des nôtres avec votre fidèle fusil à précision Dragonov. Combien, au juste ?

– Je ne laisserai personne traiter le qomaandaan Massoud de « chien ». Les talibans se sont déshonorés en le tuant. Il fut l'un des plus grands hommes que notre pays ait jamais engendrés, rétorqua Oussama, stupéfait par la connaissance qu'avait le mollah de son histoire.

– Ce ne sont pas les talibans qui l'ont tué, c'est Al-Qaïda, répondit le mollah. Mais ne nous disputons pas, frère Oussama. – Il but une gorgée de thé. – Je n'aime pas me disputer avec les honnêtes gens. Que me vaut votre visite ?

Oussama reprit son calme.

– J'enquête sur le suicide d'un homme d'affaires. J'ai besoin d'ouvrir ses coffres, et le seul homme capable de le faire est interné à la prison de Pul-e-Charkhi. Il faut le faire sortir quelques heures, sans que ma hiérarchie puisse s'opposer à ma demande.

– Dans quelle section est-il détenu ?

– La 7. Il a tué un soldat de la Coalition.

– Je le connais, confirma le mollah. Il s'appelle Bismullah Tikrini. Le soldat canadien qu'il a tué avait violé sa sœur, il a répliqué en légitime défense. Ces chiens de l'Otan n'avaient aucun droit de le mettre en prison. Lorsque nous les aurons chassés, Tikrini sera relâché et fêté comme un héros, inch' Allah. Vous dites qu'il sait ouvrir les coffres ?

– C'est ce qu'on m'a affirmé. Je voudrais savoir s'il saurait ouvrir un modèle européen.

– Je vais le lui demander moi-même. De quelle marque de coffre s'agit-il ?

– Un Hartmann dernier modèle, le plus sophistiqué de leur gamme.

– Hartmann, nota le mollah sur un bout de papier. Est-ce un nom juif ?

– Je ne sais pas.

– Hum. Savez-vous que deux de vos hommes de la brigade criminelle faisaient partie de l'équipe qui l'a arrêté ? Vous étiez en mission à Herat cette semaine-là.

Oussama ne se souvenait plus de ce détail, néanmoins il répliqua :

– Mes hommes faisaient leur travail. S'il est innocent, Tikrini sera relaxé par le tribunal. Nul n'a le droit de rendre justice soi-même. Même si j'étais absent, j'assume totalement son arrestation.

– Tu l'assumerais devant un tribunal taliban ? demanda le mollah, passant au tutoiement.

– Je suis le chef, comme tel j'assume mes actes et ceux de mes hommes. Et n'oubliez pas que j'ai le pouvoir de vous arrêter si vous me menacez, quels que soient vos amis, chez les talibans ou au siège du NDS, rétorqua Oussama, en une claire allusion aux soutiens ambigus de Bakir dans les services de sécurité.

Le mollah éclata de rire.

– Inutile de vous fâcher, frère Oussama. Je vais voir ce que je peux faire. Revenez demain matin.

## 4

Nick avait sous les yeux un épais dossier marqué du sceau « Top secret ». Celui du directeur financier en fuite. Le général l'avait convoqué afin de lui confier la mission de mener sa propre enquête pour retrouver le fugitif, rien de moins. Il travaillerait seul, sans hiérarchie ni subordonnés, avec pour seule instruction de faire tourner ses méninges et de penser « autrement ». Nick n'était qu'à demi surpris. Ses coups d'éclat lui avaient conféré un statut à part dans l'Entité, avec une latitude de travail presque totale. Il était néanmoins étonné de cette position étrange en solo, en marge des équipes. Le général avait par ailleurs refusé de lui donner plus d'informations : pourquoi le rapport Mandrake était-il classifié, qui cherchait à retrouver le fugitif… toutes questions légitimes auxquelles Nick aurait bien aimé avoir quelques éléments de réponse avant de commencer sa mission.

Mettant de côté ses interrogations, il feuilleta quelques minutes le dossier consacré au fugitif. Il était divisé en trois sections. Une première décrivait son enfance et sa vie, la deuxième s'attachait à son activité professionnelle, la troisième comportait des documents divers qui n'avaient pu être classés dans les deux autres. Bien calé dans son fauteuil, Nick commença vraiment sa lecture.

Le fugitif était né dans une petite ville du canton de Vaux. On l'avait prénommé Léonard, en hommage à son oncle, boulanger de son état, considéré comme l'homme qui avait réussi dans la famille. Son père, un mécanicien au parcours médiocre, avait quitté le domicile familial alors qu'il n'avait que huit mois. Il avait été élevé par sa mère jusqu'à ce que cette dernière meure d'un accident dans l'usine de fabrication de ressorts où elle travaillait. Il avait alors six ans. Il avait été placé dans un foyer jusqu'à l'âge de dix-huit ans. D'après le dossier, il ne parlait jamais de cette période de sa vie, on pouvait donc supposer qu'elle avait été difficile. Les photos de l'époque montraient un petit garçon puis un adolescent chétif, aux cheveux bouclés, le visage mangé par de grosses lunettes. Des résultats scolaires excellents. Il avait intégré l'université de Genève, puis celle de Princeton, aux États-Unis, où il avait passé brillamment un PhD en gestion. Il avait ensuite été recruté par le cabinet de consulting Ernst & Young, dont il était devenu l'un des plus jeunes associés européens, à seulement trente-deux ans. À ce moment-là, son salaire atteignait déjà trois cent cinquante mille francs suisses par an. Willard Consulting l'avait repéré et lui avait proposé de les rejoindre à un salaire de quatre cent cinquante mille francs. Il avait accepté. Il avait passé les années suivantes chez Willard Consulting, dont dix comme membre du conseil d'administration. Juste avant sa disparition, il était directeur financier du groupe, ce qui signifiait qu'il avait accès à tout. Son salaire fixe annuel était d'un million de francs suisses, plus un bonus équivalent. Il touchait en outre des primes sur les opérations spéciales, qui pouvaient atteindre des nombres à six zéros. Bref, il était riche.

Sur le plan personnel, son existence était celle d'un solitaire, obsédé par son travail, incapable de se lier. Un grand nombre de ceux qui avaient compté pour lui étaient morts prématurément, ce qui pouvait expliquer ce caractère ombrageux. Dans sa jeunesse, lors d'un voyage en Tunisie, il était tombé fou amoureux d'une jeune femme, qui s'était tuée dans un accident de voiture. D'après ses proches, il ne parlait jamais de sa vie privée avec ses collègues de bureau, seule cette jeune femme trop tôt disparue semblait lui avoir inspiré des sentiments. À Zurich, il habitait une petite maison luxueusement meublée sur la Goldküste, le quartier chic. Il conduisait exclusivement des Mercedes, la dernière étant une série C AMG. Cette voiture en disait long sur son caractère : un homme riche et puissant, qui vivait discrètement, sans faire de vagues. L'Entité avait littéralement retourné sa maison sans trouver le moindre élément compromettant : pas de drogue, pas de cigarettes, pas de magazines porno. L'existence du fugitif était lisse, sans aspérités. La seule faille était un « abonnement » à un service d'*escort girls* de la capitale, une entreprise appelée Romance. Tous les mois, entre le 25 et le 30, il commandait une escort chez Romance. Elle débarquait vers dix-huit heures chez lui, elle n'avait jamais le droit de rester dormir. Depuis neuf ans, c'était la même qui venait, une dénommée Jacqueline. Nick regarda la photo jointe au dossier : c'était une superbe femme, très brune, avec des sourcils épilés et des petites lunettes cerclées qui lui donnaient un air sérieux. Jacqueline avait décrit aux hommes de l'Entité un amant lointain, peu préoccupé par le sexe. En neuf ans, cent trois rencontres exactement, le scénario avait toujours été le même, sans un seul changement dans l'enchaînement classique de la séance. Une fois sa petite affaire terminée, il renvoyait la fille avec un baiser sur le front et un pourboire de cent francs suisses, en plus du prix officiel.

En dehors de Jacqueline, on ne lui connaissait aucune relation sérieuse. Il prenait parfois un verre avec un collègue de bureau, mais n'avait pas d'amis, ni dans le club de sport où il se rendait deux fois par semaine pour faire de la course sur tapis de sol, ni dans les parcours où il allait pêcher trois fois par an, toujours à la même période : la troisième semaine de mars, la première de septembre, la deuxième de décembre. Il avait un permis de détention pour un pistolet Sig Sauer. L'arme n'avait pas été retrouvée à son domicile.

Nick s'interrompit pour se préparer à déjeuner. Il n'avait guère d'appétit depuis la mort de son ami Werner. Il sortit un morceau de fromage de chèvre du réfrigérateur, une tranche de jambon, un yaourt à la vanille, et reprit sa lecture sur la table de la salle à manger, son assiette devant lui.

Il passa l'après-midi à lire la partie consacrée à la carrière professionnelle du fugitif. Autant l'homme semblait falot, autant le professionnel était une personne pleine de talent et d'assurance, un professionnel de haut vol, de stature internationale. Tous ses anciens collègues, collaborateurs et associés louaient sa mémoire et sa capacité d'analyse hors pair. Un organisateur qui rentrait dans les détails les plus techniques tout en gardant la hauteur de vue qui sied aux grands patrons. Deux anciens associés s'accordaient pour dire que Willard Consulting lui devait beaucoup, que, sans lui, l'entreprise n'aurait jamais atteint la taille qui était la sienne aujourd'hui.

Nick prenait des notes à même le dossier. Il lut toutes les évaluations qui y figuraient, une par une. Elles étaient étonnamment cohérentes : un acharné du détail, avec une grande intuition des situations, capable de préparer ses opérations financières comme un plan de bataille, toujours avec deux ou trois coups d'avance. Il revint au dossier personnel pour voir si l'homme était un joueur d'échecs, il semblait que non. Cela l'étonna.

Il passa à la dernière section. Elle ne comprenait qu'un seul document intéressant : le rapport de police concernant la fusillade qui avait eu lieu dans le squat de Zurich. À cet égard, Nick était perplexe. Pourquoi un homme aussi riche, sans lien avec le milieu, se cachait-il dans un endroit aussi sordide ? Qui avait pu lui en indiquer l'existence ? Et enfin : pourquoi s'était-il terré à Zurich au lieu de quitter la Suisse ?

*

Avant de rentrer chez lui, Oussama décida de faire une visite à Katoun, afin de voir où en était l'autopsie de Wali Wadi. Sa femme étant de garde pour la nuit, il n'avait aucune raison de rentrer tôt chez lui.

– Shafakhana Emergency Hospital, ordonna-t-il à son chauffeur.

Cet hôpital du centre-ville était spécialisé dans la prise en charge des victimes d'attentats. Presque totalement détruit après la dernière bataille de Kaboul, il avait été rénové grâce à des donations de l'Onu. Devant l'hôpital, c'était l'habituelle cohue, familles, marchands, services de sécurité. Il dépassa un homme entouré de ses deux femmes en burqa et de sa multiple progéniture, franchit les contrôles destinés à éviter les attentats suicides et se mit à la recherche de Katoun. Au bout d'un quart d'heure d'errance dans les couloirs, il finit par le trouver dans un petit bureau aveugle du sous-sol. Il y régnait un froid glacial en dépit du chauffage poussé à fond. Katoun, un homme chauve à la moustache fournie et à l'air malicieux, était en train de taper à toute vitesse sur le clavier de son l'ordinateur.

– Ah, Oussama, *khosh amadin*. Justement, j'étais en train d'écrire mon rapport pour toi.

– Je n'avais pas envie d'attendre.

– Je comprends. C'est pour ça que je me suis dépêché de rentrer ici, je n'ai pas d'ordinateur à l'institut médicolégal. Si tu savais les conditions dans lesquelles je travaille, là-bas, c'est une vraie boucherie, de pire en pire. Un soda ?

– Na. Un thé, plutôt.

Le médecin décrocha son téléphone et en commanda deux. En l'attendant, ils bavardèrent agréablement. En Afghanistan, il est impoli de précipiter une discussion sérieuse, or Katoun était un homme cultivé, attaché aux traditions d'hospitalité. Il regarda la vieille pendule accrochée au plafond.

– C'est l'heure de la prière, dit-il. Veux-tu m'accompagner, la salle est à côté ?

– Volontiers.

Lorsqu'ils revinrent, un plateau avec une assiette de pâtisseries, une théière cabossée et deux tasses était posé sur le bureau. Katoun engouffra deux gâteaux dégoulinants de miel, Oussama se contenta de son thé. Enfin, au bout d'une dizaine de minutes, Katoun se résolut à aborder le sujet pour lequel Oussama était venu :

– Parlons de Wali Wadi. Mon rapport dira que le défunt est mort des suites d'une unique balle de calibre 9 parabellum tirée à bout portant dans la bouche. La balle a arraché le cortex et une partie de la moelle épinière, provoquant une mort immédiate. L'angle d'entrée du projectile est cohérent avec un suicide perpétré par un individu gaucher, ce qui était le cas de Wali Wadi. On trouve une brûlure sur la lèvre inférieure, ainsi qu'une grande quantité de poudre dans le nez, indiquant que le canon était profondément enfoncé dans la bouche lorsque le coup est parti – ce sont les gaz d'échappement de la culasse qui ont provoqué la brûlure. Le mouvement de la mire a aussi déchiré le palais, déclenchant un début d'hémorragie, il y avait du sang dans la gorge.

– As-tu trouvé des traces de lutte ou un quelconque signe indiquant que quelqu'un aurait pu tenir l'arme à la place de Wali Wadi ?

– Je n'ai rien trouvé qui aille dans cette direction, mais si des assaillants portaient des gants de soie ou de latex, ils n'en auraient pas laissé sur la peau.

– Je vois. Tu n'as rien pour moi, alors, dit Oussama, déçu.

– Attends, je n'ai pas fini. J'ai trouvé des résidus de déodorant sous les aisselles du mort, ainsi que des traces d'alcool sur son torse, ses poignets et son cou. Il s'était parfumé juste avant de mourir, comme tu le supposais. L'analyse de son estomac a aussi révélé un repas non digéré, composé de mouton, de riz et d'un gâteau aux pistaches. Son taux d'alcoolémie était de 0,45 gramme d'alcool par litre de sang.

– C'est beaucoup ?

– Non, il avait bu, certes, mais pas assez pour être ivre. En tout cas, il ne s'est pas saoulé avant de se suicider, si c'est ce que tu cherches.

– Cela suppose plutôt un verre pour le plaisir. Tu as fait une sérologie ?

– Négative pour le HIV et l'hépatite A. J'aurai le résultat pour la B et la C dans trois jours, mais son foie était d'apparence normale, à mon avis, il était en parfaite santé.

– Que diras-tu dans ton rapport ?

– Que veux-tu que je dise ?

– La vérité, mais que je puisse continuer à enquêter.

– Je dirai que le sujet est mort d'une balle dans la tête, je passerai sous silence le fait qu'il n'y a pas de traces de lutte et j'insisterai sur les indices qui ne sont pas cohérents avec un suicide.

– Tu as fait un test de poudre sur la main ? pensa soudain Oussama.

– Je n'ai pas le réactif, et je ne peux pas en obtenir. Le laboratoire a épuisé les derniers que les Anglais lui avaient fournis.

Cela n'étonna pas Oussama. Scotland Yard avait offert un grand nombre d'équipements modernes à la police scientifique en 2002, mais la coopération avait été arrêtée au bout de quelques mois et quasiment aucun nouveau matériel n'avait été acheté depuis. Les Français avaient bien rénové les anciens bâtiments, formé de nouveaux techniciens et construit un laboratoire moderne, mais tout le petit matériel manquait encore.

– Si tu veux que je fasse le test, à toi de m'en trouver un à l'étranger, reprit Katoun. Il faut que tu te dépêches, je ne pourrai pas garder le cadavre à la morgue très longtemps.

– Je vais essayer.

– Dieu t'aide, Oussama Kandar, dit Katoun en lui donnant l'accolade.

Alors qu'il était au bout du couloir, il entendit le médecin lui crier :

– Et quand tu reviendras, n'oublie pas le panier de fraises ! Ton adjoint m'en a promis un beau !

\*

Zurich, rue Klein. Nick monta les marches du porche quatre à quatre. Devant lui se dressait une maison austère, brique rouge et pierre grise, toit en ardoise. De larges fenêtres à croisillons. Un boîtier d'alarme était incrusté au-dessus de celle du premier étage. Rien de suspect autour de la maison du fugitif, aucune voiture en planque. Il fit le tour par le petit jardin. Derrière, les volets étaient peints en gris. Une porte vitrée donnait sur la cuisine. Quelques instants plus tard, il était à l'intérieur.

La maison était luxueusement meublée, dans un curieux mélange de bois, d'acier et de tapis modernes aux couleurs chatoyantes. Un style qui cadrait mal avec la personnalité austère du fugitif.

Il enleva son manteau puis parcourut tranquillement les étages. Nicole Laguna avait été une as de la fouille et lui avait appris qu'avant tout il fallait s'imprégner

81

de l'atmosphère des lieux. Mais cette demeure était trop lisse. Elle ne lui racontait aucune histoire. On aurait dit un décor.

Il commença par fouiller le rez-de-chaussée. Le grand salon dans lequel il avait laissé ses affaires, une salle à manger lambrissée, ultra moderne, une cuisine de vaste taille, dont les murs et le plafond étaient peints du même gris foncé. Il reconnut une Boffi. Ça avait dû coûter un max.

Il ouvrit le réfrigérateur. Une bouteille de champagne, quelques produits provenant de chez Fauchon dont la date de péremption approchait. Il se demanda si les hommes de l'Entité s'étaient servis au passage. Une heure de fouille, à chercher la moindre cachette, même improbable, n'apporta rien.

Il passa au bureau, qui occupait une bonne partie du premier étage. L'escalier qui y menait était décoré par une collection de billets de banque de tous les continents. Euros, yens, et des monnaies plus exotiques : escudos, dinars, yuans. Il sourit devant un billet à l'effigie de Saddam Hussein. La pièce était superbement meublée, comme le reste de la maison, avec une bibliothèque de six ou sept mètres de long. Sur le mur opposé, seule trace d'anormalité, les hommes de l'Entité avaient laissé le coffre-fort ouvert. Il était vide. Nick feuilleta le compte rendu de fouille. Lors de leur passage, les deux enquêteurs de l'Entité avaient récupéré le passeport, trente mille dollars, des diplômes originaux ainsi que les références d'un compte numéroté de l'Union des banques suisses, sur lequel étaient déposés sept millions de francs.

Il est toujours en Europe, pensa Nick. Ou alors, dans un pays où l'on peut se rendre en voiture sans passeport, ou en bateau avec un pot-de-vin à l'arrivée : en Afrique, peut-être... À moins qu'il n'ait eu un autre passeport... Plausible, à condition d'avoir les contacts nécessaires.

Il fouilla les tiroirs. Des dossiers, qu'il éplucha soigneusement les uns après les autres. Rien qui reliait le fugitif à une combine ou à un montage douteux. Des tableaux modernes au mur. Celui qui cachait normalement le coffre était posé au sol. Il le retourna, notant que le coffre était situé en face de la table de travail. Ce tableau était différent des autres. Impressionniste, il représentait deux femmes sortant d'un lac au soleil couchant. Les draps qu'elles portaient étaient collés à leur corps par l'eau, révélant des formes pleines, des peaux couleur de lait. D'autres femmes, drapées dans des tissus colorés, les attendaient sur la rive, autour d'un panier. L'œuvre dégageait une grande impression de douceur.

Il se dirigea vers la chambre, au second étage. Elle donnait des deux côtés de la maison, six fenêtres, soixante-dix ou quatre-vingts mètres carrés, un plafond aux poutres peintes en vert amande. Un lit immense, deux mètres sur deux, un canapé et une table basse. La moquette était en laine, épaisse, il la caressa machinalement. Il trouva une boîte de préservatifs non entamée dans la table de chevet, avec un reçu de carte bleue. Le fugitif avait acheté la boîte en octobre de l'année précédente, mais ne l'avait jamais utilisée, remarqua Nick. Étrange.

Le dressing ressemblait à un magasin à lui tout seul : vingt mètres carrés lambrissés d'un bois précieux, des costumes noirs rigoureusement identiques, chaque cintre séparé du suivant par le même écartement. Une étagère pour les chemises blanches, une autre pour les chemises bleues. Toutes étaient griffées de la même marque française que les costumes. Caleçons blancs et chaussettes noires avaient droit à leur propre tiroir. Les affaires de sport étaient disposées dans un placard séparé : trois paires de chaussures, quatre shorts noirs, huit tee-shirts blancs.

Nick se laissa tomber sur le lit. Il avait l'impression d'être passé à côté de quelque chose d'important dans le bureau, mais l'idée, si c'en était une, disparut aussi vite qu'elle lui avait traversé l'esprit.

*

Joseph se réveilla d'un bloc. Le mur en crépi beige, le plafond grisâtre… il rejeta les couvertures tandis que son cerveau lui envoyait la bonne information. Il était à Kaboul. Durant son transfert depuis l'aéroport, vers vingt-deux heures, il n'avait vu qu'une ville plate, sans le moindre éclairage public, qui paraissait sortir du passé : routes non goudronnées, immeubles d'architecture années 1960 portant encore les stigmates de la guerre, longues files de constructions branlantes dignes d'un bidonville. Après une douche brûlante, il revint dans le salon de l'appartement qu'il avait loué pour son séjour, une serviette autour de la taille. Son torse sec était couvert de cicatrices, souvenirs des missions violentes qu'il avait accomplies. « Souvent blessé, jamais à terre » : la devise de l'instructeur qui l'avait formé. Il tira les rideaux. Le ciel était turquoise, des montagnes couvertes de neige se dressaient au loin, où que le regard porte. Autour de sa résidence, ce n'était qu'une suite de bâtiments préfabriqués abritant civils et militaires occidentaux, immeubles bas et sans charme construits à la va-vite sur des terrains boueux. Tout le périmètre du compound était bouclé par une armada de gardes privés et de soldats de l'ANA, l'Afghan National Army, hérissés d'armes, dont il apercevait les silhouettes au loin. Ses cheveux ras encore humides, il prit son portable pour composer le numéro d'un policier afghan qui travaillait en sous-main pour le BND, les services secrets allemands. La taupe qui devait devenir son principal contact. Ce dernier décrocha à la seconde sonnerie.

– *Baleh ?*

– Hamid Dostom ?

– C'est moi.

– Je suis un ami de vos amis allemands. Vous voyez de qui je veux parler ?

– Je pense, oui, répondit prudemment l'Afghan, en allemand lui aussi.

– Nos amis communs m'ont parlé de vous avec beaucoup de sympathie. Je viens d'arriver à Kaboul, et je pense que nous pourrions faire des choses très intéressantes ensemble. Pouvez-vous m'accorder un instant dès aujourd'hui ?

– D'accord, accepta le flic sans une hésitation. On peut se retrouver dans une *guest house*.

– Je préfère un endroit discret. Sans Occidentaux.

– Dans ce cas, venez dans le centre. Après le commissariat central, passez deux blocs et, sur Chirahi Ansari, vous verrez un café qui s'appelle Kabul & Kandahar.

– On s'y retrouve dans trente minutes.

Il raccrocha. La taupe ne saurait jamais qu'il n'était pas membre des services allemands. Le cloisonnement dans les services permettait ce genre de manipulation, habituelle pour l'Entité, qui ne disposait pas de son propre réseau d'indicateurs. Il s'habilla rapidement, docker et veste beiges, chemise blanche, cravate bleue, grosses chaussures montantes. Plusieurs holsters contenant des armes automatiques étaient accrochés à une chaise, il les enfila soigneusement – hanche, épaule, cheville droite –, le tout complété par une dague au poignet. Enfin, il revêtit sa doudoune matelassée et posa un *pakol* sur son crâne. La cage d'escalier était glaciale et dégageait une forte odeur de détergent. Dehors, un 4 × 4 ronronnait doucement, Amin, un de ses K préférés, attendait au volant.

– On va où ?

– Dirige-toi vers le commissariat central.

Ils s'arrêtèrent au check point de la zone de sécurité, gardé par des soldats nerveux.

– Pas d'alerte particulière ce matin ?

– On nous a dit d'éviter le périmètre de la présidence, il paraît qu'un type pourrait s'y faire sauter.

Ils passèrent un second check point de l'ANA sans s'arrêter. Joseph n'eut pas un regard pour ces Afghans qui essayaient de faire leur métier tant bien que mal pour cent dollars par mois, tandis que le pays tout entier s'enfonçait dans le chaos. Enfin, ils sortirent du périmètre protégé pour s'engager dans le trafic. C'était son premier séjour à Kaboul et il était surpris par le dynamisme incroyable qui s'en dégageait, en dépit de la pauvreté. Des immeubles étaient en construction partout, les passants se hâtaient dans un désordre indescriptible. La présence des forces de l'Otan se faisait moins sentir qu'il ne l'imaginait, mais les véhicules blindés civils étaient omniprésents.

– Tu parles un peu leur langue ? demanda-t-il au chauffeur.

– Je n'y comprends rien, patron. Vous le savez, je suis originaire de Kabylie, leur langue, c'est du persan.

– Au moins, tu es musulman, comme eux...

– Putain de religion ! J'ai vu trop d'horreurs dans le bled pour croire encore en Dieu. S'il existe, c'est juste un enfoiré qui se marre bien là-haut, en nous regardant nous entretuer.

– Je ne vois pas les choses comme cela, répliqua Joseph froidement.

Personne ne savait qu'il était bigot et se rendait à l'église toutes les semaines pour se confesser. Ils s'arrêtèrent à un feu, derrière une colonne de blindés turcs sur les toits desquels des soldats scrutaient la rue, l'air farouches, puis passèrent peu après devant un camion renversé sur le côté. Son essieu tordu à angle droit était englouti par un trou dans la chaussée. De la fumée s'échappait du radiateur, qui avait heurté l'asphalte.

– Drôle de pays, hein ? dit Amin avec un regard en coin vers une motocyclette sur laquelle s'entassaient un homme barbu et ses deux femmes en burqa. Ils ont bien niqué les Russes, ces salopards. J'espère qu'ils ne feront pas la même chose avec nous.

Joseph hocha la tête. C'était pourtant bien parti pour. Comment trouver le CD manquant dans un foutoir pareil ?

\*

Oussama avait mal dormi cette nuit-là, taraudé par les multiples questions que son enquête suscitait. Il s'était réveillé vers trois heures du matin, en se demandant comment faire réaliser les tests d'empreintes sans donner l'alerte à son supérieur. Comme souvent, de son sommeil agité avait jailli une idée. Il s'était levé, bouillant d'excitation. À peine arrivé au commissariat, il se mit en recherche des coordonnées téléphoniques de Galina Bosnikova, une jeune flic avec qui il avait travaillé lors de son séjour à Moscou. Une forte femme, qui lui avait fait grande impression. En dépit des années, il lui fallut moins d'une heure pour retrouver sa trace, car elle était toujours en poste au même commissariat. Il bénit sa chance et l'aide de Dieu.

Galina l'aimait bien, il avait toujours soupçonné qu'elle avait eu une certaine attirance pour lui, à laquelle il n'avait pas cédé, l'infidélité étant un crime dans sa religion.

– Oussama ! s'écria-t-elle lorsqu'il se fut identifié. Je me demandais ce que tu étais devenu. Après le 11 Septembre, j'imagine que ta vie est devenue un enfer. Tu n'as pas changé de prénom ?

– Je n'ai pas essayé. Je m'en accommode. Évidemment, si je vivais aux États-Unis, ma situation serait plus difficile...

Galina lui apprit qu'elle était montée en grade et qu'elle devait passer le concours interne pour devenir commissaire dans les prochaines semaines. Elle travaillait d'arrache-pied pour cela. Elle était affectée à la brigade des viols, ce qui était particulièrement pénible car, avec la crise et la montée de l'alcoolisme, l'âge des victimes ne faisait que baisser.

– Alors, Oussama, que me vaut la joie de ton appel ?

– J'ai besoin d'aide. J'enquête sur un suicide suspect, je voudrais pratiquer un test de résidus de poudre sur les mains de la victime mais je n'ai pas de matériel, et la voie officielle sera trop longue. Est-ce que tu pourrais m'en obtenir ?

– Je pense que oui, affirma Galina après réflexion. J'ai une copine qui travaille à la brigade des homicides, ils ont des kits disponibles. Je peux lui en demander quelques-uns et te les faire passer. Attends, reste en ligne, je l'appelle d'un autre téléphone.

Oussama se cala au fond de sa chaise. Quel miracle que l'aide de la Coalition ! Autrefois, il n'aurait jamais pu passer un appel international depuis son bureau alors que, désormais, tous les enquêteurs pouvaient utiliser leur téléphone pour une communication n'importe où dans le monde. Quelques instants plus tard, Galina revint en ligne.

– Je l'ai eue, elle est d'accord. Le seul problème, c'est que les kits dont elle dispose viennent à expiration cette semaine mais, d'après elle, il n'y aura aucun impact sur les résultats, ils restent valides au moins six mois. Si tu préfères des tests neufs, cela pourrait prendre plusieurs semaines, tu connais la bureaucratie russe…

– Cela me va parfaitement. Je vais te passer mon adresse au commissariat. Indique bien « personnel » sur l'enveloppe.

– Le courrier est distribué normalement, à Kaboul ? Tu ne préfères pas que j'essaye de te le passer par la valise diplomatique ?

– Le courrier arrive bien, il y a plusieurs avions par semaine entre Kaboul et Moscou, je l'aurai sans problème.

Oussama raccrocha. Il avait encore du mal à s'habituer au retour de la normalité : le téléphone fonctionnant sans censure, le courrier distribué à jour fixe dans presque toute la ville, la possibilité de se promener librement. C'était une sensation nouvelle, totalement différente de ce à quoi il était habitué depuis son plus jeune âge. Tous les Afghans s'étaient accoutumés à une liberté encadrée, conditionnée, limitée, et à une violence de chaque instant. La normalité était comme un brouillard, une sensation étrange d'inconnu et de déjà-vu, un fragile équilibre susceptible de disparaître en un instant.

Il regarda sa montre. Il était l'heure de voir avec ses troupes ce que les dernières recherches avaient donné. Il convoqua ses hommes dans la salle de réunion attenante à son bureau, une pièce délabrée dont les seuls luxes étaient un poêle à bois et un distributeur de sodas.

— Faisons un point des derniers développements. Babrak, je te laisse la parole.

— L'interrogatoire des domestiques et du secrétaire n'a pas donné grand-chose. Il semble que Wali Wadi était sur un très gros coup depuis quelques semaines, il était très excité.

— Tu as une idée de l'affaire sur laquelle il travaillait ?

— Pas encore, en revanche je suis certain qu'elle impliquait des étrangers. Il parlait beaucoup en anglais au téléphone, m'a dit sa bonne. Il lui arrivait souvent d'appeler des correspondants étrangers tard le soir, après minuit.

— Il appelait une zone en décalage horaire, vers l'ouest, alors. En Europe ou aux États-Unis. Hum, c'est intéressant, dit Oussama en lissant sa barbe. C'était nouveau ?

– On ne sait pas. Autre information, Wadi avait multiplié les équipements de sécurité chez lui et à son bureau, mais le soir où il est mort, il avait renvoyé ses gardes du corps pour ne garder que son veilleur de nuit, un Ouzbek, comme lui, qui travaillait à ses côtés depuis vingt ans. Je pense qu'il attendait quelqu'un d'important, qui ne devait en aucun cas être reconnu. Peut-être un officiel ?

– Ou alors un étranger, objecta Oussama. Le gardien de nuit était posté en dehors de la maison ou à l'intérieur ?

– Je ne sais pas, je vérifierai. Pourquoi cette question, chef ?

– J'aimerais savoir s'il pouvait voir les plaques d'immatriculation des visiteurs. S'il était posté à l'intérieur de la maison, cela peut signifier que Wali Wadi ne voulait pas que ses employés voient la voiture de son visiteur.

– Une voiture à plaque officielle ?

– Ou diplomatique, précisa Oussama. – Il ajouta : – Qu'a donné le disque dur de la vidéosurveillance ?

– Il a été effacé, dit Gulbudin. Mieux, même, reformaté. Le disque était vierge.

– Tu peux expliquer ça ?

– J'ai demandé à mon cousin, qui travaille dans l'informatique. D'après lui, on peut toujours retrouver les informations gravées sur un disque dur après effacement. Sauf si on utilise un logiciel spécial, qui efface les couches en profondeur et refragmente le disque dur. C'est la manœuvre qui a été effectuée sur l'ordinateur.

– Des Afghans pourraient faire ça ?

Babrak, Djihad et Rangin sourirent de concert.

– Nous ne sommes plus au Moyen Âge, chef. Même mon cousin saurait le faire, il y a probablement des centaines d'ingénieurs capables de réaliser cette opération à Kaboul.

– Ça va, j'ai compris, lança Oussama, énervé que son adjoint utilise le même ton que sa femme pour lui parler. Autre chose ?

– Oui, dit Djihad, une information qui me paraît importante. Le téléphone portable de Wali Wadi n'a pas été retrouvé, ni chez lui ni à son bureau, donc quelqu'un l'a volé après son décès.

– Ainsi, on ne peut pas retracer ses appels… S'il a été assassiné, le meurtrier est parti avec l'appareil, peut-être pour couper une piste. À moins qu'il n'ait été volé par un policier ou un domestique le matin de la découverte du corps, réfléchit tout haut Oussama. Tu sais à quel réseau il était abonné ?

– Baleh. Il y avait des factures d'Etisalat à son bureau. J'ai appelé le numéro indiqué sur la facture, je suis tombé sur un répondeur. J'ai fait écouter le message à l'un des domestiques de Wali Wadi, il a reconnu sa voix sur le message.

– Tu as bien travaillé, et vite, dit Oussama. On connaît des gens chez Etisalat ?

– Vous ne voulez pas faire une demande officielle ? demanda Babrak.

– Non. Elle devrait passer par la hiérarchie, le ministre va la bloquer. Je préfère continuer à avancer discrètement. À quoi ressemblait la facture ?

– Pas d'info particulière. Un de nos hommes est en train de retourner le bureau, à la recherche d'une facture détaillée ou d'autres infos qui auraient pu nous échapper.

– Le Beretta avec lequel il s'est tué, on a quelque chose dessus ?

– Rien, qomaandaan, répondit Rangin. C'est un modèle ancien, peut-être vieux de quinze ou vingt ans, une arme banale. Le numéro de série a été limé.

– Essaye d'en savoir plus. Le limage a-t-il été bien fait ?

– Non… il m'a eu l'air assez grossier.

– Dans ce cas, on doit pouvoir le récupérer avec un microscope. J'ai vu faire ça à Moscou dans le temps, on avait même élucidé une affaire de cette manière. Envoie un homme au laboratoire de police scientifique.

– D'accord, chef. Autre chose ?

– C'est déjà pas mal, conclut Oussama avec un sourire. Ma théorie, à ce stade, est qu'il s'agit d'un meurtre déguisé en suicide. Ce meurtre est lié soit à des informations détenues par Wali Wadi, soit à des opérations qu'il a faites. Il faut que l'on essaye d'en comprendre la raison. Pour cela, vous allez refaire une fouille du domicile et des bureaux de Wadi, et regarder de près dans son business. Sans faire de vagues, bien sûr.

– Qu'est-ce qu'on cherche, patron ?

– Ce qui justifie que notre propre ministre nous mette des bâtons dans les roues.

*

Joseph retrouva son contact assis au fond du café, devant un *chaï* fumant. Petit, replet, il portait une épaisse moustache, une barbe courte et des cheveux gris coupés en brosse. Il avait l'air heureux de se retrouver là. Les rencontres avec les espions du BND étaient probablement toujours suivies de la remise d'une belle enveloppe, pour des risques quasi nuls. Joseph enleva son pakol.

– Je m'appelle Helmut. Je suis un collègue de votre ami de Berlin, je travaille sur une affaire spéciale. Votre interlocuteur habituel ne sait pas que nous nous voyons, il est impératif que vous gardiez un secret absolu sur notre rencontre.

– Pas de problème, répondit l'indicateur avec un sourire. Je suis à votre disposition.

Il parlait allemand avec un fort accent pakistanais. D'un claquement de doigts il commanda du thé. Le cafetier en profita pour déposer un panier de galettes chaudes et du beurre sur la table. Le flic se précipita dessus comme s'il n'avait pas déjeuné depuis dix jours. Joseph goûta. Les galettes étaient délicieuses, fondantes à souhait, mais le beurre était trop fort, avec un goût de rance. Il reposa sa galette sur le journal usagé qui faisait office d'assiette, se demandant dans combien de mains il était passé avant de finir sur sa table.

– Quelle est l'ambiance au commissariat, en ce moment ? demanda-t-il pour relancer la conversation.

Le policier essuya le beurre fondu qui lui coulait sur le menton.

– Bonne. Nous avons beaucoup de moyens désormais, des radios, des ordinateurs, des voitures pour les filatures. J'ai moi-même arrêté plusieurs trafiquants. J'ai été récompensé par mes supérieurs. La lutte contre la drogue progresse bien.

Joseph s'abstint de ricaner. Le propre frère du président Karzaï trafiquait, la police n'arrêtait que des pauvres types, sans jamais s'attaquer aux gros bonnets. Une discussion s'engagea sur la situation politique, puis sur la Coalition. Joseph écoutait avec attention, en dépit de son exaspération croissante, soucieux de ne pas brusquer son interlocuteur. Au bout d'une quinzaine de minutes, le policier s'interrompit, levant un regard interrogatif. Il était temps de passer aux choses sérieuses. Joseph posa son sac sur la table.

– Il y a deux objets intéressants pour vous dans cette sacoche.

L'Afghan hésita une poignée de secondes, puis la curiosité fut la plus forte. Il l'ouvrit.

– Le magnétophone compact est un enregistreur ultrasophistiqué. Il comporte un micro à haute sensibilité, permettant d'enregistrer une conversation à travers une poche de vêtement, et ce jusqu'à trois mètres.

– Vous voulez que j'enregistre quelqu'un ?

– Un policier du commissariat central. J'ai besoin de connaître le son de sa voix. Il faudrait que vous trouviez un prétexte pour discuter avec lui, avec l'enregistreur branché dans votre poche. Il ne se doutera de rien.

– D'accord, dit l'Afghan après une hésitation. De qui s'agit-il ?

– Oussama Kandar.

– Le commandant Kandar ? Le chef de la brigade criminelle ? demanda le policier, affolé.

– Lui-même. On m'a dit qu'il avait le grade de colonel, pas de commandant.

– Kandar dirigeait les équipes de snipers de Massoud pendant la guerre. C'est un héros. C'est pour cela que tout le monde l'appelle par son titre, qomaandaan, et non par son grade. En hommage à son passé de commandant moudjahid.

Joseph encaissa le coup. Qu'ignoraient-ils de plus sur ce flic ?

— Je vous paierai bien.

L'indic paraissait avoir été frappé par la foudre.

— Je vous paierai plus que vous n'imaginez, insista Joseph. Prenez le deuxième objet.

Le flic sortit la plaque en métal du sac, l'air intrigué.

— C'est lourd. Qu'est-ce que c'est ? Une bombe ?

— Une balise.

— Une balise ? Comme dans *Ennemis d'État* ?

— Exactement. Elle émet en continu selon une fréquence particulière, qui ne peut être captée que par un satellite. Elle nous permet de suivre à la trace une voiture. On la colle sous le châssis, juste au milieu, sous l'arbre de transmission. Grâce à sa forme et à sa couleur, elle échappera aux examens de sécurité habituels. On ne peut pas la voir avec un simple miroir au bout d'une perche, comme on procède aux check points. Il faudrait mettre la voiture sur un pont pour se rendre compte qu'elle est là. Nous voulons que vous la colliez sous la voiture de Kandar.

— Avec une balise, on peut déclencher un tir de drone, dit l'Afghan d'une voix mourante. Vous voulez le tuer ?

— On veut juste savoir ce qu'il fait.

Joseph sortit une enveloppe rebondie de sa poche.

— Vas-y, ouvre-la, dit-il avec un sourire encourageant, passant au tutoiement.

Les yeux du policier s'agrandirent devant la somme qu'elle contenait.

— Il paraît que tu veux une seconde femme, nous serions heureux de t'aider à l'acquérir en échange de tes services. Dans cette enveloppe, il y a mille dollars.

Il y en aura quatre mille autres quand tu auras terminé la mission. C'est exactement l'argent dont tu as besoin pour la dot. Avec une somme pareille, tu es certain d'épouser une très belle vierge. C'est une bonne proposition. Une proposition honnête, mais je comprendrais néanmoins que tu ne sois pas assez courageux pour faire ce que nous te demandons. Dans ce cas, nous resterons bons amis. Nous irons voir un de tes collègues, qui, lui, acceptera.

L'Afghan ouvrit la bouche pour répondre, y renonça. Il referma l'enveloppe et l'empocha, le visage cramoisi.

— Au moment où tu places la balise, tu appuies sur le commutateur qui est là, sur la gauche. La diode reste allumée cinq secondes, puis elle s'éteint. La balise est alors opérationnelle. La batterie dure quatorze jours. Tu n'as plus à t'occuper de rien. Je te passerai une nouvelle batterie si la mission doit se poursuivre.

Il poussa un papier dans la direction de son interlocuteur.

— Voici mon numéro de portable afghan, appelle-moi ou envoie-moi un SMS dès que tu as l'enregistrement vocal. C'est très urgent, il me le faut dans les deux jours, au maximum. Pareil pour la balise, il faut la mettre en place sans attendre. Tu as compris ?

— Oui. Je ferai comme vous me le demandez.

# 5

Le reste de la journée d'Oussama avait passé lentement. Il avait été happé par diverses enquêtes de
moindre importance. Plusieurs demandes de rapports lui étaient parvenues, comme si ses supérieurs
essayaient de le surcharger de travail pour l'empêcher
de se consacrer pleinement à son enquête sur la mort
de Wali Wadi. Il n'était pas paranoïaque, loin de là,
mais il sentait une pression insidieuse sur lui, un étau
discret. Il fit ce qu'on lui demandait de la manière la
plus professionnelle possible, et lorsqu'il eut fini, ce
fut pour se rendre compte qu'il était près de dix-neuf
heures. Il y avait passé la journée !

Il alla prévenir Babrak et Gulbudin qu'il rentrait
chez lui. Malalai était en train de faire le ménage dans
le salon lorsqu'il poussa la porte de son domicile.
Quand elle le vit, elle coupa le courant de l'aspirateur,
une antique machine russe qui faisait le bruit d'un
Tupolev au décollage. Leurs maigres salaires ne leur
permettaient pas de s'en acheter un neuf, et encore
moins de disposer d'une femme de ménage plus
de quelques heures par semaine. Leur vieille maison était toujours pleine de poussière. Malalai avait
troqué sa lourde robe d'extérieur contre une tunique

légère colorée en soie et coton, qui dénudait ses bras et dévoilait ses seins plus qu'elle ne les cachait. Oussama sentit sa gorge s'assécher.

— Ne me regarde pas comme ça, plaisanta-t-elle, tu me fais penser à ce personnage de dessin animé américain, le renard avec la langue pendante.

— Ce n'est pas un renard mais un loup. — Oussama enleva son chakman. — Tu es la preuve vivante qu'Allah a créé la femme pour tenter l'homme.

— Je dois être charmée que mon mari me regarde encore avec plaisir après toutes ces années ?

— Tant que ce n'est que moi. Heureusement que les autres ne te voient pas ainsi, répliqua-t-il, regrettant immédiatement cette dernière phrase.

— Arrête ! cracha-t-elle, en colère, en reposant violemment l'aspirateur contre le mur. Je sais très bien qu'en secret tu ne désapprouves pas ces règles talibanes sur la burqa ! Je suis certaine qu'au fond de toi tu penses que c'est pour notre bien, à nous, les femmes.

— Nous avons eu cette discussion mille fois. La burqa est difficile à porter, je le concède, mais il est indéniable qu'elle vous protège de la concupiscence des hommes. J'ai eu une de mes anciennes collègues moscovites au téléphone, elle m'a dit que le nombre de viols à Moscou a explosé. Si tu savais comment les femmes s'habillaient là-bas, le soir pour sortir, ou l'été. Pas étonnant que le nombre de viols soit en constante augmentation.

— Ce n'est pas la faute des femmes, explosa Malalai, ce sont vous, les hommes, qui êtes des animaux ! Vous ne pensez qu'à ce truc que vous avez entre les jambes ! Si les femmes vous font envie, tant pis pour vous. Vous n'avez qu'à vous promener dans la rue avec un bandeau sur les yeux, sans nous imposer de devoir sortir avec cet immonde sac bleu sur la tête.

— Tu as toujours habité en ville, mais la culture afghane est campagnarde. Kaboul n'est pas l'Afghanistan, Malalai ! Dans les provinces, personne ne critique la burqa. C'est notre tradition. Le Coran l'exige.

— Le Coran n'exige rien du tout, c'est une lecture biaisée. Dans ce pays, tout est fait pour nous asservir. Le Coran dit ci, le Coran dit ça, toujours dans le même sens, bien sûr. Humilier les femmes. Les asservir. Les rabaisser. C'est le Coran qui exige que les femmes passent l'aspirateur et pas les hommes, peut-être ? En Amérique, les hommes passent l'aspirateur chez eux.

— Malalai, c'est absurde. Aucun homme ne passe l'aspirateur !

— Si, je l'ai lu dans un magazine.

— C'est un mensonge.

— Non, je l'ai lu, il y avait même une photo avec l'article.

— C'était un homosexuel, dans ce cas, pas un vrai homme.

— Encore une parole intelligente, bravo, de mieux en mieux. Oussama, tu ne comprends pas que l'on doit refuser les diktats de ces religieux bornés ? Je voudrais tellement que tu sois différent de ces hommes.

— Je ne suis pas comme eux, protesta Oussama, tu le sais.

— Si tu ne combats pas les obscurantistes de toutes tes forces, alors, tu les soutiens par ta passivité.

— Je ne les soutiens pas, s'emporta-t-il, j'ai tué suffisamment de talibans pour ne pas être accusé de lâcheté envers eux. Bon, assez discuté, cette conversation n'a aucun sens. Tu lis trop de revues étrangères, cela ne mène à rien. Où est mon tapis ? Je vais prier.

– Pas question, dit Malalai en lui barrant la route. Oussama, ajouta-t-elle à voix basse, ne laisse pas ces idées rétrogrades te contaminer. Les femmes ont le droit de choisir comment elles vivent, se conduisent et s'habillent, sans que des hommes leur imposent quoi que ce soit. Nous ne sommes pas des objets qu'on doit protéger contre notre propre volonté. Regarde-moi dans mon travail, est-ce qu'un obstétricien serait meilleur que moi ? Non. Nous, les citadins, les femmes éduquées, devons travailler à faire évoluer les mentalités dans ce pays, pour que nos droits progressent. Et c'est exactement ce que j'ai décidé de faire aujourd'hui.

– Que veux-tu dire ? demanda Oussama, inquiet.

– J'étais à une réunion avec d'autres femmes à l'invitation du conseiller culturel de l'ambassade de France...

– Ce porc ? C'est un pervers et un infidèle ! Il a embouti un autobus avec son 4 × 4 blindé le mois dernier, la police de la route est certaine qu'il avait bu et était ivre.

– Il n'est pas pervers. Il nous a parlé d'un programme international de soutien aux femmes. Je vais y adhérer, d'autant que j'ai été cooptée pour entrer au conseil secret de la RAWA.

– Quoi ! s'écria Oussama.

La Revolutionary Association of the Women of Afghanistan était une organisation secrète exclusivement composée de femmes, dont la mission était de les défendre, en Afghanistan comme au Pakistan.

Elle fonctionnait sur un mode proche de celui des mouvements de résistance, avec des cellules dont les membres ne se connaissaient pas afin d'éviter les dénonciations internes en cas d'arrestation ou d'enlèvement. Sa fondatrice, Meena, avait été assassinée du temps du président Najibullah, sans que l'on sache vraiment si c'était par les services spéciaux afghans ou par les islamistes.

– Grâce à l'aide de la France, du Japon et de l'Italie, nous allons obtenir de nouveaux fonds de l'Unesco et peut-être d'autres organisations internationales. Ainsi, nous pourrons former de nouvelles éducatrices qui parcourront le pays pour faire prendre conscience aux femmes qu'elles doivent dire non à la tyrannie des hommes. Dans notre vie de tous les jours, nous affirmerons nos droits et notre mode de pensée. Nous avons décidé de repartir en guerre pour que les filles puissent aller à l'école et au collège librement dans les campagnes.

– Mais tu es folle ! Complètement folle ! Les talibans vont te tuer, comme Meena. Tu vas te faire poignarder. Ou, pire, violer.

– Voilà encore une parole intelligente, d'homme moderne et évolué : se faire violer est pire que se faire tuer ? Tu fais exprès d'être particulièrement borné, aujourd'hui ?

– Ne joue pas sur les mots. Tu ne peux pas faire une chose pareille !

– Tu me demandes d'accepter l'inacceptable ?

– C'est notre culture, notre mode de vie. C'est ainsi. En Afghanistan, les femmes portent le tchadri et la burqa depuis toujours.

– C'est faux ! Cela n'a pas toujours été ainsi. Ce n'était pas notre culture du temps de Zahir Shah. Ni du Khalq.

– Tu étais jeune, arrête de parler des communistes, ils ont détruit notre pays.

– C'est l'obscurantisme qui a détruit notre pays, Oussama. Ma mission de femme éduquée est de résister. Si je ne le faisais pas, je n'oserais pas me regarder dans une glace.

– Ce que tu fais est insensé. Tu prends des risques immenses. En plus, comploter avec des *kâfirs* ne peut que te porter malchance. Allah risque d'être offensé.

– Allah ? Parce que tu penses que Dieu s'intéresse à notre sort ? Il n'en a rien à faire, de nous, mon pauvre Oussama. Regarde l'état du pays, ce n'est que misère, corruption, violence et désolation.

– Les desseins d'Allah ne sont connus que de Lui seul. Il a ses raisons pour nous faire souffrir de la sorte, ce n'est pas notre rôle de chercher à Le comprendre.

– Tu dis des bêtises. Tu devrais travailler moins et réfléchir plus.

*

Le lendemain matin, Oussama se leva encore plus tôt que d'habitude pour être certain que Malalai ne parte pas avant lui. Ils s'étaient disputés une nouvelle fois au moment de se coucher, même s'il avait obtenu qu'elle l'embrasse, suivant la règle qu'ils s'étaient fixée de ne jamais s'endormir sans avoir fait la paix. Vers six heures, il la vit émerger de la salle de bains. Elle portait sa tenue habituelle, une longue tunique

ample en coton bleu, en *karbaz* tout simple, et un fou-
lard qui cachait ses cheveux.

– J'ai préparé du thé et j'ai mis le ragoût de hari-
cots à chauffer si tu en veux.

– Merci, je prendrai juste du thé.

– Malalai, as-tu réfléchi à notre conversation
d'hier soir ?

– Laquelle ? Je ne me souviens pas que l'on ait
discuté de quoi que ce soit d'intéressant.

– Pour l'amour de Dieu, écoute-moi, pour une
fois. Ne fais pas ça, je t'en supplie. Ne rejoins pas
la RAWA.

– Sinon quoi ? Tu vas m'enfermer à la maison,
comme une mauvaise femme, sous la surveillance
d'un de tes cousins ? Me battre, peut-être ? lança-
t-elle d'un air de défi.

– C'est toi, maintenant, qui dis des sottises. Ne
le fais pas, c'est tout. La RAWA est la cible priori-
taire des talibans. S'ils reprennent le pouvoir, même
moi je ne pourrai pas te protéger. Il faudra s'enfuir.

– Si moi je baisse les bras, qui se battra pour nos
droits ? L'Otan ? Ma décision est prise.

Elle sortit à grands pas. Quelques secondes plus
tard, il entendit sa motocyclette démarrer rageuse-
ment, un crissement de pneus sur les cailloux de la
ruelle, puis le silence. Il sortit à son tour. Son chauffeur attendait debout à côté de la portière, l'air gêné.
Peut-être avait-il entendu les éclats de voix. En général, une dispute entre époux se terminait par une cor-
rection infligée à l'épouse rebelle. Oussama songea
que tout le commissariat serait au courant de ce qui
s'était passé avant la fin de la matinée. On se moque-
rait encore de sa faiblesse. Il se demanda ce qu'il avait

bien pu faire à Dieu pour tomber amoureux d'une femme pareille !

Son équipe l'attendait au grand complet dans la salle de réunion, mais il était tellement énervé par sa dispute avec Malalai qu'il passa devant la pièce sans un mot pour s'enfermer dans son bureau. Il y resta la moitié de la matinée, ruminant sa colère. Malalai ne se rendait pas vraiment compte de la détermination des talibans. Les apprentis martyrs se disputeraient l'honneur de se faire sauter au milieu d'une réunion de la RAWA. Sans compter les trahisons possibles : la police arrêtait de plus en plus de femmes candidates au statut de shahid, de martyr.

Il parcourait son courrier d'un air distrait lorsqu'un planton vint lui annoncer qu'un coursier le demandait. C'était un jeune garçon, pas plus de onze ou douze ans, vêtu d'une longue tunique de coton et de chaussures de sport en bouillie portées sans chaussettes, avec un calot blanc d'école coranique sur le crâne. Il semblait tout intimidé de se trouver au cœur du commissariat central, un lieu de sinistre réputation pour la plupart des Kaboulis. L'enfant tendit une enveloppe à Oussama. Celui-ci l'ouvrit directement, en dépit des consignes de sécurité, certain de l'expéditeur. L'enveloppe ne contenait qu'une feuille de papier épais, de belle qualité. Il y était inscrit : *Je vous attends dès que possible. Je peux faire sortir votre homme.* Oussama remercia le garçon d'un billet de dix afghanis. Pour donner le change, il resta à son bureau une demi-heure de plus, à traiter les affaires courantes, puis il prit son pistolet et sa grenade, et s'esquiva par la porte arrière. Il marcha seul durant une vingtaine de minutes, au hasard. Lorsqu'il fut certain que personne ne l'avait suivi, il héla un taxi. Le même unijambiste l'introdui-sit dans le bureau du mollah. Ce dernier était en train de manger, une serviette autour du cou.

– Ah, qomaandaan ! Je suis en train de déguster un ragoût d'agneau aux fruits confits particulièrement savoureux. Voulez-vous y goûter ?

– Merci, je me contenterai d'une boisson, répon-dit Oussama.

Le mollah prit l'air déçu. Son ventre était si rebondi qu'il était obligé de manger à distance de la table, les bras tendus. Pendant qu'il bâfrait avec des airs de matou heureux, ils discutèrent du temps, des affaires gouvernementales et de la dernière bavure de la Coa-lition, puis mollah Bakir essuya sa barbe avec sa ser-viette et repoussa son assiette.

– Splendide ! Vous auriez dû y faire honneur avec moi. Ma femme, lorsqu'elle était encore en vie, fai-sait le meilleur ragoût de Kaboul, elle mélangeait les épices de toutes sortes, du *kamoun* avec du *mas-samam*, et d'autres herbes dont j'ignore jusqu'au nom. Heureusement, une de mes fidèles a retrouvé sa recette.

– Vous faites bombance ainsi tous les jours ?

– Chaque fois qu'Allah m'en donne l'occasion, et Allah permet, qu'Il soit loué, qu'elles soient nom-breuses. Je devais travailler à mon ordinateur ce matin, avoua-t-il, mais je n'ai pas pu résister lorsqu'on m'a apporté ce plat.

Oussama ignorait que l'épouse de mollah Bakir était décédée. Il chercha dans la pièce un portrait de femme ou d'enfant, sans en trouver. Son regard s'arrêta sur le routeur Internet hérissé d'antennes qui ronronnait sur le bureau.

– Pour un homme qui souhaite revenir à l'islam des pères fondateurs, je vois que vous ne négligez pas la technologie américaine la plus moderne, se moqua-t-il.

– Ne me confondez pas avec mes collègues talibans, frère Oussama. Tous les nôtres ne sont pas disposés à vivre comme au Moyen Âge. Nous voulons un État islamique, certes, mais, pour ma part, je veux un État islamique *moderne*, dans son siècle. Pourquoi faire fi de mille deux cents ans de progrès et vivre comme autrefois ? Pourquoi accepter la kalachnikov et pas l'ordinateur, l'électricité et pas l'évolution des mœurs ? Quant aux États-Unis, il est connu que j'étais favorable à de bonnes relations avec eux. Ce fut d'ailleurs le cas pendant un certain nombre d'années. – Le mollah avala une gorgée de thé, le petit doigt en l'air. – J'ai réussi à obtenir une sortie provisoire de prison pour l'homme que vous m'avez indiqué. L'adjoint du directeur de la prison l'accompagnera en personne à la porte extérieure sud, ce soir, à dix-huit heures trente. Il devra être rentré à minuit. Entre-temps, il est à vous, vous pouvez en disposer à votre gré.

– Merci. Je suis votre obligé, désormais.

– Je le sais, dit le mollah en se resservant. C'est la raison pour laquelle j'ai facilité ce transfert. Comment vos amis occidentaux appellent-ils cela en théorie financière ? Une « option », n'est-ce pas ? Je vous joue à la hausse, qomaandaan.

– Je ne comprends rien à ce que vous dites.

– Ne faites pas semblant d'être moins intelligent que vous ne l'êtes en réalité. La rusticité n'empêche pas d'avoir de l'esprit, n'est-ce pas, sinon comment seriez-vous devenu le chef moudjahid que vous fûtes ?

– N'espérez pas que je couvre des activités délictueuses ou criminelles de vos amis talibans. J'ai besoin de cet homme pour une enquête officielle, ce n'est pas un service personnel.

Mollah Bakir secoua la tête en prenant l'air faussement désolé.

– Dans ce monde, tout service est personnel. Je vous l'accorde à vous, frère Oussama, et non au colonel de police de ce régime impie et pourri jusqu'à la moelle. J'en profite pour préciser que vous devrez signer au directeur un ordre officiel de sortie. Vous serez ainsi responsable devant l'administration du bon retour de son prisonnier à l'heure prévue.

– Le directeur de la prison…

– Vous hait, je le sais. Mais, fort heureusement, la peur que je lui inspire est plus forte que sa haine envers vous. Il s'exécutera comme le petit toutou qu'il est.

– Je vois, dit Oussama. Est-ce une manière pour vous de me piéger si les choses tournent mal ?

– Vous voyez bien que vous êtes moins rustique que vous ne le laissez croire. On peut le considérer ainsi. Ou comme une sécurité… Le directeur de la prison n'est pas l'homme le plus courageux de Kaboul. Si vous avez le moindre problème, il pourrait vendre le papier à quelqu'un qui l'utilisera pour essayer de vous faire chanter. Moi, par exemple. Ou même ce baudet de ministre de la Sécurité, que vous méprisez tant, me dit-on. Qu'espériez-vous ? Plus personne n'a le sens de l'honneur, dans ce pays. La guerre dure depuis trop longtemps, les Afghans ont donné des gages à trop de gens, en trop peu de temps : les communistes, les Russes, l'Alliance du Nord, nous, les Américains aujourd'hui… Vous devriez être content, j'aurais pu vous mettre devant le fait accompli ce soir, à la sortie de la prison. Un homme averti en vaut deux.

– C'est exact, reconnut Oussama, je vous remercie. Pourquoi prenez-vous le risque de m'aider ? Je ne peux que vous attirer des ennuis. Le simple fait que j'aie compris l'étendue de votre pouvoir vous met en danger.

– D'autres que vous, bien plus puissants, l'ont compris depuis longtemps, frère Oussama, et je suis toujours vivant. Les choses sont parfois plus compliquées qu'elles n'en ont l'air. Et puis, Wali Wadi trempait dans de drôles d'affaires. Quoi que vous trouviez, l'information sera intéressante et, comme vous l'avez compris, l'information est ma passion. Bonne chance, qomaandaan.

*

Après avoir étudié une nouvelle fois le dossier de fond en comble, Nick décida qu'il devait rencontrer sans plus attendre Jacqueline, la prostituée que fréquentait le fugitif. Les enquêteurs de l'Entité l'avaient considérée comme un témoin sans le moindre intérêt. De son point de vue, c'était une erreur.

Jacqueline était la seule femme que le fugitif fréquentait régulièrement, et ce depuis neuf ans. Léonard était un homme de rigueur et de règles. Un homme comme lui vivait sur ses repères. Cet entretien serait utile pour comprendre tout ce qui était sorti de l'ordinaire, tout ce qui avait marqué une rupture avant sa disparition. La même fille pendant neuf ans : lui avait-il fait des confidences ? Nick était certain qu'elle pourrait lui apprendre des choses sur sa personnalité.

Il supposait également qu'il y avait eu une autre prostituée avant elle, sans doute également pendant une longue durée. Pourquoi Léonard l'avait-il quittée ? Un homme comme lui ne changeait que s'il avait une bonne raison de le faire.

Il composa le numéro du service d'escort. La ligne bascula presque immédiatement sur une musique d'attente. Puis une femme décrocha.

– Romance, j'écoute.

– Bonjour, je voudrais prendre un rendez-vous, je vous prie.

– Êtes-vous déjà client chez nous ?

– Non, mais l'un de mes amis l'est.

– Parfait. Avez-vous une préférence ? Nous avons des femmes et des hommes de styles très différents. Europe, Asie, Afrique, âges et corpulences au choix.

– Je voudrais Jacqueline. Si c'est possible, dès cet après-midi.

La femme consulta son listing.

– Elle ne travaille pas cet après-midi, je vais voir si elle est libre. Vous connaissez nos tarifs ?

– Oui, pas de problème.

– Quel est votre prénom ?

– Martin, répondit Nick.

– Ne quittez pas.

La musique revint, puis la standardiste reprit la communication.

– Jacqueline peut vous rencontrer plus tard, mais elle ne pourra rester que deux heures avec vous. Cela vous convient-il ?

– Parfait. Recevez-vous les clients ?

– Désolée, nous n'avons pas de locaux pour ce faire. Nos pensionnaires sont souvent invitées au Winston.

– À côté du restaurant Citronnelle ? Entendu.

Nick connaissait de réputation cet hôtel de charme situé juste à côté de l'un des restaurants les plus huppés de Zurich.

*

En fin d'après-midi, Oussama donna le signal du départ pour la prison. Pour cette mission sensible, il ne pouvait pas prendre le risque d'être seul, aussi avait-il sélectionné une dizaine d'hommes, les plus fiables de son équipe, afin de surveiller le détenu. Outre Babrak, Gulbudin, Djihad, Rangin et Abdul, il avait choisi cinq Tadjiks issus du même village, des anciens de l'Alliance du Nord. Ils s'entassèrent dans son 4 × 4 et un pick-up, un minibus occupé par deux policiers « normaux » fermant la marche. Pendant le trajet, le minibus s'arrêta au milieu de la chaussée, tandis que les deux autres véhicules fonçaient à toute vitesse droit devant. Penché par la fenêtre, Oussama vérifia que sa rupture de filature avait marché, tandis que ses adjoints scrutaient la rue, kalachnikov à la main, à la recherche d'un deux-roues ou d'une voiture suspects. Oussama remonta sa vitre, serein.

– C'est bon. Personne ne nous a suivis.

– Vous prenez un risque important avec cette manip, chef. Qui vous a obtenu la sortie de la prison ? demanda Gulbudin.

– Pour ta propre sécurité, mieux vaut que tu ne le saches pas. Babrak, j'en profite pour te dire que si tu veux te mettre à l'écart, tu peux encore le faire. Tu as de jeunes enfants, je comprendrais.

– Laisser à Gulbudin tout l'honneur sur une affaire pareille ? Pas question, je reste avec vous, chef, sourit son adjoint. J'ai dans l'idée que je vais apprendre beaucoup de choses intéressantes.

– À Kaboul, les choses intéressantes sont toujours trop dangereuses.

Ils étaient sortis de l'agglomération et roulaient à toute allure sur la route goudronnée qui menait à Pul-e-Charkhi, à une vingtaine de kilomètres du centre. Puis le chauffeur tourna dans une route défoncée. Ils passèrent un premier barrage de l'ANA, puis un deuxième, renforcé par une dizaine de blindés légers et deux tanks T72. Depuis l'attaque de la prison par un commando d'une trentaine de talibans, la sécurité avait été considérablement renforcée.

– Pendant que nous y sommes, raconte-moi quelles sont les dernières rumeurs sur mon compte.

– Eh bien, je ne sais pas si je dois le dire…, commença Babrak prudemment. – Encouragé par un geste de la main d'Oussama, il poursuivit : – Il paraît que votre épouse a créé une association de femmes. On murmure qu'elle tient des propos dignes des communistes ou des kâfirs, qu'elle critique ouvertement les mollahs. Un des chauffeurs du poste a raconté qu'elle est encouragée par un diplomate occidental, un mécréant qui boit de l'alcool et fréquente des lieux impies.

– Les nouvelles vont vite !

– Oui. D'ailleurs, en ce qui me concerne, et pour que vous ne l'appreniez pas par quelqu'un d'autre, je dois vous annoncer que j'ai décidé de prendre une seconde épouse.

– Toi ? s'exclama Oussama, interloqué.

– Eh oui. Je sais, je ne vais pas aussi souvent que vous à la prière, je pourrais être un meilleur croyant…

– Alors, pourquoi prendre une seconde épouse ?

– Ma première femme commence à me poser des problèmes, avoua Babrak. Elle critique mes horaires de travail, elle ne veut pas aller chez mes parents, elle se plaint des coupures de courant dans le quartier. Le mollah de mon quartier m'a affirmé que prendre une seconde épouse était le meilleur moyen de m'assurer que la première cessera de me causer des ennuis, *al Hamdullilah*. Ma famille financera la dot, je n'aurai rien à apporter.

– Je croyais que tu l'aimais.

– Mais je l'aime.

– C'est un peu court, comme raisonnement. Mets-toi une seconde à sa place : si tu étais une femme, tu serais mortellement blessée que ton mari convole avec une autre.

– Ça oui ! répondit Babrak en éclatant de rire.

Devant le regard de son chef, il s'arrêta brusquement.

– Tu as réfléchi à ce que tes enfants vont en penser ? reprit Oussama.

– Non, avoua Babrak.

– Tu devrais.

L'arrivée devant la prison interrompit la conversation. L'édifice panoptique, immense, se dressait au milieu d'un terrain de plusieurs hectares, sans aucun arbre ni endroit où se cacher. Il était surmonté de murs ocre, avec des miradors tous les cent mètres. Un parfait exemple d'architecture soviétique. Depuis la chute des talibans, des travaux importants avaient été effectués par les Américains, qui avaient installé des caméras et des systèmes de détection volumétriques. Des soldats en armes sommeillaient, allongés sur le plateau de plusieurs vieux camions garés à proximité de la porte. Des pick-up équipés d'une mitrailleuse Douchka bloquaient celle-ci. Oussama se tourna vers Gulbudin.

– Vas-y, je suis trop connu.

Ce dernier obtempéra, suivi par quelques-uns de leurs hommes. Une conversation animée s'engagea devant la porte de la prison avec un gardien en uniforme crasseux, calotte beige sur le crâne. Enfin, son adjoint revint, une feuille à la main.

– Vous devez signer ça, chef.

Oussama s'exécuta. Quelques instants plus tard, Gulbudin sortit du bâtiment avec un homme vêtu d'un shalwar karmiz rapiécé, les mains menottées dans le dos. Il semblait tout étonné de se retrouver à l'air libre. Aussitôt les adjoints d'Oussama l'encadrèrent, empêchant toute velléité de fuite. Babrak le fit monter dans la voiture, entre un policier et lui-même. Oussama se retourna.

– Tu es Bismullah Tikrini ?

– Oui.

– Tu sais pourquoi tu es dehors ?

– Non. On ne m'a rien dit.

– J'ai besoin de toi pour ouvrir deux coffres. Il paraît que tu es un spécialiste, c'est vrai ?

– Oui, reconnut l'homme.

– Tu saurais ouvrir un coffre européen, un Hartmann ?

– J'aurais besoin de mes outils. Ils sont chez moi.

– Tu as des outils de cambrioleur chez toi ?

– Je les ai emportés avec moi quand j'ai été expulsé d'Italie, ce sont des outils coûteux, j'ai pensé que je pourrais les revendre plus cher ici.

– D'accord, allons les chercher.

Le taulard habitait une minuscule maison dans l'est de Kaboul. Quatre policiers, Oussama lui-même et ses deux adjoints l'y accompagnèrent, afin de vérifier qu'il ne cherchait pas à s'enfuir ou à prendre une arme. Il ressortit avec deux valises, des modèles Delsey, qu'ils l'aidèrent à porter jusqu'au 4 × 4.

– Où as-tu acheté des valises pareilles ? s'étonna Babrak.

– En fait, je les avais récupérées lors d'une de mes « visites », à Rome. Les flics italiens ont cru qu'elles étaient à moi, j'ai été autorisé à les garder.

Une fois arrivé chez Wali Wadi, Tikrini se montra beaucoup plus à l'aise. Il ouvrit les deux valises et déplia ses outils sur une couverture en feutrine rouge avec des gestes lents et précis. Perceuse, plusieurs sortes de pinces, de mécanismes de levier, de tiges métalliques, ainsi qu'un ordinateur portable qu'il brancha au secteur.

– C'est important de bien positionner ses outils, toujours selon le même plan, expliqua-t-il, cela permet de les avoir sous la main au bon moment et de ne pas en oublier si on doit se tirer vite fait.

– Combien de cambriolages as-tu commis ? demanda Oussama.

– Deux cent trente-sept, dont une vingtaine sur des coffres de haute sécurité. J'ai été attrapé cinq fois seulement, et condamné deux fois. En tout, j'ai gagné une fortune, malheureusement les flics italiens ont trouvé tous mes comptes en banque et les ont saisis, j'ai été expulsé avec l'équivalent de mille euros. – Il sourit à Oussama. – Sans vouloir me vanter, vous avez de la chance de m'avoir sous la main, personne n'a mon expérience à deux mille kilomètres à la ronde.

Il chaussa un casque surmonté d'une torche et d'étranges lunettes grossissantes qui lui mangeaient la moitié du visage.

– Bizarre, dit-il.

Oussama s'approcha dans son dos.

– Qu'est-ce qui est bizarre ?

– Regardez ces marques près de la serrure. Elles sont quasi invisibles à l'œil nu, mais avec mes lunettes grossissantes on les aperçoit.

– Tu veux parler de ces minuscules griffures ?

– C'est ça.

– Qu'est-ce que cela signifie ?

– Quelqu'un a déjà ouvert ce coffre. Il a utilisé une machine très perfectionnée qui introduit de minuscules tiges métalliques dans la serrure. Je n'en ai jamais vu, mais je sais que certains collègues s'en servent. Ça reproduit une clef pour n'importe quelle serrure. Pour le code, on branche un ordinateur puissant, le même que le mien, avec un logiciel spécial qui tente toutes les combinaisons. Aucun coffre n'y résiste.

– Combien de temps faudrait-il pour ouvrir ce coffre avec ce type de matériel ?

– Une heure, peut-être un peu moins.

– Et toi, combien de temps vas-tu mettre ?

– Pareil, mais je vais être obligé de casser la porte.

– Fais des photos de la serrure en gros plan, ordonna Oussama à l'un de ses hommes. Qu'on garde une preuve de ce que nous avons vu.

L'ouverture du coffre prit une heure à Tikrini. Lorsque la porte s'arracha dans un crissement de métal, Oussama se précipita. Il découvrit un coffre vide. Machinalement, il passa la main à l'intérieur. Rien, pas même un grain de poussière.

— On file à ses bureaux et on ouvre le second coffre.

La même procédure se répéta là-bas, pour le même résultat : un coffre vide.

— À part toi, quel Afghan serait capable d'ouvrir ces coffres sans laisser de traces ? demanda Oussama à Tikrini.

— Personne. Le matériel dont je vous ai parlé est rare, je suis certain qu'on ne le trouve pas ici, ni personne capable de s'en servir.

— Toi, tu saurais ?

— Pas du premier coup, pas aussi discrètement. Celui qui l'a utilisé n'a laissé quasiment aucune trace, il a l'habitude. C'est un pro.

— Je comprends, fit Oussama. Tu nous as bien aidés. Je ferai en sorte de glisser un mot au procureur qui s'occupera de ton cas.

— Mon avocat n'est jamais venu me voir, un gardien m'a dit que je risque d'être extradé pour de la prison à perpétuité au Canada. Je n'ai fait que défendre l'honneur de ma sœur !

— Les pays de la Coalition sont de plus en plus sensibles aux bavures causées par leurs troupes. Je veillerai à ce que tu puisses t'expliquer devant un membre de la police militaire ou de la justice canadienne. – Oussama mit la main sur l'épaule de l'homme. – Tu sais, ces pays occidentaux ne fonctionnent pas comme nous : là-bas, les tribunaux sont honnêtes et indépendants. S'il s'est effectivement passé ce que tu racontes,

118

les Canadiens seront les premiers à demander que des circonstances atténuantes te soient trouvées. Tu as de bonnes chances d'être relaxé.

Ils le déposèrent devant la prison vers onze heures du soir. En le voyant entrer à l'intérieur du sinistre bâtiment, Oussama ne put s'empêcher d'avoir un mauvais pressentiment. Il fit descendre son chauffeur, afin de rester seul avec ses adjoints. Il ne voulait pas de témoin à leur discussion. Il démarra en trombe, suivi par le pick-up.

– Alors, qu'en pensez-vous ? demanda Babrak presque immédiatement. La piste s'arrête là ?

– Nous venons de progresser à grands pas. C'est une excellente soirée pour nous.

– Pourquoi ? Nous n'avons rien. Les coffres étaient vides !

– Nous avons une information essentielle : nous savons désormais que quelqu'un a ouvert ces coffres, et que ce quelqu'un n'est pas afghan. Cela renforce une idée qui me trotte dans la tête depuis ma première visite sur les lieux du crime. L'idée d'un suicide ne peut pas venir d'un Afghan. C'est le plus mauvais calcul qui pouvait être fait : un meurtre, un attentat auraient été moins visibles. Si je récapitule, nous avons donc un maquillage de meurtre en suicide, qui ne peut avoir été monté que par un Occidental, un coffre qui ne peut avoir été ouvert que par un Occidental, et un ministre que seuls des gens très puissants peuvent manipuler.

– Qui ?

– Ça, mon cher Babrak, c'est à nous de le découvrir.

Joseph reposa ses lunettes de vision nocturne. Il avait décidé de faire un tour devant le commissariat, afin de s'imprégner des lieux au cas où il aurait à y intervenir. Il avait croisé le commissaire au moment où ce dernier entrait dans son 4 × 4, suivi par une meute d'hommes qui s'étaient répartis dans deux voitures de protection. Il n'avait pas eu besoin de vérifier sur les photos fournies par Berne, il avait reconnu Kandar à la seconde où il l'avait croisé : un géant hiératique de près de deux mètres avec une barbe taillée court, sec comme une trique, coiffé d'une toque d'astrakan. Ils avaient entamé la filature immédiatement, suivant à distance l'étrange équipée du commissaire et de sa troupe d'abord jusqu'à la prison, puis dans une maison qu'il n'avait pas encore identifiée, et enfin dans un immeuble de bureaux.

Il se tourna vers son K. Amin attendait confirmation de l'identité du prisonnier que le commissaire avait fait sortir de prison. Joseph ne comprenait pas ce que Kandar tramait, cela l'inquiétait.

— Tu as le nom du propriétaire de la maison où ils viennent de se rendre ?

— J'attends. On aura ça dans deux minutes.

Amin pianotait sur un ordinateur posé sur ses genoux depuis plus d'une demi-heure. Joseph soupira, en se laissant aller contre le siège. Il avait l'habitude d'attendre : dans son métier, il y avait quatre-vingt-dix-neuf pour cent d'attente pour un pour cent d'action. Quelques instants plus tard, un bip sonore les avertit de l'arrivée d'un mail. Il se redressa immédiatement.

— Alors ?

— L'adresse correspond aux bureaux de Wadi Wali.

Joseph ne fit pas de commentaire. C'était ce qu'il subodorait depuis le début.

– Pas d'infos sur le mec qu'ils ont fait sortir ?

– Pas encore, patron. Désolé.

Joseph regarda son téléphone muet. Il avait appelé son indic au commissariat dès qu'il avait vu le taulard rejoindre le véhicule de Kandar. Ce dernier lui avait promis de se rendre à la prison sur-le-champ pour se renseigner, mais, depuis, il n'avait aucune nouvelle. Soudain, un mouvement attira son attention. Plusieurs hommes en armes étaient en train de sortir de l'immeuble de bureaux. La haute silhouette du commandant Kandar dépassait toutes les autres d'une bonne tête. Il monta dans son 4 × 4 tandis que les hommes couraient autour de lui. Les deux véhicules démarrèrent brusquement.

– Vas-y. Suis-les, ordonna Joseph.

La vieille Peykan à la peinture écaillée s'élança. L'anémique quatre-cylindres iranien d'origine avait été remplacé par un moteur à double turbo, les suspensions par des amortisseurs à gaz dernier cri, quant à la carrosserie et aux vitres blindées, elles pouvaient arrêter des balles de kalachnikov. Grâce à ce véhicule, personne ne les avait remarqués.

En dépit de la nuit avancée, la circulation était encore importante : camions, véhicules militaires, mais aussi beaucoup de voitures de civils. Toute la ville était plongée dans l'obscurité. C'était une sensation étrange, oppressante. L'impression d'être dans un film d'horreur.

– Flippant, cette ville dans le noir, remarqua Amin au même moment.

Ils continuèrent à vive allure. Ils étaient gênés par les conducteurs d'en face, dont beaucoup roulaient pleins phares, sans se soucier des autres voitures.

— Tout le monde a peur, laissa tomber Amin. Je n'ai pas vu une bagnole rouler à moins de soixante-dix.

— Ils craignent les enlèvements. La nuit, c'est dangereux, ici, tout peut arriver, surtout le pire. Tu reconnais le chemin ? On retourne à la prison.

— Ça y ressemble, patron.

— Il ramène le prisonnier, ce n'est pas la peine de continuer. On décroche.

Amin fit demi-tour en plein milieu de l'avenue dans un hurlement de pignons martyrisés. Joseph lui mit la main sur la cuisse.

— Cool.

Autant éviter de se faire tirer dessus par un soldat à la détente facile. Une telle voiture coûtait cher, la réparation d'un blindage encore plus, et il en avait besoin dans les jours à venir.

Tandis qu'ils roulaient vers le compound, le portable de Joseph sonna. C'était son indic au commissariat. Joseph l'écouta silencieusement lui raconter comment il avait identifié le prisonnier, grâce à l'aide d'un de ses lointains cousins, maton à la prison. En réalisant que l'homme, un certain Tikrini, avait assassiné un soldat de la Coalition, Joseph comprit que l'affaire n'avait pas fini de le surprendre. Il raccrocha, pensif.

— Qu'est-ce qu'on fait ? demanda Amin.

— Je ne sais pas à quoi tout cela rime, mais c'est important. Il faut prévenir Berne.

— Merde ! On retourne au bureau, si je comprends bien ?

– Je préfère appeler le général plutôt que d'envoyer un mail, même crypté. Il faut que j'utilise le cube. On dormira là-bas.

Les locaux provisoires que l'Entité avait loués se trouvaient dans une des zones périphériques de l'aéroport, considérée comme un des lieux les plus sécurisés de tout l'Afghanistan… mais on disait la même chose de Bagram jusqu'à ce qu'une dizaine de martyrs bardés d'explosifs ne l'attaquent. Situés au premier étage d'un bâtiment préfabriqué, ils étaient mal chauffés, meublés sommairement, mais une entreprise spécialisée, suisse naturellement, était passée pour les équiper du dernier cri en matière d'informatique et de connexion satellitaire. Les techniciens avaient également installé une salle de communication cryptée, qui consistait en une sorte de cube d'une dizaine de mètres carrés, recouvert de plaques de métal parcourus de câbles électriques. Le cube était censé empêcher toute interception électromagnétique, afin de permettre à Joseph de communiquer sans danger avec Berne.

– Pourquoi ce flic fait-il sortir de taule un mec pareil ? demanda Amin.

– Je ne sais pas. C'est bien ce qui m'inquiète.

*

La suite que Nick avait réservée au Winston comprenait une grande chambre, équipée d'un miroir en face du lit, et un salon attenant pourvu d'un canapé, de deux fauteuils et d'un bureau recouvert de cuir, d'un style qu'il ne savait pas identifier avec précision. Français, probablement. Les murs étaient décorés d'élégantes lithographies et de tableaux anciens, représentant tous des femmes plus ou moins dénudées. L'un d'eux évoquait des courtisanes en tenue orientale. Le titre était *Dans le harem du sultan de Peshawar, vers 1875*. En fait de palace, le Winston ressemblait furieusement à un lupanar de luxe. Il s'allongea sur le lit, faisant le vide dans sa tête.

Lorsqu'on sonna, il se sentait reposé et d'attaque. La femme qu'il avait vue en photo dans le dossier fourni par l'Entité se tenait sur le seuil. La quarantaine sportive, des yeux rieurs, la peau mate et des cheveux noirs très longs. Elle était plus grande qu'il ne l'avait imaginé, peut-être un mètre soixante-quinze. Elle dégageait une indéniable classe. Il avait rarement rencontré une femme aussi belle.

— Bonjour, je suis Jacqueline, dit-elle, très naturelle, en lui tendant la main. Vous êtes Martin ?

Nick resta interdit, ne sachant comment réagir. Jacqueline eut un sourire charmeur.

— Vous êtes timide ou vous avez changé d'avis ? Vous me laissez entrer ?

Elle parlait allemand avec un léger accent français. Nick s'effaça.

— Je vous en prie.

Très sûre d'elle, Jacqueline laissa glisser son manteau sur le canapé, dévoilant une robe bleu marine coupée au-dessus du genou qui révélait ses jambes et mettait en valeur des hanches fines et une forte poitrine, sans doute refaite. La tenue ne cadrait pas vraiment avec ses sages lunettes d'institutrice. Pour autant que Nick pouvait en juger, elle portait un soutien-gorge noir, dont une délicate bretelle se dessinait sous le tissu léger de la robe. On aurait cru qu'elle sortait d'un magazine de mode. À nouveau, il s'empourpra, lui faisant signe de s'asseoir en face de lui. Elle croisa les jambes avec beaucoup d'élégance, puis éclata de rire. Un rire frais.

– J'ai déjà rencontré des hommes timides, mais vous, c'est vraiment le… *pompon*. Vous êtes mignon, vous me plaisez. Vous faites du sport ?

– Du ski et de l'escalade de haute montagne.

– J'adooooore l'escalade. De quel coin êtes-vous ? demanda-t-elle.

– De Genève, mais j'habite Berne.

Ils restèrent assis l'un en face de l'autre, sans parler, quelques instants.

– Vous m'avez l'air d'un drôle de jeune homme. Avez-vous des idées spécifiques en ce qui nous concerne ? – Elle se pencha en avant, lui permettant de sentir les effluves discrets d'un parfum capiteux. – Des fantasmes particuliers ? Je pourrais vous apprendre de nouvelles formes… d'escalade.

Elle eut un rire de gorge très bourgeois, comme si elle était elle-même gênée de sa plaisanterie grivoise.

– En réalité, je ne vous ai pas appelée pour une… relation. Je souhaiterais discuter avec vous.

– De quoi ?

Elle souriait toujours, mais son attitude n'était plus tout à fait la même. Il la sentait sur ses gardes. Il le comprenait, car c'était la même histoire, partout dans le monde, pour toutes les prostituées, quel que soit le milieu dans lequel elles évoluaient, hôtels de luxe ou ruelles sordides. Dans ce métier, les clients inconnus qui ne voulaient pas consommer étaient souvent des clients à problème. Bizarrement, cette révélation le libéra. Il croisa les mains sous son menton, supportant le regard de Jacqueline.

– D'un de vos clients réguliers. Son prénom est Léonard.

Elle se leva, le visage fermé.

– La règle est de ne jamais parler d'un client à un autre. Je suis étonnée que vous ne la connaissiez pas.

– La règle s'arrête lorsqu'un client est en danger de mort, répondit Nick doucement. Léonard est en fuite, poursuivi par des individus qui veulent le tuer. Si je ne le trouve pas avant eux, c'est un homme mort.

Il avait honte de mentir, mais comment faire autrement ? Jacqueline se rassit, soufflée.

– Vous êtes son ami ?

– Regardez-moi. Ai-je l'air de lui vouloir du mal ?

Le regard scrutateur se posa sur lui. Elle parut favorablement impressionnée par son allure.

– Vous avez l'air d'un flic, mais vous n'en êtes pas un. Qui êtes-vous ?

Les prostituées ont un sixième sens pour reconnaître les flics, et plus généralement pour sentir ceux qui leur veulent du mal. Une call-girl comme Jacqueline, même dans son environnement protégé, n'aurait pas tenu dix ans si elle n'avait pas cette perception surdimensionnée.

– Je suis une sorte d'enquêteur, un enquêteur ami. Voulez-vous m'aider, Jacqueline ?

– Pourquoi le ferais-je ?

– Nous n'avons rien à y gagner d'un point de vue financier, ni vous ni moi, c'est juste une question de principe. Ou de morale, si vous préférez. Vous voyez Léonard depuis neuf ans. Je ne peux pas croire que son sort vous soit indifférent, éluda Nick.

Un truc de flic qu'il avait entendu souvent dans la bouche de Werner : « Si tu veux qu'une prostituée

126

t'aide, traite-la avec respect, toujours, comme une lady ; personne ne traite jamais les putes comme des ladies, à commencer par la police. »

— Je veux bien vous aider. Mais je vous préviens, je ne sais presque rien. Je me doutais bien qu'il avait disparu, vu que je n'avais pas de nouvelles.

— Avait-il l'air inquiet avant de disparaître ?

— Nullement.

Elle lui raconta ce qu'il avait déjà lu dans le dossier. Il prenait des notes, l'interrompant de temps en temps pour une question précise.

— A-t-il essayé de vous revoir en dehors d'une de vos... séances ?

— Jamais.

— Son comportement avec vous était-il conforme à l'homme qu'il semblait être ? Avait-il des marottes ?

— J'avais parfois l'impression qu'il ne prenait pas beaucoup de plaisir à ce que nous faisions. Pendant l'amour, il avait l'air... concentré. Comme s'il travaillait.

— Pourquoi payait-il aussi cher, dans ce cas ?

— Il est riche, l'argent n'est pas un problème pour lui.

— La réponse me paraît un peu courte, sans vous offenser.

Jacqueline réfléchit.

— À mon avis, je le rassurais. J'ai un style sérieux, au début je me faisais passer pour une institutrice cherchant à arrondir ses fins de mois. Je ne crois pas qu'il y ait jamais cru, mais le scénario semblait l'exciter.

— L'exciter ou lui plaire ?

— C'est pareil, non ?

– Vous avez dit vous-même qu'il n'était pas vraiment excité, reprit Nick en plongeant le nez dans son calepin.

– Vous avez raison. Mon scénario ne l'excitait pas, il lui plaisait. – Elle le fixa droit dans les yeux. – Il n'y a que des flics pour poser des questions pareilles.

– J'essaye de poser les questions qui peuvent me rapprocher de lui, dit-il pour désamorcer la tension. Il y a beaucoup de choses que je ne comprends pas dans son comportement. Mes questions pourraient être celles d'un psy autant que d'un flic.

– Je ne crois pas qu'un psy serait heureux de la comparaison.

– Vous êtes sa maîtresse depuis neuf ans. À votre connaissance, qui Léonard fréquentait-il avant de vous rencontrer ?

– Vous croyez que c'est important ?

– Léonard a disparu. Tout est important.

– Hum, laissez-moi réfléchir. Oui, il m'a parlé d'une femme. Il y a six ans ou sept ans. Un Noël. Il avait l'air un peu déprimé. Il m'avait dit que ce qu'il aimait chez moi, c'était ma classe, que je ressemblais beaucoup à la femme qu'il fréquentait avant. Je lui avais demandé pourquoi il ne la voyait plus, puisqu'elle avait l'air de lui plaire. J'étais un peu vexée, et inquiète aussi, Léonard était déjà un bon client, fidèle et généreux, donc, aussi, je n'avais pas envie qu'il me remplace. Il avait ri et m'avait répondu qu'il ne reverrait jamais Yasmina, même si c'était une beauté, parce qu'elle consommait de la drogue. Il avait peur du sida, il ne voulait pas se mettre en danger.

– Yasmina ? Elle était d'origine arabe ?

Nick fixait intensément Jacqueline. Une idée venait de jaillir dans son esprit.

– Excusez-moi de vous poser cette question personnelle, mais vous avez un air moyen-oriental, en dépit de votre prénom français. De quelle origine êtes-vous ?

– Je suis libanaise.

La suite de la discussion n'apporta aucune information intéressante. Nick sortit mille francs suisses de son portefeuille, le prix pour le temps passé avec Jacqueline. Elle prit les billets délicatement, les rangea dans son sac avec une grâce de biche.

# 6

Le lendemain matin, Oussama se leva avec un mal de crâne qui lui donnait l'impression d'avoir la tête enserrée dans un étau. Mettre des mots sur ses pensées avait révélé l'énormité de la situation. Il avait l'habitude des enquêtes difficiles, des pressions et des menaces, mais il sentait que, dans cette affaire, les risques étaient d'une tout autre nature. Il prit une douche froide, le chauffe-eau étant en panne. Derrière les fenêtres, le vent mugissait. Il ouvrit les rideaux. Une bise glaciale s'était brusquement abattue sur Kaboul avec de véritables bourrasques de neige, faisant chuter la température d'une vingtaine de degrés en quelques heures, un phénomène courant à cette époque de l'année. Il faisait encore nuit, la ruelle dans laquelle il habitait était plongée dans l'obscurité, avec pour seules taches de lumière quelques fenêtres éclairées et, ici ou là, les phares d'une moto. Il aperçut la silhouette de Nafouz, le policier qui gardait sa maison la nuit, kalachnikov serrée contre lui, son manteau trempé par la neige. Lui-même grelottait en dépit de son endurance acquise dans les montagnes : la maison était à peine chauffée, la température ne devait pas dépasser les dix degrés. Il enfila un shalwar molletonné à la place de son pantalon traditionnel et des bottes fourrées russes remplacèrent ses habituelles chaussures montantes. Il prit un petit déjeuner rapide, dattes, fromage de chèvre et café, seul, car Malalai était de garde à l'hôpital pour trois jours. Être seul lui donnait le bourdon, surtout après leur dispute de l'avant-veille. Il reprit un café. Contrairement à ses compatriotes, Oussama était grand amateur de cette boisson. Il l'achetait à un marchand azéri, qui le moulait aussi fin que de la farine et y ajoutait de la cardamome. Oussama le faisait bouillir directement dans la casserole d'eau, selon la méthode en vigueur chez les Baloutches originaires du Turkménistan. Son père avait toujours fait ainsi. En homme de tradition, il espérait que ses deux enfants continueraient à préparer leur café suivant le même rituel, même s'il en doutait.

Tandis qu'il lavait la tasse en fer-blanc dans l'évier de la cuisine, il entendit un coup frappé à la porte, suivi de deux autres. Le code entre lui et Nafouz signifiant que quelqu'un voulait le voir et qu'il n'y avait pas de danger. Il déverrouilla. Un homme se tenait dans l'entrebâillement, enveloppé dans un *kalpan* noir, le visage ceint d'une écharpe de laine, un bonnet sur la tête. L'homme enleva son écharpe, Oussama reconnut avec stupéfaction mollah Bakir.

– Bonjour, frère Oussama, puis-je entrer quelques instants ?

Interloqué, Oussama ouvrit plus grand. Mollah Bakir épousseta la neige sur son manteau, l'accrocha à une patère dans l'entrée.

– Splendide maison, frère Oussama ! s'exclamat-il d'un air moqueur. Un vrai palais ! Cela me fait plaisir de voir qu'il existe dans ce pays au moins un policier qui ne vit qu'avec le salaire versé par le gouvernement. Vous êtes un vrai *al-Gaïda* !

C'était devenu une blague à la mode, de se classer en trois catégories : les *al-Faïda*, ceux qui s'étaient enrichis ; les *al-Qaïda*, ceux qui combattaient ; et les *al-Gaïda*, ceux qui se faisaient avoir...

– Je ne vous connaissais pas ce sens de l'humour. Je n'ai rien à manger de correct, j'en suis désolé, mais si vous voulez un café, suivez-moi, grogna Oussama. Je viens de le préparer.

Il sortit une seconde tasse en fer-blanc identique à la première et y versa le café bouillant. Le mollah la tint en l'air, au niveau de son visage, quelques secondes.

– Matériel standard de l'armée russe. Votre délicieuse femme n'a rien de mieux à vous offrir ou est-ce la nostalgie de vos jeunes années de moudjahid ?

– C'est vrai, ces tasses datent de l'Alliance du Nord, éluda Oussama. Les premiers modèles étaient volés sur les cadavres des soldats russes, ensuite nous les leur achetions. Ce n'était pas cher, cinq afghanis. Elles durent toute une vie.

– Avec beaucoup de sucre, mon café, précisa le mollah. J'ai jugé bon de venir vous voir directement, reprit-il en humant son breuvage, car le ministre a eu vent de votre équipée, il a été prévenu par des Occidentaux que vous aviez fait sortir Bismullah Tikrini de prison pour quelques heures.

– Des Occidentaux ? Quels Occidentaux pourraient bien être au courant de cette sortie ?

– Je ne sais pas qui exactement, mais je suis certain qu'il s'agit d'infidèles, de nazaréens, pas de gens du NDS.

– Vous êtes certain que ce n'est pas le ministre qui est à l'origine de l'information ? demanda Oussama d'une voix blanche.

– Il a reçu l'information des Occidentaux, et non l'inverse. Je suis formel. J'ai un indicateur haut placé auprès de Khan Durrani.

– S'il obtient une copie du mandat que j'ai signé, il va en profiter pour me suspendre. Cela lui permettra de m'évincer de l'enquête.

Mollah Bakir eut un sourire et sortit une feuille de sa poche.

– Voici le mandat. Je suis allé le récupérer moi-même auprès du directeur de la prison une demi-heure après que vous avez emmené Tikrini.

– Pourquoi ? demanda Oussama, interloqué.

– Parce que je méfie du directeur et parce que ce mandat pouvait vous nuire. Et aussi, je le confesse, pour asseoir mon pouvoir sur lui.

– Pensez-vous que ce soit lui qui ait appelé ? Pour se venger.

– La fuite ne vient pas de la prison, j'en suis certain. Je vous l'ai dit la fois dernière, le directeur a trop peur de moi.

Si c'était vrai, cela signifiait qu'il était déjà sous surveillance active, en dépit de son entraînement. Ceux qui l'avaient démasqué étaient des professionnels expérimentés. Il repensa à la présence de l'Occidental aux côtés du ministre, au domicile de Wali Wadi.

– Vous vous êtes fait repérer par un service parallèle, ajouta le mollah, comme s'il lisait dans ses pensées. Des pros.

– Qui ?

– Je ne sais pas, ils sont tellement nombreux. Pas l'antenne officielle de la CIA ou d'un grand service européen, en tout cas, d'après mon contact. Peut-être les Russes, ou la SAD, ou une officine du même genre, en pire. Des gens assez puissants pour appeler directement le ministre dans la foulée.

Oussama connaissait la Special Activities Division de réputation. Il savait qu'il s'agissait de la branche paramilitaire de la CIA, qu'elle menait des opérations délicates et toujours violentes dans son pays.

– Le ministre de la Sécurité a réagi vite, et brutalement, dès que les Occidentaux l'ont prévenu. Deux hommes sont venus à la prison. Ils avaient un ordre d'amener signé par le ministre en personne. Ils viennent d'emmener Tikrini. Je ne sais pas où ils sont allés. J'ai décidé de vous rendre visite dès que j'ai appris cette nouvelle.

– Les coffres de la maison et des bureaux de Wali Wadi étaient vides. Tikrini ne m'a servi à rien, le ministre s'affole pour pas grand-chose, remarqua Oussama.

– Peut-être, mais il sait désormais que votre enquête est sérieuse. – Le mollah pointa un doigt vers lui. – Il sait que vous n'avez pas hésité à faire sortir un homme convaincu de meurtre de sa cellule. Il ne peut pas utiliser cette information contre vous, puisque vous avez ramené Tikrini le soir même, mais sa méfiance à votre égard va encore se renforcer.

– Je ferai attention. J'ai l'habitude.

– Par ailleurs, je crois savoir que vous attendez un pli de Russie ces jours-ci. Celui qui me renseigne m'a dit que le ministre est au courant, il a demandé à ce qu'il soit intercepté et lui soit adressé. Un de ses hommes est parti transmettre cet ordre au ministère des Postes hier, dans l'après-midi.

Cette fois, Oussama resta coi. Cette nouvelle signifiait qu'il était non seulement suivi mais aussi écouté, car il était seul lorsqu'il avait appelé Moscou. Il n'avait averti personne de son équipe, même pas ses adjoints. Il avait parlé russe pendant son entretien, donc les écoutes étaient gérées par une équipe disposant de techniciens bilingues. À nouveau, cela évoquait une organisation, ou à tout le moins une structure capable de faire appel à des ressources de grande ampleur.

– Vous avez face à vous des gens puissants, remarqua mollah Bakir d'une voix suave. Puis-je savoir ce que contient ce fameux paquet en provenance de Russie ?

Oussama le jaugea quelques instants. Difficile de lui cacher la vérité.

– Du matériel chimique destiné à déterminer si Wali Wadi avait de la poudre de pistolet sur les mains.

– Oh, vous pensez donc que Wadi ne s'est pas suicidé ? Quelle surprise ! ironisa le mollah. – Il redevint soudain sérieux. – Je peux essayer de récupérer ce paquet avant le ministre, mais je serai obligé, pour cela, de demander l'aide d'individus dont vous n'approuvez pas forcément les méthodes. L'épuration contre les talibans aux Postes et Télécommunications a été… incomplète, dirais-je, nous avons encore beaucoup de monde là-bas. Savez-vous qu'il y a autant de personnels au bureau de la censure que du temps de mollah Omar ?

Perdu dans ses pensées, Oussama ne répondit pas immédiatement. Il y avait beaucoup de Tadjiks aux Postes, comme dans toute l'administration, et il était certain de trouver des anciens de l'Alliance du Nord pour contrer les sbires du ministre. C'était beaucoup moins dangereux pour lui que de faire appel aux réseaux plus ou moins clandestins de mollah Bakir. Il ne comprenait pas encore ce que l'imam avait à gagner à l'aider, lui qui avait combattu les talibans de toutes ses forces. Tant qu'il n'aurait pas compris, il devrait rester sur ses gardes.

– Je vous remercie de vos informations, mollah. Elles me sont précieuses. Toutefois, je vais m'occuper moi-même de récupérer le colis.

Le mollah eut un sourire bienveillant.

– Bien sûr, faites comme vous l'entendez, je comprends votre position. – Il remit son manteau, s'inclina légèrement. – Bonne journée, frère Oussama. Je vous souhaite bonne chance.

*

Joseph regardait les blindés défiler sous sa fenêtre. Il se trouvait dans un entrepôt de l'immense base militaire de Bagram, loin des bureaux provisoires loués par l'Entité, attendant de recueillir du matériel d'écoute supplémentaire et de nouvelles armes plus sophistiquées pour son équipe. Il était furieux d'avoir mis plus de deux heures à parcourir les soixante kilomètres de route.

Les talibans ciblaient depuis plusieurs mois l'étroit ruban d'asphalte qui menait à Bagram. Plusieurs IED avaient déjà explosé à intervalles réguliers, des engins suffisamment puissants pour pulvériser des blindés lourds de la Coalition. Or, compte tenu de la circulation militaire intense ce jour-là, il avait fait une partie du trajet coincé entre un convoi américain et un autre français, avec interdiction de doubler. Des cibles parfaites à une allure d'escargot.

– J'ai fini, annonça soudain Amin en entrant dans le petit bureau vitré. J'attends juste le récépissé des autorités douanières. – Il donna à son chef son Black-Berry crypté. – Une première synthèse des écoutes.

Une équipe de quatre traducteurs en provenance du Tadjikistan était à l'œuvre depuis la veille. Son indic avait récupéré les empreintes vocales dont ils avaient besoin en un temps record, prétextant une enquête en cours pour rencontrer Oussama, et ses deux adjoints par la même occasion. Le réseau Échelon écoutait désormais toutes leurs communications, d'où qu'elles soient passées. Joseph parcourut la synthèse. Aucune des communications n'avait d'intérêt. À part une. Une grande excitation le gagna. Voilà ce qu'il attendait : une occasion en or de régler son problème en se débarrassant du flic qui les empoisonnait. Jamais il n'aurait cru qu'elle se présenterait aussi rapidement.

– Amin, héla-t-il. Je dois voir le ministre de la Sécurité immédiatement. Tu appelleras de la voiture pour caler le rendez-vous avec son secrétariat.

– Et le récépissé ?

– Je m'en fous. Magne-toi.

Il se mit lui-même au volant et démarra dans une gerbe de boue, s'engageant à vive allure dans une transversale étroite, bordée de chaque côté par des entrepôts dont certains dégageaient une forte odeur de nourriture. Amin pointa l'un d'eux du doigt.

– Un Marine a dit tout à l'heure que celui-là contient un centre d'interrogatoire secret du Special Operations Group.

Une des nombreuses unités paramilitaires de choc de la CIA, spécialiste des coups tordus.

– Il fera long feu, répondit Joseph.

En effet, le sale boulot était désormais effectué le plus loin possible des centres officiels occidentaux, par les Afghans eux-mêmes, dans des bâtiments non soumis à la législation américaine. Les nouvelles lois anti-torture décourageaient les agents américains, la sous-traitance en la matière étant devenue légalement aussi dangereuse que l'action directe. L'existence d'officines comme l'Entité était la réponse à ces législations de moins en moins permissives.

Il tourna brutalement, rejoignant l'une des routes principales qui sillonnaient la base militaire. Ils croisèrent une file d'énormes Buffalo, le dernier must de blindés antiguérilla, qui ressemblait à un gros scarabée. L'US Army venait d'en commander dix mille…

Le 4 × 4 passa sans s'arrêter devant un check point spécial qui délimitait une des zones protégées à l'intérieur de la base elle-même. Divers services américains y avaient des antennes, à l'exception notable de la CIA, cette dernière bénéficiant de son propre bâtiment au centre de Kaboul, en face du palais présidentiel, comme il se devait… Enfin, ils franchirent la porte d'entrée de la base, bloquée par des dizaines de blindés sur lesquels se tenaient des Marines nerveux, le doigt sur la gâchette. Depuis qu'un shahid avait envoyé *ad patres* la fine fleur de la CIA en Afghanistan, les mesures de sécurité de l'Otan, déjà draconiennes, avaient encore été renforcées. Le résultat était que les agents occidentaux sortaient moins sur le terrain, se reposant de plus en plus sur des Afghans à la fidélité douteuse. Pas étonnant, dans ces conditions, que les drones de la Coalition frappent régulièrement des mariages ou autres rassemblements civils plutôt que des réunions de talibans. Dans cette guerre, tous les coups étaient permis, les talibans faisant chaque jour la preuve de leur capacité d'intoxication, voire de pénétration, des organes de sécurité de l'Alliance.

Après une heure de route, ils entrèrent dans Kaboul. Joseph piaffait d'impatience. La fenêtre d'opportunité révélée par l'écoute était unique. Le moyen de se débarrasser en même temps de Kandar et de ses deux adjoints.

– Vous pouvez prendre par le quartier commerçant, proposa Amin, le secteur de la présidence a l'air complètement bouché.

Ils s'engagèrent dans une rue étroite. Concentré, Joseph conduisait vite et bien, se faufilant habilement entre les véhicules. Bientôt, ils longèrent un ensemble de boutiques.

– On est près de Chicken Street, annonça Amin.

La principale rue touristique de Kaboul. Cela semblait assez minable. Une foule de femmes en burqa et d'hommes barbus s'y pressaient, aucun étranger. De la musique s'échappait de multiples transistors, créant une véritable cacophonie. Joseph se pencha vers Amin.

– Est-ce que…

Il n'eut pas le temps de finir sa phrase. Une violente explosion retentit. Comme dans un cauchemar, ils virent un immense champignon de flammes et de fumée noire s'élever devant eux, une centaine de mètres plus loin, surmonté par des corps projetés dans les airs. Une impression d'arrêt du temps, comme si les pantins humains restaient en suspension. Deux secondes plus tard, des dizaines de projectiles frappèrent le 4 × 4, l'envoyant s'écraser contre une échoppe. Plusieurs morceaux de métal s'encastrèrent dans le pare-brise, sans parvenir à le transpercer. Joseph réagit immédiatement. Il freina, passa la marche arrière, écrasant une charrette de primeurs, donna un coup de volant tout en tirant le frein à main. La voiture fit un tête-à-queue. Il fonça alors dans une transversale, moteur hurlant. Au bout de cinq cents mètres, il freina brusquement. Des flammes couraient sur le capot.

– On brûle ! lança Amin.

Joseph coupa le moteur. Son regard était étonnamment calme.

– Ce n'est rien. De l'essence projetée sur le capot lors de l'explosion. Nous n'avons rien. On l'a échappé belle.

Il ouvrit la portière, un pistolet mitrailleur dans une main, un extincteur dans l'autre, dont il pulvérisa le contenu sur le capot et les pneus avant. Amin le rejoignit, un peu secoué en dépit de son entraînement. Une odeur âcre flottait dans l'air obscurci par la fumée.

– Bon Dieu, c'était un sacré attentat ! Il y avait au moins cinquante kilos d'explosifs.

L'air rêveur, Joseph passa la main sur le pare-brise criblé d'éclats.

– Des boulons. Les bonnes méthodes s'exportent, on dirait. Les Irakiens en bourrent leurs IED. Je me suis fait prendre deux fois dans des attentats comme ça, un à Bakouba et l'autre à Bagdad.

– Vous pensez que nous étions visés ?

– Impossible, on était trop loin de la bombe, il y avait au moins vingt véhicules devant nous. Et puis personne ne sait que nous sommes ici. En tout cas, nous avons eu de la chance. Si on était partis trois ou quatre minutes plus tôt de Bagram, on aurait été à côté de la bombe quand elle a sauté et on y serait restés, voiture blindée ou pas.

Des gens couraient dans tous les sens, affolés. Les sirènes des véhicules de secours retentissaient dans l'air, angoissantes, à croire que toutes les ambulances de Kaboul se dirigeaient vers le secteur.

Leur 4 × 4 avait maintenant l'air d'une guimbarde sortie d'une casse automobile. Des dizaines d'éclats avaient transpercé la carrosserie, en plusieurs endroits. Un des pneus avait éclaté. Sous la chaleur, la plus grande partie de la peinture avait fondu, se transformant en une sorte de mélasse parsemée de cloques.

– Change la roue, ordonna Joseph. On a un rendez-vous.

\*

Vers midi, l'avion d'Ariana en provenance de Moscou atterrit à l'aéroport de Kaboul dans un grondement. C'était un vieux 727 à la peinture écaillée, interdit de vol dans l'Union européenne, comme tous ceux de la compagnie nationale afghane. Plusieurs appareils appartenant à des compagnies locales, tous plus pourris les uns que les autres, attendaient sur le tarmac : DC8, Tupolev hors d'âge, Antonov 24 et même un DC3, avion dont le lancement datait de 1945... L'Airbus A340 flambant neuf de la Safi Airways avait l'air d'un objet de science-fiction au milieu de ces antiquités. Le 727 passa devant un jet privé protégé par des soldats de l'armée régulière recroquevillés sous leurs parkas. Le coûteux joujou d'un baron de la drogue. Tandis que le personnel au sol amenait l'échelle de coupée au contact, plusieurs employés ouvrirent la porte de soute et commencèrent à en sortir les sacs postaux. Parmi eux, un homme était aux aguets. Jeune, moustache, pakol en laine de mouton en arrière du crâne. Il se saisit du premier sac, sortit une pince d'une poche de sa veste et coupa le lien de sécurité qui le fermait. Il le fouilla rapidement. Sans un mot, il le passa à son voisin, qui sortit un lien de sécurité neuf de sa poche et le referma. L'homme trouva ce qu'il cherchait dans le cinquième sac. Un petit paquet, léger, moins d'un kilo, destiné au qomaandaan Kandar, commissariat central de Kaboul. Avec un fin couteau, il l'ouvrit, prit ce qu'il contenait et glissa à la place un coran. Lorsque le sac fut refermé comme les précédents, il claqua des doigts, et le tracteur se dirigea lentement vers l'aérogare.

*

Oussama était en train de manger une brochette avec les doigts lorsque Gulbudin le rejoignit dans son bureau.

– J'ai transmis les tests de poudre à Katoun. Il s'en occupe immédiatement.

– Bien.

– Qomaandaan, je profite de ce que nous sommes seuls. Une question me tarabuste.

– Laquelle ?

– Vous m'avez dit que vous aviez été averti par un planton de l'arrivée du ministre. Depuis deux jours, j'essaye de le retrouver, sans succès. J'ai fait le tour de tous les policiers de garde en faction ce jour-là.

– Comment cela ? Je ne l'ai pas inventé, tout de même.

– Je le sais bien. Je me demande s'il ne venait pas de l'extérieur.

– Il était en uniforme, il est entré dans mon bureau très naturellement. Il ne m'a pas demandé mon nom, donc il me connaissait de vue.

– Qomaandaan, je suis presque certain qu'il ne s'agissait pas d'un homme de notre commissariat.

– C'est étrange. À quoi penses-tu ?

– Je ne sais pas encore. C'est une situation tellement… inattendue. Vous souvenez-vous d'une caractéristique physique particulière qui pourrait m'aider à le retrouver ?

– Il était jeune, une trentaine d'années, il avait les yeux légèrement bridés, comme un Hazara. Une longue cicatrice à la joue. La joue gauche.

– Bien. C'est un signalement précis. Je vais voir si quelqu'un le reconnaît.

– Tu penses qu'on voulait que je m'intéresse à cette affaire ? Qu'on m'a envoyé un faux messager à cette seule fin ?

– Ce serait une conclusion logique…

– Qui y aurait intérêt ? Un adversaire du ministre de la Sécurité, qui ne voulait pas que l'enquête soit mise sous le tapis ? Si c'est le cas, cela signifie qu'il y a une conspiration.

– Ou une contre-conspiration. On connaît votre honnêteté, qomaandaan. Une fois sur cette enquête, celui ou celle qui vous y a envoyé savait que vous ne lâcheriez pas le morceau.

Oussama n'aimait pas beaucoup l'idée d'avoir été manipulé, instrumentalisé par des forces qu'il ne connaissait pas. Pourtant, il devait bien admettre que la théorie de Gulbudin se tenait, même si elle supposait une forme de pensée paranoïaque qui lui était étrangère.

– Il faut que tu retrouves cet homme, quoi qu'il en coûte. Je ne peux pas continuer à travailler si je ne sais pas ce qui se trame en coulisse.

– Je vais essayer, qomaandaan.

– N'essaye pas. Trouve-le.

\*

Le ministre de la Sécurité fit entrer Joseph dans son bureau, un large sourire aux lèvres.

– Comment allez-vous, cher ami ! s'exclama l'Afghan avec un enthousiasme trop marqué pour ne pas être feint. Mon secrétaire a vu votre véhicule, il paraît qu'il a un peu souffert. Vous n'étiez pas dans le quartier de Chicken Street lorsque la dernière bombe a sauté, j'espère ?

– Justement, si.

– Vous avez de la chance d'en être sorti indemne. Dans ce pays, la chance est aussi importante que le talent, si l'on veut survivre.

Avec un luxe de prévenance, il lui indiqua le chemin de son bureau, avant de le faire asseoir en face de lui sur le canapé, un honneur qu'il réservait à ses hôtes de marque. Un plateau tarabiscoté en argent massif était posé sur la table, avec deux verres et une théière fumante. D'un geste, le ministre invita Joseph à servir les boissons. Lorsque ce fut fait, il prit son verre à deux mains, humant le parfum longuement. Puis il se pencha vers lui.

– Alors ? Vous dites avoir du nouveau pour stopper Kandar ? J'attends vos informations avec impatience.

– Nous avons enregistré une conversation entre Kandar et ses adjoints. Ils ont, apparemment, l'habitude de se retrouver tous les trois pour prendre un verre, le jour anniversaire de l'entrée dans l'équipe de l'un d'entre eux.

– Lequel ? Babrak ou Gulbudin ?

– Babrak.

– C'est le jeune. Une ordure qui refuse de nous transmettre la moindre information. Ils fonctionnent comme une véritable secte.

Joseph avala une gorgée de thé.

– Ils ont parlé de se retrouver, je cite, au « café habituel ». Vous voyez où je veux en venir ? Nous les aurons tous les trois au même moment dans un lieu civil. C'est une occasion en or.

– Vous voulez les éliminer d'un coup ?

– À votre avis ? Un seul commando, avec une mitrailleuse lourde. En quinze secondes, le problème est réglé.

Le ministre vida sa tasse avec un sourire. Il n'y avait aucune considération morale dans ses choix, il vivait dans un pays en guerre depuis trente ans, dans lequel des millions de personnes étaient mortes ou portées disparues. Quelques cadavres de plus ou de moins ne changeraient rien à l'affaire.

– C'est une bonne idée.

– J'ai une équipe complète avec moi. Nous pouvons agir dans un délai très court, mais j'aurai besoin de soutien logistique pour les itinéraires d'approche et de dégagement. Nous ne connaissons pas suffisamment Kaboul pour mener seuls une opération pareille.

– Je vous fournirai des hommes sûrs pour vous appuyer. Des gens de mon village. Toutefois, on ne peut pas tuer trois policiers sans prendre quelques précautions, même à Kaboul. Le qomaandaan est plus connu que vous ne l'imaginez, et ses relations difficiles avec moi le sont également. Les mitrailler est impossible, cela risquerait d'attirer l'attention sur l'enquête.

– Vous avez une autre idée ?

– Oui. Je pense à un shahid. Un attentat suicide par un martyr qui cible l'endroit où ils se trouveront. Ils mourront au milieu d'un tas d'autres gens, comme cela il sera impossible de prouver l'intention de les frapper, eux.

Le ministre se redressa. C'était un calculateur, tout le contraire d'un instinctif, ce qui expliquait ses succès comme homme politique. Il était intelligent, doué d'un sens aigu des situations. Il ne laissait aucun détail de côté, ne prenait jamais une décision à la légère.

– Je vais demander un rapport précis sur les habitudes de Babrak. Je saurai rapidement où ils ont fêté cet anniversaire les années précédentes. – Il regarda sa montre. – Petit détail amusant, j'ai envoyé des hommes chercher Kandar, histoire de lui mettre un peu la pression. Il sera chez moi tout à l'heure. N'est-ce pas drôle ?

– C'est de l'humour afghan ?

– Anglais, mon cher, anglais. J'ai fait mes études à Eton. C'est d'ailleurs là-bas, auprès d'un vieux professeur d'histoire politique, que j'ai appris la grande règle qui a fait de moi ce que je suis devenu.

– Puis-je savoir laquelle ?

– Celui que tu ne peux pas acheter, écrase-le.

\*

Oussama lisait un rapport relatif à l'assassinat d'une jeune fille par sa belle-mère, un classique des violences familiales, malheureusement, lorsqu'il fut interrompu par l'entrée dans le bureau de deux hommes en civil, suivi par un Gulbudin qui paraissait inquiet. Rien ne les distinguait des autres policiers du commissariat, si ce n'était leur air vaguement condescendant. Police secrète, pensa-t-il immédiatement en reposant le rapport. L'un des hommes confirma ses craintes en sortant la petite carte plastifiée blanc, vert et rouge propre aux membres du NDS.

– Bonjour, qomaandaan, désolé de vous déranger. Nous sommes de la Sécurité.

– Je n'aime pas que l'on vienne ici sans rendez-vous, que voulez-vous ? demanda Oussama froidement, tout en vérifiant la photo et l'hologramme de la carte.

– Son Excellence, Burhanuddin Khan Durrani, ministre et chef de clan, que Dieu soit loué, souhaite vous voir immédiatement. Il vous attend chez lui.

Oussama hésita, puis il se leva. Le ministre était son supérieur hiérarchique et un membre influent du gouvernement Karzaï, il n'avait d'autre choix que d'obéir à l'injonction.

– J'y vais, dit-il à Gulbudin. Continue à travailler sur ce dont nous discutions à l'instant.

Dans le couloir, il héla Babrak.

– Suis-moi. Prends ta kalachnikov.

Pas question de se rendre seul à ce rendez-vous : une embuscade, un enlèvement sont si vite arrivés... Une fois dans la rue, il déclina poliment l'offre des deux agents secrets de monter dans leur véhicule et grimpa dans une petite Toyota de service derrière laquelle l'habituel pick-up de protection s'était placé.

– Que se passe-t-il ? demanda son jeune adjoint d'une voix anxieuse. Pourquoi le NDS vous convoque-t-il ?

– Son Excellence Burhanuddin Khan Durrani a dû recevoir mon coran de Moscou...

– Un coran russe ? Que voulez-vous dire ?

Oussama lui raconta comment il avait récupéré les tests de poudre au nez et à la barbe du NDS à l'aéroport de Kaboul. Babrak éclata de rire.

– Non seulement vous l'avez eu, mais, en plus, il sait maintenant que vous savez. Pourquoi n'avez-vous pas fait subtiliser le paquet, tout simplement ?

– J'ai été un peu arrogant, reconnut Oussama. Mais je t'avoue que depuis ce matin j'imagine sa tête lorsqu'il a ouvert le paquet, et cela ne cesse de me réjouir.

– Pourquoi a-t-il fait appel au NDS ? Le ministère de la Sécurité n'a aucune autorité sur les services secrets, ils dépendent uniquement du président.

– Pour me mettre la pression. Pour me montrer qu'il contrôle tout. Ces hommes sont pachtouns, ils doivent être de son clan.

– Vous pensez qu'il peut vous retirer l'enquête ?

– Non, il ne peut plus. Regarde.

Il sortit une enveloppe de sa poche. Babrak déplia le document qu'il contenait et le lut avidement.

– Évidemment, déclara-t-il d'une voix pensive, cela change tout.

Ils se dirigeaient à toute allure vers le quartier chic de Shair Poor, où la moindre maison valait plus de trois millions de dollars. Devant eux, les autres conducteurs se poussaient, les plaques d'immatriculation noires à petites lettres spécifiques aux véhicules du NDS paraissant ouvrir la route comme par magie. Le convoi passa un contrôle de sécurité, avant de s'engager dans une large rue, bloquée à toute circulation par des chicanes mobiles et des blocs de béton capables d'arrêter un camion suicide. Le chauffeur d'Oussama déplia le laissez-passer de police sur le tableau de bord. Ils franchirent un second contrôle cinquante mètres plus loin, beaucoup plus sérieux que le premier. Des Sud-Américains en treillis dépenaillés montaient une garde vigilante aux côtés de soldats afghans. Des Salvadoriens ou des Nicaraguayens. Les anciens *contras* étaient particulièrement appréciés des sociétés de mercenaires pour leurs techniques de contre-guérilla, leurs faibles revendications salariales, et parce que quand ils se faisaient tuer tout le monde s'en moquait.

Finalement, la voiture des sbires du NDS se gara devant l'entrée du domicile du ministre. Une immense maison sans charme datant de la période soviétique, qui avait abrité le frère de l'ex-président Najibullah. Une des barbouzes ouvrit cérémonieusement la portière à Oussama. Quelques minutes plus tard, ce dernier se retrouva dans une antichambre sinistre, aux murs maculés de traces d'humidité. Une simple lampe sans abat-jour posée sur un guéridon tarabiscoté éclairait la pièce trop haute de plafond d'une lueur blafarde. Certain que le ministre avait prévu de le faire attendre le plus longtemps possible afin de l'humilier, Oussama s'accroupit pour faire sa prière, puis il sortit un coran de sa poche. À sa grande surprise, il n'eut pas le temps de l'ouvrir : un domestique vint le chercher. Il prit un long couloir, dont la moquette élimée se décollait presque à chaque pas, avant d'être introduit dans l'antre de son ennemi. Le bureau était immense. Il était encombré de meubles dorés, avec un lustre dont une ampoule sur deux seulement fonctionnait. On voyait encore sur les murs crème les emplacements vides de tableaux décrochés, sans doute par les talibans, et non remplacés. Un ordinateur Apple trônait sur une table, à côté d'une batterie de téléphones, d'une pile de parapheurs et d'un fusil d'assaut. Le ministre invita Oussama à s'asseoir d'un mouvement de main. Une énorme Rolex en or brillait à son poignet, une bague surmontée d'un solitaire ornait l'index de l'autre main.

– Mes respects, monsieur le ministre, dit Oussama.

Le ministre eut un autre mouvement de la main, signifiant qu'une politesse excessive n'était pas de mise entre eux. Dans ce décor suranné, la veulerie du politicien sembla encore plus évidente à Oussama qu'à l'accoutumée. L'homme était intelligent et rusé, mais il s'était considérablement enrichi depuis les débuts du gouvernement Karzaï, s'achetant des immeubles et des terrains constructibles à Kaboul ainsi que des terres agricoles dans le Nord, près de Mazar-e-Sharif. Oussama avait aussi eu vent de rumeurs concernant des achats immobiliers d'envergure dans le sud de la France et à Londres. Un plateau avec une théière et deux tasses était posé devant Oussama, invitation claire à ce qu'il verse le thé. Il se garda bien de faire le moindre geste en ce sens, se contentant de fixer le ministre d'un air froid. En Afghanistan, les rapports entre individus sont très strictement codifiés : le puissant ne se lève pas en présence d'un inférieur, il se fait servir le thé et boit en premier. Mais Oussama n'avait aucune intention de servir le thé à son supérieur. Il le faisait volontiers pour ses hommes, en dehors de tout protocole, ou pour des personnes qu'il respectait, comme le daktar Katoun, mais pas pour un serpent tel que le ministre.

– Je comprends que votre enquête sur le suicide de Wali Wadi avance dans des directions désordonnées, commença le ministre d'un ton acide. Vous prenez des initiatives dangereuses. Faire sortir de prison un homme accusé de crime contre un soldat de la Coalition est un acte particulièrement grave. Je n'ai pas prévenu le président Karzaï de cette initiative fâcheuse, mais je peux vous assurer qu'il en serait furieux.

– J'ai fait ce qu'il y avait de mieux pour l'avancée de mon enquête. Vous savez que, malheureusement, cela n'a pas été d'une grande utilité, puisque les deux coffres de Wali Wadi étaient vides.

– Pourquoi vous acharnez-vous à envisager la piste criminelle ?

– Elle me paraît évidente. – Oussama ouvrit la vieille mallette de cuir qu'il avait emportée avec lui et en sortit deux documents qu'il posa sur le bureau. – Le premier est un nouveau rapport du médecin légiste, le daktar Katoun. Le second, mes conclusions liminaires, dit-il simplement.

Le ministre se recula comme s'il avait peur d'être contaminé par les documents. Puis il s'en saisit d'une main hésitante et commença sa lecture. Lorsqu'il les reposa, ses lèvres pincées indiquaient sa fureur.

– Vous échafaudez des hypothèses toutes plus creuses les unes que les autres ! Votre rapport est une succession de suggestions douteuses, sans fondement.

– Le test de poudre réalisé sur les mains du mort prouve que Wali Wadi n'a pas tiré avec l'arme qu'il tenait. Dès lors, la seule conclusion logique est que quelqu'un d'autre tenait cette arme, a tué Wali Wadi, avant de la lui glisser dans la main, après sa mort. Pour moi, cela s'appelle un meurtre.

– Vous avez utilisé des tests sans aucune garantie de provenance ni de fiabilité.

– Ces tests sont russes, utilisés par la brigade criminelle de Moscou, ils offrent toutes les garanties nécessaires.

Le ministre prit quelques secondes, afin de ménager ses effets, puis il laissa tomber d'une voix définitive :

– Quelle est la date de péremption de ces tests ?

Oussama se souvint instantanément de la mise en garde de sa collègue russe à ce sujet. Il se maudit de ne pas avoir anticipé le coup.

– Je vérifierai la date, mais d'après ma collègue ils sont valables six mois après la date de péremption.

– Dans ce cas, pourquoi le fabricant ne relève-t-il pas sa date de péremption de six mois ? Pour ma part, je considère que les résultats de ces tests sont nuls et non avenus si la date de péremption est dépassée, et je vous demande de retirer toute conclusion qui leur serait liée dans votre rapport final.

Il avait bien appuyé sur le mot *final*.

– Faisons venir d'autres tests.

– C'est inutile. – Le ministre se fit soudain plus chaleureux. – Vous êtes un enquêteur tenace, qomaandaan Kandar, mais il ne faut pas confondre ténacité et acharnement. Si vous ne trouvez pas d'éléments tangibles en faveur de votre pseudo-thèse du meurtre, je vous demanderai de bien vouloir clore cette enquête. Et ce dans les meilleurs délais.

Le ministre se leva et le prit par le bras pour le raccompagner à la porte. Dans l'antichambre, il approcha son visage de celui d'Oussama, comme s'il était son meilleur ami, si près que celui-ci sentit son haleine chargée d'ail.

– Je suppose que vous avez utilisé vos anciens réseaux des moudjahiddines de l'Alliance du Nord pour récupérer les tests à l'aéroport. Vous savez que la réconciliation nationale entre Pachtouns et Tadjiks est un sujet qui tient particulièrement à cœur au président.

Ne donnez pas l'impression que vous favorisez ceux de votre clan, qomaandaan. En procédant ainsi, vous prenez des risques certains pour la suite de votre carrière. Voire pour votre sécurité et celle de votre famille.

Sur ces paroles menaçantes, il congédia un Oussama stupéfiait.

*

Le policier stipendié pour déposer la balise sous la voiture d'Oussama se glissa dans le garage du commissariat central, son sac à la main. Il avait tenté sa chance plusieurs fois mais avait été dissuadé par la présence de trop nombreux témoins. Pour la première fois, le garage était vide, à l'exception de trois employés. Il se dirigea aussitôt vers l'un des mécaniciens, avec qui il avait déjà discuté. Il plissa le front de concentration, essayant de se rappeler son nom, mais c'était peine perdue. Il s'approcha, plaquant un sourire de commande sur son visage.

– *Salaam u aleikum.* Puisse ton foyer prospérer, ton corps être fort, ta maison en paix.

Une discussion s'amorça rapidement. Le mécanicien était une vraie pipelette, ils discutèrent avec animation de la décision des talibans d'une province de l'Est de plafonner la dot à mille dollars pour une première épouse et à sept cents pour une deuxième. Un grand débat s'était ouvert à ce sujet. On ne parlait que de ça. Le mécanicien était d'avis qu'il fallait également codifier l'écart de dot entre une vierge et une épouse d'« occasion ». Le policier approuva bruyamment, révélant à son nouvel ami qu'il était lui-même sur le point d'acquérir une seconde épouse, neuve, de surcroît.

– Comment peux-tu payer les cinq mille dollars ? demanda le mécanicien, étonné.

– Je me débrouille, répondit le flic, prenant l'air mystérieux.

Ils passèrent les minutes suivantes à comparer les avantages de posséder une seconde femme par rapport à une union simple, s'entendant pour considérer que ce n'était pas l'un des moindres de pouvoir accomplir son devoir conjugal avec l'une, inch' Allah, lorsque l'autre était indisponible.

– Mais alors, que faire quand les deux sont indisponibles en même temps ? s'exclama le mécanicien.

– En prendre une troisième, répondit le flic, déclenchant un torrent de rire.

Lorsque le mécanicien fut suffisamment en confiance, le policier se lança, mine de rien :

– Je n'ai pas de veine, mon Land Cruiser est vieux, il est encore tombé en panne la semaine dernière. Les chefs, eux, ont de la chance, on leur donne des voitures neuves de meilleure qualité. Il paraît que le qomaandaan Kandar a droit à un GMC, comme les ministres.

– Non, répondit le mécanicien, il a un Land Cruiser, comme tous les chefs de service. En plus, la climatisation est cassée, la portière avant grince, il y a un problème de charnière qu'on n'arrive pas à régler.

– Je n'en crois pas un mot, dit le policier, cet ami qui travaille au NDS m'affirme qu'il roule en GMC.

– Il te raconte des histoires, d'ailleurs, je peux te le prouver, la voiture est ici.

Ils se dirigèrent vers le fond du garage, où plusieurs 4 × 4 poussiéreux étaient parqués, à côté de deux ponts élévateurs. Le mécanicien désigna l'un d'eux.

– Regarde, c'est celui-ci. Tu vois bien que c'est un Land Cruiser !

Le 4 × 4 portait une plaque blanche de voiture civile et non les plaques rouges de la police. Le policier nota mentalement le numéro. KBL 97744 SH. Il discuta encore quelques minutes avec le mécanicien, avant de feindre de prendre congé. Mais au lieu de quitter les lieux, il se glissa dans l'escalier, derrière une porte secondaire entrouverte qui se trouvait près du pont élévateur. Quelques minutes plus tard, il entendit les mécaniciens se diriger vers le fond du garage pour leur prière. Il se précipita vers la voiture d'Oussama, se faufila dessous. La force de l'aimant était telle que la balise lui échappa des mains, comme aspirée par le châssis. Il vérifia, elle paraissait collée au véhicule. Il appuya sur le déclencheur. Une lumière verte apparut, avant de s'éteindre. Avec sa peinture de camouflage, la balise, en partie masquée par la transmission, était indétectable. Satisfait d'avoir gagné de quoi s'acheter une nouvelle épouse aussi facilement, le flic se releva. Personne ne l'avait vu faire.

## 7

Depuis sa rencontre avec Jacqueline, Nick n'avait cessé de réfléchir aux implications de leur conversation. Une phrase, en particulier, avait retenu son attention. Le fugitif avait quitté la prostituée qu'il fréquentait avant Jacqueline parce qu'elle se droguait. Cette information entrait en résonance avec une question qu'il se posait depuis le début de cette affaire : que faisait le fugitif dans le squat, au milieu des junkies ? Avec son argent, il pouvait se planquer n'importe où. D'où son idée : et s'il avait tout simplement voulu retrouver Yasmina, l'ancienne prostituée, pour qu'elle l'aide ?

C'était une hypothèse séduisante, même s'il ne voyait pas encore où elle le menait. Tout était réglé comme du papier à musique dans la vie du fugitif. Brusquement, des tueurs envoyés par l'entreprise à laquelle il avait consacré sa vie s'en prenaient à lui. Il leur échappait par miracle. Son monde s'écroulait. Il devait fuir. Vers qui se tourner ? Il se souvenait de Yasmina. Il avait noué avec elle une relation qui avait duré plusieurs années. Elle se droguait, vivait dans des squats, un monde interlope, un monde à part. Un squat. N'était-ce pas l'endroit idéal pour se cacher ?

Un endroit où personne n'irait chercher un financier comme lui...

Nick s'arrêta dans un café, commanda un déca. Sa théorie se tenait. Le problème était de retrouver Yasmina. Le squat avait fermé. Trop de morts d'un coup. Les flics avaient bouclé le bâtiment et la mairie muré les entrées. Il finit sa tasse, en commanda une seconde. Cette femme était déjà prostituée il y a dix ans. Il était impossible que la brigade des mœurs de la police suisse n'ait pas un dossier sur elle. Il regarda sa montre. Trop tard pour ce soir, il s'en occuperait dès le lendemain.

*

La maison d'Oussama semblait tristement vide sans sa femme, toujours de garde à l'hôpital. Il mit un CD d'Ahmad Zahir et se prépara des œufs, qu'il fit revenir dans une casserole avec un reste de riz déjà cuit. Il ne cessait de penser à la conversation qu'il avait eue avec le ministre, quelques heures plus tôt. La manière dont Khan Durrani l'avait menacé, en rondeur et indirectement, certes, mais sans la moindre ambiguïté, le révulsait. Il se considérait comme un serviteur loyal de son pays, en dépit des vicissitudes politiques. En 1992, lorsque les moudjahiddines avaient pris Kaboul, il avait réintégré son poste de commissaire de police du 11ᵉ district, auréolé de ses multiples victoires au combat. Il avait refusé de participer à la chasse aux sorcières contre les anciens membres du Khalq procommunistes. De nombreux collaborateurs des Russes, des hommes qui avaient bien vécu grâce à eux, s'étaient racheté une conduite en participant au lynchage. Des maisons, des entreprises, des commerces avaient été saisis sous couvert d'épuration. Des individus sans scrupules s'étaient enrichis en quelques semaines par l'acquisition malhonnête des biens d'autrui, tandis que d'autres avaient été pendus ou lapidés, sans raison autre que l'appât du gain de leurs bourreaux. Plus tard, en 1996, après que les talibans avaient envahi à leur tour Kaboul et lynché le président Najibullah, Oussama était resté à l'écart, essayant tant bien que mal d'appliquer l'ancien code pénal laïque. Quand un nouveau code d'inspiration islamiste avait été promulgué, il avait à contre-cœur quitté son poste et, comme vingt ans plus tôt, il avait rejoint ses amis de l'Alliance du Nord pour se battre contre les talibans. Lorsqu'il avait retrouvé Kaboul à leur chute, il avait été acclamé comme un libérateur. Le nouveau régime manquait de policiers d'expérience, il avait été nommé chef de la brigade criminelle le jour où son prédécesseur avait été pendu pour avoir participé à certaines atrocités. Il soupira. Quelle vie ! Il avait perdu un frère et un fils pendant la guerre, la moitié de sa famille vivait toujours exilée, et il ne comptait même plus les cousins et oncles morts au combat. Existait-il un pays ayant connu une histoire plus mouvementée que l'Afghanistan ces trente dernières années ?

Son dîner terminé, il lava son assiette et ses couverts dans l'évier, repensant au ministre. Il avait réussi à éviter toute compromission jusqu'à aujourd'hui, il n'allait pas commencer maintenant. Il se dirigea vers la chambre à coucher. Le sol de béton était glacé sous ses pieds, et les couvertures froides et dures comme de la pierre. Pour la première fois depuis longtemps, il posa un fusil automatique à côté de sa table de nuit, chargeur engagé, et deux grenades à proximité immédiate.

*

Joseph entra dans le salon brillamment éclairé du ministre. Il était près de minuit. Ce dernier le fit asseoir sur le canapé, en face du profond fauteuil où lui-même avait pris place. Une théière en argent massif était posée sur la table, avec deux verres ornés d'un liseré d'or. Il y avait aussi une bouteille de whisky, luxe suprême à Kaboul. Joseph s'installa, refusa l'alcool. Il n'en buvait jamais, pas une goutte.

— Nous sommes d'accord avec votre plan, déclarat-il sobrement.

— Excellent. De mon côté, j'ai bien avancé. Mes hommes ont localisé l'endroit où ils se réunissent habituellement pour cet anniversaire. Babrak se rend régulièrement dans un café très fréquenté par les jeunes de Kaboul. Cet établissement s'appelle le Hamad Café. Depuis deux ans, il y a des soirées musicales tous les vendredis. C'est là qu'ils se sont retrouvés avec Oussama et Gulbudin les trois dernières années. Je ne pense pas que Kandar apprécie beaucoup ce genre d'endroit, mais il aime tellement son adjoint qu'il n'a jamais dû lui faire part de ses réticences.

— Sait-on s'ils y restent longtemps ?

— L'année dernière, il semble que Kandar n'y soit resté qu'une heure. Gulbudin un peu plus. Babrak n'a quitté l'endroit qu'au petit matin.

— C'est un créneau plus que suffisant pour agir. Pouvons-nous faire entrer une bombe facilement ?

160

– Le filtrage à l'entrée n'est pas très bien organisé. C'est possible.

– Bien. Est-on certain de la population qui fréquente l'endroit ? Ma hiérarchie n'a accepté le principe de l'opération que pour autant que l'on soit sûr qu'aucun Occidental ne sera tué dans l'explosion.

– Oh, vous ne voulez pas massacrer de nazaréens ? Uniquement des Afghans ? lança le ministre avec un soupçon d'ironie.

– Ce n'est pas la question. Les gens pour qui nous travaillons ne veulent pas avoir le sang d'expatriés ou de personnels d'agences humanitaires sur les mains, c'est tout.

– Je vous rassure, il n'y a aucun risque. Comme vous le remarquerez si vous restez un peu plus à Kaboul, la plupart des endroits ouverts aux Occidentaux sont fermés aux Afghans, et vice versa. À cause de l'alcool. Cet endroit est exclusivement fréquenté par des Afghans.

– Un premier problème réglé. Il y en a un second. Ma hiérarchie refuse que j'intervienne personnellement. Trop dangereux, en cas de pépin. Je vous fournirai tout le matériel : détonateur, transmetteur radio. Il s'agit de produits tchèques et russes, cela brouillera les pistes. Pas le dernier cri, mais suffisamment efficaces pour garantir le résultat. Pour l'explosif, vous aurez le top, du C5, dix fois plus puissant que le C4. Il provient d'un lot de l'armée indienne. Impossible de remonter jusqu'à nous en cas d'incident.

– J'en prends note. Vous souhaitez donc que des hommes à moi s'occupent de la partie opérationnelle ? C'est possible mais…

– Pour tout dire, j'ai pensé à l'équipe qui s'est chargée de Wali Wadi. Nous avons un très bon dossier sur eux, même s'ils n'ont pas réussi à récupérer le rapport que nous cherchons. Ils ont tout à fait les moyens d'exécuter cette opération, avec notre aide.

– Excellente suggestion, approuva le ministre.

– Avez-vous une idée de celui qui portera la bombe ?

Khan Durrani fit glisser une chemise cartonnée vers son interlocuteur.

– J'ai un candidat parfait. Un idiot, incapable d'imaginer que nous le manipulons. Des hommes de mon clan l'ont déjà approché. Il fera ce dont nous avons besoin, quand nous en aurons besoin, sans se douter de rien.

– Parfait, dit Joseph en empochant la chemise. L'attentat va faire parler de lui. Avec trois kilos de C5, on peut avoir quinze ou vingt morts dans un lieu fermé, peut-être plus. Êtes-vous certain de contrôler la suite ?

– Des attentats, il y en a tous les jours, dit le ministre d'un ton léger. Celui-là n'attirera pas l'attention plus qu'un autre. Quant à l'enquête, je m'en occupe. Il y aura un peu d'agitation pendant un ou deux jours, puis tout le monde passera à autre chose.

– Je vous fais confiance.

Joseph se leva. Son regard balaya la bibliothèque presque vide du ministre. Les talibans avaient brûlé les livres qu'elle contenait, comme impies. Il n'y avait presque plus un livre dans cette ville, à part des corans.

– Nous sommes mercredi. Kandar et ses deux adjoints se voient demain soir. Serez-vous prêt ?

– Oui.

Le lendemain matin, le vent du sud avait chassé la dépression qui avait provoqué les pluies mêlées de neige des derniers jours sur Kaboul, un grand soleil de fin d'hiver brillait et la température était à nouveau douce. Dans la voiture qui le conduisait au commissariat, Oussama profita de l'absence de pollution pour ouvrir sa fenêtre et humer l'air frais du matin. Bientôt, dès le mois d'avril, la température monterait et un nuage âcre de poussière envahirait en permanence Kaboul jusqu'à l'automne. Comme Shiyasuddin Wat était bloquée par un accident entre un minibus et une charrette de pastèques tractée par un âne, son chauffeur tourna brutalement dans Jad-e-Kolola Pushta, faisant un détour de plus d'un kilomètre. Lorsqu'il arriva enfin au commissariat, la plupart de ses hommes étaient déjà là. Babrak l'attendait devant la porte de son bureau, très excité. Oussama lança sa toque sur une patère.

– Tu as l'air de bonne humeur, fit-il remarquer.

– J'ai une bonne nouvelle. L'un de nos hommes a un ami avec qui il joue parfois au *buzkashi* qui travaille chez Etisalat. Il est au service informatique, il a accès aux listings d'appels de tous les clients.

– Tu as son nom ?

– Mieux. J'ai obtenu un déjeuner avec lui.

– Bravo !

– Il faut que nous le motivions. Avec du fric.
– Babrak eut un geste expressif. – Combien reste-t-il dans la caisse aux indics, qomaandaan ?

La caisse aux indics était une petite boîte en fer-blanc dans laquelle tous les cadres de la brigade

criminelle mettaient un peu d'argent, obtenu généralement par « prélèvement » sur les coupables qu'ils arrêtaient. Cet argent leur servait à payer des indicateurs
ou à rémunérer l'aide de civils pour leurs enquêtes.

– Il n'y a presque plus rien, avoua Oussama. Moins
de cinq cents afghanis. Nous avons tout dépensé sur
l'affaire de la bande de Babur.

Il s'agissait d'une bande organisée spécialisée dans
l'enlèvement de civils kaboulis, contre rançon. Ils opé-
raient en priorité dans le quartier-jardin de Babur, une
des rares attractions touristiques de la ville. Ils tortu-
raient leurs victimes pour leur faire avouer l'endroit
où ils cachaient leurs économies, puis les tuaient et
pillaient leur maison. Oussama les avait tous arrêtés
après huit mois d'enquête, quatre d'entre eux avaient
été condamnés à mort et fusillés, les autres croupis-
saient à Pul-e-Charkhi.

– C'est un jeune, il paraît qu'il veut émigrer à
l'étranger. Il ne nous donnera rien si on ne le paye pas.

– Faisons autrement. As-tu vendu les bouteilles
d'alcool trouvées chez Wadi ?

– Pas encore, j'ai rendez-vous demain avec un
expatrié au Serena Hotel, mais on n'en tirera pas assez.

– Alors, il va falloir trouver autre chose.

Babrak eut un sourire finaud.

– J'ai eu une idée, qomaandaan. Vous vous souvenez du tas de revues porno que Wali Wadi entreposait
à son bureau et chez lui ? Il y en a près de cinquante.
Comme personne n'avait encore osé les voler, je suis
passé les embarquer cette nuit.

– Mais ce sont des revues gay !

– Et alors ? Elles valent très cher. Avec ça, on peut
se faire des dizaines de milliers d'afghanis !

Oussama était profondément choqué à l'idée d'utiliser ces revues dégradantes. Mais il devait bien reconnaître que la fin justifiait les moyens. Son adjoint attendait en souriant, certain de la réponse d'Oussama.

– C'est une bonne idée, finit par concéder ce dernier. Tu as été très malin.

– Pouvez-vous m'aider à en trouver un bon prix ?

– Appelle de ma part le commissaire Abdullah Kratin Balla, aux Mœurs. Il te trouvera un intermédiaire.

– Je le fais tout de suite.

– Tu peux garder l'argent des bouteilles pour toi.

– Merci, qomaandaan. J'ai prévu de partager avec Gulbudin, il doit changer la roue arrière de sa moto.

– Fais attention à toi, reprit Oussama, la possession de ces revues peut t'envoyer en prison, voire à la potence. Veille à ne pas être suivi par le NDS. Prends un homme sûr et organise une rupture de filature à la sortie du commissariat.

– D'accord, chef.

– Pense aussi à essuyer toutes les revues que tu as touchées. Utilise de l'éther, pas un vulgaire chiffon, sinon des empreintes resteront. Viens me prendre ici après la vente, nous partirons ensemble.

*

Nick avait laissé la Peugeot de service au profit de son petit cabriolet Mazda pour se rendre au commissariat central de Zurich. De Berne, c'était à une heure de route à peine. La circulation était fluide, il était encore tôt. Normalement, il adorait cette sensation de conduite rapide, au ras du sol, sur une autoroute déserte. Mais pas ce jour-là. Il avait de plus en plus le cafard, en dépit de l'excitation liée à son enquête. L'impression que les choses ne s'emboîtaient plus comme elles le devraient. Que sa vision de l'existence était en train de changer radicalement. Une chose était certaine, il n'avait plus envie de travailler dans le monde du renseignement. La mort de son ami Werner l'avait fait mûrir d'un coup. Il ne sentait plus l'excitation des premières années, ni le sentiment grisant d'être au service d'une cause noble, supérieure. Il n'avait plus la foi. En fait, il éprouvait un sentiment diffus de dégoût.

Mais comment quittait-on une organisation comme l'Entité ? Comment dire à un homme comme le général qu'on voulait s'en aller ? Aurait-il droit à une procédure de licenciement en bonne et due forme, avec lettre recommandée, ou à une mort subite et discrète, chute d'un pont ou accident de la route ? Officiellement, il travaillait pour un institut de recherche en relations internationales, une des nombreuses couvertures de l'Entité. Peut-être pourrait-il le quitter en bons termes. Ou peut-être pas.

Une chose était certaine : l'Entité n'était pas ce qu'il imaginait autrefois. Les analystes, les spécialistes des coups tordus contre les islamistes n'étaient qu'une facette. L'autre, c'était une organisation noire encore plus secrète. Les K. Pas un concept romantique destiné à attirer ceux qui, comme lui, ne sortaient jamais des bureaux climatisés. Il avait compris que les K étaient le vrai cœur de l'Entité. Cela signifiait qu'il servait depuis des années une organisation très différente de ce qu'il avait imaginé. Une structure tournée vers la violence plus que vers l'intelligence.

Il n'aimait pas cela. Ce n'était pas ce qu'il voulait faire de sa vie.

L'entrée dans Zurich interrompit ses réflexions. Il se gara facilement près du commissariat. C'était un vaste bâtiment ancien, célèbre pour son hall Giacometti. Il trouva la brigade des mœurs au second étage. Dans le couloir, il héla un inspecteur qui partait en mission, harnaché d'un gilet pare-balles, un *shotgun* à la main.

– Qui est le dernier arrivé à la brigade ?

– L'inspecteur Binterchrüp. Dernier bureau.

Binterchrüp était un jeune policier au visage ouvert, avec une barbe de trois jours et des fringues qui le classaient immédiatement comme flic des rues. Il partageait son bureau, minuscule et sans fenêtre, avec trois autres collègues, absents à cette heure matinale. Nick avait choisi le dernier arrivé à la brigade car les jeunes flics ont tendance à être plus coopératifs que les inspecteurs chevronnés. Exhibant une fausse carte du département fédéral de la Justice, il se présenta comme chargé d'une enquête sur un réseau de trafiquants d'héroïne. Binterchrüp ne parut guère impressionné, mais il lui fit signe de s'asseoir.

– En quoi puis-je vous aider ?

– On m'a dit qu'une prostituée pourrait me donner des informations sur un des membres du réseau. Une certaine Yasmina. Elle fréquentait le squat de la Langstrasse dans lequel il y a eu une fusillade.

– Le squat des héroïnomanes ? Je vais voir ce qu'on a sur elle, dit Binterchrüp, soudain très excité.

Il pianota le nom sur le clavier.

– On a cent quatre-vingt-cinq Yasmina, dans le fichier.

– Je ne croyais pas qu'il y en aurait autant, dit Nick, déçu.

– Zurich a beau être l'une des villes les plus sûres du monde, le fric attire les prostituées comme le miel. Nous les planquons, mais nous avons les mêmes problèmes que toutes les métropoles du monde. Votre fille est maghrébine ou du Moyen-Orient ?

– Je ne sais pas.

– Quel âge a-t-elle ?

Nick compta dans sa tête. Le fugitif avait cessé de fréquenter Yasmina dix ans plus tôt. Jacqueline, sa remplaçante, était déjà une vraie femme à l'époque, pas une gamine. Si schéma il y avait, il ne cadrait pas avec une fille jeune.

– Elle a au moins quarante ans, mais je ne serais pas étonné qu'elle soit plus âgée, dit-il.

– Voyons ce qu'on a… Ah, j'ai trois noms. Yasmina Hat Yaha, trente-quatre ans. Séropositive, elle tapine près du cimetière de Fluntern. Elle est arrivée à Zurich il y a cinq ans.

– Non, ce n'est pas elle. La mienne exerçait déjà ici il y a une dizaine d'années.

– J'ai une Yasmina Sitruk. Bonne famille. Quarante-trois ans aujourd'hui. Violée par un voisin à l'âge de huit ans, les parents ont porté plainte. Elle s'est retrouvée orpheline suite à un accident de la route. Placée chez un oncle et une tante. Tombée dans la drogue à seize ans, prostituée à dix-neuf. Aujourd'hui elle carbure à la vodka, plusieurs litres par jour.

Il tourna l'écran d'ordinateur, pour que Nick aperçoive sa photo. Celle d'une obèse, au visage ravagé à moitié caché par des cheveux hirsutes et mal lavés. Certes, la drogue détruisait ceux qui en prenaient, mais Nick n'imaginait pas l'homme qu'il pourchassait avec cette femme, même avec dix ans de moins.

– Ce n'est pas elle.

– Alors, la dernière pouliche de ma petite écurie ? dit l'inspecteur en lançant une nouvelle impression. Yasmina Fatma, quarante-six ans. Arrivée d'Algérie à l'âge de dix-huit ans, a vécu en foyer. Études de comptabilité. Arrêtée une première fois pour prostitution en 1988. Plus rien jusqu'en 2000, où elle se fait alpaguer dans le cadre d'une enquête sur un de ses clients russes. À l'époque, elle faisait dans le haut de gamme, réseau de call-girls par téléphone, passe à cinq cents dollars. Elle a contracté l'hépatite C, a été foutue dehors de son organisation, s'est retrouvée à la rue. Là, ça a été la descente aux enfers. Défonce aux amphètes, cannabis, un peu d'héroïne, en sniff, puis en seringue, crack. Maintenant, elle tapine pour vingt francs la passe.

Il lui montra une photo. La fille avait l'air défoncée, avec ce visage hagard typique des junkies, mais il lui restait quelque chose d'*avant*. De toute évidence, elle avait été superbe.

– Ça pourrait être elle, la fille que je cherche a été call-girl. Je peux avoir un tirage ?

– Bien sûr.

– Où est-ce qu'on peut la trouver ?

– Elle tapinait parfois discrètement derrière la Limmatplatz. Sinon, je vois dans le dossier qu'elle a été arrêtée récemment près du Letten.

Nick connaissait ce quartier maudit de réputation. Au début des années 1990, les autorités y avaient laissé se développer une sorte de zone ouverte aux junkies, vers laquelle les héroïnomanes de toute l'Europe avaient convergé. Puis elles avaient brusquement fermé l'endroit, effrayées par l'impact que cette expérience malheureuse avait eu dans les médias du monde entier. Les photos de junkies du « paradis suisse » se défonçant en plein jour, assis sur des trottoirs jonchés de seringues, avaient fait le tour de la planète.

– Il y a encore de la drogue, là-bas ?

– Oui. Rien à voir avec ce qui s'y passait avant, mais on trouve encore pas mal de dealers et toutes les formes de prostitution sous le pont de Kornhausbrücke. Petit conseil : si vous vous y pointez avec votre jolie petite gueule, il va vous arriver des bricoles. Prenez deux flingues plutôt qu'un, et laissez vos portières verrouillées. C'est l'un des rares coins de Zurich qui craignent vraiment.

*

Babrak pénétra dans la ruelle encombrée. Un de ses hommes le suivait discrètement, cent mètres derrière, afin de s'assurer qu'il ne faisait pas l'objet d'une surveillance qui lui aurait échappé. Il avait fait un long détour, opéré une rupture de filature classique vers Salang Wat, une voiture complice bloquant la petite rue parallèle dans laquelle il s'était engagé. Il vérifia les indications qu'il avait notées sur un bout de papier. L'homme avec qui il avait rendez-vous était un intermédiaire réputé du temps des talibans pour tous ceux qui cherchaient du matériel pornographique ou l'accès à de jeunes hommes peu farouches. On murmurait que nombre de chefs talibans étaient friands de *batchas*, ces jeunes danseurs traditionnels afghans dont les poses lascives évoquaient sans ambiguïté leur orientation sexuelle. Cela n'empêchait par ailleurs pas ces pourfendeurs du vice d'exiger la lapidation ou l'amputation des sodomites... Babrak avait subi le régime des talibans pendant près de cinq années, mais il avait encore du mal à comprendre les incohérences de leur manière si particulière de penser et de se comporter.

Comme en écho à ses pensées, il passa devant une échoppe de pharmacopée traditionnelle. Un panneau barrait toute la devanture, proposant pour un prix séduisant de la poudre de corne de rhinocéros. « Sois fort, sois un vrai Afghan ! » proclamait l'affiche. C'était ainsi, le sexe était très présent dans la vie afghane, licite ou pas. Babrak savait que les Américains, pour s'attirer les bonnes grâces des chefs de village, distribuaient depuis quelques mois des pilules de Viagra, qui avaient beaucoup plus d'effet sur l'amitié que leur portaient les récipiendaires que s'il s'était agi des traditionnels dons financiers. Grâce aux pilules bleues, ils pouvaient honorer leurs épouses régulièrement, tout le village savait que le chef avait puissance et vigueur, ce qui était bon pour leur autorité... Babrak demanda deux fois son chemin, il s'arrêta enfin devant une petite boutique sans signe distinctif coincée entre un atelier de mécanique et un réchappeur de pneus. La vitrine était vide, à part quelques instruments de musique et une vieille affiche de concert. Personne ne faisait attention à lui. Il entra. Une clochette tinta. Un homme se leva du tabouret sur lequel il était assis. Il portait un turban et une longue barbe non entretenue. Babrak remarqua qu'il lui manquait tous les doigts de la main gauche. Les amputés étaient légion en Afghanistan, soit qu'ils aient été blessés pendant la guerre, soit qu'ils aient subi un châtiment taliban pour manquement aux règles islamistes.

– *Assalam u alaikoum*, dit l'homme d'une voix douce. – Il avait utilisé le pachtoun plutôt que le dari, comme la plupart des talibans peu éduqués. – Que ta santé soit douce.

– *Wa alaikoum u assalam*, répondit Babrak. Que ton corps soit fort, que ton foyer aille bien, longue vie à toi.

L'homme loucha sur le sac que Babrak avait posé par terre.

– Puis-je t'offrir un thé ? proposa-t-il.

– Avec plaisir.

L'homme claqua des mains et un garçon d'une douzaine d'années apparut de derrière un rideau, au fond de l'échoppe. Il portait un pantalon bouffant et un haut échancré qui dévoilait son torse glabre, Babrak se demanda s'il s'agissait d'un batcha. D'une voix sèche, l'homme commanda deux chaï. Ils attendirent leur boisson en discutant des affaires, qui n'avaient jamais été aussi bonnes à Kaboul, inch' Allah. Puis, leur thé arrivé, Babrak se lança :

– Je suis policier, votre nom m'a été donné par un collègue du commissariat. J'ai récupéré un certain nombre de revues occidentales très intéressantes au cours d'une opération. Je pense qu'elles ont une grande valeur.

– Je veux les voir.

Babrak ouvrit son sac et sortit la pile de revues. Les yeux de son interlocuteur s'agrandirent une fraction de seconde tandis que Babrak les étalait sur la table. Posément, le marchand les feuilleta une à une de sa main valide, s'aidant de son moignon pour les tenir bien à plat. Rapidement, Babrak vit qu'il faisait deux tas, l'un avec les revues dans lesquelles il n'y avait que des hommes, l'autre avec celles où il y avait des hommes et des femmes. Il en mit à part trois d'inspiration sadomasochiste. Lorsque l'intermédiaire reposa la dernière, il s'était écoulé près d'un quart d'heure.

– C'est une belle collection, dit-il. Les modèles sont jeunes, occidentaux, le matériel est neuf, on voit qu'il a été importé par avion. Je suis disposé à vous l'acheter. Combien en voulez-vous ?

– Combien m'en donnez-vous ?

– Pour les russes et européennes, je peux vous offrir cent afghanis pièce. Pour les américaines, deux cents afghanis. Pour les trois revues cuir, mon prix sera également de deux cents afghanis. – Il prit sa calculatrice. – Il y en a cinquante-six, au total, je vous offre donc quinze mille afghanis.

– C'est une plaisanterie ! s'exclama Babrak. Elles valent cinq fois plus !

C'était un début de conversation normal pour une transaction de cette ampleur. Ils marchandèrent pendant près de vingt minutes, avant de se mettre d'accord sur la somme de vingt-cinq mille deux cents afghanis. L'intermédiaire sortit une liasse de billets crasseux de sa tunique, tel un prestidigitateur. Il compta soigneusement la somme, que Babrak recompta par sécurité lui-même une seconde fois.

– *Allah u Akbar*, Dieu a voulu que nous fassions affaire toi et moi, mon frère. Qu'Allah soit avec toi, lui lança le commerçant lorsque Babrak passa la porte de sortie. Puisse-t-Il guider tes pas vers ma maison, que tu reviennes me voir avec beaucoup d'autres revues aussi belles !

Babrak prit congé, encore éberlué tant par l'accueil que par la somme offerte.

*

Herat, le restaurant dans lequel Oussama avait donné rendez-vous au technicien d'Etisalat, se trouvait dans le centre de Kaboul, près de Cinema Park, un lieu de rencontre prisé des familles. C'était un établissement beaucoup plus luxueux que ceux dans lesquels il avait l'habitude de déjeuner. Il traversa la salle principale pour rejoindre le jardin situé à l'arrière. Au milieu des arbres encore nus, quelques tables étaient dressées sous des tentes de fortune chauffées par des braseros. Dans des cages rangées contre le mur, des poules caquetaient. En plein milieu du jardin était installée une cage indépendante, dans laquelle un petit daim et un chevreau mangeaient des graines en attendant d'être transformés en méchoui. Il s'installa à sa table, espérant que le technicien serait mis en confiance dans un tel cadre. Il avait rangé dans sa poche les vingt-cinq mille deux cents afghanis rapportés par Babrak. La somme représentait au moins trois mois de salaire de leur invité, il était donc certain de pouvoir finaliser la transaction. Babrak le rejoignit après avoir garé la voiture. Il posa sa kalachnikov à crosse pliante sur la table, comme la moitié des convives du restaurant, et se jeta sur le menu, émerveillé. Quelques minutes après midi, un jeune homme fit son apparition, cheveux longs, moustache, pantalon occidental, chemise élimée rentrée dans le pantalon, blouson de cuir marron. Le blouson portait un énorme logo « Nike by

174

Adidas », un faux typique des souks de Peshawar ou Islamabad…

– C'est lui, annonça Babrak.

En apercevant Oussama et Babrak, le jeune homme eut un sourire timide et s'approcha à petits pas. Oussama se leva.

– Je suis le qomaandaan Oussama Kandar.

Le jeune homme semblait tout embarrassé de se trouver en présence de policiers de la brigade criminelle.

– Merci d'être venu à notre invitation, commença Oussama. Si Dieu le veut, ton aide nous permettra peut-être d'élucider un meurtre sur lequel nous enquêtons, Babrak et moi.

– Je serais très heureux d'aider la police à capturer un criminel, avec l'aide de Dieu.

– Tu as nos informations ?

– Oui, j'ai tout avec moi.

Comprenant que le jeune homme attendait qu'il sorte son argent, Oussama prit les devants :

– J'ai la somme dans ma poche. Attendons de voir ce que tu nous proposes avant de te la donner.

– Je veux émigrer au Canada, s'excusa le jeune homme, j'ai besoin de beaucoup d'argent pour le billet et les frais d'installation. – Il sortit une enveloppe marron de son blouson. – Voilà ce que j'ai. Nous ne conservons les données que sur une durée de deux mois, car nous n'avons pas assez de puissance informatique pour les stocker plus longuement.

Oussama parcourut les huit pages du listing. Wali Wadi téléphonait nuit et jour, il lui faudrait une véritable équipe pour vérifier tous les numéros. Très vite, il remarqua que certains revenaient avec une grande fréquence. Trois numéros afghans qui commençaient par 079, l'indicatif de Kaboul. Il poursuivit sa lecture. Son cœur s'accéléra devant des numéros internationaux. Il n'y en avait que deux. Le premier était un numéro commençant par 4122, le deuxième par 964. Il tourna la feuille vers le jeune homme.

– De quels pays s'agit-il ?

– La Suisse pour le premier. 22 est l'indicatif de Genève. L'Irak pour le second. C'est un numéro à Bagdad.

– On peut retrouver lequel ?

Le jeune homme haussa les épaules.

– J'ai regardé. C'est celui du ministère de la Reconstruction.

– Et le numéro suisse ?

– Il est sur liste rouge.

Oussama ne savait pas comment interpréter ces informations surprenantes. La Suisse était une place financière importante où se traitaient beaucoup d'affaires sensibles, il n'était pas très étonnant qu'un intermédiaire y ait des relations d'affaires. Mais l'Irak ? Il sortit la liasse de billets de sa poche.

– Tu as bien travaillé, voici ton argent. Inutile de te dire de rester discret sur cet échange. Veux-tu déjeuner avec nous ?

– Je... je ne préfère pas, balbutia le jeune homme. Si on me voyait...

Il se leva précipitamment et partit comme s'il avait le diable à ses trousses. Oussama haussa les épaules.

– Tu as faim ?

– Oui ! s'exclama Babrak.

– Attention, ne mange pas trop. N'oublie pas le dîner de ce soir au Hamad Café.

– Comment pourrais-je l'oublier ? rétorqua Babrak en éclatant de rire. Mais je fais confiance à Gulbudin : si je laisse quelque chose dans mon assiette, il la finira. À croire qu'il s'imagine toujours dans les montagnes, comme lorsqu'il était moudjahid.

– Nous n'avions rien à manger, répliqua Oussama, les yeux dans le vague. Cela en a marqué beaucoup d'entre nous. Certains sont restés frugaux. D'autres…

Il passa commande. Riz *pulao* au poulet grillé et raviolis au mouton pour Babrak, salade de lentilles aux rognons d'agneau et épinards pour lui. On leur apporta leurs mets avec des galettes et du yaourt maison qui s'avéra délicieux. Pas de couverts, ici, on mangeait avec les doigts comme partout, en dépit du cadre luxueux.

– Alors, qu'en pensez-vous ? demanda Babrak, la bouche pleine. L'Irak, la Suisse, nous sortons de notre périmètre habituel.

Oussama mâcha un morceau d'agneau récalcitrant avant de répondre.

– Il y a eu au moins une trentaine d'appels sur une période de deux mois, un tous les deux jours. Peut-être s'agit-il d'une opération conjointe sur les deux pays, avec le même fournisseur ou le même intermédiaire ?

– Wali Wadi cherchait-il des informations sur une opération qui se serait déroulée en Irak, pour la copier ? avança Babrak.

– Je ne pense pas : dans ce cas, il n'aurait pas appelé aussi souvent, il aurait fait un ou deux allers-retours sur place.

Ils s'arrêtèrent de discuter pour finir leurs plats. C'était relevé et délicieux. Les grains de riz étaient d'une longueur inhabituelle. Jamais Oussama n'en avait mangé d'aussi fin. Avoir de l'argent avait du bon. Babrak, ravi de cette opportunité, mangeait à toute vitesse, bruyamment et salement. Oussama sourit. Le jeune homme venait d'une famille chiite encore plus pauvre que la sienne, dans laquelle personne ne savait lire. Qu'il ait réussi des études aussi solides avec une telle histoire personnelle était, en soi, un miracle.

– Qui pourrait nous aider ? demanda Babrak, leurs plats terminés, après s'être essuyé les doigts, dégoulinants de sauce.

– La logique voudrait que je demande à l'ambassade de Suisse, ou, pour l'Irak, au FBI. Il possède une antenne à l'ambassade américaine, qui participe à l'International Contract Corruption Task Force.

– Vous allez les contacter ?

– Non, avoua Oussama. C'est trop tôt. J'aimerais d'abord savoir où nous mettons les pieds. Il y a des intérêts étrangers puissants derrière cette affaire. Des gens qui font tout pour nous empêcher d'avancer dans notre enquête.

Babrak essuya à nouveau son menton, toujours dégoulinant de sauce, tout en éclatant de rire.

– Ces Occidentaux ne sont vraiment pas intelligents, chef !

– Si, ils le sont, et même beaucoup. Tous ceux qui les ont sous-estimés ont eu à le regretter. Regarde les talibans, ils ont été balayés en trois semaines.

Babrak se leva. Oussama avait eu un peu de mal à s'habituer à cette jeune génération qui ne parlait pas comme lui, s'habillait et – souvent – pensait comme des Occidentaux. Au début, il en avait été choqué. Puis il s'était mis à apprécier la vivacité d'esprit, le naturel et même la désinvolture qui les caractérisaient. Ces jeunes étaient plus égoïstes, peut-être, mais ils voulaient la paix, dépenser leur argent en gadgets électroniques plutôt que faire la guerre. Même le buzkashi, jeu violent s'il en était, était en perte de vitesse au profit de loisirs plus civilisés comme le football et le base-ball. Ces jeunes étaient le seul rempart d'avenir contre la génération des jeunes talibans incultes et violents.

*

L'ex-taliban choisi par le ministre pour faire sauter le Hamad Café essuya la sueur qui lui coulait dans les yeux. Abdul Hakat, c'était son nom, n'en revenait toujours pas de la chance qu'il avait d'avoir été choisi pour cette mission. Il était un peu angoissé à l'idée d'échouer : s'il ne réussissait pas à entrer dans le café, est-ce qu'on lui donnerait quand même la somme promise ?

Depuis qu'il avait passé deux ans en prison, la moindre contrariété déclenchait chez lui de véritables crises de panique. Il n'était pas un taliban assez important pour avoir été envoyé à Guantanamo, néanmoins il avait été torturé sévèrement avant d'être emprisonné, et portait encore la marque des sévices infligés par le NDS. Il lui arrivait parfois, depuis, de dénoncer tel ou tel contre une poignée d'afghanis, souvent des personnes n'ayant rien à se reprocher, qui avaient ensuite le plus grand mal à prouver aux agents gouvernementaux qu'elles étaient innocentes. La mission qu'on lui avait confiée était de recueillir la preuve formelle que le gérant du Hamad Café n'assurait pas bien la sécurité de son établissement. Pour cela, on lui avait remis une fausse ceinture d'explosifs. Son objectif était d'entrer dans le bar et de laisser la ceinture dans les toilettes. Un policier la récupérerait ensuite et la montrerait au propriétaire comme preuve. Abdul Hakat avait été convoqué au siège du NDS par un policier qui s'était présenté comme un ami du propriétaire du Hamad Café, en opposition avec le gérant au sujet des mesures de sécurité. Abdul Hakat ne se méfiait pas, les mesures de sécurité étant un sujet de discussions quotidiennes à Kaboul : quand elles étaient trop importantes, elles créaient des queues interminables qui faisaient fuir les clients, mais quand elles étaient insuffisantes les clients passaient leur chemin… Il se cacha dans un renfoncement entre deux maisons. Il était très en avance, le Hamad Café n'ouvrait qu'à vingt heures, mais il n'avait pas envie de dépenser de l'argent en patientant dans un autre bar. Il s'enroula dans une couverture pour se protéger du froid et attendit.

*

Vers la fin de l'après-midi, après avoir passé trois heures sur les affaires en cours, Oussama quitta discrètement le commissariat. Il marcha une vingtaine de minutes dans les rues étroites du quartier, effectuant plusieurs ruptures de filature, comme on le lui avait appris à Moscou, puis il héla un taxi. Une fois à l'intérieur, il enroula une écharpe autour du bas de son visage et se vissa un pakol sur le crâne. Ce n'était pas un déguisement très élaboré, mais il était certain de ne pas avoir été suivi, il cherchait juste à éviter que quelqu'un le reconnaisse. Il descendit à la volée, au milieu d'un embouteillage, et prit un taxi dans l'autre sens.

– L'ancien palais du roi, ordonna-t-il au chauffeur.

Le trajet fut plus long qu'il n'espérait, car la route était en travaux. Quelques ouvriers payés au lance-pierre travaillaient, sans machine moderne, creusant la terre avec des outils à main. Le contractor américain qui avait obtenu le contrat toucherait, lui, des dizaines de milliers de dollars par bloc de cent mètres pour le travail de quelques expatriés planqués jour et nuit dans des bunkers du centre-ville. Après être passé devant les ruines de l'ancien château, qui avaient encore fière allure, ils tournèrent devant le musée, un bâtiment minable dans le jardin duquel trônait bizarrement une carcasse de locomotive à vapeur. Puis le chauffeur s'engagea dans une ruelle en terre.

– Vous êtes certain que nous allons là ? demanda-t-il à Oussama, l'air inquiet.

– Certain.

Chilstone était l'un des quartiers les plus misérables de Kaboul. Pas d'eau courante, pas de voirie, aucun service public. Oussama se fit déposer au coin d'une épicerie avant de s'engager dans une petite ruelle nauséabonde, essayant d'éviter les ordures qui encombraient le passage. Les maisons basses en torchis étaient collées les unes aux autres, parfois séparées par des terrains vagues transformés en cimetières improvisés. Les tombes étaient remplacées par de simples morceaux de pierre taillés en biseau, les habitants étant trop indigents pour se payer une vraie pierre tombale. Quelques drapeaux verts flottaient sur les tombes de ceux qui étaient morts violemment, victimes d'attentats ou des talibans. Une tombe sur deux, environ, en était ornée. Un cimetière, un carré de maison, un cimetière, un carré de maison, il marcha pendant une quinzaine de minutes dans cet environnement sordide. Ce quartier déshérité était presque uniquement peuplé d'Aïmaks, une des ethnies les plus pauvres d'Afghanistan. Les Aïmaks étaient des nomades d'origine mongoloïde, surtout présents dans le centre et l'ouest du pays. Oussama était baloutche, une ethnie originaire de Perse presque uniquement présente dans le sud-ouest du pays, mais à Chahar Borjak, où il avait grandi, il avait par les hasards de la vie noué des liens avec des garçons issus d'une petite communauté aïmak, dont le sort l'avait ému. Il en était resté une amitié profonde avec quelques personnes, dont l'homme qu'il venait rencontrer. Oussama s'enfonçait dans le quartier, essayant de ne pas penser à l'odeur pestilentielle qui le recouvrait. Il y avait deux tanneries, une décharge de plusieurs hectares et un abattoir à proximité. Les carcasses de moutons et de bœufs pourrissaient dans des fosses à ciel ouvert sans que la municipalité fasse quoi que ce soit. Il se demanda comment les gens pouvaient respirer en été, lorsque la température atteignait quarante degrés. Au bout de quelques centaines de mètres, il se renseigna auprès d'un enfant :

– Tu sais où se trouve le cabinet de sahib Kalkana, l'écrivain public ?

L'enfant lui montra une ruelle qui partait en biais, à peine visible dans la pénombre. La nuit commençait à tomber.

– *Nazdik.*

« Pas loin », ce qui ne voulait rien dire. Le cabinet pouvait être à cent mètres ou à deux kilomètres.

Enfin, Oussama parvint à une maison délabrée, dont la porte était entrouverte. Deux lampes à pétrole éclairaient une pièce sombre, dans laquelle une dizaine d'hommes patientaient. Il dut se courber pour entrer tant le chambranle était bas. À l'intérieur, l'odeur était encore plus forte. Oussama salua et continua dans un petit couloir. Un vieil homme attendait devant un bureau branlant, si maigre que sa peau paraissait collée à ses os. Une bougie tremblotait sur le bureau. Oussama se pencha vers lui.

– Je suis un ami de sahib Kalkana. Dis-lui qu'Oussama voudrait le voir.

Le secrétaire n'entendait rien, Oussama dut lui répéter deux fois la phrase à l'oreille. Comprenant enfin le message, le vieux se leva péniblement et disparut derrière un rideau. Une minute plus tard, il revint avec un homme aussi petit qu'Oussama était grand. Abdul Kalkana avait la peau très sombre, une barbe fournie et des yeux en amande typiques des Aïmaks. Il étreignit Oussama chaleureusement.

– Toi ? Tu as de la chance, je suis entre deux écritures, j'ai quelques minutes. Je suis content de te voir. Viens, suis-moi.

Kalkana le fit entrer dans un petit cabinet meublé simplement d'un bureau, de deux chaises et d'une bibliothèque qui débordait de partout. Un ordinateur et une imprimante laser, les outils de travail de Kalkana, trônaient sur le bureau, éteints. Dans ce quartier de Kaboul, l'électricité ne fonctionnait qu'une ou deux heures par jour. Oussama remarqua divers bibelots disséminés sur des étagères, écritoires anciennes, plumes d'oie, encriers de toutes provenances. Kalkana avait toujours été un collectionneur. À côté de ces objets liés à son métier, il y en avait d'autres, plus étranges. Oussama reconnut plusieurs sortes de poupées. Malalai lui en avait expliqué le rôle. Elles servaient autrefois pour l'auscultation des femmes, qui désignaient l'endroit où elles avaient mal sur la poupée, afin que le daktar ne les touche pas. Depuis les talibans, ces poupées n'avaient plus d'utilité car aucun médecin homme ne pouvait approcher de femmes, même par le truchement d'une poupée. Elles n'étaient plus que le témoignage d'une période révolue.

– Je vois que tu n'as pas déménagé, ni fait de travaux, remarqua Oussama. Tu pourrais bouger de cet endroit.

– Les loyers sont chers, dit son ami. Et puis, tu sais que je n'ai pas envie de m'éloigner de mes frères. Je suis bien, ici.

En tant qu'écrivain public, Kalkana rédigeait des documents de tous types pour les illettrés qui faisaient appel à ses services : lettres de réclamation à l'administration, contrats de mariage, demandes d'emploi, testaments, missives à des membres éloignés de leurs familles... Parfois, les demandes étaient plus baroques : Kalkana s'était un jour vanté devant Oussama d'écrire les plus belles lettres d'amour de tout l'Afghanistan. Il avait malheureusement de moins en moins de candidats pour ce type de prose : les jeunes se téléphonaient plutôt que de s'écrire, sauf des SMS bourrés de fautes qui ne paraissaient pas rebuter celles et ceux qui les recevaient. Décidé à consacrer sa vie aux Aïmaks, Kalkana n'avait jamais dérogé à cette vocation d'écrivain public, alors que ses talents lui auraient permis de devenir professeur, ou même d'exercer dans une université. C'était un pur, envers qui Oussama ressentait une grande admiration.

– Que veux-tu boire ? demanda-t-il.

– Un chaï.

Kalkana se dirigea vers un feu à gaz.

– Mieux vaut que je ne demande pas à mon secrétaire de s'en occuper, il faut lui répéter les choses trois fois. Lui qui était un grand musicien, tes amis l'ont rendu presque sourd.

– J'ai vu ça. Que lui est-il arrivé ?

– Il a perdu un tympan à cause d'un obus tiré par tes collègues de l'Alliance du Nord, en 1996. Un tir direct sur ce quartier de Kaboul, où tout le monde savait qu'il n'y avait pas un seul combattant ! Ensuite, en 1999, les talibans l'ont arrêté parce que sa barbe n'était pas assez fournie, et comme il n'entendait pas ce qu'ils lui disaient, ils l'ont battu tellement fort avec un câble électrique qu'il a perdu l'audition de l'autre oreille, ainsi que la vue d'un œil. Voilà notre pays : cet homme innocent, cet artiste de grand talent dont tout le monde connaissait la musique autrefois, a été martyrisé par chaque camp, sans respect de sa dignité. Ce pays est fou, Oussama, je crois que la guerre ne s'arrêtera jamais.

– Et toi, tu ne cesseras jamais de t'indigner. Tu es la preuve qu'il reste toujours un espoir pour ce pays.

Son ami revint avec la théière.

– Laisse, dit Oussama, je vais le verser.

– Je t'en prie.

– J'insiste, c'est un honneur de te servir.

– Tu es mon invité, je vais le faire.

Ils discutèrent ainsi quelques secondes, se disputant symboliquement la théière. Finalement, Oussama prit la tasse que son ami lui tendait.

– Il est l'heure de la prière, dit-il. Puis-je te laisser quelques instants ?

– Je t'en prie.

Oussama enleva ses chaussures, se saisit d'un tapis posé contre le mur et entama sa prière. Lorsqu'il se redressa, il se sentait apaisé.

– Je suis venu te voir car j'ai besoin d'un service.

– Toi, le puissant qomaandaan Kandar, tu aurais besoin de l'aide d'un petit écrivain public aïmak ? Que se passe-t-il, Oussama ? Tu as des ennuis ?

– Disons que je mène une enquête difficile et que certaines personnes, dont mon supérieur, préféreraient qu'elle n'aboutisse pas. Tu comprends ?

– Que dois-je faire ?

– Tu m'as dit qu'un de tes cousins était médecin légiste en Turquie. Est-ce que c'est toujours le cas ?

– Qassam ? Oui, je crois. Nous nous sommes parlé en janvier, il travaillait toujours à Istanbul, dans un des plus grands hôpitaux de la ville. Qu'attends-tu de lui ?

– Je voudrais que tu l'appelles le plus vite possible. J'ai besoin d'un kit de test pour chercher des résidus de poudre sur les mains. Il doit en utiliser régulièrement. Il me faut un kit d'une marque reconnue, dont la date de péremption ne soit pas dépassée. Et, si possible, j'en aurais besoin de deux.

– D'accord, je lui demanderai. Je te les fais livrer au bureau ?

– Non, ici. Il me les faut le plus rapidement possible.

– Le courrier n'arrive pas ici, Oussama, remarqua son ami. Mais j'ai une boîte postale à la poste centrale, je peux aller chercher le paquet là-bas.

– Demande à ton cousin de l'envoyer en express. Je ne sais pas encore comment ni quand je te rembourserai, mais je m'arrangerai pour le faire.

Oussama l'étreignit.

– *Lotfan,* mon ami. C'est très important.

Il quitta la maison le cœur un peu plus léger.

*

Vers huit heures du soir, Babrak quitta son domicile, tout excité de retrouver Gulbudin et son chef. Il venait de se disputer avec son épouse, qui lui menait une vie impossible depuis qu'il lui avait annoncé son intention de prendre une seconde femme. Elle l'avait menacé de partir avec ses deux enfants, ce qui avait provoqué une scène entre eux comme ils n'en avaient jamais connu auparavant. C'était une menace de pure forme, bien sûr, car la loi interdisait formellement aux femmes d'abandonner le domicile familial. Ils s'étaient néanmoins séparés sur une bordée d'imprécations. Babrak se sentait ébranlé dans ses convictions. Était-il vraiment juste de prendre une seconde épouse, si la première s'y opposait avec autant de force ? Il l'aimait, ne voulait pas qu'elle soit malheureuse, mais il était difficile de savoir comment se comporter avec les femmes, il y avait tellement de messages contradictoires. Après avoir décrété qu'elles devaient jouir de droits nouveaux, à défaut d'être les égales des hommes, le gouvernement Karzaï avait soutenu récemment une nouvelle loi qui autorisait un mari à répudier ses épouses sans aucune compensation financière si celles-ci refusaient d'accomplir leur devoir conjugal. La loi entrait dans l'intimité du couple, encadrait ce que des conjoints avaient le droit de faire ou non, y compris dans le domaine sexuel. Personne ne comprenait plus rien aux droits réels auxquels les femmes pouvaient prétendre, alors que devait-il penser, lui qui n'était qu'un simple policier ?

Il enfourcha sa moto et se glissa dans la circulation.

*

Oussama et Gulbudin étaient attablés devant un jus de mangue, dans le box VIP qu'on leur avait attribué à leur arrivée au Hamad Café, attendant Babrak, mais Gulbudin n'avait pas touché à son verre. Le visage crispé, il grimaçait de douleur.

— Ça ne va pas mieux ? demanda Oussama, inquiet.

— Non, qomaandaan. Je suis désolé.

Gulbudin avait toujours plusieurs éclats dans le corps, souvenir de l'obus qui lui avait arraché la jambe. Parfois, l'un d'eux, situé à proximité de la colonne vertébrale, bougeait de quelques millimètres, déclenchant des douleurs atroces à la moelle épinière. Dans ces moments-là, Gulbudin souffrait le martyre. Les crises survenaient à n'importe quel moment, sans crier gare.

— Tu as ta morphine avec toi ?

— Non. Elle est chez moi.

Il était blanc comme un linge, la sueur perlait à grosses gouttes sur son front. Oussama le lui essuya avec sa serviette.

— Tu ne peux pas rester comme ça. Je vais te ramener chez toi avec ma voiture.

— Mais… Babrak…

— Il comprendra. Remettons ça à demain soir.

Ces crises étaient aussi brèves que soudaines. La plupart du temps, elles passaient en quelques heures.

– D'accord, murmura Gulbudin. Je l'appellerai sur son portable pour lui expliquer.

– Je vais t'aider à marcher.

– Qomaandaan, j'ai reconnu un policier du commissariat près de l'entrée. Peut-on sortir par-derrière ? Je n'aimerais pas qu'un de nos hommes me voie dans cet état.

– Pas d'inquiétude. D'ailleurs, mon 4 × 4 est garé derrière. Je vais demander au gardien de nous ouvrir.

*

Babrak mit moins d'une demi-heure à atteindre son café musical préféré. Il rangea discrètement son pistolet et ses deux grenades sous la selle. S'il n'avait pas peur, les mises en garde d'Oussama l'inquiétaient vaguement. C'était la première fois de sa vie qu'il était confronté à une enquête mettant en jeu un membre du gouvernement, aussi puissant de surcroît. La présence invisible des Occidentaux dans l'affaire ajoutait à cette inquiétude. Comme beaucoup de ses compatriotes, Babrak les raillait en public tout en craignant leur puissance en privé.

Des bicyclettes et des mobylettes étaient garées un peu partout autour du café, maintenues à distance par des barrières de sécurité. Il évita une fouille approfondie des vigiles en montrant sa carte de police, et pénétra dans le bar. Bien évidemment, il n'y avait que des hommes. Une ambiance joyeuse y régnait, même si on n'y consommait que des jus de fruits et des sodas. Un clip non censuré de Lady Gaga passait à l'écran. La chanteuse y prenait des poses obscènes qui déclenchaient les vivats des spectateurs. Babrak se mit à la recherche d'Oussama et Gulbudin.

*

Abdul Hakat regarda sa montre. Il était l'heure. Il enfila sa ceinture. Elle était lourde, beaucoup plus que ce à quoi il s'attendait, trois kilos peut-être. En fait, elle ressemblait étrangement aux vraies, telles qu'elles étaient décrites dans les journaux à sensation. Bien sûr, il n'y avait pas de détonateur manuel sur la sienne, mais... Un horrible doute l'assaillit. Il dégrafa l'ourlet : la ceinture était bourrée d'une sorte de mastic grisâtre. Méfiant, il sortit un couteau, en arracha un bout et prit son briquet.

Le contractuel qui avait assassiné Wali Wadi suivait Abdul Hakat à la jumelle depuis l'arrière de son gros 4 × 4 blindé. Il était garé environ cent mètres en avant, avec un de ses hommes, un Espagnol, ancien du génie. Il avait vu entrer Oussama et Gulbudin, puis Babrak, et attendait que le shahid se bouge.

— Qu'est-ce qu'il fout, ce con ? grogna-t-il.

— À ton avis ? interrogea l'Espagnol. Tu ne devineras jamais !

— Je n'ai pas envie de jouer aux devinettes.

— J'ai l'impression qu'il essaye de foutre le feu au C5 avec son briquet. — Il ricana. — *Maricón !* Il peut toujours essayer, le C5, il ne pétera pas, même s'il y fout le feu avec un lance-flammes. Sans détonateur, pas de boum. *Nada.*

Hakat lâcha brusquement le morceau d'explosif et se frotta la main, le visage grimaçant de douleur.

– Il s'est brûlé, cet abruti, dit l'Espagnol.

– Ah ça, on a bien choisi notre candidat. Quel loser ! Qu'il rentre dans ce café et qu'on en finisse. J'en ai marre.

Ils virent Abdul Hakat rajuster son manteau, sortir de l'ombre pour se diriger vers le café.

– Attends, minute. On lui avait dit de s'habiller à l'occidentale !

– Il est habillé à l'occidentale. Jean, baskets, tee-shirt, comme tu avais demandé.

– À l'occidentale, mais avec des fringues cradingues ! Regarde-le, on croirait un clochard. Il ne va jamais passer les contrôles. Qu'est-ce qui te prend, pourquoi t'as pas vérifié toi-même de quoi il avait l'air ?

– Ces mecs, ils ont toujours l'air de merdes, même habillés en Prada.

– Va le chercher ! Vite. Moi, je planque le matériel de transmission.

L'artificier revint quelques instants plus tard accompagné du taliban. Ce dernier parut étonné de la présence du 4 × 4. Le contractuel baissa sa vitre.

– Tu parles anglais ?

L'homme ne comprenait que le dari.

– Chaussures. Tee-shirt. Pas bons, tenta de baragouiner l'Espagnol en pointant ses vêtements.

Comme Hakat ne comprenait rien, le contractuel finit par s'énerver.

– Ah, merde, tu chausses du combien ? demanda-t-il à l'artificier.

– Du quarante-six.

Le contractuel regarda à nouveau Hakat. En soupirant, il enleva ses propres chaussures et son tee-shirt, qu'il lui tendit.

– Qu'il mette ça. Manteau ouvert pour qu'on voie bien le tee-shirt.

Abdul Hakat enfila les nouvelles affaires. Avec les New Balance rouges aux pieds et le tee-shirt Abercrombie, il avait enfin l'air d'un jeune Kabouli occidentalisé. Un style qui ne provoquerait aucune inquiétude au passage du contrôle de sécurité. Il leva le pouce, ravi.

– *Goot goot !*

– C'est ça, *good*. Connard ! Allez, qu'il se casse maintenant, ordonna le contractuel, furieux d'avoir été obligé de donner ses chaussures neuves.

Hakat repartit au petit trot vers l'entrée du café.

– Heureusement, il n'a rien compris, dit l'Espagnol. Les Occidentaux sont les rois de Kaboul, il doit penser qu'on teste la sécurité avant de racheter le Hamad Café. En tout cas, c'est bon, le manteau est parfait, on ne voit pas la bombe.

– Ouais.

La ceinture d'explosifs était conçue pour s'attacher par deux bretelles sous le tee-shirt, avec juste une lanière à la ceinture. Les trois kilos d'explosifs placés au milieu du dos, le long de la colonne vertébrale, passeraient la fouille si le vigile à l'entrée, rassuré par l'apparence d'Hakat, se contentait de lui palper les jambes, la ceinture, le torse et les hanches. L'Espagnol ressortit la télécommande de sous son siège et poussa une manette. Un voyant vert s'alluma avec un bip sonore. Le contractuel eut un grincement de dents.

– Bon Dieu, il n'y a que des Russes pour inventer une commande à distance d'explosifs qui fasse un tel boucan !

Abdul Hakat arrivait devant la sécurité. Il retint son souffle. Moins de dix secondes plus tard, le vigile le laissa entrer. Le contractuel lança son chronomètre. On avait dit à Abdul de commander une boisson et de garder le ticket de caisse comme preuve supplémentaire de sa présence sur place. Le contractuel compta quarante secondes, le temps qu'Hakat atteigne le bar, au milieu du café. Quel que soit l'endroit où Kandar et ses hommes étaient assis, ils se prendraient le souffle de la bombe de plein fouet. Le contractuel regarda l'artificier, qui fit un mouvement de la tête. Il appuya sur le bouton de la télécommande. Le toit et les murs du café se volatilisèrent en une gerbe de flammes, dans un grondement d'enfer. Il démarra.

Mission accomplie.

# 8

Vers une heure du matin, Oussama se réveilla en sursaut. Il se redressa dans son lit. Sa femme le secouait comme un prunier.

– Que se passe-t-il, *azizam* ?

– Ton téléphone. Il n'arrête pas de sonner.

Oussama se leva à tâtons. La lampe de chevet était cassée, et ni lui ni Malalai n'avaient eu le temps d'acheter une ampoule. Il donna un coup de pied involontaire dans une chaise, ce qui lui causa une vive douleur. Il jura, courut jusqu'au salon, où il avait laissé son téléphone portable.

– Allô ?

– Qomaandaan Kandar ?

C'était une voix de femme qu'il ne connaissait pas. Oussama sentait de la panique dans son ton.

– C'est moi. Qui êtes-vous ?

– Je suis la femme de Babrak, votre adjoint.

– Que se passe-t-il ?

– Babrak ne devait pas prendre un verre avec Gulbudin et vous au Hamad Café, ce soir ?

– Si, mais nous avons dû quitter les lieux plus tôt que prévu. Nous sommes partis avant d'avoir vu Babrak. Pourquoi, il n'est pas rentré ?

Elle éclata en sanglots.

– J'ai entendu à la radio qu'il y avait eu une explosion au Hamad Café.

Souvent, les explosions résonnaient dans toute la ville. Il arrivait même que le souffle de détonations situées à plusieurs kilomètres fasse trembler les vitres. Oussama n'avait rien entendu cette nuit-là, mais Kaboul était une ville étendue, de trois millions d'habitants.

– Je vais me renseigner, dit-il, le cœur étreint.

Fiévreusement, il se jeta sur sa radio de service.

– Central ?

– Bonsoir, sahib, je vous écoute.

Oussama reconnut la voix un peu snob de Nouora, une Tadjike qui assurait la veille radio de nuit. Son mari, un commerçant fortuné, avait été abattu par les talibans et tous ses biens volés par des collaborationnistes du régime. Elle n'avait jamais pu récupérer sa maison et survivait tant bien que mal grâce à ce métier difficile. Elle était célèbre au commissariat car, en Kaboulie typique des quartiers chics, elle utilisait un dari sophistiqué, que certains policiers ne parlant qu'un pachtoun basique ne comprenaient pas.

– C'est Oussama Kandar.

– Oh, bonsoir, qomaandaan. Ravie de vous avoir en ligne, cela faisait longtemps. Que puis-je pour vous ?

– Il paraît qu'il y a eu un attentat ?

– Oui, au Hamad Café, il y a deux heures. Un homme s'est fait sauter au milieu des jeunes. C'est un vrai carnage. D'après le premier décompte, il y a vingt-cinq morts et quatre-vingts blessés. Encore un de ces fous de talibans !

– Savez-vous s'il y a des hommes à nous parmi les victimes ?

– Je n'ai aucun détail. Voulez-vous que je vous mette en relation avec quelqu'un sur place ? La section du renseignement y est.

– Non, merci. Je vais y aller.

Il s'habilla en hâte, sous le regard anxieux de sa femme. Elle n'avait jamais rencontré Babrak, mais connaissait l'affection qu'Oussama lui portait. Il prit ses armes habituelles, ainsi que son fusil, car il n'avait pas prévu d'escorte pour ce déplacement imprévu. Une seconde, l'idée d'une machination destinée à le faire sortir sans protection de chez lui l'effleura, mais il n'avait pas le choix. Le gardien de nuit, emmitouflé dans une double épaisseur de manteau, le salua, surpris.

– Vous sortez, hadji ?

– Oui, il y a eu un attentat en ville. Personne n'a touché ma voiture ?

– Personne. – Le gardien cracha par terre. – Je ne l'ai pas quittée des yeux une seule seconde.

Oussama démarra en trombe. Il croisa rapidement une ambulance, gyrophare allumé, qu'il décida de suivre. Très vite, une seconde les rejoignit. Mauvais signe : cela signifiait que le bâtiment s'était effondré sur les victimes, qu'on continuait à extraire, deux heures après l'attentat. Il passa Chirahi Haji Yagoub avant de s'engager dans un entrelacs de rues bordées d'immeubles modernes. La plupart avaient été touchés par les bombardements de 1996, et on voyait encore des pièces ouvertes à tout vent, dans lesquelles vivaient des familles. L'image de ces immeubles éventrés parsemés de lumières était saisissante. Bientôt, il aperçut une nuée de gyrophares devant lui. Des militaires nerveux bloquaient la rue, le doigt sur la gâchette. Il laissa sa voiture et pour-suivit sa route à pied. À un second barrage, il montra sa carte de police et passa. Au fur et à mesure qu'il approchait des lieux de l'attentat, l'ampleur de la catastrophe se précisait. Sauveteurs et policiers courant dans tous les sens, éclairs des gyrophares. À cinquante mètres du Hamad Café, il fut arrêté par un dernier barrage. À ce niveau, les militaires de l'ANA étaient épaulés par des soldats de la Coalition, des Américains et des Turcs. Des agents du NDS en civil traînaient partout, identifiables à leurs pistolets portés bien en évidence. Reconnu par l'un d'eux, Oussama franchit le barrage sans avoir à montrer sa carte. Oussama était familier des attentats, le spectacle était tristement banal. Une façade éventrée, noircie par les flammes. Des débris avaient volé partout, mêlés à des morceaux de corps, pas encore ramassés par les secours. Il aperçut une main, tranchée net, sur le capot d'une voiture. Elle était claire, les doigts lisses, on voyait que c'était la main d'un jeune homme. Il poursuivit sa route au milieu des décombres. Une odeur caractéristique flottait dans l'air. Pas l'odeur de la poudre, qu'utilisaient parfois les terroristes amateurs, mais celle du C5. Les Pakistanais en distribuaient à divers groupes terroristes, tout en affirmant le contraire aux Américains. Seuls les groupes talibans les plus organisés l'utilisaient car, à la différence de la poudre, qui pouvait exploser avec une simple mèche, le C5 avait besoin de véritables détonateurs. Oussama repéra Reza, son homologue, chef de la section du renseignement. Ce dernier parut surpris de le voir.

– Que fais-tu là ?

– Je suis passé ici avec Gulbudin ce soir. Mon adjoint Babrak devait nous y rejoindre, mais nous sommes partis avant qu'il arrive. Or il n'est pas rentré chez lui.

Le chef du renseignement prit l'air peiné, mais pas tant que cela. Il avait vu tellement de morts depuis trente ans.

– On n'a pas encore commencé le travail d'identification. On a mis les corps derrière le bâtiment central, dans la ruelle, si tu veux aller voir. Euh, Oussama, pas la peine de te faire un dessin sur l'état dans lequel ils sont ?

Là-bas, c'était encore pire. Des secouristes s'affairaient auprès de quelques blessés qui n'avaient pas encore été évacués. La plupart semblaient gravement brûlés, ou estropiés, les membres arrachés. Plusieurs portaient des bandeaux sanglants sur les yeux, crevés par le souffle ou des éclats. L'air était rempli de leurs gémissements. Un peu plus loin, un grand nombre de corps étaient simplement posés par terre, enveloppés à la va-vite dans de vieux draps tachés de sang. Oussama remarqua un cadavre sans tête, un peu à l'écart, auprès duquel étaient penchés des policiers en civil. La tête était posée à côté, très abîmée. La tête des shahids était toujours séparée du tronc, projetée loin du corps par le souffle, quasi intacte. C'était la raison pour laquelle on pouvait aussi facilement les identifier. Là, c'était différent. Oussama n'en avait jamais vu d'aussi abîmée. Il passa entre la rangée de corps, se penchant sur chaque cadavre, soulevant le voile qui le recouvrait. C'était chaque fois un spectacle d'horreur. Au huitième corps, il eut un serrement au cœur. Un bras dépassait, le cuir bleu du blouson déchiré ressemblait à celui que portait habituellement Babrak. Le drap formait un drôle d'angle, comme s'il n'y avait qu'un demi-corps. Oussama l'écarta lentement, sachant déjà à quoi s'attendre. Babrak gisait sur le dos. Le haut de son corps était en bon état, mais tout le bas avait été arraché au niveau du bassin. Un éclat de verre l'avait frappé à l'œil droit, traversant le cerveau. Il avait l'air calme, reposé, seules les terribles blessures témoignaient de la violence de sa mort. Oussama lui prit la main. Il se sentait pétrifié, il respirait difficilement, le cœur pris dans un étau. Babrak était comme son fils. Et maintenant, il était mort. Qui avait pu commettre un tel carnage ?

Il récita lentement la prière des défunts, avant de se relever, en proie à une froide colère. Le responsable de la section du renseignement était en train de tancer un de ses adjoints, pour n'avoir pas encore lancé les opérations d'identification du martyr.

– Reza, tu as une minute ?

– Alors ?

Voyant le visage blême d'Oussama, il se tut.

– Ton adjoint ? Il fait partie des victimes ?

Oussama acquiesça.

– Mort sur le coup, un éclat dans l'œil. Il n'a dû se rendre compte de rien. Tu as déjà des éléments ?

– Quelques-uns. – Reza attira Oussama à l'écart du groupe. – Il s'est fait sauter, on en est certains. *A priori*, il agissait seul. Le vigile qui l'a fait entrer s'en est miraculeusement sorti. Il a reconnu le corps à ses vêtements. Il portait un jean, un blouson, un tee-shirt moulant, des baskets rouges, des vêtements occidentaux, quoi, pas des fringues de shahid taliban. Le vigile dit qu'il l'a fouillé normalement.

– Tu le crois ?

– Oui. Il est trop secoué pour inventer un bobard.

– C'est bizarre, dit Oussama, la tête est très abîmée.

– Ah, tu as remarqué, toi aussi ? Qu'en penses-tu ?

– Il ne portait pas la bombe autour de la taille. Peut-être qu'il l'avait autour des jambes, ou dans le dos. La trajectoire d'arrachage de la tête a été modifiée par rapport à une bombe classique.

– Ça expliquerait que le vigile n'ait rien trouvé.

– On l'a identifié ?

– Il avait ses papiers sur lui, mais ils ont été déchiquetés par l'explosion. Je vais demander à la police scientifique d'essayer de les reconstituer, mais ça ne donnera rien, ils sont en trop mauvais état. Je préfère me reposer sur les empreintes et le visage, ou ce qu'il en reste.

– Il a probablement été fiché comme taliban dans le passé, remarqua Oussama. Tu me tiens au courant dès que tu as une info ?

– Bien sûr.

– Je peux te demander un service ? Prends le meilleur légiste pour l'autopsie.

– Je vois qui tu veux éviter… mais qui veux-tu ?

– Le daktar Katoun. Tu peux faire ça pour moi ?

– D'accord. Je l'appelle maintenant.

– Je vais voir le corps du shahid, répondit Oussama en guise d'au revoir.

Il revint jusqu'au cadavre. D'un geste, il congédia les policiers qui l'entouraient. Devant son air grave, même les hommes du NDS s'écartèrent. Il enfila des gants et s'accroupit. Le martyr avait été tranché en deux par l'explosion. Le bas de son corps était en bon état jusqu'au bassin, en revanche le buste avait disparu, comme broyé. Sans la tête, il aurait été impossible de l'identifier et, même avec elle, ils auraient des difficultés. Le regard d'Oussama s'attarda sur le pantalon, un jean en mauvais état, plein de trous, et sur les chaussures. Elles étaient presque neuves, d'un rouge vif qui rappelait le sang répandu tout autour. Délicatement, il fit glisser l'une d'entre elles. Le martyr ne portait pas de chaussettes en dépit du froid, le pied était noir de crasse. Oussama se releva et rentra chez lui sans saluer personne.

*

Oussama dormit mal, cette nuit-là, taraudé par le souvenir du visage de Babrak, défiguré, si calme dans la mort. Au petit matin, Malalai le serra contre elle.

– Ça ne finira jamais. Ce n'est pas juste.

– Il n'avait que trente ans. C'était un garçon intelligent et sympathique. Un policier fantastique. Je le considérais comme notre fils.

Oussama avait les larmes aux yeux, mais il réussit à se contenir. Sa colère se transformait en rage.

– Personne n'est à l'abri. Ils se font sauter partout. Que peut-on contre ces fous, Oussama ? Rester cloîtré chez soi ?

– C'est une drôle de coïncidence, tout de même.

– Tu penses que sa mort est liée à ton enquête ?

– Je m'interroge. Ça semble être un attentat aveugle, je trouve juste bizarre qu'un type aille se faire sauter à l'endroit où Babrak, Gulbudin et moi avions rendez-vous.

– Tu me fais peur, dit Malalai, blême.

Oussama se leva. Le sol était froid, même si Mala-lai avait mis des bûches dans le poêle. Il entendait la pluie tomber à verse, ce qui n'arrivait pas très souvent, même en cette période. Il prit sa douche en repensant à la réaction qu'avait eue la femme de Babrak, lors-qu'il était passé lui apprendre la nouvelle, à quatre heures du matin. Elle s'était effondrée sans un bruit, sans pleurer, tremblant de tous ses membres, une réac-tion beaucoup plus impressionnante que si elle s'était mise à hurler. Ses deux enfants étaient réveillés en dépit de l'heure tardive, il avait lu la peur dans leurs yeux, comme s'ils avaient compris qu'ils ne rever-raient jamais leur père. La petite fille serrait un âne en peluche sur son cœur.

Chassant ces idées noires, Oussama enfila une chemise neuve, mit une cravate, ce qu'il n'avait pas fait depuis des années. En larmes, Malalai le regarda s'habiller, prendre son fusil, vérifier le chargeur. Ils s'étreignirent.

– Je vais essayer de comprendre ce qui s'est passé, dit-il simplement.

Sa voiture et le pick-up de protection attendaient dehors, moteurs allumés. Les hommes étaient graves, nerveux. La nouvelle de la mort de son adjoint avait déjà fait le tour du commissariat, Babrak était très populaire. Le jour se levait à peine lorsque Oussama arriva au bureau. Il se dirigea vers la section du ren-seignement. Reza était là, pas rasé, les cheveux ébou-riffés.

– Bonjour, Oussama. – Il poussa vers lui une tasse de thé brûlant. – J'ai dormi sur le lit de camp. Pas beaucoup, tu imagines.

– Tu as du nouveau ?

– On a identifié le shahid. Il s'appelle Abdul Hakat. C'est un ancien taliban, il a fait deux ans de prison après la chute du régime.

– Il était connu ?

– Oui et non. Assez pour être fiché, mais pas assez pour être sous surveillance étroite. C'était un petit calibre. Il se tenait à carreau depuis son arrestation. Il servait parfois d'indicateur au NDS, il a dénoncé une dizaine de personnes.

– Que te dit le NDS ?

– Tu les connais. Ces salopards ne me disent *rien*. Ils n'avoueront jamais que ce type a bossé pour eux en sortant de prison. Hakat jouait peut-être double ou triple jeu. Ou alors il a été retourné par ses anciens amis talibans.

– Tu as commencé l'enquête de proximité ?

– Toute la famille est en bas, dans des cellules. On met la pression sur son frère, un enfoiré de taliban lui aussi. Il va cracher toutes ses dents, tu peux me croire. On a trois jours pour ça !

Le code pénal était un curieux mélange de tradition afghane et de droit occidental : les gardes à vue étaient limitées par la loi à soixante-douze heures, mais rien n'interdisait *de facto* de torturer les suspects pendant ce délai, ce dont la police se privait rarement dans les affaires de terrorisme.

– Il a commencé à parler ?

– Il jure que son frère n'était plus un vrai taliban, qu'il ne se serait jamais fait sauter. Tu parles ! Tu veux le voir ?

– Oui.

Ils descendirent au sous-sol. Un escalier étroit donnait sur une sorte de grand couloir en béton brut, éclairé par un néon tous les dix mètres. L'atmosphère était lugubre, l'odeur à peine soutenable. De chaque côté, une rangée de portes, certains pleines, d'autres avec une ouverture grillagée. Les salles d'interrogatoire et les cellules. Ils se dirigèrent vers l'une d'entre elles. La pièce mesurait une vingtaine de mètres carrés, sans fenêtre. Au centre, une lourde table de bois, avec des crochets à chaque extrémité, pour y attacher un homme en croix. Quelques chaises branlantes étaient jetées autour. Un homme nu était ligoté à l'une d'elles, les bras dans le dos, deux policiers debout au-dessus de lui. L'homme avait le nez cassé, du sang plein le visage, un œil fermé par un coup plus violent que les autres. Ses pieds étaient violacés, après avoir été martelés à coups de nerf de bœuf. Il était couvert de vomi, d'urine et de ses excréments. Les policiers de la section du renseignement n'étaient pas des tendres. L'un d'entre eux leva le nerf de bœuf qu'il tenait à la main et l'écrasa sur le visage du prisonnier. Du sang jaillit, l'homme poussa un cri aigu.

Reza prit un des policiers par le bras.

— Alors, ça donne quoi ? chuchota-t-il.

— La même chose. Ce salopard jure que son frère n'était plus taliban, qu'il ne l'avait été que par intérêt et non par conviction. Lui-même est répertorié comme dangereux. On le suivait de temps en temps.

— Il nous cache quelque chose ?

— Je ne pense pas. On va continuer à le travailler quand même.

Ils remontèrent.

— On va aller chez lui. Tu viens avec moi, annonça Reza.

Abdul Hakat habitait un bidonville pachtoun du sud de la ville. La maison, une masure en torchis, était gardée par des policiers, l'air farouche. Une foule d'hommes hostiles aux barbes broussailleuses rôdait à proximité, criant de temps à autre des imprécations menaçantes. L'ambiance était électrique.

– C'est un quartier taliban, ici, remarqua Oussama.

– Rien à foutre. Si ces salauds croient qu'on va leur demander la permission pour faire notre boulot, ils se trompent, dit Reza.

Oussama entra le premier dans la maison. Des femmes étaient regroupées dans un coin, enveloppées dans leur burqa. Cinq silhouettes bleues, même taille, même corpulence. Impossible de distinguer qui se tenait dessous, à cause du grillage qui masquait les yeux. Un soldat armé d'une kalachnikov les gardait, le doigt sur la détente.

– Qui sont ces femmes ?

– La mère d'Abdul Hakat, les deux autres femmes de son père, les deux femmes de son frère.

– Abdul n'était pas marié ?

– Non.

– Où est le père ?

– Il a fait une crise cardiaque pendant qu'on l'interrogeait, mes hommes ont eu la main un peu trop lourde. Il est à l'hôpital.

– Comment va-t-il ?

– Mal. Le daktar qui l'a examiné pense qu'il va mourir.

De mieux en mieux. Oussama avisa une lettre posée sur une sorte d'établi en bois.

– C'est la lettre d'adieu ?

– Oui. Sa mère dit que quelqu'un l'a faite pour lui, il ne savait pas écrire.

C'était une courte missive en pachtoun, pleine de références à Allah, expliquant que les kâfirs et les mauvais musulmans devaient disparaître. La lettre se terminait sur la certitude de finir au paradis, entouré de vierges. Elle n'avait rien de particulier, ressemblait à toutes celles qu'Oussama avait pu lire. Lorsqu'ils étaient analphabètes, ce qui était presque toujours le cas, un mollah l'écrivait pour eux.

– Il n'y a aucune faute de syntaxe. Celui qui l'a rédigée est un érudit, dit Oussama.

– Tous les talibans ne sont pas incultes, répondit Reza. Ce n'est pas assez pour trouver qui l'a écrite. Peut-être que le frère nous donnera un nom. On va faire une enquête de voisinage pour savoir quelle mosquée il fréquentait.

– Puis-je voir sa chambre ?

C'était une pièce minuscule. Les policiers du renseignement l'avaient déjà mise sens dessus dessous.

– Avons-nous trouvé quelque chose ? demanda sèchement Reza.

– Rien, qomaandaan, répondit un de ses hommes. Pas de propagande talibane.

– Évidemment, il ne savait pas lire, bougonna le chef de section.

Oussama fouilla les affaires du mort. Toutes étaient en mauvais état. Il chercha du côté des chaussures, trouva une paire de rangers de fabrication pakistanaise sur le point de rendre l'âme. Tous les vêtements étaient sales, portés depuis longtemps, si l'on en croyait l'odeur infecte qu'ils dégageaient.

– Ça fait dix minutes que tu fouilles ces fringues, remarqua Reza. Quelque chose de suspect ?

– Il n'y a que des vêtements afghans, ici, pourtant Hakat était habillé à l'occidentale. Ses chaussures paraissaient neuves et de belle facture, alors que tout le reste est vieux et sale. Sens ça, ça pue le bouc.

– Il avait peut-être mis ses plus belles affaires pour sortir ?

– Avec quel argent les avait-il achetées ? Des chaussures américaines comme celles qu'il portait coûtent des milliers d'afghanis. Quelque chose ne colle pas.

Oussama regarda autour de lui.

– Allons à l'hôpital, Katoun doit avoir commencé l'autopsie.

*

Le daktar Katoun se tenait dans le bureau où Oussama l'avait rencontré la fois précédente. Ils se serrèrent la main longuement.

– Désolé pour ton adjoint.

– Tu as du nouveau ?

– J'ai fini. Pour aller plus vite, j'ai réalisé l'autopsie ici plutôt qu'à l'institut médicolégal. Ce n'est pas génial vis-à-vis du bureau du procureur, mais je pense qu'on me pardonnera cet écart.

Oussama et Reza s'assirent en face du médecin. Celui-ci sortit une feuille d'une imprimante posée derrière son bureau.

– Je n'ai pas grand-chose, seulement une moitié inférieure de corps et une tête. L'individu est mort sur le coup suite à l'explosion d'une charge de deux à trois kilos d'explosifs à fort effet de souffle qu'il portait sur lui. L'odeur est caractéristique de la penthrite, à mon avis c'était du C5, comme vous vous en doutez déjà. Je pense qu'il la portait dans le dos, ce qui explique la déformation du corps, et le fait qu'une partie de la peau du ventre soit restée accrochée et pendait devant ses cuisses comme un tablier. Au lieu de partir en l'air à la verticale et de retomber ensuite de haut en bas, la tête a été projetée selon un angle de quarante-cinq degrés environ. Elle a heurté un mur de plein fouet, ce qui explique son mauvais état.

— Le vigile a confirmé qu'il ne palpait pas la colonne vertébrale des clients. La charge était placée en dehors de la zone de fouille habituelle.

— C'est donc une première. Tu as déjà vu ça ? demanda Oussama.

— Non. J'ai regardé sur Internet, je n'ai rien vu de tel ni en Irak ni au Pakistan.

— Un nouveau mode opératoire, précisa Reza. Ils s'améliorent de jour en jour.

— Notez que je n'ai pas d'organe à évaluer, vu l'état du buste. Pour votre information, le corps était particulièrement sale, cet individu n'avait pas pris de bain depuis au moins trois ou quatre semaines.

— Bizarre, remarqua Oussama. D'habitude, ils se lavent soigneusement et se parfument avant de se faire sauter, n'est-ce pas ?

— Pas toujours, répondit Reza. J'ai eu deux cas de shahids qui ne s'étaient pas préparés corporellement. Docteur, est-ce qu'il s'était rasé le pubis ?

— Non.

Repensant à sa fouille du corps, Oussama demanda :

– J'ai eu l'impression que son jean était très serré. Il portait des bandelettes de protection ou des couches de caleçon ?

– Pas de protection particulière, un seul caleçon, aussi sale que le reste d'ailleurs.

Oussama et son collègue se regardèrent. En règle générale, les shahids se protégeait les organes génitaux par des bandelettes serrées ou par de multiples caleçons enfilés les uns sur les autres, afin de ne pas les endommager pour leur vie d'« après », lorsqu'ils rejoindraient les soixante-douze vierges au paradis.

– Il fait référence aux vierges dans sa lettre mais ne protège pas son sexe, remarqua Oussama.

– Ce mec était une véritable merde. Une crevure, dit Reza. Tu ne peux rien conclure de ça.

Pas sûr, pensa Oussama.

*

Plus tard, dans son bureau, Oussama examina la série de photos d'Abdul Hakat, qu'il avait prises avant de quitter le bureau du médecin légiste. Il imagina la tête partir comme un ballon de football au moment de l'explosion. Il avait visionné une fois un DVD de l'interrogatoire d'un martyr palestinien, dont la bombe n'avait pas explosé, par un membre du Shin Beth, le contre-espionnage israélien. Lorsque l'homme avait vu les photos d'autres martyrs, têtes intactes, et la bouillie qui restait des corps, y compris les organes génitaux, il avait semblé stupéfait. Réalisant brusquement les conséquences de son acte pour son propre corps.

Oussama prit la photo en gros plan d'une des chaussures d'Abdul Hakat. Le même malaise le saisit.

Comment un homme aussi peu fortuné, et sale de surcroît, avait-il réussi à acheter des chaussures pareilles ? On voyait bien aux matériaux utilisés et à la couleur éclatante qu'il s'agissait de chaussures coûteuses, pas de viles imitations importées du Pakistan. À l'aide d'une vieille loupe, il examina la marque avec plus d'attention. New Balance. Il ne la connaissait pas. Il héla un de ses chauffeurs, un jeune homme d'une vingtaine d'années, connu pour être toujours au fait de la mode.

– Ahmad, est-ce que tu connais une marque de chaussures qui s'appelle New Balance ?

– Non, qomaandaan.

– Renseigne-toi auprès de quelques autres jeunes de ton âge, et reviens me dire si quelqu'un connaît.

Deux heures plus tard, le chauffeur vint lui confirmer que personne n'avait jamais entendu parler de cette marque. Oussama s'apprêtait à aller se renseigner lui-même, lorsqu'il vit le petit garçon que mollah Bakir lui avait envoyé la première fois entrer dans son bureau. Comprenant le message, il enfila son manteau.

*

Il neigeait à Berne mais, dans la salle de réunion sécurisée du siège de l'Entité, il était impossible d'avoir la moindre notion du temps qu'il faisait dehors. C'était une pièce aveugle, aux murs doublés de plaques de cuivre et de métaux rares, protégée des interférences électroniques par un complexe réseau d'ondes électromagnétiques. Le général faisait le point sur la traque du fugitif. À l'autre bout du monde, Joseph était enfermé dans le cube sécurisé de Kaboul. Les nouvelles n'étaient pas bonnes. Les deux hommes parlaient à voix basse, penchés sur leur caméra, inquiets et tendus.

– Cela fait trop longtemps qu'il nous a faussé compagnie. Il s'est évaporé de Genève, nous n'avons aucune piste sérieuse. Je pense que nous ne mettrons plus la main dessus.

– Je ne comprends pas comment une telle chose a pu arriver.

– Moi non plus. Nos hommes ont passé au peigne fin tous les vols. Son nom n'apparaît nulle part. Il n'a pas les réseaux pour se faire fabriquer un faux passeport, donc je pense qu'il est toujours dans le pays. Ou dans un pays frontalier, où il sera entré par une frontière terrestre, France, Italie, Autriche, il n'a que l'embarras du choix. S'il atteint une côte, il peut louer un bateau et filer dans un autre pays, voire en Afrique, où nous le perdrons.

– Les vols privés ?

– Nous les avons tous étudiés un à un. Il y en a eu plusieurs centaines depuis qu'il a disparu. Dix hommes n'ont fait que ça depuis sa fuite. Beaucoup d'entre eux sont affrétés par des entreprises domiciliées dans des paradis fiscaux. Il n'est pas facile de se faire une idée précise des passagers, ni des destinations réelles. Cela reste un trou noir dans la sécurité de tous nos pays. S'il en a emprunté un à partir d'un pays voisin, les chances de le découvrir sont encore plus minces. Cet homme est intelligent, riche et organisé.

– J'espère encore que Nick trouvera une piste qui nous a échappé.

– Vous plaisantez ? Il ne trouvera rien.

– Qu'en déduisez-vous ? Je veux votre avis.

– Arrêtons de nous casser la tête et regardons les choses en face. Il nous a définitivement filé entre les doigts. C'est foutu.

La complicité qui existait entre le général et Joseph excluait toute langue de bois. Avec n'importe quel autre de ses hommes, le général aurait laissé exploser sa colère, mais pas là, pas avec Joseph.

– Les statistiques montrent que lorsqu'on ne rattrape pas un fugitif dans les soixante-douze premières heures, les chances de le retrouver rapidement passent quasiment à zéro, reprit Joseph. Une nouvelle fenêtre d'opportunités s'offre généralement au bout de vingt-quatre mois, quand le fugitif a le mal du pays : à ce moment, il commet des erreurs, et on peut lui remettre la main dessus.

– *Vingt-quatre mois ?* Mais vous êtes fou ! On ne va pas attendre *deux ans* pour l'attraper !

– Pourquoi pas ? Le fait que rien n'ait fuité confirme l'analyse selon laquelle le fugitif ne souhaite pas donner de publicité au rapport. Les deux psychiatres qui ont dressé son profil pensent qu'il ne rendra le dossier public qu'en dernière extrémité, s'il est acculé. C'est un homme orgueilleux et perfectionniste, il pense qu'il peut se jouer de nous. En outre, il aurait beaucoup à perdre de la divulgation du rapport.

– Nous ne pouvons pas prendre un tel risque.

– Risque limité. Tant qu'il garde le contrôle de la situation, le fugitif conservera le rapport par-devers lui. C'est la priorité, n'est-ce pas ?

– La priorité est de le retrouver. Vous, mon meilleur expert, vous proposez tout simplement d'abandonner.

– Nous ne sommes pas les seuls à le chercher, si je ne m'abuse. Pourquoi réussirions-nous là où tous les services officiels ont échoué ? Je ne sais pas faire de miracle. Gardons une cellule de veille avec une dizaine d'hommes. S'il commet une erreur, et il en commettra fatalement une, nous lui sauterons dessus. En attendant, nous stoppons les recherches actives, cela ne sert à rien.

– Ce n'est pas le mandat que j'ai.

– Il n'y a pas d'autre solution. Ce n'est qu'une question de temps.

Le général hocha la tête. La solution préconisée par Joseph était la plus rationnelle, mais il avait du mal à avouer son échec.

– Nos mandants sont inquiets de la situation afghane, reprit-il. Quel est le risque que Kandar aboutisse à la vérité ?

– C'est le meilleur policier du pays. Il a été formé par les Russes et il est incorruptible. Il est en train de dérouler la pelote, centimètre par centimètre. Je crois que la situation est sur le point de basculer.

– J'en ai marre de cette affaire, nous ne contrôlons rien. Il faut l'arrêter une bonne fois pour toutes.

– Vous voulez une chose et son contraire. Comment puis-je vous assurer que le travail sera bien fait, si je dois faire appel à des consultants extérieurs à la con chaque fois qu'il faut appuyer sur une détente ?

– Je ne veux pas vous exposer au-delà du raisonnable.

– Le résultat, ce sont des opérations ratées.

– Recommencez. Il doit mourir. Mais pas en direct. Trouvez la bonne équipe.

Mollah Bakir avait employé toute la litanie habituelle des salutations, la version longue débitée en dari, tout en tenant la main d'Oussama dans la sienne. Ses yeux exprimaient une peine sincère, tandis qu'il expliquait à Oussama à quel point il était triste pour lui.

– Voulez-vous que nous récitions ensemble des *hadiths* à la mémoire de ce garçon ?

– Volontiers.

Le mollah déroula en direction de La Mecque un tapis rangé contre le mur.

– Il vient de Jérusalem, dit-il, je ne l'utilise que pour les grandes occasions.

Lorsqu'ils se relevèrent, de longues minutes avaient passé.

– Que pensez-vous de cet attentat ? demanda Oussama.

– Mon frère, je n'ai pas encore d'informations. Les premières questions que j'ai posées sont revenues sans réponse. Personne ne connaissait cet Abdul Hakat. À la prison, il n'a pas laissé un grand souvenir. Les talibans s'en méfiaient un peu.

– A-t-il été traité par une cellule talibane de Kaboul ?

– Je n'ai pas eu le temps de clarifier ce point. Les mesures de sécurité que vos amis ont mises en place obligent les rebelles à fonctionner sur un mode différent, avec des cellules indépendantes. Se renseigner prend beaucoup de temps, utiliser le téléphone est impossible. Je n'aurai fait le tour de tout le monde que dans quelques jours.

– Vous n'avez donc aucune information fiable ?

– Le fait que je n'en aie pas est déjà, en soi, une information, frère Oussama. Cet Abdul Hakat n'a été traité par aucune des principales cellules du mouvement taliban.

– Pourtant, il a utilisé un dispositif sophistiqué et le dernier cri en matière d'explosif, du C5.

Mollah Bakir balaya l'argument d'un revers de main.

– On en trouve partout, vous ne pouvez rien en inférer. Il peut même se l'être procuré dans la zone tribale.

– Comment ? Il n'avait pas un centime.

– C'est vous le policier. Il faut continuer à chercher avant de tirer des conclusions.

– Quand saurez-vous la vérité ?

– Peut-être jamais. On ne me dit pas tout. Un certain nombre de mes frères en rébellion savent que je désapprouve formellement la méthode des attentats suicides. Outre qu'elle déprécie la valeur de la vie de nos combattants, je la considère contraire aux préceptes de l'islam, car le Coran interdit le meurtre de civils innocents.

– Même les nazaréens ? Vos hommes n'étaient pas aussi regardants, du temps où vous étiez au pouvoir, ne put s'empêcher de rétorquer Oussama, cinglant.

– « L'incroyant doit avoir une chance sincère de se convertir, le tuer au milieu d'une foule ne lui donne pas cette chance », récita le mollah. J'ai écrit sur le sujet plusieurs fatwas, dont l'une a été reprise par mes frères égyptiens de la grande mosquée du Caire. Elle fait d'ailleurs aujourd'hui autorité chez les imams égyptiens, ce qui me remplit d'une joie sincère. Avez-vous remarqué que les Frères musulmans n'ont jamais commis d'attentats suicides ? Ce que je veux dire, c'est que certains membres radicaux du mouvement de rébellion ne parleront pas facilement à mes messagers. – Le mollah se cala dans son fauteuil. – Toutefois, même si on ne connaît pas *toute* la vérité, on peut s'en approcher. Bientôt, nous aurons une opinion sur l'origine de cet attentat, fondée ou non.

– Et là, tout de suite, quelle est la vôtre, mollah ? Votre intuition profonde, avec le peu d'éléments dont vous disposez ?

Mollah Bakir tourna son regard noir vers les yeux d'Oussama. Toute joie l'avait déserté. Ils s'affrontèrent ainsi quelques instants en silence, puis le mollah dit :

– Je pense que cet attentat n'a pas été commis par les nôtres. Je trouve bizarre qu'un homme qui ne semble faire partie d'aucun groupe secret décide tout d'un coup de se faire sauter, trouve le matériel nécessaire et mette à exécution son plan dans un endroit aussi sécurisé. L'imam de sa mosquée est entendu en ce moment par vos collègues, qui le torturent pour lui faire avouer n'importe quoi. Je le connais, c'est un homme modéré, opposé à toute forme de violence, jamais il n'aurait formé un shahid. Et puis il n'est pas assez manipulateur pour cela. La formation d'un martyr nécessite beaucoup de temps, une emprise intellectuelle totale sur la personne. Il faut prendre progressivement le contrôle de sa volonté, afin de lui ôter ce qui est le plus profondément ancré en chacun d'entre nous : le désir de vivre. Cet imam en est incapable.

– Abdul Hakat en voyait-il un autre ?

– On m'affirme que non. Néanmoins, je me dois de préciser que mon messager n'a pas eu le temps d'approfondir la discussion, car vos sbires du commissariat ont défoncé la porte de la mosquée avec toute la *finesse* qui les caractérise. Ils se sont emparés de l'imam avant la fin de la conversation…

Oussama se leva et s'inclina légèrement.

– Merci pour vos informations, mollah. Elles me sont précieuses.

Alors qu'il atteignait la porte, le mollah dit :

– Le fait que vous vous soyez trouvé dans ce café avec vos deux adjoints juste avant l'explosion ne peut être fortuit. Si Gulbudin n'avait pas eu sa crise de sciatique, vous seriez morts tous les trois. Je ne crois pas à une telle coïncidence.

Oussama se retourna.

– Moi non plus.

– Allez-vous continuer cette enquête ?

– En doutez-vous ?

– Nos amis arabes ont un proverbe magnifique. Celui-ci dit, je crois, qu'il vaut mieux vivre comme un chien vivant que comme un lion mort.

– Il faut que l'affaire qui se cache derrière la mort de Wadi Wali soit énorme pour pousser ceux qui veulent m'arrêter à commettre des actes aussi monstrueux.

Le mollah soupira.

– Vous êtes un homme courageux, frère Oussama. Essayez de rester vivant encore quelques jours. Votre enquête m'intéresse.

Oussama revint sur ses pas.

– Mais pourquoi, bon sang ?

– Parce que je sens, comme vous, que les nazaréens y sont impliqués, et j'aimerais savoir si ce sont les Russes, l'Otan ou d'autres. Parce que ce gouvernement fantoche et la Coalition militaire hétéroclite qui le soutient seront balayés un jour ou l'autre par un nouveau mouvement taliban, que j'espère modéré. À ce moment, nous aurons besoin que l'Onu nous laisse prendre le pouvoir tout en nous aidant à négocier avec les Tadjiks et les Hazaras pour éviter une guerre civile. Ce blanc-seing, nous pouvons l'obtenir de plusieurs manières. Par la négociation. Par la terreur. Par la construction d'intérêts communs.

– Ou par le chantage…

Le mollah eut un mince sourire.

– Chantage, quel vilain mot. Le pouvoir, nous l'aurons bientôt, frère Oussama, c'est une chose certaine. Seule variera la manière dont nous le prendrons. Je veux sauver des vies, éviter de nouveaux massacres, faire repartir notre mouvement sur de bonnes bases, en coupant les relations qu'il sera tenté de nouer avec Al-Qaïda tout en signant un pacte de non-agression avec l'Alliance du Nord. Seule la Coalition occidentale pourra m'y aider.

– Je ne comprends pas votre stratégie.

Le regard du mollah se fit plus lointain.

– La politique est un art d'exécution, qui requiert une bonne dose de complexité. Les plans simplistes ne marchent jamais. Bonne chance, frère Oussama. Mes pensées vous accompagnent.

\*

Oussama se rendit de nouveau à l'hôpital. Le daktar Katoun était en consultation, mais Oussama exigea qu'on le dérange. Il arriva en courant, en blouse blanche et gants tachés de sang.

– J'ai encore besoin de toi, déclara Oussama.

– Tout ce que tu veux, mais dépêche-toi. J'étais en train d'enlever un kyste gros comme un citron à un de mes patients.

– J'ai besoin que tu me donnes une des chaussures du shahid. Je te la rendrai plus tard.

– Et si on me demande les affaires du mort ?

– Si c'est le NDS, dis-leur que tu l'as passée à la section du renseignement, dis l'inverse si c'est la police.

– D'accord, d'accord, bougonna le médecin. Attends-moi.

Il revint quelques instants plus tard, un sac stérile à la main. La chaussure était dedans.

– J'ai pris celle-là parce qu'elle est intacte.

– Merci. Je te revaudrai ça.

*

Le Letten était conforme à sa réputation de foire au sexe bon marché. Les prostituées attendaient le client en rang d'oignons, tandis que les véhicules, propres comme des sous neufs selon les bonnes vieilles habitudes suisses, défilaient devant elles à vitesse réduite. L'activité était intense, le jour comme la nuit. Nick le sillonnait depuis sa rencontre avec le policier de la brigade des mœurs, sans résultat jusqu'à présent. Il commençait à en avoir plus qu'assez de cette atmosphère glauque, mais chaque fois qu'il avait envie d'arrêter pour rentrer chez lui il pensait à Werner. Il lui devait bien ça.

Il y avait énormément de monde. Nick regretta d'avoir pris son petit cabriolet, trop bas. La capote gênait la visibilité, il était obligé de tordre le cou pour apercevoir les professionnelles sur le trottoir.

Il régnait un semblant d'ordre : d'abord les plus jolies, de toutes races, puis les prostituées moins séduisantes, celles qui étaient là depuis trop longtemps. Enfin, il y avait les travestis. Il roulait lentement, la photo de Yasmina à la main. Aucune des filles ne lui ressemblait. La fin de la rue était occupée par celles dont personne n'aurait dû vouloir, mais qui attiraient néanmoins une clientèle d'hommes à la recherche de sensations fortes. On discernait juste des ombres furtives qui glissaient sur le trottoir ou s'échappaient vers les fourrés entourant l'ancienne gare. Il se rangea sur le bas-côté en vérifiant nerveusement que son arme était bien contre sa hanche. Dehors, la tension était palpable. Les négociations se faisaient à voix basse : « Vingt-cinq francs la passe. – Non, vingt », « OK pour trente, mais sans préservatif ».

Il avisa une fille dans un renfoncement. Elle était plutôt jolie, mais paraissait complètement défoncée, oscillant d'avant en arrière, les yeux mi-clos.

– Tu viens, chéri, c'est trente francs.

– Désolé, non.

Il la contourna pour se diriger vers une autre femme, nettement plus âgée, qui se tenait un peu plus loin.

– Allez, vingt francs, insista la première, je te suce, tu me fais l'amour.

– Désolé, répéta Nick.

La fille accéléra le pas.

– Allez, dix, sans préservatif, j'ai besoin d'un caillou.

Un caillou de crack. Comme si elle n'était pas assez défoncée. Nick continua, la fille s'accrocha brusquement à lui, en sanglotant.

– Bon Dieu, il me faut un caillou, j'en ai besoin. Un franc, je te le fais à un, un franc tout de suite !

Pris de panique à l'idée qu'elle le griffe, Nick se dégagea. Il lui tendit un billet de cinq francs, qu'elle lui arracha des mains. Elle avait le visage creusé, les yeux rouges. Elle était encore belle, mais bientôt elle serait un déchet. Elle s'enfuit avec son billet. L'autre femme, celle avec qui il voulait discuter, ricana.

– Cette pauvre Marilyn, elle est totalement défoncée. Avec cinq francs, elle peut se payer un demi-caillou, elle tient à peine une demi-heure.

Nick sortit un billet de vingt francs, qu'il lui agita devant le nez.

– Je veux un renseignement.

– Dis toujours, mon chou. Tu es mignon, tu me plais.

La femme sortit du buisson. Corpulente, elle portait des vêtements trop ajustés, pantalon et blouson de cuir, qui avaient dû être élégants mais étaient désormais vieux et avachis. Pourtant, elle avait l'air en bonne santé, propre. Comme Nick l'avait deviné de loin à sa silhouette, elle avait une bonne soixantaine d'années, peut-être plus. Elle pouvait connaître Yasmina, une ancienne du trottoir elle aussi. Il sortit la photo de sa poche.

– Ça vous rappelle quelqu'un ?

La femme s'approcha encore. Nick sentit une odeur de parfum bon marché. Elle eut une moue.

– Peut-être. Tu me donnes quoi, en plus des vingt francs ?

Nick remit le billet dans sa poche.

– Tu me donnes le renseignement, je te donne vingt francs, sinon, je me casse.

– Attends, t'énerve pas, mon chou.

Nick n'en menait pas large, se demandant quelle crédibilité il avait dans son rôle de dur. Sans doute aucune.

– Ta nana, elle s'appelle Yasmina. C'est une des plus anciennes, ici.

Nick sentit une onde de chaleur l'envahir.

– Sais-tu où je peux la trouver ?

– La dernière fois que je l'ai vue, elle tapinait juste à côté de la rivière, derrière l'usine de fromage, dans le Kreis 10, vers la Limmat. L'usine est immense, tu la verras de loin, tu sentiras l'odeur. Il y a une rangée d'immeubles squattés et un grand terrain vague, avec des abris en tôle ondulée pour les clodos. C'est là qu'elle tapine, dans le terrain vague. Avec elle, pas la peine de sortir les gros billets, mon chou, c'est cinq francs la pipe, dix francs la totale. Et encore, si elle est vraiment en manque, t'auras droit à un rabais. – La prostituée eut un rire sans joie. – Dépêche-toi, elle a le sida et l'hépatite, tout le monde le sait. Elle sera bientôt morte.

*

Au lieu de revenir au bureau, Oussama se rendit en taxi au souk. La cohue dans cette zone de Kaboul était indescriptible, car c'était là qu'une partie importante des trois millions d'habitants venait régulièrement faire ses courses. Des milliers de femmes en burqa se croisaient dans les rues encombrées, certaines à dos d'âne conduit par leur mari ou leur frère. Des marchands couraient partout. Oussama s'enfonça profondément dans le bazar, hélé par des marchands qui lui proposaient qui une nouvelle burqa pour sa femme, qui des babouches pour lui, qui des pistaches grillées ou des épices. Sa tête dépassait toutes les autres, il songea qu'il allait fatalement être repéré par un des indicateurs du NDS qui grouillaient dans le coin. Après avoir fait semblant de visiter deux ou trois magasins, il s'arrêta devant une devanture brillamment éclairée par des néons. Le magasin s'appelait Parise-Kaboul, avec une tour Eiffel grossièrement dessinée à côté des caractères daris. Oussama entra et se présenta à un vendeur. Quelques secondes plus tard, le propriétaire se précipita vers lui. C'était un des principaux marchands du souk, un homme qui s'était spécialisé dans l'importation de vêtements et de parfums occidentaux. Bizarrement, son commerce n'avait pas périclité pendant le gouvernement taliban, bien au contraire ses turbans pseudo-parisiens Christian Bior ou Chamel s'étaient vendus comme des petits pains. Le marchand fit asseoir Oussama dans son meilleur fauteuil et claqua des doigts pour qu'on lui apporte un thé avec de la menthe fraîche, un mets rare à Kaboul. Oussama, qui n'était jamais entré dans le magasin, fut impressionné. C'était le plus grand qu'il eût jamais vu, plus grand même que le Goum de Moscou. Il courait sur trois niveaux, le seul dans son cas à Kaboul. Il y avait même un escalier mécanique qui grinçait au milieu du hall du rez-de-chaussée, éclairé fièrement par une rangée de spots pour le mettre en valeur. Des milliers de tchadris et de burqas étaient accrochés au plafond, au milieu de vêtements européens provocants. Suivant le regard d'Oussama, le marchand dit :

– Certaines femmes aiment s'habiller à l'européenne. Elles se reçoivent entre elles, se maquillent, dévoilent leurs cheveux et de larges parties de leur corps, comme du temps du shah. Je propose aussi les seules burqas en tissu italien de tout le marché. Du très beau tissu, d'ailleurs, il vient de Modène.

Oussama sortit le sac stérile contenant la chaussure de sa sacoche.

– Je voudrais offrir la même paire de chaussures à mon fils, lorsqu'il viendra me voir. Je sais qu'il aime beaucoup cette marque. Est-ce que vous la vendez ?

Le marchand prit le sac, examina la chaussure sous toutes les coutures à travers le plastique, se rembrunit.

– Des New Balance. Non. Non, qomaandaan Kandar. Elles ne sont pas importées ici. Je peux vous en obtenir mais je devrai les faire venir des Émirats arabes unis. Cela va coûter cher, très cher.

– Combien ? Mille afghanis ?

Le marchand secoua la tête.

– Beaucoup plus cher, qomaandaan, beaucoup plus cher. Ces chaussures valent au moins deux cents dollars sur place. Avec la commission de l'intermédiaire, le coût du transport, le risque de vol, plus la marge, le prix sera doublé. Cela veut dire vingt mille afghanis, peut-être plus.

Oussama fut désarçonné par l'ampleur de la somme. Le shahid était un pauvre bougre, jamais il n'aurait pu s'offrir une telle dépense.

– On ne peut pas en trouver à Peshawar ?

– Vous ne trouverez pas ce produit au Pakistan, ou alors dans des boutiques de luxe d'Islamabad, à un prix encore plus élevé que dans le Golfe persique.

– Et une imitation ? insista Oussama.

– Cette marque n'est pas assez connue. Personne n'en ferait de copies, elles ne se vendraient pas. Si certaines étaient écoulées quand même, leur prix ne serait pas aussi élevé que des Nike ou des Cardin. Alors, pourquoi prendre le risque de les fabriquer ?

Oussama lui retendit le sac avec la chaussure.

– Regardez-la à nouveau, vous êtes certain que cette chaussure n'est pas une imitation ?

– Je n'ai pas besoin de l'examiner une seconde fois, qomaandaan. Je vous affirme que cette chaussure est un original, aucune imitation n'aurait cette qualité de fabrication. – Il écarta les bras, montrant les vêtements autour de lui. – Je vends beaucoup d'imitations, je sais de quoi je parle.

Oussama avait d'abord cru que le shahid s'était acheté les chaussures avec l'argent qu'on lui avait donné pour la mission. Il devait maintenant changer complètement sa manière de penser. Son cerveau travaillait à toute vitesse, triant les hypothèses, tandis qu'il se frayait péniblement un chemin à travers le bazar. Quelqu'un avait donné ces chaussures au kamikaze pour l'aider à passer le barrage filtrant, à l'entrée du Hamad Café. Il y avait deux possibilités. Soit ces chaussures avaient été volées à un Occidental, mort ou vivant, et le donneur était afghan. Soit elles avaient été données par un Occidental qui faisait partie du complot. Dans les deux cas, ses empreintes étaient dessus.

\*

Nick roulait, les yeux rougis par la fatigue. Il était épuisé par cette descente dans les bas-fonds de Zurich. Tous les gens qu'il avait croisés étaient laids, tant physiquement que moralement. Des prostituées sans avenir, des clients affamés de sexe qui les traitaient comme des objets, des drogués, des macs avec une pierre à la place du cœur. Était-ce ainsi qu'il voulait occuper sa vie ? En frayant avec la lie de l'humanité ? Tout cela pour une enquête absurde. Il s'arrêta devant le premier café. Il avait envie d'une pression. Il se laissa tomber sur la banquette, au fond d'un box. Il avait emporté avec lui quelques documents tirés de son dossier. Il était théoriquement interdit de sortir ce type de papiers du bureau, mais il commençait à en avoir assez de l'Entité et de ses règles de sécurité. Si on les suivait, même du papier toilette mériterait d'être classé secret défense... Il les feuilleta quelques instants, faisant le point de ce qu'il savait. Le fugitif travaillait depuis vingt ans pour Willard Consulting, un groupe de lobby puissant et secret dont Nick venait de découvrir l'existence. Il se rendait souvent en Irak et en Afghanistan, comme le prouvaient les dizaines de trajets aériens qu'il avait effectués ces cinq dernières années vers ces deux pays. Il avait trahi son employeur, mais de quelle manière et pourquoi, Nick l'ignorait.

Tout le bureau savait que Joseph était en mission en Afghanistan avec plusieurs de ses hommes. Certains de ses collègues analystes travaillaient sur les affaires d'un drôle d'intermédiaire, mort brusquement quelques jours plus tôt. Nick n'était pas idiot : même si on ne lui disait rien, ce ne pouvait pas être une coïncidence. D'une manière ou d'une autre, il y avait un lien entre les deux affaires. Quelle que soit l'avancée de son enquête, pensa-t-il, il serait nécessaire à un moment ou un autre de comprendre ce qu'on voulait lui cacher. Et pour cela, il n'y avait malheureusement qu'une solution : fouiller dans les locaux de l'Entité, avec tous les risques que cela comportait.

Il se demanda s'il aurait le courage d'aller jusqu'au bout.

# 9

À peine arrivé au commissariat, Oussama convoqua Gulbudin, Djihad, Rangin et Abdul. Gulbudin avait l'air complètement abattu. Babrak et lui s'entendaient très bien, la perte de son collègue et ami était un coup dur.

– À partir d'aujourd'hui, Gulbudin reprend tout le travail d'enquête que Babrak menait sur la mort de Wali Wadi. Je veux que son agenda soit complètement libéré de toute autre activité. Répartissez-vous ses autres affaires.

– Bien, qomaandaan, dirent ses hommes en chœur.

Oussama expliqua longuement ce qu'il attendait d'eux, tandis que Gulbudin prenait des notes en sténo, son œil valide rivé à Oussama. À la fin, il dit simplement :

– Ce sera fait.

– Vous allez tous également nous aider dans l'enquête sur l'attentat du Hamad Café, je veux qu'on donne un véritable coup de main à la section du renseignement.

– C'est une affaire personnelle pour toute l'équipe. Par quoi voulez-vous qu'on commence ? demanda Djihad.

Oussama lui tendit le sac avec la chaussure.

– Mets des gants et fais un relevé exhaustif d'empreintes sur cette chaussure. Attarde-toi sur la languette et les côtés, là où on met les doigts en la laçant. Ensuite, prends le nombre d'hommes sûrs que tu veux et passe les empreintes au fichier.

– Qui cherche-t-on ?

– Je te le dirai plus tard.

*

Après avoir lu son courrier et fait le point des différentes enquêtes en cours, Oussama se rendit pour la seconde fois chez la veuve de Babrak. Elle le reçut au milieu de toute sa famille, arrivée en force de la région de Zaranj pour la soutenir. La pièce principale de la maison, si basse de plafond qu'il le touchait presque avec la tête, avait été divisée en deux par un drap, permettant d'aménager une zone pour les femmes et une autre pour les hommes. Le buffet était dressé à cheval entre les deux. Les femmes portaient des robes bariolées et de petits calots sur la tête, ou alors un voile en tissu léger ne couvrant que leurs cheveux. Aucun homme n'arborait de turban ou de barbe. Tous étaient bouleversés par la mort du jeune policier. Une belle femme aux yeux bleus et aux sourcils surlignés de noir insista pour remplir l'assiette d'Oussama. Il picora du mouton, gras à souhait, un peu de riz recouvert de yogourt aux épices. Lorsqu'il eut fini son yogourt, une autre femme insista pour remplir son bol à nouveau. Il mangea sans faire d'histoire pour ne pas la vexer, même s'il n'avait pas faim. Il était surpris que femmes et hommes se rejoignent par intermittence dans la partie de la pièce dévolue aux femmes, parlant ensemble sans distinction de sexe. Jamais il n'avait participé à une réunion permettant une telle mixité : la règle voulait que les femmes ne soient jamais en contact visuel ou physique avec des hommes autres que leurs pères, leurs frères ou leurs fils. Or ici, tous, même les cousins les plus éloignés, se côtoyaient. Peut-être cela tenait-il au fait que la plupart des personnes présentes dans la pièce étaient chiites. Un homme un peu plus âgé que les autres vint discuter avec Oussama. Ses cheveux fournis masquaient mal les cicatrices de chaque côté de sa tête. Il expliqua à Oussama que les talibans lui avaient coupé les oreilles parce qu'il était coupable, selon eux, de déviance par rapport à la norme sunnite.

– Je suis content, ajouta-t-il, j'ai eu de la chance, d'autres que moi ont eu le nez coupé, d'autres encore ont été égorgés.

Oussama opinait du chef, mais il se sentait oppressé par cette atmosphère morbide. Il prit à part la veuve, afin de lui expliquer qu'il avait décidé d'enquêter lui-même sur l'explosion du Hamad Café, en marge de l'équipe de la brigade antiterroriste.

– Vous allez trouver les talibans qui ont posé la bombe ?

– Je les trouverai, dit Oussama, mais je ne suis plus sûr que les coupables soient des talibans.

– Je ne comprends pas. De qui s'agit-il, alors ?

– Je me demande si les cibles principales de l'attentat n'étaient pas Babrak, Gulbudin et moi-même. À cause de notre enquête actuelle.

Oussama se rapprocha d'elle, tout en veillant à garder une distance décente.

– Ceux qui ont commis ce meurtre paieront, murmura-t-il. Je le jure devant Allah.

– J'en ai assez, de cette violence. Je ne veux plus de morts, dit la veuve d'un air las. Je veux juste que mon mari repose en paix, que ce pays redevienne un pays normal.

Elle se dirigea jusqu'à un buffet déglingué en formica, ouvrit un tiroir, dont elle sortit un petit bout de papier.

– Babrak avait passé de nombreux coups de téléphone avant de sortir. Il cherchait un contact pour vous, à l'aéroport. Il a fini par trouver quelqu'un, le mari d'une de mes amies. Il avait l'air très content.

Il n'y avait qu'un nom sur la feuille : Muhammad Taraki. Oussama empocha le papier. Alors qu'il prenait congé, la veuve ajouta :

– Babrak était un bon mari et un bon père. Nous nous aimions profondément. Je crois que j'étais sur le point de le convaincre de ne pas prendre une seconde épouse.

Sur ce, elle éclata en sanglots. Oussama s'arrêta un instant sur le pas de la porte, mais il n'y avait rien à ajouter, rien de pertinent en tout cas.

*

Oussama se rendit directement à l'aéroport, après avoir effectué un détour de plusieurs kilomètres vers le nord, puis une nouvelle rupture de filature. Il avait fait semblant de prendre Mir Bacha Kot, une des deux routes qui menaient à l'immense base militaire de Bagram, avant d'obliquer dans un quartier populaire, son pick-up de protection bloquant la route derrière lui. Il avait conscience que ses manœuvres étaient de plus en plus osées ; il ne serait pas en mesure d'éviter une filature professionnelle si ses ennemis s'en donnaient vraiment les moyens. Ils pouvaient très bien mettre en place une véritable équipe, avec plusieurs suiveurs à moto, qu'il ne parviendrait pas à semer. Il évitait néanmoins le plus gros danger en laissant son portable au bureau, déjouant ainsi toute surveillance électronique à distance.

Après avoir slalomé pendant une demi-heure dans des ruelles sans nom, il déboucha enfin sur la seconde route de Bagram, celle qui traversait la plaine de Shomali. Une route très fréquentée. Il fit brusquement demi-tour, mettant pleins gaz vers le centre-ville. Quelques kilomètres plus loin, il vira vers l'aéroport, content de sa rupture de filature : personne ne pouvait l'avoir suivi. Il roulait dans une cohue croissante, croisant et dépassant des transports de troupes ou des camions de ravitaillement militaires de la Coalition. Tous les trois ou quatre kilomètres, un petit poste de soldats de la garnison d'élite de Kaboul, uniforme impeccable, chapeau de brousse, surveillait la circulation, parfois épaulés par des policiers. Enfin, après avoir passé deux check points, il arriva à l'aéroport. Quelques taxis esseulés attendaient les rares clients devant les chicanes de béton anti-voiture suicide. Un peu à l'écart, quelques 4 × 4 blindés étaient garés dans le parking VIP, attendant les visiteurs ou contractors occidentaux suffisamment fortunés pour s'offrir une bonne protection. Des policiers en civil et des militaires hérissés d'armes rôdaient un peu partout, à la recherche d'un suspect. Oussama gara son 4 × 4 sur un emplacement réservé aux voitures officielles, montra sa carte et entra dans l'aérogare, récemment rénovée par les Japonais. Peu de monde, à part quelques voyageurs et les services de sécurité. Aucun café ni boutique. C'était vieillot mais propre, bien tenu, bien organisé, un modèle de ce que le nouvel Afghanistan était capable de produire avec le soutien international.

Oussama ne connaissait personne aux services d'immigration, n'avait pour tout sésame que ce nom, Muhammad Taraki. Il se demanda si cet homme avait un lien de parenté avec le Taraki qui avait codirigé le Khalq, l'un des deux partis communistes, dans les années 1970. Après avoir erré dans des couloirs, il finit par l'identifier. Il s'agissait du responsable du nettoyage de l'aéroport ! Furieux d'avoir fait le voyage jusque-là pour rien, Oussama se présenta néanmoins à lui. Taraki avait un bureau minuscule, encombré de produits détergents qui produisaient une odeur âcre. Par la fenêtre, on apercevait un blindé allemand et, plus loin, un avion sur le point de décoller.

– Sahib Taraki ?

– C'est moi.

C'était un vieil homme, qui paraissait épuisé par la vie et les tourments, mal fagoté dans un shalwar kalmiz troué. Comme il faisait un froid de gueux dans son bureau non chauffé, il avait enroulé un patou marron grossier autour de ses épaules. Il parlait pachtoun et non dari, mais avait enfilé un chapeau pakol, comme un Tadjik. Son élocution était celle d'un homme de bonne éducation. Découvrant à qui il avait affaire, il accueillit Oussama avec chaleur.

– Je ne connaissais pas Babrak personnellement, commença-t-il, mais ma femme travaille dans le même dispensaire que la sienne, et elles sont amies, bien que la femme de Babrak soit chiite.

– Que fait ce dispensaire ?

– Il prodigue des soins dentaires aux femmes. Mon épouse est la chef du dispensaire, ajouta Taraki avec fierté. L'épouse de Babrak est la seule à avoir fait des études, parmi toutes celles qui travaillent là-bas, à l'exception d'une dentiste pakistanaise. C'est elle qui seconde ma femme. Elles sont comme mère et fille.

En Afghanistan, la famille était une composante essentielle de la vie sociale. À la campagne, dans les petits villages, on se mariait souvent entre cousins germains, ce qui renforçait encore l'importance des clans. Les liens d'amitié entre personnes de clans ou d'ethnies différents ne pouvaient se créer que dans les villes, là où la mixité sociale existait un peu. Taraki demanda des nouvelles de l'enquête sur l'explosion, Oussama lui dit qu'elle était en cours et que rien de probant n'en était sorti jusqu'alors. Taraki hocha la tête, comme s'il n'était pas vraiment surpris.

– Je serais honoré de répondre à la demande de Babrak, surtout maintenant qu'il est au paradis des croyants, inch' Allah.

– Je lui avais demandé de trouver la liste de tous les passagers étrangers qui sont entrés à Kaboul dans les trois jours précédant le 4 mars et l'ont quitté entre le 5 et le 7.

– C'est bien cela.

– Savez-vous qui, ici, à l'aéroport, peut m'aider à obtenir une telle liste ?

– Moi. J'ai cette liste.

Comme Oussama n'avait pas réussi à masquer sa surprise, Taraki ajouta :

– J'ai la liste de toutes les arrivées avec la nationalité, et celle des départs sur ces jours-là. Il vous faudra faire le croisement vous-même.

– Comment avez-vous pu obtenir une telle liste ?

– Mes hommes assurent le nettoyage des bureaux. Ils passent la nuit, lorsqu'ils sont vides. Vos collègues de la police des frontières ne sont guère soigneux, qomaandaan, ils laissent traîner des papiers un peu partout dans leur poubelle. – Taraki releva la manche de sa tunique crasseuse, dévoilant une montre en or massif. – Beaucoup de gens s'intéressent à ces informations, vous l'imaginez. Je garde tout. Normalement, c'est une information payante, mais pour vous, et en mémoire de Babrak, elle sera gratuite.

Il ouvrit un tiroir de son bureau et en sortit un rouleau. C'était un listing classique, sur papier troué. Il faisait au moins deux centimètres d'épaisseur.

– Merci, dit Oussama.

Il était gêné. D'un point de vue purement légal, Taraki se livrait à quelque chose qu'il fallait bien appeler « espionnage ». Il aurait dû se lever et le dénoncer immédiatement. En ne le faisant pas, il devenait son obligé.

– J'ai peu d'amis, dit l'homme, comme s'il lisait dans ses pensées, mais je leur suis fidèle, comme ils me sont fidèles. Puis-je compter sur votre discrétion ?

Oussama comprit que Taraki était trop sûr de lui pour ne pas avoir des accointances dans tous les camps, probablement aussi bien chez les talibans que chez des espions de pays voisins. Peut-être même chez les Russes, ce qui expliquait sa décontraction.

– Vous pouvez compter dessus.

Il salua l'homme et sortit, la précieuse liste sous le bras, en se demandant combien il avait fallu de listings à Taraki pour s'acheter sa montre en or.

*

En sortant de la zone aéroportuaire, Oussama remarqua un minibus, quelques dizaines de mètres derrière lui. Son véhicule avait été repéré. Il était maintenant sous la surveillance du ministre, ou de ses mystérieux ennemis occidentaux. Heureusement, il avait été discret, il ne pensait pas qu'on puisse retrouver qui il était venu rencontrer. Il rentra directement au commissariat. Gulbudin vint le rejoindre dans son bureau, posa sa prothèse sur une seconde chaise avec un grognement d'aise. D'aussi loin qu'il s'en souvenait, Oussama ne l'avait jamais entendu se plaindre, même jeté à l'arrière d'une camionnette à même le sol, mortellement blessé.

– On a la liste des empreintes. Quatre empreintes différentes, dont une est celle d'Abdul Hakat, identifiée formellement d'après son dossier de police. Les trois autres sont inconnues. Comment voulez-vous procéder ?

Il n'existait pas de fichier automatisé des empreintes, même si les Russes avaient commencé à travailler à un tel système avant de quitter le pays. Les Américains parlaient d'en instaurer un, afin d'améliorer la lutte contre les islamistes, mais il faudrait des années avant qu'il soit opérationnel. Oussama savait que ces empreintes le serviraient peut-être pour la suite de son enquête, mais elles ne pouvaient pas lui livrer un nom directement. C'était à lui d'avancer et de comparer ensuite des noms avec elles.

– Tu as laissé des traces de poudre à empreintes sur la chaussure ? demanda-t-il à Gulbudin.

– Oui.

– Cache-la soigneusement dans une de nos armoires, en bas, au sous-sol. Ensuite, pars à l'hôpital afin de donner cette lettre au daktar Katoun. En personne.

Quand il fut sorti, Oussama regarda ce qu'il y avait d'intéressant dans son courrier. Reza lui avait transmis les derniers documents relatifs à l'enquête. Il les parcourut avidement. Le compte rendu d'interrogatoire du frère du shahid faisait deux pages. Après une nuit dans les caves du commissariat, il n'avait pas modifié son témoignage, qui était jugé fiable. Selon lui, son frère Abdul était peu religieux, on ne lui connaissait aucune relation avec des groupes fondamentalistes depuis sa sortie de prison. Il confirmait sa participation à des groupes de prière, mais plutôt destinée à profiter de l'aide alimentaire de la mosquée que fondée sur un vrai désir d'approfondissement de sa foi. Oussama eut une moue. Ce document allait dans son sens, mais pas de manière irréfutable. Le second document était le compte rendu d'autopsie de Katoun. Oussama remarqua qu'il était étrangement court. Il le compara au document que Katoun avait produit après l'autopsie de Wali Wadi. La police et la taille des caractères étaient différentes. Il soupçonna que ce document avait été réécrit par le NDS. Aucune mention de l'absence de couches multiples de sous-vêtements ou du pubis non rasé d'Abdul Hakat n'y était faite. En soupirant, Oussama passa au document suivant. C'était une analyse des services techniques concernant la bombe. Elle confirmait que l'explosif utilisé était du C5, probablement un modèle fabriqué en Inde d'après la signature chimique qu'il avait laissée. On n'avait pas retrouvé de débris de détonateur manuel, mais un morceau de bretelle équipé d'une antenne suggérant que la charge était peut-être dotée d'un dispositif de mise à feu radiocommandé. Oussama se pencha plus attentivement sur le document, étonné que le NDS l'ait laissé sortir tel quel. L'antenne était du type utilisé par les forces spéciales soviétiques. Le technicien émettait l'idée que, dans ce cas, celui qui avait déclenché l'explosion se trouvait dans un rayon de moins de cent mètres du Hamad Café.

Oussama reposa le rapport technique et se plongea dans l'enquête de voisinage réalisée par la section du renseignement. Le vigile et un voisin se souvenaient d'avoir vu un 4 × 4 noir démarrer juste après l'explosion. Le voisin s'était étonné qu'il ait quitté les lieux à faible allure, alors que le Hamad Café brûlait déjà comme une torche. Il n'avait pu l'identifier. Oussama chercha vainement le nom de ce témoin. Ne le trouvant pas, il décida de se rendre sur place.

La zone autour du Hamad Café avait repris un semblant de normalité, en dépit des forces de police encore présentes. Deux véhicules officiels étaient garés devant les ruines. Le marchand de légumes situé en face du café avait rouvert, de même que le boucher et le réparateur de téléviseurs. Dans les échoppes les plus abîmées, des maçons s'affairaient, houspillés par des marchands désireux de reprendre au plus vite leur activité. Oussama passa une demi-heure à interroger les voisins avant de trouver celui qui avait aperçu le

4 × 4. C'était un vieil homme, dont le turban et la longue barbe indiquaient clairement les opinions. Il fit entrer Oussama dans son salon. Une photo de lui à La Mecque trônait sur le buffet, seul meuble du salon, prouvant que le propriétaire des lieux était un hadji. Oussama se fit connaître comme tel, ce qui dégela immédiatement son hôte.

– J'aimerais que vous me parliez de la nuit de l'attentat.

Quand l'explosion avait eu lieu, l'homme prenait le thé avec deux amis tout en jouant aux dés avec eux. Les vitres avaient explosé sans les blesser. Ils avaient entendu des débris divers projetés depuis le lieu de l'explosion tomber sur le toit. Plus tard, les équipes de secours avaient récupéré des morceaux de mobilier calcinés du Hamad Café, ainsi qu'un membre humain. L'homme était sorti immédiatement dans la rue avec ses amis pour voir ce qui se passait.

– J'ai tout de suite pensé au Hamad Café, parce que là-bas ils écoutent de la musique impie et fument du haschich. Certains disent qu'on y sert de l'alcool en cachette. – Il cracha par terre. – Endroit mauvais, personnes mauvaises. Mauvais musulmans.

– Qu'avez-vous remarqué en sortant de chez vous ?

– J'ai vu le Hamad Café qui brûlait. J'ai vu des gens qui couraient. J'ai vu des blessés. J'ai vu un homme en feu. Il est mort là.

Il montrait une tache noirâtre, sur le trottoir en terre battue, à quelques mètres.

– Et ensuite, que s'est-il passé ?

– À côté de ma maison, j'ai vu une voiture démarrer.

– Comment était cette voiture ?

– Grosse. Noire. Voiture de kâfirs.

Une voiture de mécréants. Oussama songea aux 4 × 4 blindés utilisés par les officiels et certains membres de la Coalition. Leurs Chevrolet et GMC étaient souvent noires, tandis que les 4 × 4 japonais utilisés par les fonctionnaires, les privés et les ONG étaient plutôt blancs ou gris. Soudain, il eut une idée.

– Est-ce que vos amis ont vu la voiture ?

Le témoin opina du chef vigoureusement.

– Baleh. Ils l'ont vue.

– Ils habitent près d'ici ?

– Baleh. Pas loin.

– Montrez-moi.

Le vieux se drapa dans un patou en laine trouée, chaussa des bottes russes et suivit Oussama dans la rue. Ils marchèrent trois cents mètres jusqu'à une petite maison à un étage. L'homme frappa à la porte, entra. Les vitres du rez-de-chaussée étaient brisées, les volets fermés afin d'empêcher le froid de rentrer. Une femme coiffée d'un voile d'intérieur qui ne laissait voir que ses yeux passa une tête avant de disparaître. Le témoin lui lança une phrase sèche en pachtoun. Quelques secondes plus tard, un vieillard apparut. Oussama se présenta comme policier, mais sans préciser son nom ni son unité. L'interrogatoire ne donna pas grand-chose, l'homme était sans doute un bon joueur de dés mais il semblait ne rien comprendre. Peut-être était-il simple d'esprit. Oussama le remercia sans plus attendre et demanda à rencontrer le troisième joueur. Ils s'engagèrent dans un nouveau périple à travers les ruelles défoncées du quartier. Bientôt, il commença à pleuvoir et le sol de terre battue se transforma en un cloaque boueux. Une forte odeur se mit à monter du sol. La majorité de ces maisons n'avaient pas d'égouts, les excréments humains étaient parfois jetés dans la rue lorsque les fosses individuelles étaient pleines. Avec la pluie, ils dégelaient et se mettaient à sentir. Oussama pressa le pas. Le premier témoin s'arrêta devant une bâtisse, en tout point identique à la première, si ce n'est que celle-ci avait des fenêtres. Une jeune femme apparut sur le seuil avant de se réfugier dans une autre pièce, loin de leur regard. Oussama avait eu le temps d'apercevoir de grands yeux, un visage splendide.

– C'est la nouvelle femme de mon ami, dit le premier témoin, surprenant son regard. La femme de mon ami est morte à l'hôpital alors mon ami a épousé sa dernière sœur. Très jeune, beaucoup plus belle ! Elle ne voulait pas l'épouser, mais lui avait priorité. Il a payé ses parents. Il est très heureux.

Il conclut sa tirade avec un grand rire, comme si c'était la blague la plus drôle du monde. La possibilité ou non d'épouser la sœur de son épouse défunte était un sujet de débat permanent, anciens et modernes se disputant des interprétations opposées du Coran à ce sujet. Oussama, qui se demandait ce que mollah Bakir en penserait, fut introduit dans un salon bizarrement décoré de posters de voitures américaines. Corvette, Mustang, Cadillac, tous les musts de l'industrie de Detroit s'affichaient en quadrichromie sur les murs. Le troisième témoin était bossu, édenté, et n'avait pas connu un bain chaud depuis longtemps. Oussama plaignit la jeune femme qui n'avait eu d'autre possibilité sinon épouser une horreur pareille. Dans n'importe quel autre pays du monde, une telle beauté se serait mariée avec un jeune homme attirant de son choix.

On proposa à Oussama le meilleur fauteuil, tandis que le témoin et leur hôte se disputaient l'honneur de lui servir le thé. Finalement, Oussama put commencer l'interrogatoire. Leur hôte paraissait beaucoup plus intelligent que ses deux amis. Il raconta la même scène que le premier témoin. Oussama, qui rongeait son frein, le laissa parler. Ce qui l'intéressait, c'était le 4 × 4, mais il ne voulait pas le brusquer.

– Ensuite, on a vu la voiture partir. C'était une Jeep Grand Cherokee, le dernier modèle.

– Vous en êtes certain ?

– Certain. – L'homme montra les posters accrochés aux murs. – Dernier modèle. J'ai reconnu le son du moteur, elle était équipée d'un V8. Elle était blindée, c'est sûr, parce qu'elle était un peu basse sur les amortisseurs, j'ai entendu l'essieu grincer quand les roues ont tourné.

– À combien de mètres de vous était la voiture ?

L'homme montra la distance qui le séparait de l'autre côté de la pièce. Quatre mètres.

– Vous avez vu la plaque ?

– Oui.

– Vous vous souvenez de quelque chose ?

– KBL en premier, c'était une voiture de Kaboul. Ensuite, un 7. Il y avait un 7.

– Concentrez-vous, dit Oussama. Fermez les yeux, pensez à la scène, pas uniquement à la voiture. Essayez de la revivre à partir du moment où vous êtes sorti dans la rue et essayez de remonter la scène progressivement.

L'homme ferma les yeux, le front plissé de concentration.

– Je vois 27, pas 7. Il y avait d'autres chiffres, mais je ne me souviens pas.

– Réfléchissez, dit Oussama, pas désarçonné.

– Le dernier chiffre, c'est le même qu'à la fin de la plaque de cette photo de Mustang ! s'écria soudain l'homme.

– Un 5, comme celui-là ? dit Oussama, en montrant un des posters au mur.

Oussama continua encore l'interrogatoire quelques instants. Il remercia l'homme et le quitta après avoir relevé son identité, mine de rien. L'adresse ne signifiait pas grand-chose, la rue n'ayant pas de nom, mais il compta le nombre de maisons qui la séparait de l'intersection suivante. La présence d'un petit bazar pourrait servir de point de repère.

*

La section des immatriculations de la préfecture de Kaboul était logée dans un vieil immeuble qui portait encore les stigmates de la bataille de 1996. Toute la façade était constellée d'impacts de mitrailleuse et de canonnades, avec de longues lignes horizontales dues au fait que les assaillants avaient balayé le bâtiment de droite à gauche avec la même bande de munitions. Oussama montra sa carte à un policier revêche. Le bâtiment n'était pas chauffé, les employés se pressaient, emmitouflés dans d'invraisemblables couches de vêtements et de couvertures. Beaucoup de femmes, certaines non voilées, les autres ne portant qu'un voile léger. Aucune burqa. Pendant la guerre, les femmes avaient été chassées de l'ensemble de la fonction publique et interdites de travailler ; elles étaient revenues en force dans les bagages des Américains. Oussama pensa à Mala-lai, elle avait une réunion de la RAWA dans un lieu secret en ce moment même. Il demanda où se trouvait le bureau du chef des immatriculations. On lui indiqua le deuxième étage. Là, après avoir un peu tâtonné, Oussama se retrouva dans le bureau d'une femme, qui se présenta comme la nouvelle chef du service. Elle avait la peau blanche, les cheveux aile de corbeau, un nez très droit. Elle ne portait qu'un voile symbolique, qui lui couvrait les épaules et une partie seulement des cheveux. Une mèche rebelle lui retombait sur le front. Elle était très belle, semblait dotée d'un fort caractère. Gêné, Oussama n'osait pas la regarder en face. La femme, elle, attendait, très à l'aise, qu'il précise la raison de sa venue. Il remarqua soudain qu'il lui manquait l'index de la main gauche. Surprenant son regard, elle haussa les épaules.

– Cadeau des talibans, après qu'ils eurent décidé qu'une femme aux ongles peints devait avoir le doigt coupé en punition. J'ai eu de la chance, ils ne m'en ont coupé qu'un seul. C'était en 1999.

Les membres des brigades talibanes de répression du vice et de protection de la vertu coupaient généralement tous les doigts de leur victime, mais il était arrivé qu'ils se contentent d'un ou deux, par mansuétude ou si la victime acceptait de coucher avec eux. Il supposa que c'était ce qui s'était passé avec cette femme superbe.

– Je sais ce que vous pensez, commandant. Pour moi, ce n'était rien, j'étais prête à tout pour sauver mes mains. Ils n'étaient que trois, heureusement.

Oussama piqua du nez, embarrassé par sa franchise. Ce n'étaient pas des choses qui se disaient, d'ordinaire.

– Deux d'entre eux ont été tués par les Américains en 2001, paraît-il, mais j'ai croisé le troisième, il y a deux ans, dans le bazar. Il portait le nouvel uniforme de la police, avait coupé sa barbe bien plus court, mais c'était lui. Je n'oublierai jamais. Toute ma vie, je verrai son regard tandis qu'il tenait son sécateur. Il avait l'air si heureux de me mutiler.

Elle fut brièvement secouée par un sanglot. La victime croisant son bourreau. Oussama avait entendu cette histoire mille fois. Elle reprit rapidement ses esprits.

– Que puis-je pour vous, qomaandaan ?

– J'enquête sur une affaire criminelle importante, j'ai besoin d'un renseignement.

– Est-il habituel que le chef de la brigade criminelle enquête lui-même ?

– Pour les affaires importantes, oui.

– Qu'entendez-vous par « importantes » ?

Oussama n'en revenait pas qu'une femme ose l'interpeller ainsi. Il décida de répondre franchement :

– J'entends que des personnalités de haut niveau sont probablement impliquées. Je pense au ministre de la Sécurité, par exemple.

– Je vois, dit son interlocutrice en tordant le nez. Vous n'avez donc pas autorité de votre hiérarchie pour poursuivre cette enquête ?

– Pas complètement, avoua-t-il.

La responsable du service des immatriculations se passa la main dans les cheveux, sous le voile, d'un geste gracieux.

– La corruption est une gangrène. Si nous ne faisons rien, elle ramènera au pouvoir ceux qui coupent les doigts des femmes.

Oussama pensa à mollah Bakir. Les talibans étaient ses alliés, quelles que soient ses idées libertaires. N'était-il pas naïf de s'associer à un homme dont les amis avaient couvert de telles atrocités ?

– Je vais vous aider, reprit la femme. Précisez votre demande : je suppose que vous voulez savoir à qui appartient un véhicule ?

– Oui. J'ai la marque, et une partie seulement de son immatriculation. Une Jeep Grand Cherokee. L'immatriculation comprend 27 au début et finit par 5.

– Il n'y a pas beaucoup de Jeep Cherokee. Elles sont toutes utilisées par des officiels ou par des étrangers. – Elle sourit, découvrant une rangée de dents en or. – Les Américains nous ont installé un logiciel de gestion des immatriculations qui fonctionne très bien. Je peux faire une recherche directement depuis ce terminal, avec la marque.

Elle ouvrit une fenêtre sur son ordinateur et tapa une série d'instructions. Fasciné, Oussama regardait ses mains courir habilement sur le clavier. Elle portait un petit tatouage au henné que le mouvement de son bras dévoilait par intermittence. Ses poignets fins, à la peau nacrée, étaient magnifiques à regarder.

– Voilà, dit-elle soudain. J'ai vingt-quatre Jeep Grand Cherokee. Vous avez la couleur ?

– Noire.

– J'en ai vingt-deux. Je vais éditer la liste.

Oussama ne mit que quelques secondes à trouver celle qu'il cherchait. KBL 27645 SH. Bien qu'immatriculée SH, *sharsi*, comme véhicule personnel, le propriétaire était une société : ASP, Aid Service Protection Afghanistan.

– Cette voiture a été achetée et immatriculée il y a deux ans. Je vous sors l'adresse indiquée sur la carte grise. C'est dans le centre, pas très loin de l'hôtel Serena.

Oussama prit la liste machinalement. La tête lui tournait un peu. Ceux qui avaient tué son adjoint étaient forcément liés aux assassins de Wali Wadi, si leur objectif était de ralentir ou même de stopper son enquête sur ce dernier. Il venait de les retrouver.

*

Joseph avait fini d'étudier le plan GPS des déplacements du flic. La balise remplissait parfaitement son rôle, il savait presque au mètre près et en permanence où se trouvait sa voiture. Il se dirigea vers la salle des écoutes.

– Rien de nouveau ?

– Si, déclara l'un des techniciens. On a intercepté une conversation intéressante entre l'adjoint du commissaire et un responsable de leur police scientifique. Prenez le casque, je vais vous faire écouter.

« Laboratoire de police scientifique, annonça une voix masculine.

– Je voudrais parler au capitaine Kalandarish. »

Joseph reconnut immédiatement la voix bourrue de Gulbudin.

« Qui le demande ?

– Inspecteur Gulbudin Heykmat. Brigade criminelle.

– Une seconde, je vous le passe. »

Un silence, puis une voix jeune, à l'accent pakistanais marqué :

« Capitaine Kalandarish à l'appareil. J'allais vous appeler.

– Vous avez avancé ?

– Oui, un de mes techniciens a reconstitué le numéro de série du Beretta. Il a fallu utiliser plusieurs méthodes, on a réussi grâce au microscope. – Il rit. – Les Français ont refait tout le bâtiment et nous ont offert de nouveaux matériels le mois dernier. Il faudra que vous veniez voir.

– Je viendrai. Que donne le numéro ?

– L'arme n'est pas répertoriée en Afghanistan. J'ai appelé notre attaché militaire en Italie, il a eu Beretta et a pu retracer son origine.

– Alors, on sait d'où elle vient ?

– Oui. Elle a été construite aux États-Unis, sous licence. C'est un modèle militaire.

– Comment ça, militaire ?

– Un 92 F, une arme commandée par l'armée américaine à Beretta dans les années 1980. Celle-là est une des premières. Elle a sans doute été déclassée et revendue à un collectionneur. Ou alors elle a été volée par un soldat.

– Une arme de l'armée américaine ! répéta Gulbudin.

– Pourquoi vous intéressez-vous tellement à ce pistolet ?

– Une enquête. Je ne peux pas trop vous en dire. »

Joseph appuya sur le bouton d'arrêt. Des millions d'armes circulaient en Afghanistan, des dizaines de milliers rien qu'à Kaboul, mais le fait que Wali Wadi ait été assassiné avec une arme maquillée provenant d'un stock de l'armée américaine n'était pas une simple coïncidence, il le savait mieux que quiconque, car le contractuel qui avait abattu Wali Wadi avait travaillé sept ans pour le National Clandestine Service de la CIA. Son adversaire venait de trouver le premier indice sérieux qui reliait l'assassinat de Wali Wadi à la Coalition. Ce qu'il était justement chargé d'empêcher par tous les moyens. Il décrocha son téléphone.

*

Sur le chemin du retour vers le commissariat, Oussama réalisa que les hommes qu'il pourchassait commettaient des erreurs inacceptables, en dépit de leur sophistication. La seule raison valable était probablement qu'ils méprisaient les Afghans. Cela les rendait moins attentifs, ils s'autorisaient à laisser derrière eux des traces qu'ils n'auraient jamais abandonnées dans leur propre pays. Utiliser une voiture sans en changer les plaques ou fournir au shahid des chaussures non importées dans le pays étaient des fautes grossières qui ne pouvaient s'expliquer que par leur certitude qu'aucune enquête sérieuse ne serait menée. Il pensa au ministre de la Sécurité, qui faisait tout pour lui mettre des bâtons dans les roues, et sourit. À peine arrivé au commissariat, il se rua vers la section du renseignement. Son ami Reza était seul dans son bureau, Oussama ferma la porte derrière lui.

— Cette pièce est sûre ?

— On la vérifie régulièrement, la dernière fois, c'était il y a une dizaine de jours. Assieds-toi, on peut parler tranquillement, il n'y a aucun micro.

— Il me faut des informations sur une structure occidentale présente ici, à Kaboul. Une société ou une association, je ne sais pas.

– Comment s'appelle-t-elle ?

– Aid Service Protection. ASP.

Reza appela un planton d'une voix sèche, ordonnant qu'on lui apporte immédiatement le dossier sur eux.

– Tu ne vérifies pas s'il existe bien un dossier ?

– J'ai un dossier sur *tout le monde*, Oussama. Même sur toi.

– Il ne doit pas être fameux.

– Ça dépend pour qui... Pourquoi t'intéresses-tu à cette entreprise ?

– Je la soupçonne d'avoir fait sauter le Hamad Café. Pour nous tuer, moi et mes adjoints. Je pense qu'on a voulu stopper mon enquête sur Wali Wadi, et que le ministre est impliqué.

Reza pâlit.

– Tu te rends compte de ce que tu avances ? Tu as des preuves ?

– Un certain nombre.

Oussama déroula le compte rendu exhaustif de ses recherches, sans rien cacher à son ami. Ils attendirent patiemment le dossier, qu'un planton apporta quelques minutes plus tard.

– C'est une drôle d'entreprise, dit Reza tout en le parcourant. Elle a été créée avec un capital de cinq mille dollars seulement, en 2007. Elle est restée à l'état de coquille, quasiment sans activité, la première année, avant de connaître une belle embellie. Elle a loué des locaux, acheté des voitures, déclaré des personnels expatriés, tout ça en trois jours, ce qui a attiré notre attention. Sans doute un gros client.

– Quelle est son activité officielle ?

– Comme tout le monde, elle vend des prestations de sécurité. Ça reste une petite boîte, elle emploie dix personnes seulement : deux Allemands, deux Anglais, un Espagnol, un Sud-Africain, un Français et trois Afghans, tous ouzbeks. Apparemment, ils fonctionnent comme des indépendants, à la mission, sans véritable chef.

– Ils ont des permis d'armes ?

– Dix.

– Quelles armes ont-ils déclarées ?

– Depuis quand déclare-t-on des armes dans ce pays ? Personne ne respecte la loi. Ils doivent imaginer qu'on les confond avec une ONG. Ils nous prennent vraiment pour des amateurs. Tu veux voir nos photos ? J'en ai toute une série.

Oussama découvrit les clichés, une centaine, rassemblés sur trois planches. Quelques-uns avaient été pris à la campagne, sans doute lors d'une opération de ratissage à laquelle des mercenaires de la société avaient participé, les autres dans le centre-ville de Kaboul, chaque fois au téléobjectif.

– Tes hommes ont travaillé vite et bien. Je ne pensais pas que tes dossiers étaient aussi fournis. C'est effrayant.

Oussama était sincère.

– Tu oublies que la Stasi et le KGB ont formé mon équipe. Le KGB des années 1970 et 1980, c'était quelque chose ! Moi, j'ai appris avec les Chinois, des flics de Pékin, si tu te souviens bien, à une époque où le PCC ne rigolait pas. Les instructeurs de mon équipe étaient les meilleurs au monde, nous pourrions en remontrer à pas mal de flics occidentaux.

Sur trois ou quatre clichés, on voyait un homme de haute taille, jeune, l'air arrogant, montant ou descendant d'une Jeep Cherokee. Les autres utilisaient deux Land Cruiser à moitié cabossés.

– Qui est ce type ? demanda Oussama. Il est le seul à avoir été photographié au volant de la voiture suspecte.

– Pas un petit *asgar*. C'est celui qui tient lieu de chef à cette bande de racaille. C'est un Allemand, regarde-le, avec son air de paon. Comme s'il était en terrain conquis.

– Comment s'appelle-t-il ?

– Michaël Dortmund.

– Il est le seul à conduire cette voiture ?

– Apparemment.

Oussama considéra longuement l'un des clichés, où l'assassin de Babrak souriait à pleines dents. Il sentit la fureur l'envahir.

– Tu penses que c'est lui qui a tué Babrak ?

– As-tu du nouveau sur l'enquête ? éluda Oussama.

– Le profil d'Abdul Hakat continue à me chagriner. C'est la première fois que nous ne pouvons pas relier un shahid à un groupe islamique déterminé. J'ai aussi le rapport du NDS sur l'imam de la mosquée qu'il fréquentait. Il n'avait jamais été remarqué. Ce n'était pas le profil d'un fabricant de martyrs.

– Pourquoi dis-tu « était », il est mort ?

– Mes hommes y sont allés un peu fort, avoua Reza. Il s'est noyé dans la baignoire pendant qu'on l'interrogeait.

Oussama secoua la tête. Encore un mort innocent.

– Tu connais la musique, poursuivit Reza, le ministre m'a mis un maximum de pression. Pour lui, l'enquête est close, nous avons un coupable, un mobile, il va demander encore plus d'afghanis aux Américains pour lutter contre les groupes talibans de Kaboul.

– Dont la plus grande partie ira dans sa poche et celles de ses collègues. En effet, je connais la musique, soupira Oussama. Et le frère, que dit-il ?

– Il a été envoyé au secret quelque part, dans une prison du NDS. Kandahar, apparemment. Black-out total. On n'en entendra plus parler. Si ça se trouve, il a déjà été pendu.

– On doit réagir. On ne peut laisser de tels actes impunis.

– D'accord avec toi. Que veux-tu faire ?

– Tendre un piège à ces salauds. Tu vas m'y aider.

## 10

La nuit était tombée, pluvieuse et glaciale. Une nuit sans étoiles. Nick traversait un paysage de banlieue sordide. Du béton, des tags, des bâtiments abandonnés. Pour lui, de nouvelles découvertes, de nouveaux lieux de malheur, de ces endroits dont il ignorait l'existence avant le début de son enquête.

L'usine de fromage dont la prostituée lui avait parlé était à moins d'une demi-heure de voiture du Letten. Si le Letten était le purgatoire, cette poche de friches industrielles coupée du reste de Zurich était l'enfer. Nick ne comprenait pas ce qui pouvait pousser un client à se rendre ici, affronter les junkies en manque, les voyous, les filles séropositives. Il gara la voiture sous le seul lampadaire en service des environs, sortit son arme et se mit à la recherche de Yasmina.

C'était un processus fastidieux. Tous les cinq mètres, il posait la même question : « Vous savez où est Yasmina ? », obtenait invariablement la même réponse : « Non. » Enfin, au bout d'une heure, il arriva au bord de la rivière Limmat. Le bout du voyage, pour les drogués et les travelos. Il aperçut une silhouette, assise sur un rocher, un peu plus loin. Alors qu'il s'approchait, son cœur s'accéléra. C'était Yasmina. De près, elle était encore plus décharnée qu'en photo. La drogue avait tout détruit sur son passage, sa peau était tendue sur ses joues, avec d'étranges taches noires, ses yeux creusés et injectés de sang. Elle était sale, paraissait mal en point. En s'approchant, il constata que son regard était bizarrement fixe. Il aperçut alors le garrot encore en place, l'aiguille plantée dans une veine constellée de marques. Elle venait de se faire un shoot. Horrible.

— Bonjour, Yasmina, dit Nick, prenant sur lui pour ne pas s'enfuir en courant.

La phrase mit quelques secondes à atteindre le cerveau en miettes de la prostituée, qui tourna vers lui un regard éteint.

— Bonjour, mon minet, répondit-elle lentement, d'une voix éraillée.

Il regarda autour de lui. Quelques ombres se tenaient prudemment à l'écart, ayant aperçu son arme.

— Tu veux quoi ? dit-elle en détachant chaque mot. Faire l'amour ?

— Non. Je veux te parler. Je cherche un de tes amis.

Son rire était un grincement de gorge.

— Un ami ? Je n'ai pas d'amis, mon chou. À part elle.

Elle désignait l'aiguille plantée dans son bras.

— Tu en avais au moins un. Celui qui est venu te voir au squat de la Langstrasse. Ton ancien client.

Son regard se fit plus doux. Nick eut l'impression d'y voir passer quelque chose qui ressemblait à de la mélancolie.

— Ah ! Léonard…

— Oui.

— Tu étais avec les salauds qui ont tout cassé là-bas ?

– Je veux retrouver Léonard avant eux, avant qu'ils ne le tuent.

Elle rit à nouveau.

– Léonard… C'était mon meilleur client. Crois-le ou pas, à l'époque, j'étais une belle fille, je lisais des livres, je me maquillais, je portais les plus belles robes. Je prenais sept cents francs la nuit. Plus, même, avec certains. Léonard, j'ai été son attitrée pendant six ans. Jusqu'à ce qu'un salaud me fasse goûter au crack. Maintenant, c'est cinq francs, et encore, avec les bons clients. Parfois, je le fais pour deux francs.

Elle se mit à pleurer. En dépit de son dégoût, Nick s'approcha.

– Tu sais où est Léonard ?

– Il s'est barré quand le commando a attaqué le squat. Je n'ai plus de nouvelles. Je n'en aurai plus.

– Pourquoi était-il venu te voir ?

– Il était poursuivi par des mecs qui voulaient lui faire la peau. Il ne savait pas où se cacher. Il est resté deux jours sans dormir dans le squat. Il crevait de peur, là-bas, avec tous les junkies en manque, mais il avait un flingue. Je faisais le guet. Personne ne l'a agressé.

– Qu'est-ce qu'il attendait ?

– Un nouveau passeport.

– Tu es sûre ?

– Certaine. Il m'avait demandé le nom d'un mec qui faisait de faux papiers. Je connais un type dont c'est la spécialité. Léonard m'a filé cinq mille francs, pour me récompenser.

À nouveau, elle se mit à pleurer à chaudes larmes.

– Je comptais me barrer, il y a une clinique où ils soignent les filles comme moi. J'ai voulu faire une dernière passe, pour dix francs. Un junkie. Il m'a baisée sans préservatif, ensuite il m'a cognée et m'a piqué les cinq mille francs. – Elle se remit à pleurer. – Je ne suis qu'une vieille conne.

– Qui lui a fait ce passeport ?

– Un Grec. Stavos quelque chose. C'est un ancien client. Il traîne du côté d'Unterstrasse.

– Où, exactement ?

Yasmina renifla. Avec les larmes, le maquillage avait coulé en longues traces noirâtres.

– Y a un café, là-bas. L'Istanbul. Il y est tout le temps. C'est là que Léonard est allé.

Nick lui fourra un billet de vingt francs dans la main.

– Si tu reviens, je te ferai un prix ! lui cria Yasmina.

*

Khan Durrani compulsait son courrier, comme tous les matins. Il tendit la main vers sa bannette. De couleur rouge, comme il se doit pour bien indiquer que n'y transitaient que des documents d'importance, elle ne contenait que les notes sensibles. Il avait demandé qu'on lui transmette tous les documents relatifs à l'attentat du Hamad Café, qu'il parcourait avec l'attention qu'ils méritaient. Il commença par se plonger dans le dernier rapport réalisé par le NDS. Il ressemblait à ce qu'il imaginait : les policiers pataugeaient complètement, mais personne n'imaginait que l'attentat ne soit pas l'œuvre des talibans ou d'Al-Qaïda. Le NDS proposait une gigantesque rafle dans les milieux islamistes afin d'essayer de mettre la main sur cette nouvelle cellule terroriste. À l'encre bleue, le ministre inscrivit sur la note :

*D'accord. Procéder à un ratissage large. Me tenir averti des informations recueillies. Ne pas prendre de gants pour les interrogatoires.* Il parcourut le rapport technique de la section de renseignement, le genre de document qu'il ne lisait pas normalement.

Au milieu de la seconde page, un paragraphe souligné attira son attention : *Les chaussures utilisées par le sha-hid n'ont pas été achetées en Afghanistan, il s'agit d'un modèle occidental non importé. Cela signifie qu'Abdul Hakat a été en contact avec des éléments extérieurs. Nous ne pensons pas que ces éléments soient pakistanais, car ces chaussures ne sont probablement pas vendues au Pakistan. Nous penchons plutôt pour des contacts originaires du Golfe ou même d'Europe. Si l'enquête permet de mettre au jour ce type de filière, nous serons en mesure de procéder à un relevé d'empreintes sur les chaussures et, peut-être, d'incriminer des éléments terroristes arabes, ou d'autres pays.*

– Qu'est-ce que c'est que ce truc ? marmonna le ministre. Qu'est-ce que ça signifie ?

Il ordonna qu'on fasse venir Dortmund dans les meilleurs délais, pour une affaire de la plus haute importance. Moins d'une heure plus tard, l'Allemand se présenta. Il semblait très énervé d'avoir été convoqué de la sorte.

– Que se passe-t-il ? demanda-t-il, sans même une formule de politesse.

Le ministre lui tendit le dossier sans un mot. Il y avait longtemps qu'il avait cessé de faire attention aux mauvaises manières des kâfirs. Seuls comptaient l'argent et le pouvoir, dans cette relation.

– Je ne parle pas le dari, il faut me le traduire.

– Bien sûr. Désolé.

Lorsque Dortmund eut fini d'entendre la traduction, il était blême. Le ministre en éprouva un vif contentement. Voilà qui allait clouer le bec à ce morveux arrogant.

– D'où viennent ces chaussures ? demanda-t-il.

– Elles sont à moi, dit Dortmund d'une voix blanche, comme le tee-shirt. Ce con n'avait pas de baskets, on lui en a filé une paire pour lui donner un look plus moderne. On voulait qu'il franchisse plus facilement le barrage des vigiles. Mon artificier a des pieds de géant, j'ai dû passer les miennes.

– C'est ennuyeux. Vos empreintes sont dessus, je suppose ?

– Évidemment, qu'elles sont dessus ! Quelles empreintes voulez-vous y trouver ? Celles de Karzaï ?

– C'est ennuyeux, se contenta de répéter le ministre.

– Je ne suis inscrit dans aucun fichier ici, dit Dortmund.

– Il paraît que Kandar s'est rendu sur les lieux du drame. On ne peut exclure que quelqu'un vous ait vu, qu'on puisse remonter jusqu'à vous. Si c'est le cas, ces chaussures vous incriminent.

– Il faut récupérer ces godasses, et vite.

– Je vais envoyer mes hommes…

– Non, je m'en occupe, le coupa Dortmund.

Pas question que des Afghans récupèrent une bombe pareille, susceptible de l'envoyer en prison pour le restant de ses jours, ou pire !

\*

Nick avait mal dormi, d'un sommeil parcouru de cauchemars. Après l'épisode de la Limmat, il avait cherché l'Istanbul Café, mais ce dernier était fermé. Il était rentré chez lui, épuisé. Il était plus près du fugitif qu'aucun homme de l'Entité ne l'avait été. Mais cela ne le calmait pas. Cela ne résolvait aucun de ses problèmes, aucune des questions qu'il se posait.

Tout en roulant, il essaya de réfléchir plus calmement aux données récoltées depuis le début de son enquête. Qu'est-ce qui avait motivé la désertion du fugitif ? Pour quelle raison avait-il décidé un beau jour de tout laisser tomber ?

Nick se remémora soudain une phrase lancée par Jacqueline durant leur conversation. Il se gara sur le bas-côté, fouilla dans sa poche, trouva la carte de Romance qu'elle lui avait laissée. Une standardiste le transféra vers elle.

– Jacqueline, je voudrais préciser un point de notre conversation. Vous avez dit à un moment que vous n'aviez pas de nouvelles de votre ancien client – ne mentionnez pas son nom au téléphone, je vous prie – depuis longtemps. Qu'entendiez-vous par « longtemps » ?

– Depuis novembre dernier.

Il inspira profondément. Un schéma commençait à se dessiner dans son esprit.

– Était-il arrivé qu'il disparaisse pendant un aussi long moment ?

– Non, il était très régulier. Il partait toujours en congé aux mêmes dates, je le rencontrais généralement une semaine avant son départ et le lendemain de son retour. Il lui est arrivé de décaler nos rendez-vous de quelques jours, au maximum, mais nous ne sommes jamais restés six mois sans nous voir.

– Jacqueline, votre client a disparu il y a à peine quelques jours. Avant cette date, il allait normalement au bureau. Rien n'avait changé dans sa vie. Sauf en ce qui vous concerne. L'arrêt des contacts avec vous est le seul changement majeur dans son existence.

– Je ne comprends pas.

Elle avait l'air déçue. Comme si elle n'était pas une femme que les hommes payaient pour l'utiliser à leur guise… Pensait-elle qu'un homme puisse éprouver de véritable sentiment pour une prostituée, fût-elle sympathique ? Dans ce cas, elle était vraiment naïve, sous ses dehors de professionnelle confirmée.

– Pardon d'insister, mais comment était votre client lors de votre dernière rencontre ? Était-il différent ?

– Maintenant que vous me le dites, peut-être. Il n'avait pas voulu que nous fassions… enfin, vous voyez… Nous sommes restés discuter ensemble de choses et d'autres, devant un thé.

– De quoi avez-vous discuté ?

– Je ne sais plus trop. Je suis désolée. Je l'avais trouvé de très bonne humeur, alors qu'il était plutôt froid d'habitude.

Nick raccrocha.

Ce n'était pas une coïncidence, ni une information banale. C'était un indice essentiel.

Il venait de comprendre pourquoi le fugitif avait coupé les ponts avec Jacqueline. Cela ouvrait de nouvelles possibilités. De nouvelles pistes. À condition de savoir les exploiter.

*

La Jeep Cherokee se faufilait difficilement dans les habituels embouteillages kaboulis. Dortmund fulminait littéralement, assis à côté du chauffeur. Une camionnette de livraison s'arrêta soudain en plein milieu de la rue, leur bloquant le passage. Deux ouvriers descendirent, décidés à en livrer le contenu, des tuyaux de métal pour un chantier de construction. Avant que ses hommes aient le temps de bouger, Dortmund bondit à l'extérieur, son arme à la main. Il frappa violemment l'un des ouvriers au visage avec la crosse de son pistolet, lui ouvrant le cuir chevelu. Puis il brisa la vitre de la camionnette et menaça le chauffeur. Devant son air de fou, celui-ci démarra sans demander son reste, plantant là les deux ouvriers. Une vingtaine de minutes plus tard, Dortmund se garait devant l'hôpital, au mépris des règles. Il sortit la feuille de papier de sa poche. *Docteur Katoun, bureau de médecine légale.* Il se tourna vers l'Afghan assis sur la banquette arrière.

– Va voir ce médecin. Tu lui dis que tu es envoyé par le NDS. Garde ton arme apparente dans ton holster. Je veux que tu récupères toutes les affaires du martyr du Hamad Café. Tu prétextes des examens complémentaires. Fais gaffe à ce que les deux chaussures y soient. Ce sont des baskets rouges.

– S'il refuse ?

– Tu le cognes s'il le faut, mais tu me rapportes ces godasses. Tu m'as compris ?

– Oui, patron.

L'Afghan descendit, trop heureux d'échapper à la mauvaise humeur de son supérieur. Une demi-heure plus tard, il revint. Les mains vides.

– J'ai eu du mal à le trouver, il était dans une salle de chimurgie.

– Je m'en fous, abruti, où il était. Pourquoi tu n'as pas les godasses ?

– Il est parti les chercher, elles sont dans un boc où je n'ai pas le droit d'aller.

– Retournes-y immédiatement. Rapporte-les-moi, compris ?

En regardant l'Afghan repartir en courant, l'Allemand eut un sourire narquois.

– « Chimurgie », « Boc » opératoire. Ces mecs sont vraiment des connards. Bon Dieu ! On devrait passer ce pays au lance-flammes et recommencer à zéro.

Dix minutes passèrent. Puis vingt. Pourquoi son homme mettait-il autant de temps ? Au moment où Dortmund allait descendre, l'Afghan apparut. Il tenait à la main un sac transparent qu'il leva victorieusement. Dortmund aperçut les silhouettes de deux chaussures rouges à l'intérieur. Il poussa un soupir de soulagement. L'Afghan se glissa à l'arrière de la voiture.

– Le sac, ordonna Dortmund. Vite.

Il l'ouvrit fiévreusement. En voyant les baskets, il crut être l'objet d'une hallucination. Comme dans un cauchemar, il les sortit du sac. Ce n'était pas ses New Balance, c'étaient de vulgaires imitations, marquées de l'habituel logo « Nike by Adidas ».

– Ce n'est pas possible, murmura-t-il.

Alors qu'il essayait de comprendre ce qui se passait, toutes les portes de la voiture s'ouvrirent en même temps. Une main l'agrippa, le jeta sur la route. Il entendit hurler : « Police, police ! » de tous les côtés. En quelques secondes, ses complices furent menottés par des Afghans brandissant des armes automatiques. On l'enfourna à l'arrière d'un fourgon. Dans la rue, il aperçut un homme immense, toque sur le crâne, avec une barbe noire veinée de gris et des yeux verts qui brillaient comme ceux d'un serpent.

L'homme s'approcha à pas lents. Son visage sévère était impassible.

– Je suis le qomaandaan Oussama Kandar, de la brigade criminelle de Kaboul. Je vous arrête.

Avant qu'il puisse répondre, on lui asséna un coup de bâton sur le crâne, et il fut repoussé au fond du fourgon. Les portes se fermèrent et le véhicule démarra, le projetant contre la paroi, le visage dégoulinant de sang.

\*

À peine arrivé au commissariat, Dortmund fut extrait du fourgon et traîné plutôt que conduit dans une salle d'interrogatoire. Il se mit à hurler :

– Vous n'avez pas le droit, vous n'avez pas le droit, appelez l'ambassade d'Allemagne !

Pour toute réponse, il reçut un nouveau coup de bâton sur la tête et une volée de coups dans le ventre. Groggy, il fut attaché à une chaise avec des menottes par Djihad et Rangin. Rangin serra les menottes aussi fortement qu'il put dans son dos, lui arrachant un cri de douleur. Djihad le fouilla soigneusement, posant un à un tous les objets qu'il trouvait sur une console : des papiers, un PDA, un téléphone portable, un Black-Berry, un colt 38 de poche ayant échappé aux policiers qui l'avaient interpellé, un passeport, des liasses d'afghanis et de dollars. Un chargeur de rechange. En le refouillant une ultime fois, il trouva un poignard dans une gaine de mollet. Il asséna une dernière gifle à Dortmund, puis sortit avec Rangin, le laissant seul. Quelques instants, plus tard, Oussama entra dans la pièce, suivi par Gulbudin. Son regard glissa sur le prisonnier, provoquant un frisson chez ce dernier. Il regarda distraitement les liasses de billets et les armes, s'empara du passeport.

– Gulbudin, dit-il, prends ses empreintes.

Son adjoint lança une interjection en dari. Deux policiers en uniforme vinrent les rejoindre, des Ouzbeks, véritables armoires à glace. Ils retirèrent les menottes à Dortmund, qui essaya de se débattre, mais c'était peine perdue, les deux Afghans étaient trop forts pour lui.

– Arrêtez de vous agiter, dit Oussama. C'est idiot, cela ne sert à rien.

Un des policiers obligea Dortmund à tendre le bras. Gulbudin prit un tampon encreur et lui barbouilla l'extrémité des doigts. Dortmund poussa un cri, essayant de rétracter sa main.

– Vous allez vous casser le bras, dit Oussama. Vous voulez finir dans une cellule collective, seul Européen au milieu de cent vingt Afghans, avec le bras en morceaux ?

L'argument calma Dortmund. Gulbudin lui prit les empreintes, une main après l'autre. Puis il essuya les doigts de l'Allemand avec un chiffon crasseux et sortit, ses précieuses planches sous le bras. Dortmund fut rattaché à sa chaise. D'un mouvement du menton, Oussama congédia les deux policiers. Il ouvrit le passeport.

– Vous vous appelez Michaël Dortmund, vous êtes né le 14 décembre 1978 à Bonn, République fédérale d'Allemagne, commença-t-il dans son anglais rocailleux. Vous exercez officiellement la profession de conseiller en sécurité, vous dirigez la société Aid Service Protection. Vous conduisez une Jeep Cherokee noire immatriculée KBL 27645 SH.

– Relâchez-moi, espèce de fumier, éructa Dortmund, vous n'avez pas le droit de m'arrêter. J'ai un statut diplomatique.

Oussama agita son passeport sous son nez.

– Ceci est un passeport normal. Où est votre sauf-conduit diplomatique ?

– À mon bureau. Relâchez-moi, enfoiré.

– Arrêtez de m'insulter, ou vous allez le regretter. Vous allez sortir très vite d'ici, je vous le promets. Mais je doute que ce soit libre.

Oussama se cala dos au mur. Sa tête touchait presque le plafond de la pièce minuscule. La sueur coulait à grosses gouttes sur le visage de l'Allemand, il exhalait une odeur âcre, acide, familière, qu'Oussama aurait reconnue entre mille. La peur.

– Le véhicule dans lequel vous vous trouviez a été aperçu à proximité du Hamad Café le soir de l'attentat qui l'a ravagé, reprit-il.

– Je ne sais pas ce qu'est le Ahmed Café.

– Un café très populaire chez les jeunes, qu'un fumier a fait sauter avec une charge de trois kilos de C5, accrochée au dos d'un pauvre type qu'on veut faire passer pour un shahid. Voilà ce qu'est le Hamad Café, dit Oussama. Vous connaissez la peine encourue en Afghanistan pour les actes de terrorisme, n'est-ce pas ?

Un coup fut frappé à la porte. Gulbudin entra, aussi vite que le lui permettait son unique pied valide. Très excité, il murmura quelques mots à l'oreille d'Oussama. Ce dernier se tourna vers Dortmund. L'intensité de son regard avait encore augmenté.

– Ce sont bien vos empreintes qui ont été trouvées à plusieurs endroits sur la paire de chaussures utilisée par le shahid. Ces chaussures étaient donc à vous.

– C'est un coup monté. Salopard, je ne dirai rien.

Gulbudin brandit le bâton pour lui donner un nouveau coup sur la tête, mais Oussama l'arrêta. Un brouhaha s'élevait dans le couloir. Des cris retentirent. Quelques secondes plus tard, plusieurs hommes en civil entrèrent dans la pièce. L'un d'eux brandit une carte de colonel, membre du cabinet du ministre de la Sécurité.

– Qu'est-ce que vous faites ? aboya-t-il. Vous arrêtez des ressortissants de pays membres de l'Otan sans nous prévenir ? Vous êtes fou ?

Oussama s'écarta.

– Nous ne savions pas que cet homme était allemand lorsque nous l'avons arrêté.

– Mensonge ! Libérez-le immédiatement. Il est à nous !

– Libérez-le vous-mêmes, s'il est à vous, rétorqua Oussama, cinglant.

Il jeta les clefs des menottes par terre, bouscula la barbouze et sortit de la pièce. Il souriait. Il avait les empreintes, une preuve formelle de l'implication de l'Allemand dans la mort de Wali Wadi. Il n'avait plus besoin de Dortmund.

*

Joseph finit sa série de pompes, essuya ses cheveux trempés de sueur. Il n'y avait bien évidemment aucune salle de sport accessible à un Occidental à Kaboul, en dehors de celles des bases militaires et des hôtels de luxe, aussi avait-il décidé de s'astreindre à faire une heure de sport chaque jour sur la moquette de son bureau. Il s'essuya, mit une chemise propre, se renifla. Il ne sentait pas vraiment la rose, il aurait fallu qu'il rentre se mettre sous la douche, mais il n'avait pas le temps. Il jeta un coup d'œil à ses mails, poussa un soupir de soulagement, décrocha son téléphone.

– Viens avec Peter et Marco.

Pas de formule de politesse. Il n'en avait pas besoin. Peu après, Amin entra, accompagné de ses deux collègues.

Joseph tendit la main vers une coupelle contenant des fruits secs. Il attrapa une poignée d'amandes dans laquelle il croqua. Amin et ses deux collègues voyaient ses mâchoires puissantes en pleine mastication. Le bruit, désagréable, résonnait dans la pièce. Le tueur reprit une seconde poignée, qu'il croqua comme la précédente. Bruits de mastication. Silence. Bruits de mastication. Déglutition. Enfin, il s'essuya la bouche.

– Je viens de recevoir l'accord du général à mon nouveau plan. On va se faire le fouille-merde. Deuxième tentative. Il y a intérêt à ce que ce soit la bonne.

Il lança un bristol sur le bureau en direction d'Amin.

– Pour toi. Trouve-moi l'endroit.

Il ne contenait qu'un seul nom, Abdullah Nassim Darani, avec une adresse et un numéro de téléphone commençant par l'indicatif de Kaboul. Amin leva la tête vers son chef.

– De qui s'agit-il ?

– Un ex-moudjahid. Il dirige une bande criminelle, de sacrés enfoirés. Ils pratiquent des enlèvements, de l'extorsion de fonds, du trafic de drogue. Un membre de sa famille a été arrêté à Lausanne l'année dernière dans une affaire de racket. Il avait torturé le propriétaire d'un restaurant au chalumeau. C'est lui qui a parlé à la police fédérale de son charmant oncle.

– Qu'a-t-il à voir avec nous ?

– Le général ne veut toujours pas que nous nous occupions nous-mêmes de Kandar, laissa tomber Joseph à regret. Il veut des locaux pour faire le sale boulot. Il paraît que ce mec parle arabe. Tu feras la traduction.

– À vos ordres, patron.

Joseph puisa dans la coupelle.

– Prends trente mille dollars dans le coffre. On y va immédiatement.

Deux voitures attendaient déjà devant le bâtiment, moteurs allumés. Joseph monta dans la première avec Amin, les deux autres K rejoignirent deux commandos déjà installés dans la seconde.

– Qui vous dit qu'il est chez lui en ce moment ? demanda Amin.

– On a fait mettre son téléphone sur écoute depuis hier. Berne m'a confirmé qu'il a passé plusieurs coups de fil dans les deux heures passées.

L'ancien moudjahid habitait une poche pachtoune à côté du quartier tadjik de Karte Parwan, au nord de Kaboul. Très vite, ils se retrouvèrent dans un dédale de ruelles, dont pas une seule ne portait de plaque. Le chauffeur finit par arrêter le véhicule.

– Patron, on est perdus.

Joseph se tourna vers Amin.

– Frappe au hasard. Trouve quelqu'un pour nous accompagner.

– Personne ne nous ouvrira. La nuit tombe dans une heure.

– Je m'en fous. Débrouille-toi, on perd du temps.

Amin héla un groupe de jeunes garçons. Ils parlaient une sorte de dialecte difficile à comprendre,

270

mélange de dari et de pachtoun, mais, un billet de dix dollars plus tard, l'un d'eux partit au courant. Un des K descendit du véhicule de protection pour assurer leurs arrières, lunettes noires de protection, gilet pare-balles, plusieurs armes de poing à la ceinture, une mitraillette noire à la main. Le Robocop fit un signe de la main signifiant qu'il avait la rue à l'œil. Le jeune revint avec un vieillard qui boitait. Dans le même sabir, il expliqua à Amin que le vieux connaissait la rue qu'ils cherchaient et qu'il parlait même un peu anglais. Amin lui redonna un billet de dix dollars, que le jeune empocha, ravi.

– Je cherche une adresse dans le quartier, dit-il au vieux, son dictionnaire arabe-dari à la main. Vous pouvez m'aider ? *Ke maara koumak metonaa ?*

– *Khou, farq namey kouna.*

– Dans quelle direction ? *Koudam taraf ?*

– Je peux vous montrer le chemin, proposa finalement le vieux dans un anglais très acceptable en ouvrant la portière.

Il monta dans la voiture à côté de lui. Il sentait le bouc, un mélange de vieille crasse, de tabac froid, d'ail et d'eau de Cologne à la rose. Joseph ouvrit sa fenêtre sans un mot. Les deux véhicules démarrèrent. Ils s'enfoncèrent plus profondément dans un bidonville composé de vieilles maisons en pisé. Les rues étaient jonchées d'ordures, de carcasses broyées, des débris les plus invraisemblables. Aucun pakol mais une majorité de barbes : pas de doute, ils étaient dans un quartier pachtoun. Les gens jetaient des regards hostiles aux deux véhicules, les prenant sans doute pour ceux des soldats de la Coalition. Le vieux paraissait mal à l'aise.

– Il faut faire vite, déclara Amin, ici, ils n'aiment pas les kâfirs. On va se faire lyncher.

Au même moment, une pierre s'écrasa sur le pare-brise de la voiture blindée.

– On continue sans s'énerver, déclara Joseph.

– Danger. *They shoot us* ! glapit le vieux.

– Tu commences à faire chier. Ferme-la.

Au bout d'une quinzaine de minutes, le vieux tira sur la manche d'Amin en montrant une maison, un peu plus loin, coincée entre des échoppes.

– Si on y va tous, notre gars risque de nous confondre avec des soldats de l'Otan et de prendre peur. Amin, on y va seuls, ordonna Joseph. Les autres, en protection, mais dans les voitures.

À peine furent-ils descendus que le vieux s'enfuit en courant aussi vite que ses jambes le pouvaient. Comme Amin s'apprêtait à le poursuivre, Joseph l'arrêta.

– Laisse. On n'a plus besoin de lui.

*

Joseph sortit une arme qu'il plaqua le long de sa cuisse, un long pistolet prolongé d'un silencieux immense. Sur un mouvement de tête de sa part, Amin frappa trois coups à la porte.

– Qui est là ? cria une voix de l'intérieur.

– Nous venons en amis, répondit l'Algérien en arabe. On vient vous proposer un travail.

– Je n'ai pas besoin de travail !

– Celui-là est payé dix mille dollars.

Il y eut quelques secondes de flottement. La porte s'ouvrit. Un homme se tenait dans l'entrebâille-ment, vêtu d'un pantalon marron traditionnel et d'un

272

maillot de corps. Chauve, une moustache, un début d'embonpoint. Il pointait une arme vers la tête d'Amin d'une main qui ne tremblait pas.

– Putain, tu es qui, toi ? Je ne te connais pas, aboya-t-il. Tu me veux quoi, tu es américain ? Russe ?

– Je suis avec un ami. J'ai de l'argent pour toi.

Joseph apparut à son tour, pistolet collé contre la hanche dirigé vers la tête du gangster.

– Dis-lui de baisser son arme. Qu'il n'en a pas besoin.

Amin traduisit. Le gangster répondit qu'il n'avait pas confiance.

– Dis-lui qu'il y a quatre commandos dans les voitures là-bas. Si on avait voulu le tuer, il serait déjà mort.

À nouveau Amin traduisit. L'homme regarda en direction du véhicule, hésita un instant. Mis en confiance par le calme de ses deux interlocuteurs, il baissa son arme avant de les inviter à le suivre.

C'était une grande maison, pour Kaboul, plutôt luxueuse en dépit de son sol en terre battue. Quelques coffres, des tapis, un ensemble canapé-fauteuil démodé mais neuf, ainsi qu'un home video couplé à une chaîne aux enceintes géantes. Un lance-roquettes RPG et plusieurs kalachnikovs étaient posés contre un mur.

– Les affaires sont bonnes, à ce que je vois, releva Joseph.

Un sourire éclaira le visage du truand quand il entendit la traduction. Il leur indiqua le canapé et se laissa tomber dans le fauteuil.

– Femmes ! hurla-t-il.

Il y eut du remue-ménage dans une salle voisine et deux silhouettes apparurent dans le couloir, sans

273

pour autant entrer dans la pièce. Toujours l'interdiction du moindre contact entre étrangers et femmes.

– Du thé, commanda l'homme sans un regard pour ses deux épouses.

Les deux silhouettes s'effacèrent, soumises.

– Vous voulez quoi ? attaqua le truand.

– Tu traduis au fur et à mesure, ordonna Joseph à Amin. – Il reporta son attention sur l'Afghan. – On a une mission pour toi. Éliminer un officiel du régime, un flic. On te donne cinq mille dollars tout de suite, cinq mille quand ce sera fait. La cible a des gardes du corps.

– Combien ?

– Entre trois et cinq.

– Alors, c'est plus dangereux. Sa voiture est blindée ?

Joseph se tourna vers Amin.

– On sait ça ?

– Non.

– Ce flic, c'est qui ?

– Le commandant Kandar.

Le truand cracha par terre.

– Ce fumier. Il a essayé de m'arrêter une fois, ce fils d'âne, mais il n'avait rien contre moi, pas de preuve, il a dû me relâcher. Sa voiture n'est pas blindée. Je peux le faire, mais il faudra que je prenne tous mes hommes. Vous avez son adresse ?

– Oui.

– C'est où ?

Ils furent interrompus par une des femmes, qui déposa le plateau sur le pas de la porte, tout en veillant à rester hors de vue de ces hommes étrangers à la famille, avant de se retirer. Le truand se leva.

– Alors, cette adresse ? répéta-t-il en rapportant le thé.

Amin le lui dit. L'homme secoua la tête.

– Pas possible, il y a une caserne, des flics partout dans ce coin. Trop dangereux.

– Et si on vous donne plus de fric ?

– Non. On ne s'en sortirait pas. Trouvez quelqu'un d'autre.

Ce n'était pas une tentative de négociation, le ton était sans appel. Après un moment de réflexion, Joseph proposa :

– Si vous réussissiez à attirer Kandar dans un endroit que vous connaissez, vous pourriez faire le boulot ?

– Dans ce cas, oui. Mais pour quarante mille dollars.

– Vingt mille.

Ils tombèrent finalement d'accord sur vingt-cinq mille, dont la moitié tout de suite.

– Comment l'attirer là où je veux ? demanda le gangster.

– Faites-lui passer par un gamin un mot anonyme lui disant que vous savez des choses sur les affaires de Wali, en lui donnant rendez-vous là où vous voulez. Où que ce soit, il viendra.

– Wali ? Wali qui ?

– Dites juste Wali. Je vous promets qu'il viendra. Il faut faire vite. Vous devez frapper demain ou après-demain.

– Ce sera fait. Comment je récupère la seconde partie de l'argent ?

– Nous saurons nous-mêmes quand vous aurez agi. Quelqu'un viendra déposer le reste ici après l'opération.

– C'est une blague ? Qui me dit que je peux vous croire ?

– Rien, mon pote. Mais est-ce que tu as le choix ?

Sur un signe de la part de Joseph, Amin lança la liasse de billets sur la table. Le truand se précipita pour l'empocher. Joseph approcha son visage tout près de celui de l'Afghan. Ses yeux délavés brillaient d'une lueur mauvaise.

– Qu'il n'essaye pas de me rouler. Je lui jure que, s'il essaye, je le passe au lance-flammes, lui, sa famille et tous ceux que je trouverai. Demande-lui s'il me croit.

– Oui…, balbutia l'Afghan.

Joseph se leva.

– Alors, qu'il ne loupe pas son coup.

*

Oussama rentra plus tôt chez lui, ce soir-là, car il avait envie de passer du temps avec Malalai. Il savait que Dortmund serait relâché rapidement sous la pression de Khan Durrani, mais il avait atteint son but : associer de manière irréfutable Dortmund au pseudo-shahid. S'il pouvait trouver ses empreintes chez Wali Wadi, il boucleriait la boucle et prouverait que les deux affaires étaient liées. Alors qu'il descendait de voiture, encadré par ses gardes du corps, il remarqua que le policier en faction devant son domicile n'était pas seul. Deux autres hommes montaient la garde avec lui, des soldats armés de puissants fusils d'assaut. L'un d'eux portait l'écusson des parachutistes, une rareté en Afghanistan. Leur air calme, le visage balafré de l'un d'eux suggéraient qu'il s'agissait d'hommes solides qui avaient l'habitude du combat.

– Que faites-vous ici ? leur demanda-t-il après les salutations d'usage.

– On nous a ordonné de venir, dit l'un d'eux.

– Qui ?

– Nos chefs.

– Pourquoi ?

– Pour vous protéger, qomaandaan. Nous donnerons notre vie pour vous.

– De quels clans êtes-vous ?

– Le clan Sawak de Faizabad, dit l'un.

– Le clan Alqiti de Jumm, dit l'autre.

C'étaient des Tadjiks. Ses ennemis auraient envoyé des Pachtouns. Quelqu'un avait compris le risque qu'il courait et décidé de le protéger. Mais qui ? Oussama pénétra chez lui. Malalai était déjà là, l'air épuisée. Il l'embrassa.

– Ça n'a pas l'air d'aller.

– J'ai soigné deux jeunes filles aujourd'hui, elles venaient de Jalalabad. Une, qui n'a que douze ans, a été vitriolée par des talibans parce qu'elle refusait d'épouser un homme de cinquante ans. En représailles, ses frères ont enlevé la fille de l'autre famille, lui ont coupé le nez et le bout des seins. Ces deux filles innocentes sont les victimes de la même barbarie ! Au lieu de se battre loyalement, les hommes les ont utilisées. On les a considérées comme rien, comme de la viande, pire que de la viande. – Malalai éclata en sanglots. – Je ne sais pas si je pourrai continuer, Oussama, la vie est trop dure.

Oussama la prit dans ses bras. Elle tremblait de tous ses membres.

– La réunion de la RAWA n'a pu avoir lieu, continua-t-elle. Il y avait des mouvements suspects

277

autour de notre lieu de rencontre, nous pensons que des talibans nous surveillent. Nous avons préféré annuler. Une des filles a décidé d'arrêter, elle a trop peur. J'espère que je ne craquerai pas.

Ils restèrent ainsi enlacés un long moment. Malalai se dégagea.

– Je vais te préparer à dîner. Tu n'as pas à supporter mon humeur.

En se couchant, ce soir-là, Oussama entendit la toux rauque d'un des parachutistes qui le gardaient. Il avait l'air bien malade, mais Oussama savait qu'il resterait là, pour le défendre au péril de sa vie. Il songea aux satellites américains qui tournaient au-dessus de sa tête, à trente-six mille kilomètres de là, surveillant toutes ses communications, et à la ruelle du bidonville, constellée d'excréments, qu'il avait traversée le matin précédent. Il songea au reportage qu'il avait vu à la télévision, montrant une femme à qui des chirurgiens européens avaient greffé un nouveau visage, et à cette jeune fille de Jalalabad qu'on venait de défigurer. Il songea à cet homme qu'on avait manipulé pour le faire sauter, et à ces autres hommes qui se faisaient sauter de leur plein gré, pour tuer un maximum d'innocents. Il songea à son adjoint qui aimait la vie et qu'on avait assassiné, comme s'il n'était rien ni personne. Il se demanda pourquoi Dieu laissait faire de telles choses.

\*

Nick se glissa dans sa voiture. Il avait passé les dernières heures à des manœuvres de diversion, pour ne pas éveiller les soupçons. Pourquoi ne disait-il pas la vérité à son employeur sur ses recherches ? Peut-être était-ce parce qu'on s'était bien gardé de l'avertir que Joseph était à Kaboul. Tant qu'on ne lui révélerait pas la réalité de ce lien, il devrait rester sur ses gardes. Il y avait trop de morts, trop de mystères, trop de choses qu'on lui cachait. Il ouvrit sa sacoche, découvrant un automatique. Une arme imposante avec sa crosse en composite noire et son canon prolongé par un long silencieux carré. Il n'aimait pas les armes, encore moins depuis la mort de son ami. Néanmoins, il l'empocha.

En dépit de la guirlande accrochée à la devanture, l'Istanbul avait l'air de ce qu'il était : un bouge où les ivrognes venaient s'enfiler une série de verres d'alcool bon marché pour s'assommer, avant de rentrer chez eux. Nick se gara quelques mètres en amont, avant d'éteindre le moteur. Pour la première fois de sa vie, il allait être vraiment plongé dans l'action, seul, sans filet de sécurité. Il étendit ses mains devant lui : elles tremblaient légèrement.

Pourvu que j'arrive à tenir jusqu'au bout, pensa-t-il en sortant de sa voiture.

À l'intérieur du café, il régnait la même ambiance que dans tous les bars à alcoolos du monde. Un barman fatigué, essuyant des verres derrière son comptoir, quatre ou cinq clients tristes attablés devant leur boisson, un peu de musique en sourdine, déversée par un iPod relié à des enceintes. Nick s'approcha du barman par le côté du comptoir, afin qu'aucun client ne l'entende. Il sortit discrètement son badge du département fédéral de la Justice, espérant que sa carte barrée de la croix blanche sur fond rouge ferait son effet.

– Je cherche Stavos, dit-il.

– Je ne l'ai pas vu ce soir.

– Où est-il ?

– Je ne sais pas.

– Écoute, mec, dit Nick, je veux vraiment discuter avec lui ce soir. Je ne veux pas lui faire du mal, mais si je le loupe des gens vont avoir des gros problèmes, à commencer par toi. De très gros problèmes, si tu vois ce que je veux dire.

Le barman loucha vers lui. Nick ne l'impressionnait pas beaucoup, même s'il n'aimait pas qu'un jeune flic en civil lui pose des questions, mais il brandissait une carte officielle, une carte synonyme d'embrouilles. Il croisa le regard bleu cobalt de son interlocuteur, où brillait une détermination farouche. Son malaise s'accentua.

– À cette heure, Stavos, il tape un carton chez Hans, lâcha-t-il à toute vitesse.

– Hans ?

– Un bar, un peu plus loin, à un bloc. Il y a une salle de jeux clandestine dans l'arrière-boutique. Tu tapes à la porte du fond, la bleue, deux coups, puis trois.

– Merci, dit Nick. Tu as fait le bon choix.

Dehors, la pluie avait cessé. Il décida de marcher. Ce quartier populaire était plein de magasins de spiritueux, d'échoppes, de petites épiceries, tenus par des étrangers. Il y régnait une agitation sympathique et désordonnée, assez différente du calme habituel des villes suisses. On se serait cru en France ou en Italie. Il remarqua une pancarte en caractères hindis, au-dessus d'une épicerie. L'immigration avait profondément changé en Suisse : sous la pression de lois de plus en plus sévères, les Maghrébins et Africains étaient lentement mais sûrement remplacés par des populations en provenance du Bangladesh et d'Asie centrale.

Il s'arrêta devant un café qui n'avait pas de pancarte. À travers la vitre, on apercevait une porte bleue, au fond. Il traversa la salle sans parler à quiconque, frappa le code convenu à la porte, qui s'ouvrit immédiatement. Un balaise, jean et marcel, barbe de trois jours. Derrière, une petite salle enfumée, encore plus basse de plafond ; cinq tables, toutes occupées. De nouveau, Nick montra son faux badge. À la vue de l'emblème officiel, le portier se ratatina. Plus encore que les autorités cantonales, les services de justice fédéraux étaient connus pour leur sévérité.

– Je cherche Stavos.

– Pas ici, dit le balaise.

– La salle, on s'en fout, rétorqua Nick, l'air faussement blasé, de plus en plus à l'aise dans son rôle. Je veux juste discuter avec Stavos. Si tu m'emmerdes, je fais fermer ton trou à rats et je t'embarque.

Les conversations s'étaient arrêtées dans la salle de jeux. Nick n'en menait pas large, mais le balaise ne s'en aperçut pas. Il haussa les épaules et désigna un homme, assis à la table la plus proche. Une trentaine d'années, des épaules étroites. Nick remarqua qu'il avait les mains tachées d'encre.

– Je n'ai rien fait. Qu'est-ce que vous me voulez ?

– Viens avec moi, ordonna Nick.

Résigné, Stavos se leva, enfila un manteau, l'air soumis. Dans la pièce, le silence était impressionnant. Puis un homme sortit une cigarette et demanda du feu à son voisin. Comme par un coup de baguette, la salle se ranima. Les conversations reprirent, les cartes changèrent de mains. Stavos sortit, suivi par Nick.

– Vous êtes vraiment flic ? demanda-t-il. Fédéral ?

– Tais-toi, lança Nick. Tu parleras quand je te le dirai.

Toutes les voitures de l'Entité comportaient un crochet enchâssé dans le plancher. Nick menotta Stavos avant de le pousser sur la banquette arrière. En voyant qu'ils s'éloignaient en direction des sordides quartiers industriels, Stavos s'agita.

– Vous m'emmenez où ? Je vous ai rien fait.

– Ta gueule ! cria Nick en sortant son arme, qu'il posa sur le siège passager.

Voyant l'imposant silencieux, Stavos se mit à pleurnicher.

– Je veux pas mourir.

Nick tourna un peu dans les allées désertes autour de l'usine de fromage, continua jusqu'à la partie la plus sombre, la plus proche de la rivière. Il se gara sur la rive, éteignit le moteur. Le bruit de la pluie qui avait repris pendant le trajet résonnait sur le toit. Il décrocha la menotte du crochet de plancher, tout en tirant Stavos dehors par la manche. D'une bourrade, il le fit tomber dans la boue. En voyant l'arme braquée vers son front, Stavos se mit à sangloter encore plus fort. Le devant de son pantalon se mouilla d'urine.

– Bon Dieu, qu'est-ce que vous me voulez ? Pitié, j'ai rien fait.

Toute volonté semblait l'avoir quitté.

– Une pute t'a amené un client. Elle s'appelle Yasmina, c'est une junkie, elle était dans le squat de la Langstrasse dans lequel il y a eu du grabuge.

– Le squat des héroïnomanes ?

– Correct. Son client voulait un passeport. C'est un homme d'une cinquantaine d'années, petit, des

282

lunettes, à moitié chauve. Un mec friqué qui n'a pas l'habitude de la clandestinité. On veut savoir le nom qu'il a utilisé pour le passeport. Ensuite, tu repars libre.

– Non, vous allez me buter quand je vous aurai donné le nom.

– Tu repars libre. Je veux juste le nom.

Stavos déglutit, sécha ses larmes. Enfin, il craqua.

– Milton. Je lui ai fait un passeport au nom de Lionel Milton.

Nick inspira profondément. Il venait de franchir un pas de géant.

– Eh bien voilà, c'était pas compliqué, tu vois ? dit-il au trafiquant d'un ton faussement patelin. Allez, je te ramène.

À cause de Stavos, l'odeur d'urine dans la Peugeot était à peine supportable. Nick baissa sa vitre, jusqu'à ce qu'il soit à proximité du bouge.

– S'il vous plaît, vous pouvez m'avancer un peu, de deux rues ? demanda Stavos d'une petite voix. Je peux pas rentrer chez Hans avec mon futal dans cet état, faut que je me change.

Une fois seul, Nick commença à réfléchir à la manière d'utiliser cette information. Depuis le 11 Septembre, il avait accès aux listings des compagnies aériennes : celles-ci étaient tenues de fournir au SRS la liste de tous les passagers entrant ou sortant de Suisse. L'Entité possédait un accès à l'ordinateur qui gérait ce programme, mais s'il se connectait sous son identité il allait fatalement laisser une trace de sa recherche, ce dont il ne voulait à aucun prix.

*

Oussama se leva à trois heures du matin. Bien qu'il soit encore mal réveillé, il fit sa première prière, implorant Allah de l'aider dans sa quête de vérité. Le sol était dur sous le tapis de prière, et ses genoux tout engourdis lorsqu'il se releva. Malalai dormait encore, il fit attention à faire le moins de bruit possible car elle ne se rendormait jamais une fois réveillée, les gardes à l'hôpital ayant habitué son organisme à être parfaitement opérationnel dès la sortie du sommeil. Il monta le chauffage de la chambre pour qu'elle soit plus chaude quand Malalai s'habillerait. Il n'y avait plus de shampoing dans la salle de bains, il se lava avec un savon dur comme du bois qui sentait la rose. Il détestait le parfum de rose sur lui, et pesta contre cette ville occidentalisée où l'on ne trouvait plus de savon simple comme autrefois, qui sentait le propre et rien de plus. Il s'habilla rapidement dans le noir et sortit sans claquer la porte, son fusil et ses bottes à l'épaule. Le froid vif raidit ses cheveux mouillés, il s'arrêta quelques instants pour mettre ses chaussures tout en inspirant à fond, profitant du moment. Il aimait plus que tout cette période de l'année, derniers jours d'hiver avant le printemps, annonciatrice des chaleurs étouffantes du mois de juin. Son 4 × 4 et le pick-up de protection attendaient dans le noir, un peu plus loin, moteurs éteints. La porte avant droite du 4 × 4 s'ouvrit avec un grincement, Gulbudin descendit, vêtu d'une vieille parka de l'armée soviétique dont le col s'effilochait. On voyait encore sur le tissu épais la marque laissée par une étoile rouge décousue.

– Tout est prêt, qomaandaan.

Il tapa dans ses mains gantées pour faire passer le froid avant d'ouvrir le hayon. Deux pots de poudre étaient posés sur la moquette, avec des pinceaux neufs, des gants et tout l'attirail nécessaire pour prélever les empreintes chez Wali Wadi. Oussama prit place, Gulbudin monta à l'arrière. Le chauffeur grignotait des dattes séchées, une Thermos de thé coincée entre les deux sièges avant. L'intérieur de la voiture était glacial, Oussama ayant demandé qu'on ne dérange pas les voisins en laissant le moteur allumé. C'était pour ce genre de petites attentions désintéressées qu'il était apprécié de tous. Le convoi démarra. Les rues étaient vides, à peine un camion militaire ou une camionnette de-ci, de-là. Il leur fallut moins de quinze minutes pour atteindre la ruelle où se trouvait le palais de Wali Wadi. Il y avait des ordures et le cadavre d'un chien errant, que personne n'avait encore pris la peine de dégager. Oussama écarta le ruban de police qui bloquait la porte. Le veilleur de nuit, un retraité de la police, dormait profondément, enroulé dans son patou. Gulbudin le réveilla d'une tape sur l'épaule, pour le prévenir qu'ils rentraient. L'homme acquiesça, pour se rendormir aussitôt. Ils pénétrèrent à la queue leu leu dans la maison. Le chauffage au gaz marchait, il régnait une douce chaleur. Oussama envia cette vie l'espace d'une seconde. Malgré la guerre, Wali Wadi n'avait sans doute jamais eu froid, ces dernières années.

– Où cherchons-nous ? demanda Gulbudin.

– Les endroits où Dortmund peut avoir posé la main lorsqu'il est passé par là. Dans le bureau. Le salon. La cuisine. Partout.

Les hommes se déployèrent, leur pinceau à la main, des sachets de poudre à empreintes plein les poches. Oussama s'attribua le bureau. Des empreintes, il y en avait partout. Il aspergeait les surfaces intéressantes de poudre, puis, lorsqu'une empreinte apparaissait, il la comparait à la photo de celle de Dortmund. Au bout d'une heure, il connaissait par cœur les sillons de celle de l'Allemand, pouvait deviner immédiatement qu'une empreinte nouvellement découverte n'était pas la sienne ; au bout de deux heures, il se concentra sur le coffre. Après tout, c'était sans doute pour lui que Dortmund était venu ici. La chance lui sourit vers six heures et demie du matin, alors qu'une aube blafarde commençait à poindre. À l'intérieur du coffre, une empreinte de l'index de Dortmund, face interne gauche. Il l'avait sans doute laissée en vérifiant machinalement qu'il ne restait plus de documents à l'intérieur. Oussama en trouva une seconde sur la porte elle-même, une empreinte de pouce. Gulbudin se manifesta peu après, l'air très excité.

— On a une empreinte de l'Allemand dans les toilettes !

Oussama le suivit. Les toilettes étaient une pièce de grande taille, avec des murs tarabiscotés et un plafond peint à la main. Le porte-papier toilette avait la forme d'un canard doré, et l'embout du jet d'eau celle d'un cygne.

— C'est quoi ? demanda Gulbudin, étonné.

— Les kâfirs utilisent du papier à la place d'un jet d'eau, dit Oussama, se rappelant son séjour à Moscou.

Wali Wadi venait d'une famille pauvre de la campagne, le genre d'endroit où vivait encore plus de la moitié de la population. Il n'y avait ni salle de bains ni toilettes dans cet Afghanistan-là, femmes et hommes se soulageaient autour de leurs maisons, s'essuyaient avec du sable ou une pierre plate. Ces toilettes grotesques étaient la revanche de Wali Wadi sur la vie.

Les murs étaient maintenant constellés de poudre à empreintes. Gulbudin montra l'une d'elles, à côté du présentoir doré en forme de canard.

– Elle est là. Dortmund a appuyé sa main sur le mur pendant qu'il était assis.

Oussama avait ce qu'il voulait. Trois empreintes de Dortmund, plus qu'il ne fallait pour l'impliquer dans le meurtre de Wali Wadi. À neuf heures, il donna le signal du départ.

## 11

Oussama se tenait dans une salle d'interrogatoire. En face de lui, un homme accusé d'avoir tué un de ses voisins à coups de pioche. Le mobile du crime était une charrette de légumes que le meurtrier convoitait pour lancer son propre commerce de proximité. Il niait, même si on avait trouvé du sang sur lui ainsi que la pioche cachée dans une pièce de sa maison. Il aurait dû la jeter, mais elle coûtait cinq cents afghanis, l'homme avait préféré la garder. Maintenant, il allait se retrouver à Pul-e-Charkhi pour trente ans, à moins que le tribunal ne le condamne directement à la pendaison. Oussama laissa Rangin finir l'interrogatoire, en ce qui le concernait, c'était affaire bouclée. Il passa devant la salle d'attente, deux autres hommes patientaient, menottés, l'un pour avoir battu à mort son épouse, l'autre pour le meurtre d'un paysan d'un tir de fusil en pleine tête. Il amena le second dans son bureau, les mains attachées derrière le dos. Djihad l'installa sur une chaise, puis s'éclipsa.

– L'homme que tu as tué d'un coup de fusil, tu le connaissais ? demanda Oussama.

– Na.

– Tu ne l'avais jamais vu ?

– Na.

– Pourquoi l'as-tu tué ?

– Pour essayer mon fusil.

– Explique-moi, demanda Oussama, interloqué.

– J'ai parié cinq cents afghanis avec un ami que je pouvais toucher une cible à trois cents mètres, si Dieu le veut, avec mon vieux fusil. Un Lee Enfield de 1925, une très bonne arme. Il y avait cet homme. Il se tenait sur une crête, il ne bougeait pas. Il était à trois cents mètres. Je n'ai pas trouvé d'autre cible à trois cents mètres, alors je lui ai tiré dessus.

– C'était un berger, il gardait son troupeau.

– Je n'ai pas vu les moutons, sinon j'aurais tiré sur eux. Le berger était une cible difficile. Je l'ai touché du premier coup en pleine tête, répondit l'homme fièrement.

– Il s'appelait Nuredin Malkiour. Il avait quarante-quatre ans, il est mort, maintenant sa femme se retrouve seule, avec ses sept enfants à nourrir.

– Il lui reste le troupeau de moutons, elle ne mourra pas de faim, inch' Allah.

Oussama dévisagea l'homme pour voir s'il le provoquait, mais ce dernier était parfaitement sérieux. Il chercha une once de remords dans son regard, n'en trouva pas. Finalement, il héla Rangin.

– Remets-le en cellule.

– On demande l'inculpation sur quel chef ?

– Homicide volontaire. Appelle le bureau du procureur.

L'homme aurait de la chance s'il échappait à la pendaison. Un planton se présenta à la porte du bureau.

– Qomaandaan ! Quelqu'un vous demande à l'accueil.

Oussama descendit, encore éprouvé par l'interrogatoire du tireur. Kalkana, l'écrivain public, était assis sur un banc branlant, à côté des gardes de l'accueil, l'air timide, une sacoche sur les genoux. Oussama le serra dans ses bras.

– Je suis content de te voir. J'ai eu une journée de fou, on dirait que les pires crétins de Kaboul se liguent pour m'en faire voir de toutes les couleurs, aujourd'hui.

– J'ai ce que tu veux, dit son ami. – Il sortit un paquet de sa sacoche. – Deux tests de poudre, de fabrication turque. Très fiable, paraît-il. La date de péremption est dans plus de neuf mois.

*

Dortmund était allongé dans une geôle infecte du NDS, quelque part dans les sous-sols de leur siège. Il s'étira et but une gorgée d'eau. On l'avait relativement bien traité depuis sa reprise en main par les policiers du ministère : plus de coups de bâton, ses menottes lui avaient été enlevées, on lui avait donné à manger et à boire, des bouteilles d'eau minérale et non l'eau du robinet, qui donnait la dysenterie. Il n'était pas vraiment inquiet, il avait travaillé efficacement pour les Américains, les Français et les Anglais, puis pour ces étranges Suisses : il savait trop de choses pour qu'on le laisse moisir dans une cellule afghane. Une clef tourna dans la serrure.

– Allez, vous libre, partir vite, dit dans son anglais râpeux le flic du NDS qui l'avait fait sortir du commissariat.

Pas de document à signer, pas de contre-interrogatoire, encore moins d'avocat. On lui rendit ses affaires, sauf les liasses de billets qui s'étaient évaporées entre le commissariat central et le siège du NDS. Il empocha son passeport et se retrouva sur le perron du bâtiment. Deux 4 × 4 noirs étaient garés devant. L'un d'eux fit un appel de phares, les véhicules démarrèrent et se rangèrent devant lui ; la porte avant du second véhicule s'ouvrit. Il monta.

— Vous avez l'air plutôt frais pour un homme qui sort d'une prison afghane, remarqua Joseph, assis sur le siège arrière.

Son corps puissant sans une once de graisse était sanglé dans un treillis de combat noir, un pistolet rangé dans un holster en travers de la poitrine.

— Bon, qu'est-ce qu'on fait, maintenant ?

— Nos amis de Berne ne voient pas beaucoup de solutions. Il faut que vous quittiez le pays.

— Je croyais avoir encore du boulot sur cette mission.

— Vous trouvez que les flics ne se sont pas assez rapprochés de vous ? Vous avez laissé des traces qui vous incriminent un peu partout. Il n'y a pas d'autre choix que de vous rapatrier en Europe. Mon entreprise paye le voyage à la place de Willard Consulting, vous devriez être content qu'on vous sorte de ce guêpier.

— En Europe, je n'ai pas de boulot ! Ici, je gagne plus de huit mille dollars par mois. Ce sale flic, ce Kandar, c'est lui le responsable de tout ça.

— Je sais.

— Qu'allez-vous faire ?

— Le tuer. Votre ami le ministre de la Sécurité nous y aidera. Mais maintenant, ce n'est plus votre problème. Votre problème est de rentrer en Europe et de vous faire discret quelque temps.

Des hommes s'invectivaient sur le bas-côté, une dispute à cause d'une priorité refusée. Joseph soupira. Cette ville le répugnait. Le 4 × 4 s'arrêta au bord du trottoir.

– Allez préparer vos affaires. Un de nos hommes vous escortera ensuite à votre bureau, nous voulons être sûrs que le ménage dans vos dossiers est correctement fait. Je viendrai vous chercher moi-même ce soir pour vous accompagner à l'aéroport.

– Et mes empreintes ? Il faut détruire les prélèvements détenus par ce sale flic.

– J'ai dit : allez chercher vos affaires.

\*

Le planton déposa le papier sur le bureau d'Oussama. *Je sais sur quel dossier travaillait Wali*, disait le mot. *Ce que vous cherchez se trouve dans ses bureaux, dans la dernière pièce du fond, sous la quatrième latte de parquet.*

– Planton, héla Oussama.

Le policier revint et se mit au garde-à-vous.

– Qomaandaan.

– Qui m'a déposé ce pli ?

– Un enfant. C'est moi qui le lui ai pris des mains.

– Décris-le-moi.

L'enfant ne ressemblait pas à celui que mollah Bakir lui envoyait d'habitude. Oussama ne comprenait pas ce que ce mot mystérieux signifiait. Cela pouvait être un piège. Ou pas. Il se méfiait de ses ennemis, mais s'il pouvait comprendre ce que Wali Wadi trafiquait, son enquête serait définitivement bouclée. Il se décida à y aller. Dans le couloir, il appela son adjoint.

– Gulbudin, je dois me rendre dans les bureaux de Wali Wadi. Prends quelques hommes de protection.

– C'est-à-dire…

– Il y a un problème ?

– Oui. Nos hommes sont mobilisés pour une visite du secrétaire général adjoint de l'Onu. Rangin et Djihad sont en enquête à l'extérieur. Muhammad est en formation de tir chez les Anglais.

– Tant pis, allons-y sans escorte.

Oussama monta dans son 4 × 4 à côté du chauffeur, un nouveau.

– Qui es-tu ? demanda Oussama.

– J'étais au 6e district, j'ai été muté au commissariat central ce matin, déclara ce dernier.

Gulbudin se glissa à l'arrière, accompagné d'un des rares membres de l'équipe encore au commissariat. Le chauffeur démarra. Oussama tâta la grenade dans sa poche. Il portait un pistolet, Gulbudin et le policier un fusil kalachnikov, et le chauffeur une vieille carabine américaine. Oussama se demanda si le chauffeur et le policier savaient tirer. Il brancha la radio, un rythme chaloupé envahit l'habitacle. Le jeune policier se mit à frapper dans ses mains joyeusement. Oussama se retourna. Très vite, il repéra derrière eux une vieille Volga datant de l'ère soviétique. Le pare-brise était si sale qu'il ne voyait pas combien d'hommes s'y tenaient. Comme un camion de livraison bloquait une rue, le chauffeur tourna dans une transversale. Ils continuèrent encore un demi-kilomètre. Ils n'étaient guère loin des bureaux de Wali Wadi. Oussama remarqua que le chauffeur était nerveux, il ne cessait de se passer la langue sur les lèvres en regardant le rétroviseur. Oussama mit la main sur la crosse de son pistolet.

– Pourquoi es-tu si mal à l'aise ? demanda-t-il à haute voix.

Le chauffeur ne répondit pas. Il accéléra, tourna brusquement à droite, dans une impasse. Il ouvrit la portière et sauta en marche. La voiture continua sur quelques mètres avant de caler.

– Vite, descendez ! hurla Oussama à Gulbudin et à l'autre policier.

La jeep soviétique qui les suivait venait de s'arrêter à l'entrée de l'impasse. Sept silhouettes en descendirent, armées de fusils. Immédiatement, une grêle de balles s'abattit sur le 4 × 4. Gulbudin répondit par une rafale de kalachnikov, qui coucha un des assaillants, tandis que le jeune policier venait se réfugier à côté d'Oussama, devant le moteur, tout en vidant un chargeur au jugé. Oussama leva son pistolet et tira plusieurs coups, obligeant les assaillants à se mettre à couvert. Toutes les vitres de la Volga explosèrent, mais sans toucher personne. Un des assaillants riposta. Oussama reconnut le son rauque caractéristique d'un AKM. Des rafales courtes, précises. Un professionnel, habitué à compter ses munitions… Le jeune policier s'effondra, touché à la tête. À plat ventre, Oussama prit son arme, dont la culasse était bloquée en position ouverte. Il fouilla le jeune policier, à la recherche d'un chargeur de rechange. Rien.

– Tu as des munitions pour moi ? demanda-t-il à Gulbudin.

– Non, je n'ai plus que trois balles dans mon fusil et un seul chargeur pour mon pistolet, répondit ce dernier.

295

— Pareil pour moi.

Oussama fit le point de la situation. Leurs assaillants bloquaient la ruelle. Ils étaient encore six avec des fusils redoutables. Ils tiraient bien. S'ils montaient sur les toits des maisons qui les entouraient, ils pourraient les canarder par le haut et les abattre à distance, sans que Gulbudin ou lui parviennent à les atteindre avec leurs armes de poing, bien moins puissantes. Gulbudin, qui avait fait la guerre, avait parfaitement compris la situation. Il tourna vers Oussama une face blême.

— Patron, on est foutus.

— Pas encore.

Oussama dégoupilla sa grenade. Il fit une courte prière avant de la lancer aussi loin qu'il put. La grenade roula sous la jeep derrière laquelle les assaillants se protégeaient. Oussama banda ses muscles, attendant l'explosion. Cinq secondes passèrent, puis dix. La grenade n'explosa pas. Gulbudin secoua la tête.

— Merde. C'est une paki ?

Oussama acquiesça. Cela arrivait parfois avec les grenades fabriquées à Peshawar, de mauvaise qualité. Plusieurs pensées lui vinrent à l'esprit. Il n'avait pas eu le temps de dire au revoir à sa femme, ni à ses enfants, Nita et Ramazan. Qui protégerait Malalai, lorsqu'il ne serait plus là pour le faire ? La forcerait-on à épouser un homme de la famille d'Oussama, contre son gré ? Son frère ou un de ses cousins, plus âgés ? Non, elle émigrerait ou se suiciderait, tout plutôt que de subir un homme dont elle ne voulait pas ! Ses pensées s'entrechoquaient. Comme dans un rêve, il vit les hommes commencer à se déployer, l'arme à l'épaule braquée vers eux, par petits bonds successifs, à la manière de commandos, se couvrant les uns les autres par des rafales brèves et précises. Impossible de bouger sans se faire abattre immédiatement. Tout lui apparaissait dans une sorte de pureté cristalline, et il sut qu'il allait mourir dans cette ruelle sordide, sous les balles de ses ennemis. Gulbudin tira deux coups de feu qui firent jaillir des éclats de mur, près de la tête d'un assaillant, sans le toucher. Sortant de sa torpeur, Oussama tira lui-même deux fois, sans plus de succès. Soudain, il entrevit un mouvement sur la gauche, sur un toit. Plusieurs hommes vêtus de longues tuniques, coiffés de turbans noirs, venaient d'apparaître, brandissant des kalachnikovs à crosse pliante. Une pluie de balles s'abattit sur les tueurs. Deux d'entre eux tombèrent, bientôt suivis par un troisième. Deux autres essayèrent de s'enfuir, mais plusieurs longues rafales les clouèrent au sol. Le sixième réussit à prendre la fuite, mais à peine eut-il atteint le bout de la ruelle que deux hommes en turban lui sautèrent dessus. Le fugitif poussa un cri étranglé tandis qu'un des inconnus sortait un poignard recourbé de sa tunique.

– Allah u Akbar ! hurla le guerrier en tranchant la gorge de son prisonnier d'un mouvement coulé.

Puis, aussi vite qu'ils étaient apparus, les hommes en turban disparurent. Gulbudin attendit quelques secondes avant de se redresser, pistolet au poing. Des sirènes hurlaient au loin.

– Par Allah ! s'exclama-t-il. Qui étaient ces hommes ?

– Des amis d'un ami, répondit Oussama, pensant à mollah Bakir.

Un blindé américain s'arrêta dans un grincement de chenilles à l'entrée de l'impasse. Plusieurs Marines bondirent, casqués, sanglés dans d'épais gilets pare-balles, leurs fusils d'assaut pointés vers eux. Oussama jeta son pistolet au loin, immédiatement imité par Gulbudin. Pas la peine de se faire tuer par erreur après la bataille.

– Quoi qu'il arrive, ordonna Oussama, ne dis pas que ces hommes avaient des turbans.

*

Enfermé dans son bureau, Joseph relisait pour la seconde fois le rapport d'écoute. À peine la fusillade terminée, un Gulbudin hystérique avait appelé le commissariat pour demander de l'aide. Des échanges décousus entre lui et trois ou quatre policiers différents Joseph avait compris que les gangsters afghans avaient loupé leur coup : Kandar et son adjoint s'en étaient sortis sans une égratignure. Tous les assaillants avaient été éliminés, ce qui était plutôt une bonne chose. Morts, ils ne risquaient pas de parler. Un mélange de chance et de sang-froid avait sauvé la vie de Kandar et de son adjoint. Sans compter l'arrivée inopinée des mystérieux sauveteurs, bien sûr, sur laquelle Gulbudin ne s'était guère étendu au téléphone. Ce commandant, en faveur de qui son estime grandissait de jour en jour, en dépit de la haine professionnelle qu'il lui inspirait, était décidément un personnage intéressant.

Il se prépara un café, essayant de réfléchir à ce qui s'était passé, puis il appela les traducteurs tadjiks pour leur ordonner d'accélérer leur travail. Il avait demandé, *via* la base de données de l'Entité, communication des tout derniers rapports du NDS captés par les grandes oreilles d'Échelon. Le sauvetage des policiers était intrigant. D'après le NDS, une dizaine d'hommes avaient surgi de nulle part. Ils avaient éliminé les assaillants du commandant, des ex-soldats pourtant expérimentés, en quelques secondes. Qui étaient ces mystérieux sauveteurs ? Les témoins décrivaient des Afghans. Dix hommes armés, ce ne pouvait pas être le fruit du hasard, c'était une protection prévue à l'avance. Mais qui ? Des Baloutches du clan de Kandar ? Des Hazaras du clan de son adjoint ? Ou des gens moins recommandables ?

Un bip l'informa de l'arrivée de la traduction d'un nouveau rapport. Il le parcourut, avant de s'arrêter sur l'un des témoignages, songeur. Un épicier affirmait que les sauveurs de Kandar portaient des turbans et qu'au moins deux d'entre eux avaient de longues barbes. Une idée commença à germer dans son esprit. Un nouveau plan pour se débarrasser du flic.

*

L'unijambiste fit entrer Oussama dans le bureau de mollah Bakir. Plus de deux heures s'étaient écoulées depuis la tentative d'assassinat. Il régnait une obscurité presque totale dans la pièce, seulement percée par une petite lampe à pétrole posée sur la table. Mollah Bakir était allongé sur son lit.

– Pardonnez-moi de ne pas me lever pour vous, frère Oussama, dit-il d'une voix à peine audible, mais je suis souffrant.

– Souhaitez-vous que je revienne demain matin, mollah ?

– Non, bien au contraire, votre présence m'est précieuse. Je vous prie de m'excuser de ne pouvoir vous servir le thé moi-même, j'en aurais été honoré.

– Tout l'honneur est pour moi, dit Oussama.

Il tendit son verre au mollah. En s'approchant, il vit que ce dernier avait le front moite et tremblait de fièvre. La dysenterie.

– J'ai bu de l'eau chez un frère très pauvre hier, dit le mollah, elle était croupie. Cela ira mieux demain.

La fatigue donnait à sa voix une tonalité encore plus étrange que d'ordinaire, comme s'il récitait un texte. Ils burent, le silence rompu par le bruit qu'ils faisaient en avalant leur thé. Le muezzin de la mosquée commença sa prière d'une voix mélodieuse. Le mollah soupira d'aise.

– Je suis heureux que vous ayez échappé à cet attentat.

– Je suppose que mes sauveurs étaient envoyés par vous.

– Ils ont pris des risques immenses en s'interposant ainsi, en plein Kaboul. Ils sont tous recherchés par la Coalition pour leurs liens avec les talibans.

– Ils m'ont sauvé la vie.

– Allah u Akbar, vous n'avez pas été touché. Qui étaient vos agresseurs ?

– Des anciens moudjahiddines, membres de troupes d'élite qui ont fait la bataille de Kaboul. C'est un miracle que nous en ayons réchappé.

– D'où venaient-ils ?

– De Kaboul pour l'essentiel, seul l'un était de Kandahar.

– Sait-on d'où venait le chauffeur ?

300

– C'était le frère d'un des membres de la bande. Il était vraiment policier.

– Il a fallu de l'argent pour monter une opération pareille, remarqua mollah Bakir d'une voix douce. Beaucoup d'argent.

– On a trouvé un peu plus de douze mille dollars chez le chef du commando.

– Un Afghan aurait donné des afghanis. Il s'agit donc d'étrangers.

– Bonne déduction, mollah. Un voisin confirme que des étrangers cherchaient le chef du commando hier. Ils se sont rendus chez lui à deux voitures. Des 4 × 4 blindés.

– Cela recoupe mes propres renseignements. D'après l'un de mes informateurs, le ministre Khan Durrani a rencontré un étranger plusieurs fois, ces derniers jours, chez lui et au ministère. Il a aussi passé un grand nombre d'appels en anglais vers l'international.

– Cet étranger était-il russe, américain ? Pouvez-vous obtenir plus de détails ?

– Impossible. Mon indicateur n'a pas accès à ce niveau d'information. Les listings d'appels ne sont pas conservés dans l'agenda et le ministre fait détruire tous les soirs le programme de sa journée passée. Il est prudent comme un serpent.

Oussama masqua sa déception. Il se heurtait à un mur.

– Par mon indic, je savais sans l'ombre d'un doute que vous seriez la cible d'une tentative d'assassinat, reprit le mollah. Le ministre parle beaucoup de vous, cela tourne à l'obsession. C'est la raison pour laquelle j'avais organisé un périmètre de protection. Mon commando attendait en permanence près du commissariat.

Vous avez eu de la chance, ils ont pu chaque fois vous prendre en filature sans que vous vous en aperceviez. J'ai aussi fait installer une sécurité devant votre domicile.

– Les soldats qui gardaient ma maison la nuit dernière ? Je pensais que c'était un geste du ministre de la Justice.

– C'était moi. Leur chef d'unité me doit un grand service. Pourtant, c'est un colonel de l'ANA, un Hazara mécréant qui ne prie jamais, qui a tué beaucoup de frères talibans.

– Je ne comprends pas. Pourquoi avez-vous des contacts avec un homme comme lui ?

– Je suis un homme... flexible. Ce colonel est un professionnel honnête. Nous nous respectons. Je compte l'utiliser dans le futur. Nous aurons besoin de vrais soldats à la tête de l'armée, d'hommes compétents, pas d'imams, même endurcis par la clandestinité, ignares de la chose militaire.

Oussama soupira. Cette conversation était irréelle.

– La seule bonne nouvelle, dans toute cette affaire, c'est que cet attentat manqué me donne quelques jours de tranquillité.

– N'y comptez pas. Le ministre parle déjà de recommencer. Ceux qui ont voulu vous tuer préparent un nouveau plan contre vous. Lequel, je l'ignore encore.

– Je vais demander au ministre de la Justice de me fournir une protection. Ce sera plus discret que vos hommes en cas de coup dur. Pouvez-vous lever votre dispositif ?

– À votre guise.

Le mollah toussa, avant de vomir brusquement dans la grande bassine posée au pied de son lit. Oussama la prit sans un mot et alla jeter son contenu dans les toilettes.

– C'est l'avantage de l'Afghanistan, reprit le mollah lorsque Oussama fut revenu. Qui sait de quoi demain sera fait ? Des hommes apparemment dédiés à Karzaï et à sa clique donnent des gages à des gens comme moi, pour sauver leur peau au cas où nous reprendrions le pouvoir.

– Si vous reprenez le pouvoir, le pays retombera à l'âge de pierre.

– Je représente un courant qui ne valide pas l'interdiction de la musique, les brutalités faites aux femmes, la justice expéditive, ni certaines… outrances de notre mouvement. Vous oubliez que nous avions rétabli l'ordre dans le pays, supprimé la culture du pavot…

– Et soutenu Al-Qaïda. Et massacré des dizaines de milliers d'innocents. Et introduit une charia despotique et absurde. Voulez-vous que nous dressions ensemble la liste de vos erreurs et de vos crimes ? Ne passez pas trop vite sur ce dont les talibans sont responsables.

– Pas tous, frère Oussama. Uniquement les membres excessivement dévots et crédules de notre mouvement, emportés par quelques chefs cruels. Au départ, il y avait un véritable équilibre, au sein des talibans, entre les durs, autour de mollah Omar, et les modérés, dont j'étais le chef de file. C'est la prise de pouvoir imprévisible des plus violents, ceux de l'école de pensée Deobandi, qui a provoqué les errements que vous connaissez. Le gouvernement taliban dont je rêve ne ressemblera pas à celui qui l'a précédé. Il n'y aura pas de place pour des hommes incultes comme mollah Omar. Et encore moins pour les Arabes fanatiques

303

et cruels d'Al-Qaïda. Je rêve d'un nouveau mouvement afghan, *national*, *libéral* et *islamique*. Un nouvel ordre dans lequel la foi élèvera l'homme, dans lequel la tradition sera respectée sans abjurer le progrès, dans lequel la dignité humaine sera protégée.

– Je ne suis pas certain qu'un tel programme soit compatible avec la charia que vous voulez rétablir.

– La charia, mais quelle charia ? Il existe tellement d'interprétations de notre saint Livre ! Pour moi, la charia n'existe pas comme règle écrite absolue, frère Oussama. Je n'adhère pas à la vision traditionnelle selon laquelle elle serait *incréée*, qu'elle devrait être prise au pied de la lettre. C'est une vision obscurantiste et stupide du dogme. La charia est une *interprétation* qui diffère nécessairement selon les temps, les lieux et ceux qui la portent. Dans ces conditions, j'estime qu'une charia modernisée est concevable. Voici d'ailleurs le cœur de mon projet pour l'Afghanistan : inventer la *charia du XXI^e siècle*.

– Ce projet ne ressemble guère au programme taliban.

– Encore une fois, mollah Omar n'a pas l'exclusivité de la pensée talibane. J'admets volontiers son charisme, mais au fond ce n'est qu'une brute épaisse.

– Je ne puis discuter intelligemment de ces sujets avec vous, mon éducation politique est trop fruste, répondit Oussama.

– Restez déjà en vie, ce sera un bon début.

Oussama salua le courageux mollah. Sur le chemin du retour, il se demanda ce qu'il allait bien pouvoir inventer auprès de sa hiérarchie pour justifier l'aide inespérée qu'il avait reçue. Si les mystérieux Occidentaux qui voulaient le tuer comprenaient qu'il avait été sauvé par des talibans, lui, le chef de la brigade criminelle de Kaboul, il tomberait directement dans l'œil du cyclone.

*

Joseph lança la connexion du cube après avoir entré le code de sécurité. Le visage du général s'encadra sur l'écran.

– Comment Kandar s'en est-il sorti ? attaqua ce dernier.

– Je ne sais pas encore, reconnut Joseph.

– Qui étaient les sauveteurs ?

– Le ministre enquête. Des témoins parlent d'hommes barbus, avec des turbans.

– Des talibans ? demanda le général d'une voix glaciale.

– C'est possible. L'idée m'a traversé l'esprit. Ça ne colle pas avec le personnage, mais dans ce pays…

– Je m'en moque. Il faut prévoir une nouvelle solution d'élimination.

– Moi aussi, je veux qu'il disparaisse. Mais arrêtons de nous cacher derrière notre petit doigt. Cela fait deux fois que l'on fait appel à des ressources extérieures au lieu de mes équipes, deux fois que nous échouons. Laissez-moi m'en occuper.

– Non, Joseph.

– Il doit mourir, c'est vous qui l'avez dit. J'en ai assez de travailler avec des outsiders qui salopent le boulot. Laissez-moi agir avec mes K.

Le général vérifia nerveusement que les contre-mesures électroniques de la pièce étaient bien allumées. Ce qu'ils évoquaient était passible de prison,

305

en dépit des protections dont ils disposaient. Le général savait qu'il avait passé toutes les lignes rouges depuis longtemps.

– C'est hors de question. Je ne peux pas vous impliquer directement, Joseph. Les risques de vous faire repérer ou arrêter sont trop importants.

– Je vous garantis cent pour cent de réussite si je m'en occupe moi-même, insista Joseph.

– C'est impossible. Pas à Kaboul, nous ne contrôlons pas suffisamment le terrain. Trop de services présents. Les Pakistanais. Les Russes, qui écoutent tout.

– Que se passe-t-il, général ? Je ne vous reconnais plus. La mission de l'Entité n'est-elle pas d'agir quand personne d'autre ne peut le faire ? C'est notre raison d'être.

– J'ai dit non.

Joseph encaissa le coup.

– Dans ce cas, bétonnons avec ce que la technologie offre de plus efficace. J'ai eu une idée en découvrant que Kandar avait été sauvé par des hommes en turban. Vous savez que j'ai fait baliser sa voiture personnelle. Nous savons précisément à chaque seconde où elle se situe. Utilisons la méthode de l'Otan pour se débarrasser des chefs talibans.

– Un drone ?

– Oui. Un tir de missile unique. Fin de nos soucis.

– Dans Kaboul ? Mais vous êtes fou ! s'exclama le général.

– Nous pouvons trouver un moyen de l'attirer en dehors de la ville. Ce serait une action propre et nette. La balise fonctionnera encore plusieurs jours, on peut frapper quand on veut, comme on veut. Ça ne laissera aucune trace.

– Seule l'US Army possède des drones d'attaque, je n'ai pas autorité pour lui demander de l'aide.

– Pas sûr, répondit Joseph. J'ai entendu parler de drones fantômes, des appareils prétendument détruits après un accident de vol, qui sont utilisés pour des missions noires.

– Hum. Vous avez raison, admit le général après quelques instants de réflexion. Je sais que Blackwater a mené des opérations sensibles de cette manière.

– Vous voyez !

Les drones étaient utilisés quotidiennement en Afghanistan comme au Pakistan. Ils servaient à des missions de reconnaissance et d'espionnage, ainsi qu'à des attaques ciblées contre des islamistes. On les équipait alors de missiles. Les Israéliens avaient initié cette stratégie avec un grand succès contre les membres du Hamas, et les Américains les avaient imités, en multipliant le nombre de drones en circulation. Ces derniers permettaient de tuer « proprement » sans faire intervenir de troupes au sol. Évidemment, un missile n'avait pas la précision d'un tir de sniper, mais les « dégâts collatéraux » étaient jugés acceptables par rapport au bénéfice de ne pas engager d'Américains au sol dans des opérations d'élimination directe.

– Je révise mon jugement. Utiliser un drone fantôme est une bonne idée, finit par reconnaître le général.

– Pouvez-vous m'en obtenir un sans passer par Nellis ?

Joseph faisait référence à l'immense base de l'US Army dans le Nevada, où le poste principal de commandement des drones avait été installé.

– Je pense que oui. Il faut que je me renseigne.

L'écran s'éteignit sur cette dernière phrase.

Nick attendait dans l'antichambre du général que ce dernier veuille bien le recevoir. Il prenait son mal en patience depuis une bonne demi-heure lorsque la porte de son chef s'ouvrit. Il sursauta.

– Venez.

À peine assis, le général lui demanda où il en était de ses dernières recherches. Nick détailla son enquête auprès des prostituées, sans révéler ce qu'il savait du faux passeport. Tant qu'on lui cachait des choses, il était décidé à ne pas jouer cartes sur table. Le général ne parut guère intéressé par le compte rendu de ses entretiens avec Jacqueline et Yasmina.

– Avez-vous de nouveaux éléments sur sa personnalité ?

– Pas vraiment. J'ai un peu l'impression de faire du surplace. Mais je continue.

Le général eut l'air déçu. Nick attendait le bon moment pour poser la question qui lui brûlait les lèvres. Sentant que le général allait mettre fin à l'entretien, il se lança :

– Je comprends qu'une enquête avance en parallèle à Kaboul. Saurai-je le lien entre ce qui se passe à Zurich et en Afghanistan ? Cela pourrait m'aider dans mes recherches.

– Non, laissa tomber le général d'un ton définitif.

– Je n'ai qu'une partie des cartes en main. Comment voulez-vous que je progresse !

– Je crois avoir été clair, Nick. Ce qui se passe à Kaboul n'est pas de votre ressort. Fin de la discussion.

Nick prit congé, désappointé. Il en revenait à son plan de départ : puisqu'on ne voulait pas lui dire la vérité, il la trouverait seul. Au lieu de retourner à son bureau, il se rendit dans celui de Margaret. Celle-ci était sortie déjeuner, mais deux des autres analystes traductrices, des filles parlant couramment l'arabe et le russe, étaient présentes. Il s'assit quelques instants pour bavarder avec elles, un œil sur la cloison vitrée. Tout en discutant, il se rendit compte qu'une photo de lui servait d'économiseur d'écran à Margaret, entre celles d'un épagneul et d'un très beau coucher de soleil. Il en eut honte. Il avait rompu quelques mois plus tôt sans raison réelle, peut-être parce qu'ils s'entendaient si bien que vivre ensemble devenait une sorte d'évidence. Il avait préféré se recentrer sur sa petite vie égoïste, songea-t-il avec morosité. Depuis quelques jours, il prenait conscience que des choses qu'il pensait autrefois sans importance étaient en réalité capitales, comme le fait d'avoir pleinement et totalement confiance en quelqu'un. Il faudra que l'on se redonne une chance, Margaret et moi, pensa-t-il.

Il était présent dans le bureau depuis une dizaine de minutes lorsqu'une haute silhouette passa devant la cloison. Le général, longiligne, crâne rasé, costume noir impeccable. Nick attendit quelques instants avant de se pencher très naturellement à la fenêtre. Le général s'engouffra dans son Audi, qui démarra aussitôt.

C'était l'occasion qu'il espérait.

Il prit congé et se dirigea vers le bureau du militaire. Il savait que sa secrétaire partait déjeuner tous les jours au même moment que son supérieur hiérarchique. La porte était fermée. Une lourde porte en bois massif protégée par l'impressionnant système de sécurité à reconnaissance d'iris qui équipait tous les bureaux de l'Entité.

Sauf que, Nick le savait, le système avait été déconnecté le matin même car il ne donnait pas satisfaction : trop de temps pour déclencher l'ouverture de la porte, ce dont le général s'était irrité. Il devait être remplacé dans la journée par un système à empreinte, plus simple et plus rapide d'utilisation. Avec un peu de chance, cela n'avait pas encore été fait. Murmurant une prière silencieuse, il pesa sur la poignée.

Quelques secondes plus tard, il était assis dans le fauteuil du général lui-même. Il eut un sourire. Bravo pour la sécurité : ça n'était pas plus difficile que ça !

L'ordinateur était resté allumé, sur une cession ouverte. Là encore, une entorse aux règles féroces de sécurité de l'Entité, qui obligeaient tout utilisateur à configurer l'ordinateur pour une fermeture de cession au bout de soixante secondes sans frappe sur le clavier. Le général faisait partie de ces hommes qui considéraient que les règles s'appliquaient à tous, sauf à eux.

La boîte mail était accessible en un clic. Une boîte spéciale comportant un mécanisme d'encryptage à l'entrée et à la sortie, mais qui avait l'apparence d'un système normal pour la lecture. Nick décida de se focaliser sur les messages avec Joseph. S'il avait une chance de comprendre le lien entre l'enquête afghane et ce qui se passait à Zurich, c'était bien par leurs échanges.

Il se donnait dix minutes, pas une de plus.

Calmement, en dépit de son cœur qui battait à tout rompre dans sa poitrine, il commença à ouvrir les messages de Joseph. Leur lecture lui fit l'effet d'un coup de poignard dans le cœur.

*Kandar et ses deux adjoints localisés en un lieu unique dans deux jours. Possibilité d'intervention pour supprimer toute l'équipe d'un seul coup. Attends votre feu vert.*

*Ministre OK sur principe mais refuse opération militaire. Propose attentat suicide, risques majeurs de pertes civiles. Je confirme absence de ressortissants occidentaux sur les lieux. Mulet et logistique OK de mon côté. Attends votre feu vert.*

*Attentat suicide a manqué sa cible. Kandar s'en est sorti. 30 morts pour rien. Attends vos instructions.*

*Enquête sur Wali Wadi toujours opérationnelle. Kandar semble avoir compris le rôle de Dortmund. Il faut prévenir nos mandants.*

*Préparation d'une nouvelle opération pour élimination Kandar. Utilisation de moyens locaux confirmée. Attends votre feu vert.*

*Dortmund doit être éliminé. Ai préparé solution drone pour Kandar. Attends votre feu vert.*

*

Un sac de voyage à la main, Michaël Dortmund monta dans la voiture, à côté du chauffeur. Il était étonné qu'on soit venu le chercher alors que la nuit tombait : les Occidentaux évitaient toujours la route de l'aéroport après dix-huit heures, à cause des attaques terroristes, de plus en plus violentes. Un certain nombre d'artificiers liés à Al-Qaïda avaient fait le voyage depuis Bagdad pour enseigner aux talibans toutes les subtilités des IED, ces engins explosifs télécommandés qui semaient la terreur en Irak. Depuis quelques mois, les explosions se multipliaient. Seconde surprise, il découvrit la présence de Joseph à l'arrière de la voiture.

– Encore vous ?

– Je vous l'ai dit tout à l'heure, je ne peux plus me passer de vous, ironisa ce dernier.

Dortmund remarqua que les yeux bleu clair du tueur étaient encore plus délavés qu'à l'accoutumée.

– Je vous accompagne à l'aéroport, reprit Joseph. Le général veut une protection pour vous, au cas où les Afghans déconneraient.

Dortmund bougonna une réponse indistincte.

– Je suis encore capable de prendre l'avion tout seul.

Amin démarra. La voiture se glissa dans la circulation, zigzaguant habilement entre les autres véhicules. Il s'engagea dans Cinema Zaïna, puis continua sur la route de Surobi au lieu de tourner à gauche vers l'aéroport.

– On part par Bagram ? demanda Dortmund, surpris.

– Finalement, on vous a mis dans un vol militaire pour l'Europe, c'est plus discret.

Ils poursuivirent leur route. Dortmund se décontracta. Il n'eut pas le temps d'avoir peur. Il sentit un objet froid se poser sur sa nuque, puis une décharge le foudroya.

Joseph posa sur la banquette le Taser avec lequel il avait assommé Dortmund. Ce dernier serait paralysé pendant une minute environ, plus qu'il ne lui en fallait. Il sortit un étui de la poche intérieure de sa saharienne, en dégagea une seringue toute prête. Sans hésitation, il la planta jusqu'à la garde dans le cou de Dortmund avant d'appuyer sur le piston. Les vingt centilitres de solution aqueuse contenant dix grammes de chlorure de potassium pénétrèrent dans la veine jugulaire. Dix secondes plus tard, le cœur de Dortmund s'arrêta de battre. Le tueur K rangea la seringue dans l'étui.

– C'est fait ? demanda Amin.

– C'est fait.

Ils roulèrent plus d'une demi-heure. Le paysage devint désertique, une masure apparaissait de temps à autre dans le faisceau des phares. Amin tourna à droite dans un chemin de terre.

– Vous êtes certain qu'il n'y a pas de mines ? demanda-t-il, nerveux.

– J'ai fait vérifier cette route par un Buffalo de l'armée cet après-midi.

En écho à ses paroles, ils passèrent devant une série de cailloux peints en rouge, indiquant des mines sur le bas-côté. Après cinq cents mètres, les cailloux disparurent. Le 4 × 4 pénétra plus profondément dans le massif montagneux, le long de la piste qui serpentait à flanc de rocher. Joseph l'avait choisie parce que vingt ans auparavant les Russes avaient rasé les deux seuls villages des environs, qui servaient de point de lancement à des Katioucha. Tous les habitants ayant été massacrés, plus personne ne vivait dans ce coin. L'Otan avait mené une opération contre des talibans égarés quatre ans plus tôt, sans trouver le moindre village – il avait lu les rapports.

– Patron, c'est de la folie de venir ici à une heure pareille, reprit Amin.

– Ferme-la. Tu veux qu'on fasse quoi, avec le corps, abruti ? Qu'on l'envoie par DHL aux objets trouvés ?

Il regarda son téléphone portable : aucun signal. Enfin, après une demi-heure supplémentaire, ils s'arrêtèrent. Amin prit une pelle et se mit à creuser un trou au bord de la route. Lorsque ce fut fini, ils y firent rouler le cadavre de Dortmund, dépouillé de tous ses vêtements.

## 12

Le matin suivant, Oussama demanda à ce qu'on l'arrête au Shafakhana Emergency Hospital avant d'aller au bureau. Une foule furieuse se pressait dans le hall d'entrée en dépit de l'heure matinale, sept heures trente. Un bus chargé de passagers s'était renversé dans un ravin, à l'entrée de Kaboul, il y avait une dizaines de morts et plus de cinquante blessés. Le ton était monté entre familles de blessés et personnel médical, un infirmier avait été battu, deux vigiles avaient répliqué en distribuant des coups de matraque. Oussama avisa une femme allongée sur une civière, dans une mare de sang. Un homme, vraisemblablement son mari, criait à tue-tête.

– Que se passe-t-il ? demanda Oussama à un témoin qu'il avait reconnu, un professeur de l'université de Kaboul.

– Cette femme se vide de son sang, elle était dans le bus. Elle est en train de mourir, mais son mari ne veut pas qu'elle soit approchée par des infirmiers. On a trouvé deux infirmières à l'intérieur de l'hôpital, mais une autre famille les a empêchées de s'approcher, au prétexte qu'elles ne sont pas suffisamment voilées… Elles sont soi-disant allées mettre une burqa, mais ne reviennent pas.

Oussama regarda la tache de sang qui s'agrandissait sous la civière. Il poursuivit son chemin. Une femme se précipita sur ses talons.

– *Dokter, dokter*, est-ce que mon fils va survivre ?

Il s'arrêta. La femme portait une lourde burqa, il percevait à peine le son de sa voix à travers le tissu, son regard était invisible. Trois jeunes enfants s'accrochaient à elle, l'air terrorisés. Une Pachtoune de la campagne, qui ne connaissait pas le mot dari pour « docteur ».

– Je ne sais pas. Excusez-moi, *bakhena ghuarum*, je ne suis pas dokter.

Il se remit en marche. Cette fois, elle n'essaya pas de le suivre. Le sous-sol était plus calme, en dépit des malades allongés sur des brancards qui attendaient de passer en salle d'opération. Oussama se fraya un chemin jusqu'au bureau de Katoun. Il était vide. Il héla un infirmier qui passait dans le couloir, lui montra sa carte.

– Va me chercher le daktar Katoun.

– Il est avec le directeur.

– Va le chercher quand même.

L'infirmier obéit, Oussama se sentit un peu honteux d'insister dans des circonstances pareilles. Katoun apparut bientôt, en tenue de chirurgien, du sang sur le tablier. Il enleva son masque.

– Dépêche-toi, Oussama. J'étais en réunion de crise. Il faut s'occuper des blessés du bus.

– Désolé. Tu as fait le test de poudre sur le cadavre de Wadi ?

– Oui. Il est négatif.

– Il n'y a aucune erreur possible ?

– Aucune. Mon rapport est quelque part sur mon bureau, prends-le, il est pour toi.

Oussama prit la main de son ami.

– *Tashakor.*

Il trouva le rapport facilement, au milieu d'un fouillis indescriptible de documents. C'était exactement ce qu'il attendait. En sortant, il vit que la civière où reposait la femme blessée quelques minutes plus tôt était recouverte d'un drap.

– Que lui est-il arrivé ? demanda-t-il à un témoin bouleversé.

– Elle s'est vidée de son sang, personne s'est mis d'accord sur qui pouvait la transporter...

Le mari pleurait. Deux brancardiers apparurent, ils chargèrent la civière avec le cadavre et s'éloignèrent.

– Vous laissez des hommes l'approcher, maintenant ? ne put s'empêcher de demander Oussama, interloqué, au mari.

– Maintenant, elle est morte, ce n'est pas grave qu'un homme l'approche, répliqua l'homme entre deux sanglots.

Il n'y avait rien à répondre à ce délire. Oussama quitta les lieux, en se demandant ce que Malalai aurait fait dans un tel moment.

*

Nick courait le long du lac, seul, perdu dans ses pensées. Il avait l'impression que le monde s'écroulait autour de lui. Son monde, en tout cas.

D'abord Werner.

Puis la découverte des échanges entre Joseph et le général. Il avait cherché des informations sur ce fameux Wali Wadi dont les mails parlaient, lancé quelques requêtes discrètes dans diverses bases de données, *via* la connexion de Margaret, toujours ignorante de la couverture qu'elle lui offrait à son insu. Il n'avait pas trouvé grand-chose, à part la preuve que le fugitif et l'intermédiaire avaient l'habitude de se retrouver régulièrement, presque une fois par mois, en Europe ou au Pakistan. Ils travaillaient ensemble, c'était certain, et cela depuis au moins cinq ans. Mais à quoi ? Il n'en avait encore aucune idée.

Il se laissa tomber sur un banc. Dans l'air glacial, il fumait littéralement, après vingt kilomètres à vive allure. D'habitude, ce paysage magnifique apaisait toutes ses angoisses, mais pas ce jour-là. De retour chez lui, il avait cherché sur Internet des informations sur l'attaque suicide évoquée par Joseph. Trente morts, quatre-vingts blessés, dont beaucoup gravement. Des innocents devenus aveugles, estropiés pour rien. À cause de l'Entité. À cause de ses *collègues*.

En colère, il laissa son regard errer sur le paysage. Il pouvait comprendre et même accepter que certaines actions violentes soient nécessaires, contre des ennemis insaisissables. Mais placer une bombe dans un café bondé de civils et la faire exploser... ça, non. Désormais, il n'avait plus guère le choix. Soit il s'en allait, soit il se battait. Se battre, cela signifiait trouver la vérité. Comprendre les liens entre Wali Wadi et le fugitif. Déterminer ce qu'il y avait dans le rapport Mandrake. Retrouver le fugitif.

Il se fit la promesse d'aller jusqu'au bout, quoi qu'il lui en coûte.

Oussama était de retour au commissariat, le rapport d'analyse de Katoun en poche. La partie technique de son enquête était terminée, il avait toutes les preuves dont il avait besoin, seule subsistait une inconnue, mais de taille : la raison pour laquelle des Occidentaux avaient assassiné Wali Wadi. Il rédigea un rapport bref, indiquant les résultats de la nouvelle analyse de poudre, ainsi que le faisceau d'indices complémentaires qui lui permettait de conclure à un meurtre déguisé en suicide. Son suspect principal était un citoyen allemand, Michaël Dortmund, dont les empreintes avaient été retrouvées sur place. Après une hésitation, il ajouta un paragraphe dans lequel il déclarait que Michaël Dortmund était de toute évidence l'instigateur de l'attentat du Hamad Café, avec comme cible principale son adjoint, et comme seul objectif crédible le ralentissement de l'enquête sur la mort de Wali Wadi. Il demandait donc l'émission d'un mandat d'arrêt, pour meurtres et conspiration en vue d'un attentat terroriste, contre Michaël Dortmund, et la mise à disposition de tous les moyens de l'État pour procéder à sa capture. Avant de signer son rapport, il le montra à Reza. Son ami le lut rapidement, poussant ici ou là un grognement.

– Tu y vas fort, Oussama !

– Que penses-tu du rapport ?

– Les faits sont têtus. – Il leva un regard admiratif. – Tu as bien travaillé, mon salaud. En ce qui me concerne, je partage tes conclusions sur le Hamad Café.

– Es-tu prêt à l'écrire ?

– Hum. Veux-tu vraiment que je perde mon poste ?

– Je ne plaisante pas. Réponds-moi.

Reza se renversa en arrière dans son fauteuil.

– Le ministre de la Sécurité est puissant, je suis pachtoun, certes, mais d'un tout petit clan. En plus, il a la confiance de Karzaï. Ton histoire implique un Occidental, elle va embarrasser la Coalition. N'oublie pas que ce sont les Allemands qui assurent la sécurité de l'aéroport : des centaines de soldats, de blindés ultramodernes, d'appareils de contre-mesure électronique. Karzaï ne veut à aucun prix d'un problème avec un grand pays européen comme l'Allemagne. Après ce qui s'est passé aux dernières « élections », il n'a aucune légitimité, aucune représentativité. Il n'existe que par la Coalition. Le jour où il ne leur plaît plus, il disparaît, c'est aussi simple que cela. Mon cher Oussama, si tu penses que Karzaï te soutiendra face aux Occidentaux, alors tu es bien naïf.

– Je ne sais pas encore qui est impliqué dans cette affaire et qui ne l'est pas. Si on suivait ton raisonnement, les Occidentaux seraient intouchables.

– N'est-ce pas le cas ?

– Dortmund n'est pas un fonctionnaire, c'est un indépendant. Rien ne prouve qu'il entretenait des contacts avec des officiels ni qu'il obéissait à quelqu'un lorsqu'il a perpétré ce meurtre.

– Et ma mère s'appelle mollah Omar ? Arrête de te foutre de ma gueule, Oussama. Ton affaire sent le chien crevé. Tu es surveillé, écouté par des gens qui ont le bras long. Ils ont accès à des satellites de communication, à des équipes de traducteurs en dari et en russe. Ils sont suffisamment puissants pour embaucher d'ex-moudjahiddines ou détruire un café bondé, simplement pour te tuer. Ils peuvent avoir accès à du C5 et à du matériel de l'ex-Armée rouge. Ne vois-tu pas tout ce que cela signifie ? Dortmund n'est qu'un pantin. Je sens la main d'une grande organisation derrière tout cela.

– Pour l'instant, seul un citoyen étranger est impliqué. Je ne suis qu'au début de mon enquête, plaida Oussama.

– Tu te bats contre plus fort que toi. Des Allemands. Des Suisses. Depuis quand des citoyens suisses interviennent-ils dans des opérations de guerre ? C'est un pays neutre. Ces mecs travaillent pour quelqu'un d'autre, c'est évident. Quelqu'un de puissant. T'es-tu demandé si c'étaient les Américains ?

– Non. Pour l'instant, je n'ai que Dortmund à me mettre sous la dent.

– Réfléchis un peu.

– Je ne sais pas pourquoi Wali Wadi a été tué, pourquoi certains sont aussi acharnés à stopper cette enquête. Je ne sais pas non plus ce que contenaient les coffres de Wali Wadi, mais mon instinct me dit que c'est la clef de tout.

– Moi, mon instinct me dit que l'attaque dont tu as fait l'objet n'était pas la dernière et que tu vas te faire tuer plus vite que tu ne le penses.

– Le ministre de la Justice m'aidera à finir l'enquête. Il me protégera.

– Ce n'est pas lui qui nous a nommés à nos postes, et puis c'est un Tadjik. Regarde comment Karzaï a licencié Amrullah Saleh. Comme un chien. Pardon de le dire, mais à la fin des fins seuls les Pachtouns comptent dans ce pays.

– Reza, j'irai jusqu'au bout, quoi qu'il en coûte. Toi, tu es en marge de cette enquête. Tu peux trouver un protecteur plus puissant que le ministre de la Justice pour assurer ta propre sécurité.

– Ah oui ? Et qui est cette rareté à laquelle je n'ai pas pensé ? Ne me parle pas d'Abdullah Abdullah, il a perdu l'élection, il n'est rien.

– Je pense au ministre du Commerce. C'est un Ghilzaï, répondit Oussama à mi-voix. Je sais que tu lui as sauvé la vie l'année dernière, en le prévenant d'un attentat fomenté contre lui. Sans toi, il serait mort. Il a une dette à ton égard.

– Comment sais-tu ça ? grogna Reza.

Les Ghilzaï étaient un clan pachtoun aussi puissant que les Durrani, et le ministre du Commerce l'étoile montante du gouvernement Karzaï. Il n'était pas corrompu. L'argent qu'il détournait, comme tous les autres, servait à entretenir son village, son clan et ses affidés. Lui-même vivait simplement. Comme son ami continuait à hésiter, Oussama ajouta :

– Tu ne t'es pas demandé ce que j'ai pensé du fait que tes propres services techniques aient laissé sortir la vérité concernant le dispositif de mise à feu de la bombe ?

– Hum.

– Allez, dis-moi.

– Il n'est pas possible de jouer le jeu du ministre de la Sécurité au-delà du raisonnable, avoua Reza de mauvaise grâce. Il y a eu trop de morts dans cet attentat. Mes hommes ont fait semblant d'étouffer l'affaire en modifiant le rapport d'autopsie, mais ils savaient bien ce qu'ils faisaient en laissant sortir le rapport technique non censuré.

– « Ils », cela ne veut rien dire. Le patron, c'est toi. Tu l'as fait exprès, pour m'aider. Est-ce vrai, oui ou non ?

– Hum. Je n'ai fait que mon boulot, notre amitié n'y est pour rien.

Oussama posa une main sur l'épaule de son ami.

– Tu as fait ce qu'il fallait, et je t'en remercie. Arrête de jouer les flics désabusés.

– Dans cette affaire, je ne suis pas le *bon*, Oussama. Dois-je te rappeler que je me suis bien gardé de toucher une ligne au rapport d'autopsie bidon d'Abdul Hakat, par exemple ?

– Le rapport d'autopsie, on s'en moque, il suffit que tu précises dans ton propre rapport que le shahid ne portait qu'un seul sous-vêtement, qu'il ne s'était pas rasé le pubis ni lavé. Tout le monde comprendra.

– Mouais.

– J'en conclus que tu m'écris quelque chose ?

– D'accord, d'accord, soupira son ami. Je vais écrire ce que je pense : ce shahid n'en était pas un. C'était un pauvre type, qu'on a sans doute manipulé pour le faire sauter contre son gré. Mais je ne parle pas de Dortmund.

– Pas besoin, ça me suffit parfaitement, dit Oussama, ravi.

Reza se mit devant son ordinateur. Il eut vite fini, donna un coup de tampon à son rapport, le signa. Il appela un planton pour qu'on en réalise plusieurs copies.

– Que vas-tu faire, maintenant ? demanda-t-il à Oussama.

– Je vais passer voir le ministre de la Justice. S'il est d'accord pour nous aider, l'enquête ne pourra pas être enterrée.

– Et Dortmund ?

– Il a dû quitter le territoire. Je vais demander qu'on lance un mandat d'arrêt international. J'irai voir moi-même le responsable de l'office de coopération policière européenne.

Reza avait l'air mal à l'aise, soudainement. Oussama se demanda si c'était la peur de défier ainsi indirectement le ministre de la Sécurité. Il retourna à son bureau sans réponse à son interrogation, mais satisfait de son entrevue. Il appela le secrétaire du ministre de la Justice, qui lui organisa un rendez-vous pour la fin d'après-midi. Enfin, vers six heures, il enfila une chemise propre – il en conservait toujours quelques-unes au bureau – et une veste, et fila discrètement.

*

Le ministère de la Justice était un des rares bâtiments imposants de Kaboul, en pierre de taille. Construit une cinquantaine d'années plus tôt, il avait été plus ou moins abandonné par les talibans, qui avaient leur propre conception de la justice, nettement plus expéditive : lapidation pour l'adultère, main coupée pour les vols, mutilations ou exécution pure et simple pour les autres crimes et délits. Les sentences étaient décidées par des imams et appliquées par des brigades de protection de la vertu et de lutte contre le vice. Le nouveau gouvernement avait eu du mal à remettre sur pied une justice digne de ce nom, avec des juges, des greffiers, des enquêteurs, bref tout ce qui faisait l'appareil judiciaire d'un État. Les Américains et les Italiens avaient attribué des subventions importantes pour rénover le ministère et permettre à l'administration judiciaire d'exercer sa mission. Oussama laissa ses gardes à l'entrée et monta seul. L'escalier central était impressionnant, il restait une énorme étoile rouge gravée dans la pierre du plafond, ainsi qu'une faucille et un marteau stylisés. On leur avait tiré dessus à la kalachnikov, mais les dégâts occasionnés étaient mineurs. On le conduisit directement dans le bureau du ministre, sans même passer par une antichambre. Ce dernier se leva pour le saluer, prenant sa main dans les siennes.

– Qomaandaan, je suis heureux que vous ayez échappé à cet attentat.

Le ministre de la Justice était petit, sec, avec des yeux pétillants. Il avait des cheveux clairs qui commençaient à blanchir, une courte barbe. Il était l'une des cautions tadjikes du nouveau régime, et souvent présenté comme un symbole de l'unité retrouvée du pays. Oussama lui expliqua rapidement l'affaire qui l'occupait, avant de lui passer son rapport, ainsi que celui de la brigade du renseignement. Le ministre appuya sur un interphone.

– Qu'on ne me dérange sous aucun prétexte pour les quarante-cinq minutes qui suivent.

Il chaussa des petites lunettes rondes, se plongea dans la lecture des deux documents. Au fur et à mesure, il prenait des notes d'une écriture fine et serrée. Oussama remarqua qu'il écrivait de gauche à droite, avec des caractères non arabes. Il avait passé vingt ans en exil et conservait de ses années à Londres et aux États-Unis l'habitude d'écrire à l'occidentale. Lorsqu'il eut fini, il enleva ses lunettes, se massa les yeux. Le regard qu'il posa sur Oussama était empreint de gravité.

– Tout d'abord, je dois vous féliciter pour l'enquête extraordinaire que vous avez menée. Vous avez réussi un tour de force.

Oussama se gratta la gorge, mal à l'aise. D'instinct, il se méfiait de ce genre de compliments.

– Comment voyez-vous la suite des événements ?

– Je ne suis pas certain qu'il y ait une suite, qomaandaan.

Oussama blêmit.

– Vous pouvez préciser votre pensée ?

– Nous allons essayer de mettre la main sur Dortmund, bien sûr. Mais vous conviendrez qu'il est probablement hors du pays à l'heure qu'il est. Quant à lancer un mandat international et questionner officiellement les autorités allemandes, il faudrait que je demande au président Karzaï, mais il refusera, soyez-en sûr.

– Pourquoi ?

– Parce que vous touchez un sujet sensible, qomaandaan. Mon collègue de la Sécurité est nerveux, des proches du président Karzaï sont nerveux. Cette histoire rend beaucoup de gens nerveux. Beaucoup trop.

– Je vois, dit Oussama.

– En fait, je ne suis pas certain que vous voyiez bien, qomaandaan. Personne n'a intérêt à ce que trop de responsables gouvernementaux soient nerveux en ce moment. Ni la communauté internationale, ni l'Otan, ni l'Onu. Ni probablement le peuple afghan.

– Si on suivait ce raisonnement, il vaudrait mieux fermer ce ministère, rétorqua Oussama, cinglant. La justice a pour mission de rendre les criminels « nerveux », pour reprendre votre expression. C'est même sa raison d'être. Mon rôle est de conduire cette enquête jusqu'à son terme, quelles que soient les personnes qu'elle rend « nerveuses ».

– Je n'ai pas dit que votre enquête devait s'arrêter, remarqua le ministre doucement.

Oussama réfléchit à ce qu'il venait d'entendre.

– Imaginons que je continue mon travail. Je dois comprendre que je n'aurai pas de soutien officiel pour enquêter sur des citoyens étrangers ?

– Pas de soutien officiel ne veut pas dire pas de soutien officieux.

– Le bureau du procureur acceptera-t-il de requalifier l'enquête en crime ?

– Pour l'instant, non. Mais si vous obtenez des informations complémentaires, pourquoi pas ?

– Quelles informations ?

– Ce que faisait Wali Wadi. Tant que vous n'aurez pas trouvé dans quoi il trempait et avec qui il travaillait, votre construction intellectuelle restera fragile, en dépit du faisceau d'indices que vous avez déjà découvert. Il faut *tout* le système.

Le ministre se leva et serra la main d'Oussama.

– Continuez cette enquête. J'assurerai votre protection, grâce à des hommes sûrs. Mais il n'y aura pas de mandat international ni d'intervention auprès de l'ambassade allemande. Oublions Dortmund et tout ce qui pourrait causer du tort à la Coalition pour l'instant. Ah, vous aurez besoin d'argent pour mener cette enquête jusqu'à son terme, il y aura des gens à acheter, peut-être des voyages à effectuer. – Il lui tendit une enveloppe. – Il y a cinq mille dollars là-dedans. De l'argent prélevé sur les fonds secrets que m'attribue la Coalition. Faites-en bon usage.

Oussama mit l'enveloppe dans sa poche. Le ministre s'approcha tout près de lui et lui dit, presque à l'oreille :

– Je vous fais confiance. Continuez votre travail, mais au bon rythme. Trouvez le secret de Wali Wadi.

– Nous verrons si *mon* rythme et *ma* manière peuvent s'accorder aux vôtres, dit Oussama en regardant le ministre droit dans les yeux.

– Je l'espère de tout cœur, qomaandaan. Surtout, restez prudent, votre vie ne tient qu'à un fil.

Oussama repensa à cette conversation pendant tout le trajet de retour. Le ministre de la Justice jouait probablement sa propre carte dans cette affaire. Bien que tadjik, il avait la réputation d'être apprécié de certains Pachtouns, car il n'avait jamais entretenu de bonnes relations avec Massoud. Il était pro-occidental, mais avait réclamé des peines clémentes contre les talibans les plus modérés, appelant même au dialogue avec mollah Omar. On murmurait qu'il avait aidé certains d'entre eux à s'enfuir, tout en requérant la peine de mort contre ceux qui avaient favorisé l'arrivée des islamistes arabes. Si des membres éminents du gouvernement Karzaï tombaient pour corruption, sa puissance grandirait, peut-être pourrait-il faire valoir sa candidature lors d'une prochaine *loya jirga* et viser un poste de Premier ministre, voire de président. Oussama soupira. Lui qui avait toujours détesté la politique, il s'y trouvait englué jusqu'au cou.

## 13

Nick fixait le ciel bas qui recouvrait Berne. Depuis ses dernières découvertes, son humeur ne s'était guère améliorée. Il regardait avec paranoïa tous ses collègues, se demandant qui était au courant de la réalité de l'Entité, qui avait percé le secret monstrueux qui les réunissait. Il avait conscience qu'après avoir énormément progressé son enquête était en train de plafonner. Certes, il avait la fausse identité du fugitif, mais c'était insuffisant. En mangeant un croissant, il relut les divers comptes rendus. La seule piste inexplorée était celle d'un pasteur qui avait accompagné le fugitif dans ses réflexions spirituelles au cours des derniers mois. Peut-être y avait-il là une mine d'informations. L'homme qui s'était chargé d'interroger le pasteur était un ancien des forces spéciales. Pas vraiment le profil d'un spécialiste de l'interrogatoire psychologique… La discussion avait mal tourné.

Après avoir bu son café et lavé la tasse dans l'évier, Nick prit sa voiture. Il commençait à s'habituer au trajet Berne-Zurich… La paroisse se trouvait au nord de la ville, dans le quartier de Saatlen. Le pasteur Kingston Dana était un ancien délinquant, dont le casier, à quinze ans, était déjà riche de dizaines de faits plus ou moins graves : insultes à agents publics, tags, vols, tentatives de cambriolage, cambriolages, agressions... À seize ans, Kingston Dana s'était fait coffrer pour l'attaque à main armée d'un magasin de spiritueux de la banlieue de Lausanne. Il en avait pris pour cinq ans, ramenés à deux à cause de son jeune âge au moment des faits et de sa bonne conduite en captivité. C'est en prison qu'il avait découvert sa foi, et sa vraie vocation par la même occasion. Il avait quitté Lausanne pour Zurich, où une église protestante l'avait accueilli. Remarqué au séminaire, il était devenu pasteur avec les honneurs et tenait son propre temple depuis dix ans. Comme d'autres hommes d'Église issus de minorités, il essayait de remettre les jeunes en difficulté sur la voie de la socialisation. Dans le rapport de l'Entité qui lui était consacré, une mention spéciale enjoignait aux enquêteurs de traiter ce témoin avec une particulière délicatesse, car il avait un accès facile aux médias et ne portait pas vraiment la police dans son cœur.

Nick s'arrêta devant un bâtiment de béton peint en blanc, entouré d'un maigre jardinet. Autour, des maisons ouvrières et plusieurs blocs d'HLM décaties. Il poussa la porte du temple. Il faisait sombre à l'intérieur.

– Que puis-je pour vous, frère ? tonna une voix grave.

Un homme se tenait derrière lui, en costume noir boutonné jusqu'au col. Grand, près de deux mètres, une énorme bedaine, un visage mangé par la graisse. L'homme pesait cent cinquante kilos, au bas mot. Pourtant, il se dégageait une indéniable puissance de sa personne, comme si le séminaire n'avait pas complètement effacé l'ancien taulard.

– Êtes-vous le père Kingston Dana ?

– C'est moi. Et toi, comment t'appelles-tu ?

– Nick. Veuillez me pardonner, c'est la première fois que je rentre dans un temple. Comment dois-je vous appeler ? Père ou frère ?

– Appelle-moi comme ton cœur te le dit. Que viens-tu faire dans notre temple ?

Le pasteur avait l'air d'un homme de parole, solide. Nick décida de lui dire la vérité sans biaiser.

– Je cherche un de vos fidèles.

– Lequel ?

– Léonard.

Le visage du pasteur ne marqua aucune réaction, mais plusieurs années dans les services de renseignement avaient donné à Nick une sensibilité particulière. Dana avait réagi imperceptiblement à l'énoncé du prénom.

– C'était l'un de mes fidèles, mais je ne l'ai pas vu depuis longtemps. Tu n'es pas un de ses amis, n'est-ce pas ?

– Pas vraiment.

– Je l'avais senti. J'ai un radar personnel très sophistiqué pour détecter les flics, d'où qu'ils soient.

– Je ne suis pas un flic, ni son ennemi. Pourrions-nous discuter quelque part tranquillement ?

– À quel sujet ? Je ne pense pas avoir quoi que ce soit à te dire.

– Moi, j'ai des choses à vous dire.

Après une hésitation, Dana lui indiqua de le suivre. Ils s'installèrent dans le presbytère, une petite pièce sommairement meublée. Un vieux canapé de récupération, une table en bois, des chaises en plastique, quelques affiches naïves en allemand et en français. Rien n'était beau ni assorti, pourtant Nick se sentit immédiatement à son aise.

— Je t'écoute.

Sans préciser l'identité de son employeur, Nick lui raconta son histoire depuis la fusillade du squat, sans rien omettre.

Lorsqu'il eut terminé son récit, Dana se dirigea vers un petit bar. Il en sortit deux canettes de bière française, qu'il posa sur la table.

— As-tu soif ?

— Oui, merci.

— Tu joues un jeu dangereux. Tu es courageux. À moins que tu ne sois inconscient...

— J'ai fait pire. La face nord du mont Blanc, en plein mois de novembre, seul.

— Il ne s'agit pas de sport, mais de politique. Tu es encore jeune, sans doute trop pour une affaire pareille. Tu me donnes l'impression de ne pas comprendre toutes les implications de ton action.

— C'est une question que je me poserai quand je connaîtrai la vérité. Pour l'instant, j'en suis trop loin.

— Que feras-tu lorsque tu retrouveras Léonard ?

— Je ne sais pas encore. Je veux comprendre le dessous des cartes. Que mon ami Werner ne soit pas mort pour rien.

— Tu crois que Léonard souhaiterait t'aider ?

— Il ne peut pas vivre caché jusqu'à la fin de ses jours, argumenta Nick. Mieux vaut, pour lui, révéler tout ce qu'il sait. Une fois la vérité au grand jour, plus personne n'aura d'intérêt à le chercher pour le tuer.

– Tu te fais des illusions. Léonard est un homme supérieurement intelligent. Personne ne le trouvera *jamais*.

Le géant avala une gorgée de bière.

– Tes collègues sont puissants mais ils sont stupides, reprit-il. Un homme est venu me voir, en se faisant passer pour un flic de Lausanne, mais je sais que ce n'était pas vrai. C'était un ancien militaire, avec des yeux de tueur. Il jouait à l'agneau, mais j'ai passé suffisamment de temps au trou pour reconnaître de vrais salopards quand j'en vois. Après tout, j'en ai été un moi aussi, dans le temps. – Il but une autre gorgée. – Léonard avait peur, il est venu me voir ici, après s'être enfui. Il a même dormi dans ce presbytère une nuit, mais il n'est pas resté longtemps, il savait que ces fils de pute penseraient à le chercher ici. J'ai proposé de lui présenter des gens qui pourraient l'aider, mais il connaissait quelqu'un, dont il ne m'a rien dit. Il a disparu le jour même, et je n'en ai plus entendu parler.

– Je sais qui. Yasmina, l'ancienne prostituée. Je l'ai retrouvée.

– Tu es plus malin que tes petits camarades.

– Je connais le nom sous lequel Léonard se cache désormais. Mais cela ne me suffit pas.

Après avoir vidé sa canette, Dana la broya comme une simple feuille de papier et la lança dans une poubelle. La canette atterrit directement au fond, ce qui provoqua un petit sourire de contentement sur son visage.

– Que veux-tu d'autre ?

– Ce qui manque dans votre histoire.

– Quoi ?

333

– La femme.

Une lueur passa dans le regard de Dana. Nick comprit qu'il avait fait mouche. Il y avait une femme, et le pasteur la connaissait ! Ce dernier contemplait le plafond, comme s'il pesait le pour et le contre.

– Oui, il y a une femme, finit-il par avouer. Comment l'as-tu su ?

– À cause du changement dans le comportement de Léonard, juste avant qu'il ne disparaisse. Il fréquentait une prostituée depuis plusieurs années, une relation qui lui convenait parfaitement. Il n'aurait pas cessé de la voir sans une raison impérieuse. Et puis pourquoi être resté à Zurich, en dépit des dangers ? Cela n'avait aucun sens. J'ai beaucoup réfléchi à ces deux incohérences, j'en ai tiré la conclusion que la seule explication valable est l'existence d'une tierce personne. Léonard n'ayant pas d'enfant, il ne pouvait s'agir que d'une femme.

Le pasteur sourit.

– Une femme au lieu d'une pute ?

– Une femme tout court. Un cœur pour un homme qui n'a jamais rien partagé avec personne. Un homme qui en avait assez de son existence.

– Tu es intelligent. Je suis impressionné par la manière dont tu as remonté le fil.

– Suis-je donc dans le vrai ?

– Tu l'es. Léonard a rencontré une femme, c'est vrai. Ils sont tombés fous amoureux l'un de l'autre, avoua Dana. Elle était beaucoup plus jeune que lui et mariée avec un homme violent et stupide qui lui menait une vie d'enfer. Tu vois, c'est une histoire simple, la même histoire qui s'est produite des millions de fois depuis les débuts de l'humanité.

– Ils ont donc fui ensemble.

– Avec le secret de Léonard. Son rapport. Celui que tes amis cherchent.

– Savez-vous ce qu'il y a dedans ?

– Non, et je suis bien content de l'ignorer. Léonard m'a dit qu'il avait de quoi faire sauter un bon nombre de gouvernements. Ici et ailleurs. Voilà pourquoi certains sont prêts à tout pour le retrouver.

– Et l'amie de Léonard, à quoi ressemble-t-elle ?

Le pasteur eut un sourire ironique.

– Ce n'est pas quelqu'un qu'on oublie. Je n'ai jamais vu des yeux pareils. Elle a un visage doux, une peau soyeuse, presque veloutée. Un physique pas commun, avec des ascendances européennes, asiatiques et moyen-orientales. Sans aucune hésitation, elle est l'une des femmes les plus belles que j'aie vues de ma vie.

– Que faisait-elle dans votre paroisse ?

– Elle a découvert notre religion l'année dernière. Elle comptait d'ailleurs se faire baptiser bientôt. Léonard et elle se sont rencontrés par hasard. Un vrai coup de foudre. Quelques semaines après leur rencontre, elle l'a convaincu de faire ma connaissance. Il a accepté pour lui faire plaisir. À cette époque de sa vie, Léonard était matérialiste, il ne croyait plus en rien ni en personne. Il avait vénéré le dieu argent, jusqu'à ce que ce Moloch lui dévore le cœur. Puis il est entré dans mon petit temple, et il a rencontré Jésus. Crois-moi, que tu sois un financier de haut vol ou un simple dealer, il arrive parfois un moment où tu n'y crois plus. Où tu as envie de donner du sens à ta vie, de ne plus penser seulement à toi, au pognon que tu veux te faire. Léonard en était arrivé à ce basculement de son existence. Je l'ai connu avant lui. Léonard et moi avions une vraie communion de pensée. Lui disait « de destin ». Le pauvre Noir et le riche Blanc, deux salopards qui, un jour, rencontrent Dieu et ouvrent les yeux sur leur vie de salopard. C'est elle qui a été le déclencheur de sa prise de conscience.

Nick finit sa bière à son tour. Toutes ces informations étaient passionnantes, mais insuffisantes pour lui permettre de mettre la main sur le fugitif. Il avait besoin de plus. De noms, de coordonnées.

— Comment s'appelle la fille ?

— Son prénom est Zahra. Je ne connais pas son nom.

— Quoi ! Elle est musulmane ?

— Bien sûr, que Zahra est musulmane. Son baptême était une conversion à la religion chrétienne. Zahra est afghane.

\*

Oussama rentra directement chez lui, sans repasser par le commissariat. Les deux parachutistes qui avaient fait leur apparition le jour précédent étaient toujours là. Il poussa la porte. Il faisait bon, Malalai avait poussé le poêle à charbon à fond. Une bonne odeur de *shorwa* et de *nan* croustillant flottait dans l'air, il en eut l'eau à la bouche. Malalai avait enfilé une robe de paysanne multicolore, coupée dans un coton faussement grossier.

— Où as-tu acheté cette robe ? Elle te va à merveille.

— On me l'a offerte tout à l'heure. À la RAWA.

— Votre réunion a finalement eu lieu ?

— Oui. J'ai été élue au conseil d'administration, à l'unanimité. C'est mon cadeau de bienvenue.

Oussama essaya de cacher son inquiétude.

– Qu'avez-vous décidé ?

– Nous allons commencer notre campagne de recrutement, comme prévu. J'ai été chargée du choix des formatrices. Les premiers entretiens de recrutement auront lieu à la fin de la semaine.

Oussama secoua la tête.

– Je n'essaye plus de te dissuader de continuer, j'ai compris que c'était inutile. Au moins, est-ce que tu peux me promettre d'être prudente ?

Malalai vint se coller à lui.

– Ne t'en fais pas, mon grand qomaandaan. Je ferai *très* attention. – Elle posa la main sur la large bretelle de sa robe. – Je suis allée me faire épiler ce matin. Si nous fêtions cela ?

Avec la fougue de ses vingt ans, Oussama lui arracha presque sa robe… Plus tard, allongés sur le lit, ils profitèrent de ce moment de calme. Oussama entendait le cœur de sa femme battre contre lui. Il était vaguement honteux de ressentir autant de bonheur. Il avait une femme belle et intelligente qui l'aimait et l'avait choisi par décision personnelle et non à cause d'une quelconque pression familiale. Il avait un travail, des honneurs, une cuisine, de quoi se payer de l'eau pour prendre deux douches par jour et manger une nourriture saine, alors que la plupart de ces concitoyens mangeaient de la viande une fois de temps en temps et ne se lavaient jamais pendant l'hiver. Ses deux enfants avaient de bons métiers, ils étaient en sécurité à l'étranger, il n'en avait perdu qu'un seul, mort dignement au combat, quand des familles entières avaient été décimées par la guerre. Il entendit Malalai sangloter contre lui.

337

– Que se passe-t-il ? murmura-t-il.

– J'ai trop de chance de t'avoir, dit-elle. Je ne sais pas comment je vivrais sans toi. Peut-être dans un village sans électricité, à travailler aux champs, en partageant un mari inculte et sale avec trois autres épouses.

Profondément ému, Oussama la serra plus fort contre lui. Ils s'endormirent dans les bras l'un de l'autre.

\*

Nick se gara devant la terrasse bondée d'un petit café proche de la Grossmünsterplatz. Il avait envie de faire le point sur ses dernières découvertes, mais avec qui ? Il n'avait pas l'habitude de travailler seul, sans personne avec qui partager ses réflexions, et cette solitude, conjuguée à la pression exercée sur lui depuis la mort de Werner, lui pesait. Une seconde, il fut tenté d'appeler Margaret, avant de renoncer. Inutile de créer des ennuis à son amie. Il commanda une salade au poulet grillé et un verre de vin rouge. Une jeune fille magnifique, silhouette longiligne, longs cheveux blonds dénoués sur les épaules, en minijupe et haut échancré, servait. Quelques semaines plus tôt, il ne se serait pas gêné pour la draguer, mais il n'en avait pas envie. Là encore, il sentait le poids des dernières semaines, un changement majeur dans sa manière de concevoir le monde. Une envie de sérieux, de profondeur, de stabilité.

Il soupira, regarda sa montre. Il profiterait du départ des employés de l'Entité pour se connecter aux bases de données du ministère fédéral des Transports grâce aux codes secrets de Margaret. S'il avait de la chance, il trouverait peut-être la trace d'un billet d'avion, mais rien n'était moins sûr : le fugitif pouvait très bien ne pas avoir utilisé son faux passeport en Suisse afin de se donner le maximum de chances. S'il avait pris la route pour l'Europe de l'Est, il pouvait avoir emprunté là-bas une compagnie qui ne transmettait pas de listes de passagers aux pays membres de l'Otan. C'était le cas avec de nombreux transporteurs aériens de l'ex-URSS, du Moyen-Orient ou d'Afrique : ceux qui n'avaient pas de liaison avec les États-Unis ou l'Union européenne refusaient de transmettre leurs données, indifférents aux éventuelles sanctions.

Il se massa la nuque. Il était trop nerveux. Une bonne odeur de cuisine flottait dans l'air. Les bruits de la rue parvenaient jusqu'à lui, rassurants. Une femme promenait son chien. Une machine de la municipalité nettoyait le trottoir. La normalité, loin des K et du monde glauque et souterrain de l'Entité.

Il ne pouvait s'empêcher de repenser à Zahra, la nouvelle compagne de l'homme qu'il cherchait. Qui était-elle vraiment ? L'apostasie était punie de mort en Afghanistan, comme dans la plupart des pays musulmans. Au-delà de l'apparence spectaculaire soulignée par le pasteur, cette femme devait être très courageuse.

Il mangea une tarte aux pommes pour le dessert, sans vraiment en apprécier le goût, toujours aussi tendu. Il devait y avoir des centaines de Zahra en Suisse mais, songea-t-il soudain, si elle était aussi belle que l'affirmait le pasteur, il avait peut-être une chance de la retrouver grâce aux bases de données du département fédéral de l'Immigration.

Elles comportaient toujours des photos.

\*

Joseph et Amin s'installèrent dans la vieille Jigouli toute cabossée. Le moteur neuf de la Peykan était en panne, ils avaient dû se résoudre à prendre cette voiture, même pas blindée. Ils s'étaient habillés à l'afghane, shalwar kalmiz, kurta marron et pakol. Ainsi accoutrés et avec leur barbe de quatre jours, il fallait s'approcher de près pour deviner qu'ils n'étaient pas du pays. Entre les deux sièges avant, Joseph avait glissé un fusil d'assaut équipé d'un lance-grenades. Ils entrèrent dans Kaboul au milieu des embouteillages et se retrouvèrent vite à l'arrêt. Joseph ferma les yeux, comme s'il était assoupi. Amin était impressionné par son calme. Il ne l'avait encore jamais vu manifester la moindre nervosité au milieu de véhicules conduits par des hommes barbus aux visages farouches, alors qu'il sentait sa propre peur monter et la sueur lui dégouliner dans le dos. Chaque piéton pouvait être un shahid, chaque véhicule pouvait cacher un commando taliban.

— Relax, dit Joseph, les yeux toujours clos, comme s'il lisait dans ses pensées. Avec moi, tu ne risques rien. Calme-toi, conduis prudemment.

— Comment faites-vous pour rester aussi tranquille ? Vous n'avez jamais peur ou quoi ?

Un mince sourire éclaira le visage de Joseph. Ses paupières se relevèrent, Amin reçut le choc de ses yeux sans vie, deux taches liquides.

— La peur, c'est un état d'esprit.

— C'est ce que me disait mon chef d'unité ninja dans les Aurès. Tu parles ! Il a fini égorgé comme un porc.

340

– C'est bien, d'avoir peur, Amin. Tous les bons soldats ont peur. Ceux qui n'ont pas peur se font descendre plus vite que les autres.

Ils passèrent devant Chirahi-Pul-Artan, le premier feu tricolore installé en Afghanistan, devant lequel un groupe de provinciaux étaient en arrêt, admiratifs. Un blindé léger gardait symboliquement l'endroit. Joseph obliqua à gauche dans une grande avenue, plutôt dégagée. Ils arrivèrent en une demi-heure dans la rue où habitait le commandant Kandar. Joseph prit son appareil photo et commença à mitrailler les lieux, notant tous les détails intéressants. La surveillance de son domicile était plus importante qu'il n'imaginait. Un 4 × 4, un pick-up équipé d'une mitrailleuse de 12.7, plusieurs hommes vêtus de treillis neufs, kalachnikov à la main. Il faudrait un véritable commando pour prendre d'assaut la maison. En cas de fusillade, une équipe d'intervention aurait les plus grandes difficultés à se dégager. Par ailleurs, il y avait un poste de police au début de la rue, à cinq cents mètres environ. Deux minutes de délai maximum en cas de fusillade, et un seul itinéraire de repli, dans le sens opposé. Il grimaça. Tout cela n'était guère encourageant. Il examina les environs immédiats. Il était possible de passer par les toits, toutes les maisons étant peu élevées. Il notait tous les détails sur sa tablette électronique, se faisant la réflexion qu'un survol aérien serait nécessaire pour mieux appréhender les entrées et sorties de la maison.

– On va se faire repérer, dit soudain Amin, mal à l'aise. Plusieurs voisins nous ont jeté des regards intrigués. Nous sommes trop visibles dans ce quartier, je pense que tout le monde se connaît, ici.

– OK, allons-y.

Six cents mètres environ après avoir quitté la rue du commissaire, ils aperçurent un long mur. Une caserne de l'ANA. Cela condamnait l'itinéraire de repli.

– Vous avez vu ? dit Amin, en montrant les miradors qui surplombaient la caserne.

– Bien sûr, que j'ai vu. Entrer chez lui ne sera pas une partie de plaisir, c'est certain. Je comprends pourquoi le chef de bande ne voulait pas intervenir ici. Malin, ce flic.

– Vous annulez l'opération ?

– Tu ne crois quand même pas qu'on allait tirer un missile *dans* Kaboul ? Je voulais juste me rendre compte si une solution alternative à un drone était possible.

– Et alors ?

– Tu as vu toi-même. Il est trop protégé, il faudrait des dizaines d'hommes avec un armement lourd. La réponse est non.

– Si vous ne pouvez pas l'attaquer dans Kaboul, comment allez-vous faire ?

– Attendre qu'il en sorte. Ou provoquer un déplacement à l'extérieur s'il ne le fait pas lui-même.

– Comment voulez-vous l'attirer sans vous faire remarquer ?

– Je ne sais pas encore. Mais je vais trouver.

*

Le général s'approcha lentement de l'homme avec qui il avait rendez-vous. Ils se retrouvaient une fois tous les six mois ici, sur les bords du lac de Genève, où nul ne risquait de les voir. Comme toujours, l'homme était venu directement de l'aéroport, sans garde du corps, dans une discrète voiture banalisée, après avoir traversé l'océan dans un jet privé. Ils se serrèrent la main sans chaleur.

L'homme était grand et gros, avec une épaisse tignasse noire, sans doute teinte, et des sourcils fournis. Il possédait une puissance pour laquelle bien des intrigants auraient tué père et mère, pourtant c'était un homme honnête, qui n'avait guère de goût pour les complots. Un homme qui avait passé vingt ans à négocier dans les arcanes tortueux du pouvoir, au Parlement puis au gouvernement, dans le seul but de servir son pays. Le nouveau président l'avait appelé pour s'occuper des « affaires spéciales » et, accessoirement, faire le ménage après l'exercice pour le moins controversé de son prédécesseur. Il avait découvert bien des dossiers sensibles depuis son arrivée, mais le dossier Mandrake était d'une nature différente. L'homme se targuait de n'avoir peur de rien ni de personne, pourtant il avait peur du dossier Mandrake. Il avait accepté l'idée que le fugitif était caché quelque part dans le monde et qu'il n'y avait pas de risque de fuite. Après tout, il pouvait mourir en enfer, il s'en moquait. En revanche, l'idée qu'un exemplaire du dossier Mandrake se promenait dans la nature était insupportable.

— Bonjour, général.

— Bonjour, Robert.

— Alors, vous en êtes où ? demanda l'homme de sa voix traînante, à l'accent sudiste marqué.

— Nulle part, reconnut le général. Il manque un exemplaire de ce foutu rapport, et nous ne savons toujours pas où Wali Wadi l'a caché.

– C'est très fâcheux, dit son interlocuteur, qui maniait l'*understatement* comme une seconde nature.

– Pour l'instant, on a colmaté les brèches. On a récupéré tout ce qui devait l'être, avec les difficultés que vous savez. Le jour où notre homme refera surface, nous lui mettrons la main au collet. Il ne nous reste qu'à récupérer le dossier caché en Afghanistan, et l'affaire sera bouclée.

– Vous présentez vos médiocres résultats en Afghanistan comme de grandes victoires et l'objet principal de votre mission comme un acquis, alors que nous en sommes au point mort. Au moins, avez-vous enfin mis un terme aux enquêtes en cours concernant la mort des intermédiaires ?

– C'est fait en Irak, le dossier est définitivement clos. J'y travaille pour l'Afghanistan.

– Je dois donc comprendre que l'enquête concernant Wali Wadi est toujours active ?

– Oui. Le flic qui la mène est un enragé.

– C'est *très, très* fâcheux, répéta l'homme. Je vais finir par regretter d'avoir fait appel à vous.

– Tous vos services officiels n'ont pas plus retrouvé le fugitif que moi, malgré les moyens énormes qui ont été déployés. Quant à Kaboul, je fais ce que je peux pour redresser la situation, en essayant de ne pas laisser de traces de mon action. Je ne suis en rien responsable de l'incendie que vous m'avez demandé d'éteindre. Pour l'instant, le feu couve sous la cendre, certes, mais il n'y a plus de flammes. C'est ce que vous vouliez, n'est-ce pas ?

– Je veux le rapport. Tous les exemplaires, sans exception.

– Vu la situation, nous serons obligés d'agir très brutalement.

– Vous avez carte blanche. C'est pour cela que l'Entité a été créée, pour cela qu'elle existe, pour cela que nous la payons aussi cher. Vous êtes le patron, agissez comme un patron.

– C'est ce que je fais.

– Alors, où est ce foutu rapport ?

Depuis qu'il avait découvert le contenu du rapport Mandrake, l'homme n'en dormait plus. C'était un chrétien pratiquant et intègre, il n'était pour rien dans cette situation, mais son devoir était désormais d'y remédier, de faire le ménage, quel qu'en soit le prix. S'il l'avait su *avant* les élections, il n'aurait pas accepté ce poste, mais il était trop tard pour regretter. Il remit son chapeau.

– Je vous laisse. Je ne veux plus de feu sous la cendre, pour reprendre votre expression, je ne veux même pas de cendres froides. Je veux qu'il n'y ait plus rien de cette affaire, vous m'entendez ? Et à l'avenir, faites-moi le plaisir de m'épargner vos analogies foireuses de sapeur-pompier à la retraite.

L'homme se dirigea vers sa voiture, laissant le général amer, seul, face à la rive, à regarder le lac. En militaire, il se demandait encore comment des gens aussi puissants, et théoriquement supérieurement intelligents, avaient pu être aussi imprudents, l'obligeant maintenant à pratiquer la politique de la terre brûlée. Pour la première fois depuis le début de l'enquête, il se demanda si l'Entité, son bébé, survivrait à cette enquête.

*

En sortant de chez lui, Oussama découvrit que Gulbudin l'attendait dans sa voiture. Son pick-up de protection avait changé : celui-ci, un Ranger neuf, portait une énorme mitrailleuse antiaérienne russe, une Douchka montée sur un trépied. Un soldat de l'ANA y était accroché par des sangles, revêtu d'un gilet pareballes et d'un chapeau de brousse de l'armée américaine. Trois soldats hérissés de chargeurs, uniforme impeccable, se tenaient sur les côtés.

— Ces hommes étaient là ce matin, annonça Gulbudin.

Oussama marcha jusqu'au pick-up.

— Salaam u aleikum, manda na bashi. La paix soit avec vous. Puissiez-vous ne pas être fatigué. Longue vie à vous.

Il salua ainsi chaque soldat, recevant en retour la salutation traditionnelle. Lorsque celles-ci furent achevées, il demanda au premier soldat :

— D'où es-tu, frère ?

— De Tutachi. Je m'appelle Abdul Khorosan. Je me battrai pour toi jusqu'à la mort.

— Et vous, demanda-t-il aux deux autres, d'où êtes-vous ?

— De Mari Chaq.

— De Bala Murghab. Nous aussi, nous nous battrons comme des lions pour toi.

— J'ai tué quatre Russes pendant la guerre, dit le premier.

— Et moi trois talibans, dit le second. J'en ai abattu deux et égorgé un.

— Moi, je n'en ai tué encore aucun, dit le dernier, qui était très jeune, mais je n'ai pas peur de la mort.

346

Il exhiba fièrement son fusil équipé d'une lunette de visée, comme preuve de sa bonne foi.

Un Baloutche et deux Turkmènes. Oussama avait deviné qu'aucun n'était pachtoun en voyant l'un d'eux remonter sa braguette à son arrivée après avoir probablement uriné contre un mur, une pratique rigoureusement interdite par le code pachtoun. Le ministre de la Justice lui avait envoyé des soldats issus de minorités insensibles aux pressions éventuelles de clans pachtouns. C'était habile de sa part. C'était aussi la preuve qu'il voulait vraiment qu'Oussama reste vivant pour finir son enquête. Au moins pour le moment.

Ils se mirent en route. L'énorme mitrailleuse du pick-up fit son effet dans les embouteillages, les autres véhicules se poussaient brusquement sur le côté pour leur laisser la place. Non par respect de l'autorité, mais parce que les hommes qui servaient ce type de véhicule de protection d'officiels avaient la réputation d'avoir la gâchette facile et d'être intouchables. Oussama mit presque quinze minutes de moins que d'habitude pour arriver à son bureau. Toutefois cette protection voyante risquait de lui attirer des jalousies au sein du commissariat, il avait intérêt à s'en débarrasser le plus vite possible. Il s'arrêta au bas de l'escalier pour attendre Gulbudin, qui marchait plus lentement que d'habitude, en boitant.

– Que t'est-il arrivé ? demanda Oussama.

– On m'a attaqué hier dans la rue. Un gang. Ils m'attendaient à cinq devant chez moi. Ils m'ont donné un coup de bâton sur la tête et m'ont volé ma prothèse. Au marché noir, elle vaut dix mille afghanis. Je n'ai pas eu le temps de dégainer mon arme.

Il était au bord des larmes. Oussama comprit pourquoi il portait son pakol aussi enfoncé sur le crâne. Il voulait cacher sa blessure infamante.

– Si je résous cette affaire, je demanderai qu'on te paye une nouvelle prothèse, affirma Oussama.

Il l'aida à monter les marches. Sans sa prothèse occidentale, la claudication donnait à Gulbudin l'allure d'un grand handicapé. Ils s'installèrent dans le bureau d'Oussama, vite rejoints par Djihad et Rangin.

– As-tu lancé le mandat contre Dortmund ? demanda Oussama à Djihad.

– Hier soir, dès que vous êtes sorti du bureau du ministre. J'ai eu les services d'immigration, il n'a pas quitté le pays. Pas en avion, en tout cas. J'ai envoyé une équipe à son domicile vers minuit, il n'y était pas. Il manquait ses papiers, une partie de ses affaires. Le veilleur de nuit de l'immeuble d'en face m'a dit qu'il l'avait vu monter dans un 4 × 4.

Oussama fit la moue.

– Il a pris la poudre d'escampette, avec un faux passeport. Tu as alerté les postes de douane terrestres ?

– Oui. Il n'est passé nulle part.

– Toute cette histoire ressemble à une conspiration, dit Oussama. Le ministre de la Justice a été clair. On doit revenir à notre point de départ : comprendre ce que trafiquait Wali Wadi.

– On remet donc toutes les équipes sur Wadi ?

– Oui, on reprend tout de zéro. On réinterroge les témoins. On détermine qui est au bout des numéros de téléphone qu'on a identifiés en Suisse, à Bagdad et ici, à Kaboul. On refouille les bureaux et la maison de Wali Wadi, avec autant d'hommes que nécessaire. Appelle une équipe, on commence par le domicile. On finira cette réunion dans la voiture, pendant le trajet.

*

Gulbudin conduisait la voiture d'Oussama, dans laquelle avaient pris place Djihad, Rangin et Abdul. Oussama, assis à la place du mort, se tourna vers Gulbudin.

– Parle-moi des listings de téléphone de Wadi.

– À Kaboul, nous avons huit numéros intéressants. Wali Wadi était en contact avec des ministères chargés de commandes militaires, ce qui était nouveau pour lui. Il appelait tous les jours les ministères de la Défense et de la Sécurité. Il passait par le standard, jamais par des lignes directes, donc je ne sais pas qui il appelait.

– Je suis allé voir les standardistes hier soir, dit Djihad, et je leur ai fait écouter la voix de Wali Wadi, celle du message de son répondeur téléphonique, mais aucune ne l'a reconnue.

Oussama rangea l'information dans un coin de son cerveau.

– Le numéro irakien ?

– Impossible à identifier.

Oussama posa son stylo.

– Rappelle-nous combien d'appels Wali Wadi lui a passés.

– Trente-six en deux mois, répondit Gulbudin.

– Ils étaient en affaires, remarqua Oussama. Toute la question, c'est de savoir lesquelles.

– Le numéro suisse est une impasse. J'ai fini par le composer moi-même, on m'a demandé un code pour poursuivre. Il s'agit d'un serveur sécurisé qui redistribue l'appel vers un numéro final, après avoir entré le code de sécurité.

– De plus en plus étrange, remarqua Oussama. Ces gens sont puissants, mais ils font tout pour rester dans l'ombre. Tu as bien travaillé, Gulbudin.

Il se tourna vers Rangin.

– Que sait-on des affaires récentes de Wali Wadi ?

– D'après la section du renseignement, il est intervenu sur des contrats de munitions du ministère de la Défense, ainsi que dans ceux de grands équipements civils, mais tout cela reste très mystérieux. C'était un homme discret. On n'a pas vraiment de notion précise de son business.

Une idée traversa l'esprit d'Oussama en entendant le mot « munitions ». Personne ne pouvait compter les balles réellement tirées par les soldats. Ces contrats étaient des paravents parfaits pour des détournements. Il croisa le regard de Gulbudin.

– Je vois à quoi vous pensez, mais je n'y crois pas, dit ce dernier. Les munitions, ce seraient des détournements à la petite semaine, pas des contrats faramineux. Rien qui justifie une réaction aussi violente du ministre de la Sécurité.

– Il y a autre chose qui nous échappe encore, dit Djihad.

– Cela dépasse notre champ d'action. Je ne vois pas ce qu'on peut faire, maintenant, appuya Rangin.

– Nous avons la preuve que ce qu'on a présenté comme un suicide était un meurtre, répliqua Oussama. Nous avons identifié l'exécutant, en fuite, ce n'est pas si mal. Notre mission consiste désormais à trouver qui était le commandaitaire et à découvrir ce pour quoi nos poursuivants se donnent tant de mal.

– Qu'est-ce qui vous prouve qu'il reste quelque chose à découvrir ?

– Nos ennemis mettent trop de moyens pour nous empêcher d'avancer. Ils ont peur de nous alors que nous ne savons rien.

– Celui qui tirait les ficelles de la marionnette Dortmund est un kâfir, remarqua Rangin. Vous croyez que nous avons suffisamment de pouvoir pour agir ? Excusez-moi d'être brutal, qomaandaan, mais tous les flics de ce commissariat sont persuadés qu'on va vous mettre au placard avant qu'on ait résolu cette affaire.

À l'intérieur de la maison, la température était toujours agréable, la chaudière étant restée branchée. Ils se dirigèrent directement vers le bureau principal. Tout était comme ils l'avaient laissé. Il flottait une odeur de transpiration dans l'air, à cause de tous les techniciens qui s'étaient agités là. Gulbudin et un inspecteur filèrent vers la bibliothèque. Les autres hommes partirent fouiller le reste de la maison. Au bout de trois heures, ils s'interrompirent. Oussama lança un regard à son adjoint, qui répondit par un mouvement de tête. Oussama se dirigea vers la chambre. Ses hommes avaient tout mis sens dessus dessous, mais il reprit la fouille lui-même. À un moment, son regard tomba sur une boîte en bois posée sur un guéridon doré à la feuille. C'était le genre d'objet qu'on trouve dans tous les intérieurs afghans, banal, peint grossièrement, qui ne ressemblait en rien à la décoration m'as-tu-vu de la maison. Il la considéra, intrigué. Elle était vide.

Alors qu'il allait la refermer, il se rendit compte que quelque chose clochait. L'intérieur était plus petit qu'il n'aurait dû. Pourtant, elle pesait un poids normal.

– Il n'y a rien là-dedans, dit Djihad, j'ai déjà vérifié.

– Je confirme, dit Rangin.

Pas convaincu, Oussama continuait à l'examiner sous toutes les coutures. L'un des flancs était trop épais, ce qui réduisait d'autant l'espace intérieur. Comme s'il y avait une cache.

– Djihad, appela-t-il finalement, tu as un couteau ?

Le bois était tendre, le couteau l'entaillait facilement. Soudain, Oussama sentit un mécanisme jouer. Le panneau trop épais s'entrouvrit. Oussama esquissa un sourire de triomphe. Pas étonnant qu'elle ait échappé aux fouilles précédentes, un Occidental n'avait aucune chance de deviner la supercherie, l'objet ayant une apparence et un poids normaux. D'ailleurs, même ses adjoints s'y étaient laissé prendre… Il enleva complètement le panneau avec la pointe du couteau, révélant une cachette cylindrique creusée dans le bois. À l'intérieur se trouvait un fin étui à cigare, fermé par un embout vissé, qui contenait une feuille de papier roulée sur elle-même.

Il enfila des gants et déplia la feuille, entouré par ses hommes. La feuille crissa. Elle comportait deux lignes :

*Dossier Mandrake*
*31''10'50.15'N. 66'11'06.92'E*

Le cœur battant la chamade, Oussama montra la feuille à Gulbudin.

– On dirait des coordonnées GPS, dit-il. C'est une latitude et une longitude, n'est-ce pas ?

– Exact, confirma Gulbudin. C'est en Afghanistan, j'en suis sûr. J'étais artilleur chez Massoud, à la fin, nous avions des mortiers sud-africains très perfectionnés, on tirait avec un télémètre laser dans lequel on entrait des coordonnées en longitude et latitude, elles ressemblaient exactement à ça. Voulez-vous que je regarde dans Google Earth à quoi elles correspondent ?

– Oui, mais discrètement, répondit Oussama, qui ignorait ce qu'était Google Earth.

– « Dossier Mandrake ». Vous comprenez ce que ça veut dire ?

– Absolument pas. Mais c'est suffisamment important pour que Wadi l'ait planqué dans cette cache, qui a échappé à deux fouilles successives. Nous brûlons.

Ils se regardèrent, très excités. Et si c'était ce que les hommes qui avaient vidé le coffre de Wali Wadi recherchaient ? Ils restèrent encore deux heures, démontant toute la maison sans rien trouver de plus. Oussama donna le signal du départ. Le nom ne cessait de le tarauder. *Dossier Mandrake*. Qu'est-ce que cela pouvait bien signifier ?

# 14

Une ambiance étrange régnait au commissariat central. Des hommes du NDS rôdaient plus ou moins ouvertement dans les parages depuis le début de la matinée, provoquant la nervosité des policiers. Quelqu'un avait déjà parlé de la visite d'Oussama et de son équipe au domicile de Wali Wadi. Oussama avait d'ailleurs été prévenu sur le chemin du retour qu'une escouade de barbouzes était en route pour les bureaux de l'homme d'affaires, afin de sécuriser les lieux et d'éviter toute nouvelle intrusion de ses hommes. Il s'en fichait. Il avait enfin une piste.

– Que se passe-t-il ? demanda-t-il à un de ses collaborateurs dans le couloir. Tout le monde a une drôle de tête.

– Le chauffage central est tombé en panne, qomaandaan.

Oussama se rendit compte qu'il faisait un froid terrible dans les bureaux, dont la température ne dépassait pas les dix degrés. Les policiers se pelotonnaient dans des couvertures, stoïques, mais le cœur n'y était pas. Oussama avait installé un poêle à charbon dans sa salle de réunion, il était alimenté par un pot commun, auquel contribuaient tous les hommes de sa brigade.

Lorsqu'il entra dans la pièce, la plupart de ses hommes s'y étaient réfugiés.

– Je vois que la salle de réunion a du succès, aujourd'hui, plaisanta-t-il. Désolé, nous devons discuter d'un dossier confidentiel, je vous la prends une demi-heure.

Les policiers se retirèrent en bougonnant, le laissant seul avec Gulbudin, Djihad, Rangin et Abdul. Il ne cessait de penser au document trouvé au domicile de Wali Wadi. Il brûlait de regarder sur Internet à quoi correspondait le mot Mandrake. Djihad se précipita sur l'ordinateur.

– Je me connecte à Google.

Il tapa « Mandrake ». À leur grande surprise, des dizaines de milliers de résultats apparurent. Il s'agissait, pour l'essentiel, d'articles relatifs à une bande dessinée américaine qui mettait en scène un célèbre magicien. Ni Oussama ni ses hommes n'avaient jamais entendu parler de ce personnage, mais l'ampleur des résultats prouvait qu'il était très populaire. Djihad étendit sa recherche à « Mandrake + Wali Wadi ». Il essaya ensuite plusieurs combinaisons, avec plusieurs mots.

– Ce sont toujours les mêmes références, celles de ce personnage de bande dessinée ! finit-il par déclarer, dépité. Qu'est-ce qu'on fait, qomaandaan ?

– Djihad, trouve-moi un exemplaire en ligne de cette bande dessinée et imprime-le-moi. Peut-être existe-t-il un sens secret, et que nous comprendrons de quoi il s'agit.

– Je m'en occupe.

– Rangin, il faut trouver à quoi correspondent les coordonnées GPS. Au moins, nous saurons *où* chercher, même si nous ne savons pas ce que nous cherchons. Je peux compter sur toi ?

– Oui, chef. Je peux regarder tout de suite sur Google Earth.

Rangin trouva rapidement ce qu'ils cherchaient. Un point situé à environ quatre-vingts kilomètres au sud de Kandahar, au sud de la route de Quetta, dans l'extrémité de la province du Helmand. Cette région semi-désertique, un repaire de talibans, se situait à la proximité immédiate de la frontière sud-est avec le Pakistan, ce que les Occidentaux appelaient parfois les zones tribales. Elle était peuplée majoritairement de Pachtouns, parmi les plus hostiles au régime qu'il se puisse envisager, mais on trouvait aussi quelques poches baloutches et brâhuîs, à l'extrême sud.

– Pas vraiment l'endroit idéal pour des vacances, remarqua Gulbudin sombrement.

– Il faudrait plus de détails, dit Oussama. S'agit-il d'un bourg, d'une base ? Rangin, file à l'état-major. Reviens avec des cartes. Il faut déterminer où nous devons nous rendre exactement.

– Moi, je vais faire préparer les voitures, dit Gulbudin. Si on doit se déplacer là-bas, nous n'avons pas intérêt à tomber en panne.

\*

Joseph avait les yeux clos. Un tic nerveux faisait trembler sa paupière droite, tandis qu'une grimace se peignait par moments sur son visage.

– Patron ! Patron !

Il ouvrit les yeux. C'était l'un des Tadjiks de l'équipe des écoutes.

– Que se passe-t-il ?

– On a intercepté un message qui va vous intéresser. Venez voir. Je crois que c'est très important.

Joseph rejoignit la salle de contrôle. Le Tadjik lui tendit une paire d'écouteurs et appuya sur le déclenchement de l'enregistreur.

« Garage ? »

Sans conteste, la voix de Gulbudin. Joseph avait l'impression de connaître par cœur l'Afghan, maintenant qu'il l'écoutait sans discontinuer. Il connaissait même le nom de son restaurant préféré à Kaboul.

« Oui. Qui appelle ?

– Je suis l'adjoint du commandant Kandar.

– Et moi celui du responsable du garage. Abdullah, du village d'Almitia. Vous vous souvenez de moi ?

– Bien sûr. La paix soit sur toi, mon frère. »

Après les salutations d'usage, Gulbudin entra dans le vif du sujet :

« Nous partons en province avec le commandant et quelques hommes demain. Vous pouvez vérifier les voitures ? Le 4 × 4 du commandant et le Ranger de protection avec la mitrailleuse de calibre 50.

– On va s'en occuper. Vous allez loin ?

– Assez. Il nous faudrait des bidons d'essence de réserve et de l'eau. Une centaine de litres.

– Nous avons ce qu'il faut. Vous avez besoin d'armes, vous voulez qu'on arrange ça avec l'armurerie ?

– Vous pouvez ?

– Pour le commandant, oui. Qu'est-ce que vous voulez ?

– Une radio ondes courtes et longues, des grenades défensives, des AK 74 équipés de lance-grenades, un fusil de sniper équipé d'une lunette, des chargeurs de rechange pour les kalachnikovs et pour les armes de poing. Plus vingt boîtes de trois cents cartouches pour la 50.

– Vous allez dans une zone talibane ?

– Je compte sur vous pour rester discret.

– Bien sûr. Personne n'en saura rien, je le jure devant Dieu.

– Merci, mon frère. »

L'enregistrement s'arrêtait sur une nouvelle série de salutations.

– C'est intéressant, n'est-ce pas ? demanda le technicien.

– Très, confirma Joseph. Merci.

Il rentra dans son bureau, dont il ferma la porte soigneusement avant de se laisser tomber dans son fauteuil. Enfin, il tenait l'occasion qu'il attendait. Kandar était mort.

*

Sachant qu'il en avait pour deux heures au minimum avant de récupérer les cartes, Oussama préféra se plonger dans ses nombreux dossiers en instance plutôt que de se ronger les sangs en attendant. La dernière affaire sur laquelle ses hommes travaillaient était celle d'une jeune femme qui s'était prétendument suicidée. Comme à l'habitude avec les suicides de très jeunes filles, Oussama suspectait un viol par un proche ou une vengeance familiale : la plupart du temps, les jeunes filles étaient aspergées d'essence et brûlées vives par leurs parents parce qu'elles refusaient un mariage arrangé avec un homme plus âgé.

La jeune femme en question était morte à l'hôpital, avec quatre-vingt-dix pour cent du corps brûlé. Oussama avait fait emprisonner le père, le frère aîné et la mère, mais aucun n'avait encore avoué. Il donna pour instruction de rechercher des traces d'alcool à brûler sur la robe, et de faire reprendre l'interrogatoire par un inspecteur confirmé, Gulbudin en l'occurrence.

Avec un soupir, il passa à une pile de notes de frais à écluser – toutes celles de ses hommes –, ainsi qu'à une plainte déposée par un commerçant concernant un jeune inspecteur de son équipe qui l'avait racketté de huit mille cinq cents afghanis. Il hésita quelques instants. L'inspecteur était un élément de valeur, arrivé depuis peu au commissariat. Mais huit mille cinq cents afghanis représentaient une sacrée somme. En se plongeant dans le dossier préparé par les services du ministère de la Justice, Oussama découvrit que le policier avait menacé de tuer toute la famille du commerçant et de violer sa fille de dix ans. Voilà qui lui ôtait tous ses doutes. Il signa l'ordre de suspension. Un dernier regard au dossier lui apprit que l'homme était un Pachtoun de la même région que le président Karzaï. Il vérifia le lieu de naissance : c'était la même ville que le président. S'il était membre du même clan, les Popalzaï, une suspension ne servait à rien, l'homme serait rapidement déplacé dans un autre commissariat, puis son dossier serait purgé discrètement de tout document compromettant. Oussama ajouta une mention manuscrite demandant un emprisonnement immédiat du policier dans l'attente de l'enquête complémentaire. Une décision qui allait encore lui attirer de nouvelles et puissantes inimitiés… Il regarda sa montre, Djihad était parti depuis plus d'une heure, il avait encore un peu de temps devant lui. Il en profita pour vérifier tout le dossier de transfert des droits à la retraite de Babrak à sa veuve. C'était de la paperasse, ce qu'il détestait par-dessus tout, mais il était de son devoir de s'en occuper, sinon la demande se perdrait dans les méandres de la bureaucratie afghane. Il s'inscrivit lui-même comme tuteur légal de la veuve, au cas où un membre mal intentionné de sa famille se mettrait en tête de la dépouiller de sa pension ou de lui imposer un remariage. Il ajouta une demande destinée au chef des services généraux pour proposer à la veuve un poste administratif, où elle serait mieux payée que dans l'association où elle travaillait. Enfin, il prépara un mot pour les services du ministère des Affaires sociales, afin que la veuve touche une prime spéciale pour le décès de son mari. Le dispositif existait mais il n'était jamais utilisé, l'argent étant détourné par des bureaucrates peu scrupuleux. Oussama allait faire en sorte qu'il soit appliqué, cette fois-ci.

Djihad et Rangin firent irruption dans le bureau, alors qu'il reposait une dernière intervention sur le haut de la pile de courrier au départ. Rangin avait les bras chargés de rouleaux.

– C'est bon, qomaandaan. J'ai les cartes. – Il les posa sur le bureau. – Désolé, c'est lourd.

– Va chercher Gulbudin. On s'y met tout de suite.

Les cartes n'étaient pas rangées dans l'ordre, et les inscriptions en cyrillique sur la tranche ayant été abîmées, ils devaient les déplier les unes après les autres afin de trouver celle qui correspondait à la zone précise qu'ils cherchaient. Finalement, Gulbudin annonça :

– Je crois que j'y suis.

Les coordonnées correspondaient à un village sans nom, Oussama ignorait s'il était pachtoun ou brâhuîs ; dans les deux cas, il ne serait pas bien reçu. Heureusement, les noms indiqués sur la carte prouvaient qu'une zone majoritairement baloutche se trouvait un peu plus à l'ouest. Il pourrait trouver du soutien, là-bas, mais, dans ce type de région reculée, chaque vallée représentait un territoire à part. Il ferma les yeux pour réfléchir plus à son aise. Il devait passer par Kandahar, un territoire infesté de talibans hostiles au gouvernement, sans se faire connaître. Les Américains avaient lancé plusieurs opérations militaires d'envergure à l'ouest de Kandahar, il fallait espérer que la dernière ne serait pas terminée. Les forces américaines seraient ainsi mobilisées loin de sa propre destination. Ensuite, il devait prendre la route de Quetta, dans un territoire infesté de candidats au martyre. Il lui faudrait sans doute finir son périple à dos d'âne, en évitant les champs de mines, tout cela sans l'aide de la Coalition ou de l'armée afghane. Ce n'était pas une mince affaire. Il devait partir avec quelques hommes, des réserves de vivres, prévoir de dormir dans des villages et non des guest houses, afin de ne pas révéler sa présence. Au moins deux jours à l'aller, peut-être trois, autant au retour. La seule bonne nouvelle était qu'il s'agissait d'une région relativement plate, qui culminait à moins de mille cinq cents mètres d'altitude.

– Que voulez-vous faire, qomaandaan ? demanda Gulbudin.

– Je crois qu'on n'a pas vraiment le choix, il faut y aller. Djihad, Rangin et Abdul viendront avec nous. Je vais aussi prendre mon neveu et un de ses amis, ils serviront la mitrailleuse Douchka du pick-up. Retire des armes à l'armurerie du commissariat et fais réviser le 4 × 4. Ajoute une radio militaire de campagne à haute fréquence, au cas où l'on devrait appeler l'armée à l'aide.

– J'ai pris les devants tout à l'heure. Tout sera bon, armes et voitures, dit Gulbudin.

– Quand partons-nous, qomaandaan ? demanda Rangin.

– Le plus vite possible. Demain matin, à l'aube, si le 4 × 4 est prêt. Départ à quatre heures et demie.

– À cette heure-là, les engins anti-mines de la Coalition ne sont pas passés !

– Je sais. Mais on ne peut pas attendre neuf heures, je veux qu'on ait quitté Kaboul avant que quelqu'un se rende compte de ce que nous faisons. On prend le risque.

Gulbudin se rembrunit, mais il acquiesça en silence.

– Je ne sais pas exactement ce que nous allons trouver, ni dans quel endroit nous allons, ajouta Oussama. La seule chose que je sais, c'est que Wali Wadi a placé là-bas un document crucial au cas où il lui arriverait quelque chose, et qu'il avait pris ses dispositions pour que quelqu'un y ait accès en cas de problème. J'espère que c'est la clef de tout. Si nous le trouvons, Babrak ne sera pas mort pour rien.

– Je m'occupe du voyage, patron. Tout sera prêt pour demain, quatre heures trente.

– Nous devons garder notre destination secrète. Ne dites rien de précis à vos épouses. Au contraire, laissez entendre que nous partons vers le nord.

Oussama ouvrit le tiroir de son bureau et prit l'enveloppe de dollars que lui avait remise le ministre de la Justice. Après une hésitation, il empoigna l'ensemble des cartes d'état-major. Pas la peine de laisser quiconque deviner où il se rendait.

*

À l'autre bout du monde, au quartier général de l'Entité, à Berne, une alerte retentit silencieusement sur la console d'un opérateur. Alerté par le signal lumineux, ce dernier ouvrit le fichier. L'ordinateur le prévenait qu'une adresse IP afghane venait de se connecter à Internet depuis Kaboul et de lancer une série de recherches sur Google concernant un mot mis sous surveillance « Alert Red ». L'opérateur étudia le fichier, rédigea un compte rendu bref, qu'il envoya à son supérieur avec la mention « Flash », sans se douter qu'il venait de déclencher une véritable bombe. Quelques minutes plus tard, le directeur de la sécurité intérieure de l'Entité, réveillé en urgence, lisait l'alerte.

Sans hésiter, il décrocha son téléphone crypté.

– Général, désolé de vous déranger. Pouvez-vous brancher votre brouilleur ?

Il entendait des voix derrière son chef, le joyeux brouhaha d'un cocktail. Quelques secondes passèrent, avant que le bruit de fond rassurant du brouilleur n'envahisse son écouteur.

– Qu'est-ce qui se passe ? demanda le général.

– Quelqu'un a lancé une recherche sur le mot « Mandrake » depuis le commissariat central de Kaboul. Nous venons de recevoir l'alerte.

Il sentit tout le trouble de son supérieur qui resta silencieux, sa respiration sifflant dans le combiné.

– Général ?

– Je réfléchis. Quels sont les termes exacts qui ont été utilisés ?

Il n'y avait pas de doute, ce n'était pas une erreur, ni la quête d'un amateur de BD. Le général raccrocha et composa immédiatement le numéro de Joseph.

– Branchez votre brouilleur, ordonna-t-il dès qu'il l'eut en ligne.

Lorsque le bruit habituel résonna dans le combiné, il lui annonça la nouvelle.

– Cela pourrait coller avec ce que je viens d'apprendre, dit Joseph. L'adjoint de Kandar a pris ses dispositions pour l'organisation d'un déplacement hors de Kaboul. Il a demandé qu'on fasse le plein, qu'on révise le moteur, commandé des munitions et de l'essence. Je m'apprêtais à vous demander l'autorisation d'un tir de drone, mais votre information change tout.

– Tout cela signifie qu'ils n'ont pas encore trouvé le CD, remarqua le général. Ils ont juste sa localisation. Ils sortent de Kaboul pour le récupérer.

Cette réflexion le calma un peu. La situation était moins grave qu'il ne l'avait cru en recevant l'alerte.

– Nos écoutes nous donnent-elles une indication sur leur destination ?

– Non. Ils sont restés très imprécis. Mais par vos contacts vous pourriez obtenir de la NSA qu'elle braque un satellite sur eux, proposa Joseph. La balise que ma taupe a posée fonctionne dans toutes les configurations, y compris en montagne, avec une portée de trente kilomètres. On les suit à distance avec un drone d'observation non armé, on attend qu'ils récupèrent le CD. Ensuite, j'interviens avec mes K. On récupère le CD, on tue Kandar.

Le général réfléchit. Ce que proposait Joseph était la meilleure option théorique. C'est ce qu'il aurait fait dans un pays civilisé. Mais en Afghanistan, tout était différent. Le pays était une véritable poudrière. Il faudrait utiliser plusieurs drones d'observation, des hélicoptères. Le terrain afghan était infesté de groupes terroristes qui pouvaient émerger de grottes ou caches secrètes en quelques minutes. Que se passerait-il si son équipe d'intervention ratait Kandar ? Si elle était attaquée par des talibans ? Si le CD tombait dans les mains de leurs ennemis, ce serait encore pire que le pire des scénarios imaginés jusqu'à présent.

– Mon général ? Que dois-je faire ?

– Pas de risque inutile. Au pire, le CD restera caché là où il est. Il est temps de couper la position, Joseph. Frappons Kandar dès qu'il aura quitté Kaboul.

– Bien.

– Il faudra effacer toute trace. L'attaque ne doit pas susciter la moindre suspicion.

– Je m'en suis déjà occupé.

*

Ce soir-là, Oussama et Malalai se retrouvèrent pour une dernière soirée en commun avant son voyage. Sa femme était inquiète qu'il se rende dans une région dont la réputation de sauvagerie était grande, ce qui dans un pays comme l'Afghanistan n'était pas un vain mot. Allongé contre elle, Oussama savourait son corps chaud. Il se sentait bien, bizarrement, il n'avait pas peur. Ce voyage était l'aboutissement de son enquête. Les cheveux de Malalai sentaient le miel, ainsi qu'une odeur de fruit séché merveilleusement subtile, qu'il n'arrivait pas à identifier. Elle se mit à trembler.

– Que se passe-t-il ? demanda-t-il. Ne me dis pas que tu as peur pour moi ?

– Bien sûr, que j'ai peur. Cette région est pleine de talibans. Ce sont des bêtes féroces. As-tu oublié comment ils ont récemment découpé en morceaux trois hommes devant des agents électoraux d'Abdullah Abdullah ? Ces derniers sont devenus fous, paraît-il.

– Tu ne dois pas t'inquiéter. Nous serons plusieurs. Au moins, ce n'est pas de la haute montagne, nous affronterons peut-être des talibans, mais je les crains moins que la neige. Je pars avec mes hommes les plus sûrs.

– Arrête de dire des bêtises, Oussama Kandar ! Ces talibans sont fous, et tu vas au cœur de leur fief.

– Ce que je fais n'est pas si dangereux. Pas plus que de travailler pour la RAWA. Dis-moi plutôt comment cela se déroule avec tes amies.

– La pression augmente sur nous, murmura-t-elle. Ceux qui ont tué Meena courent toujours, et je sais qu'on ne les retrouvera jamais. Une de nos représentantes a été blessée d'un coup de couteau en pleine rue à Faizabad, ce matin. Elle se croyait en sécurité en zone tadjike, mais les talibans l'ont trouvée quand même. Elle a été sauvée par des marchands, des soldats ont volontairement laissé filer ses deux agresseurs.

Oussama humait à plein nez le parfum des fleurs fraîches que sa femme avait écrasées sur sa peau avant qu'ils fassent l'amour, une coutume que les favorites de Reza Shah avaient contribué à diffuser chez les Afghanes éduquées.

– J'ai eu notre fille cet après-midi au téléphone, reprit Malalai. Je suis désolée de te l'apprendre, mais elle veut divorcer.

– Divorcer ? Mais… que s'est-il passé ?

– Rien de particulier à reprocher à Charles. C'est juste la lassitude. Elle ne l'aime plus.

– C'est très grave. Ils sont mariés depuis trois ans seulement ! Une femme ne peut pas rejeter ainsi son mari s'il n'a commis aucune faute. Elle n'en a pas le droit ! C'est absurde !

Malalai se blottit contre lui.

– Les jeunes ne sont plus comme nous, Oussama. Rester ensemble toute leur existence, ce n'est plus ce qu'ils recherchent. Et puis, à Montréal, c'est différent, tout va plus vite, les femmes sont autonomes et choisissent leur vie comme bon leur semble. Le divorce est devenu la norme.

– Je suis scandalisé, asséna Oussama. Que va devenir notre petite-fille ?

– Elle va rester avec sa mère. Charles va prendre un appartement à proximité de Nita pour quelques mois, ensuite je ne sais pas. Il a toujours voulu habiter en Asie plutôt qu'au Canada, je ne sais pas s'il restera à Montréal pour être près de sa fille.

– Je me sens honteux.

– Tu n'étais pas content qu'elle ait épousé un chrétien. Tu devrais te réjouir.

– Ce n'est pas la question, il est son mari, elle n'a pas à le rejeter sans une raison grave. Notre religion l'interdit.

– Pourtant, elle l'a fait. Elle a ses raisons, elles sont suffisantes.

– Et comment va-t-elle vivre ? Avec quel argent ?

Malalai eut ce petit rire de gorge qu'Oussama aimait tant.

— Notre fille vient d'avoir une promotion, elle est professeur titulaire à l'université, maintenant. Avec les missions qu'elle fait pour le secteur privé, elle gagne beaucoup d'argent, beaucoup plus que nos deux salaires réunis.

— Et notre fils, tu as eu des nouvelles ?

— Ramazan va bien. Il a été augmenté récemment, il va partir travailler sur un projet d'usine hydroélectrique, dans le sud de l'Australie. En Tasmanie, je crois. Il est heureux.

— Toujours pas de projet de mariage ?

— Oussama ! Il a à peine trente ans. Qu'il s'amuse encore un peu.

Oussama bougonna une réponse indistincte, dans laquelle il était question de ces jeunes qui ne savaient pas la chance qui était la leur. Il tendit la main pour prendre un verre d'eau. Le mouvement provoqua la chute du fusil qu'il avait placé à côté du lit. Malalai poussa un petit cri. Oussama s'assit sur le bord du lit, ramassa l'arme.

— Ce sont les nouvelles de ta fille qui t'énervent ? demanda Malalai.

— Penses-tu que je devrais m'en satisfaire ? Ce n'est pas ainsi qu'une jeune femme musulmane doit se comporter. Ce n'est pas correct.

— Ne sois pas si dur. Nos enfants sont insouciants, comme tous les jeunes Occidentaux, ni plus ni moins. Ils peuvent penser à eux tranquillement, au lieu de se demander à chaque instant s'ils seront encore en vie demain. C'est ça, leur chance. Ils ont oublié les horreurs de ce pays, ils pensent que tout ce qu'ils ont coule de source. C'est ainsi que devrait être l'existence pour tous les Afghans, tu ne crois pas ?

– Je ne vois pas les choses comme toi. Nos enfants sont pervertis par l'Occident, ils ont oublié les préceptes de notre religion. Je trouve qu'ils se comportent mal.

– Mais non. Ils sont jeunes et libres.

– Toi aussi, tu es libre.

– Tu plaisantes ! Libre de vivre dans une maison gardée par des hommes en armes, sous la menace de ces fous furieux qui veulent nous faire vivre comme au Moyen Âge. Tu vois, dit Malalai d'une voix attristée, certains rêvent de voitures de luxe, d'intérieurs en marbre, de croisières au bout du monde… Moi, je voudrais pouvoir dormir avec mon mari sans fusil ni grenade à côté du lit.

– Pas dans cette vie, répondit Oussama. Mais ce n'est pas ma faute.

– Je sais.

Oussama replia la couverture.

– Je vais faire ma prière, dit-il.

Malalai se colla contre son dos et le serra fort contre elle.

– Oussama, n'y va pas ! S'il te plaît, c'est notre nuit. Peut-être la dernière. Tu prieras demain matin avant de partir.

Après une hésitation, Oussama se recoucha. Plus tard, alors que le sommeil peinait à venir et que la respiration régulière de sa femme emplissait le silence de la pièce, il repensa à cette phrase : « C'est notre nuit. » Il se demanda s'il serait encore vivant à la fin de son périple, s'il vivrait d'autres nuits comme celle-ci. Dans l'obscurité, il récita à mi-voix sa prière, implorant Allah de l'aider à remplir sa mission.

## 15

Au sein de la base américaine de Bagram, il existait un périmètre protégé. Seuls certains soldats des forces spéciales, de la CIA ou d'autres services d'espionnage munis d'une autorisation spécifique pouvaient franchir le double mur de béton hérissé de barbelés. Une porte munie d'un dispositif de reconnaissance des empreintes digitales était le seul accès, gardé nuit et jour par des rangers armés jusqu'aux dents. Derrière le périmètre, dans un bâtiment anonyme recouvert de panneaux remplis de sable, hérissé d'antennes, un tout petit nombre d'opérateurs triés sur le volet suivaient des drones Predator de recherche et d'interception pour des missions secrètes. Certains d'entre eux étaient uniquement équipés de caméras de surveillance, d'autres portaient un ou deux missiles Hellfire sophistiqués, capables de détruire un char. Dans une des pièces du centre de commandement, un opérateur était assigné depuis deux jours au suivi d'un véhicule. Il ne savait pas de quel type de voiture il s'agissait ni qui le conduisait, il n'avait jamais entendu parler du qomaandaan Kandar, le véhicule n'était pour lui que le numéro AXX 74. Il lança un regard à l'horloge murale. À cette heure matinale, il était certain de pouvoir lancer un tir depuis un drone fantôme, sans dégât collatéral. Un régal. Il héla le second homme présent dans la pièce, un jeune d'une vingtaine d'années au crâne rasé.

– Bryan, Vega 31 est-il prêt à décoller ?

– En stand-by de procédure d'urgence. Comme toujours.

– Lance-le.

À cet instant, la porte du local s'ouvrit. Joseph entra, suivi par Amin. Joseph sortit de sa poche une feuille blanche munie d'une série de chiffres et de lettres. Le code secret de l'opération. L'opérateur le vérifia avant de lever le nez vers les deux nouveaux venus.

– J'appelle mon superviseur. Asseyez-vous, en attendant.

L'opérateur empoigna son téléphone. Ils l'entendirent murmurer à voix basse.

– Sir, je demande une autorisation de déclenchement de tir sur une cible *top priority* pour une mission non militaire. J'ai reçu un *finder* signé par une autorité supérieure à cette fin. Deux civils avec un code d'autorité viennent d'arriver.

– Je suis là dans cinq minutes, dit une voix d'homme dans le combiné.

Le responsable était un Afro-Américain d'une quarantaine d'années, en treillis, le crâne rasé, de forte corpulence, avec une moustache fournie. Il n'y avait aucun signe distinctif ni indication de grade sur son uniforme. Après avoir salué Joseph et Amin d'un mouvement de tête, il prit connaissance de l'ordre d'attaque, intrigué. Il provenait de son chef direct, un ancien officier avec le grade de colonel qui avait toute autorité pour déclencher une opération « humide », comme on nommait les assassinats ciblés. Le document était ce qu'on appelait un « blanc », un ordre sans en-tête officiel, sans tampons, ni l'indispensable numéro d'archivage. Il comprit aussitôt de quoi il s'agissait : le document serait détruit après le tir, qui serait censé n'avoir jamais eu lieu.

– Quel est le drone utilisé ? demanda-t-il à l'opérateur, certain de la réponse.

– Vega 31. Il vient de décoller, je l'ai mis en trajectoire d'attente.

Un drone d'attaque qui s'était prétendument écrasé plusieurs mois auparavant. Il était désormais dans un no man's land, pour une de ces opérations fantômes dont les agents parlaient parfois avec des trémolos dans la voix.

– Vous savez qui est la cible ? demanda-t-il à Joseph.

– Une taupe d'Al-Qaïda dans les organes de sécurité afghans. Une vraie pourriture.

Calmement, l'officier rangea le document dans sa poche.

– Eh bien, ne loupons pas l'occasion de le tuer. Je confirme l'ordre de tir. Déroutez le Predator, mettez-le en position à un kilomètre en arrière du véhicule, vitesse minimale, à six kilomètres d'altitude.

– À vos ordres, sir, dit l'opérateur.

Joseph tira discrètement Amin par la manche pour le faire asseoir devant l'un des pupitres. Un équipement sophistiqué comprenant un micro, des écouteurs, une caméra et deux autres écrans de petite taille – cinq pouces – était accroché au-dessus de l'écran principal. Une série de chiffres et de lettres apparurent, immédiatement suivie par les images réelles prises par le Predator. Grâce aux caméras infrarouges, ils voyaient deux véhicules qui roulaient à vive allure, un 4 × 4 et un pick-up. Stupéfait, Joseph se rendit compte que la résolution était tellement bonne qu'il pouvait distinguer tous les détails des véhicules, jusqu'à l'affût de mitrailleuse sur le plateau arrière du pick-up. L'opérateur, le visage concentré, leur fit un signe amical de la main.

– Les voilà. Vous êtes prêts ?

– Oui, dit Joseph.

– Comment comptez-vous cacher une opération pareille ? chuchota Amin. Un tir de drone, ça se reconnaît. Les Afghans peuvent analyser les débris.

Joseph tourna vers lui ses yeux morts.

– On utilise des Vikhr, des missiles russes, à la place des Hellfire habituels. Ce sont des engins antichars très performants. Ils volent à six cents mètres-seconde et contiennent un type d'explosif très particulier, que seuls les Russes produisent. Comme ça, en cas d'enquête, personne ne peut nous incriminer.

– Vous n'avez pas peur des journalistes ?

Joseph eut un sourire.

– On va nettoyer les traces de l'opération. J'ai déjà tout organisé. On paye une trentaine de membres du contingent albanais. Ils ont des équipements de levage lourd. J'ai loué les hommes et le matériel. Deux mille dollars par homme, trente mille pour leur capitaine, soixante-dix mille pour le colonel qui commande leur régiment. Tout en cash. Suffisamment de fric pour qu'ils fassent ce que je veux, mais pas assez pour qu'ils comprennent à quel point l'opération est importante. Cinq K les encadrent, ceux que tu as vus partir tout à l'heure. On va enlever les corps et les carcasses des véhicules, puis nettoyer la route au Kärcher. Ainsi, personne ne saura jamais ce qui s'est passé.

Il regarda la grande montre murale.

– Ils sont partis il y a une heure. Les engins de levage roulent beaucoup plus lentement que le convoi de Kandar, mais ils seront sur les lieux de l'attaque dans moins de quarante-cinq minutes. L'opération est parfaitement planifiée, Amin. Prends-en de la graine.

– Oui, patron.

– Cible *lockée*, déclara soudain l'opérateur. Tir imminent. Je vois une Douchka sur le plateau arrière du second véhicule. C'est une voiture de protection, il doit y avoir un officiel dans le 4 × 4 de tête. Vous êtes certains de la cible ?

– La cible est confirmée. On a une balise dans la voiture depuis des jours, répondit Joseph d'une voix agacée.

– Armement des deux missiles, ordonna le responsable. Descendez le drone à mille mètres.

– Vikhr armés, annonça l'opérateur.

– Nous pouvons enclencher la phase active, dit le responsable. Vous confirmez ?

À l'écran, les deux véhicules s'étaient arrêtés au bord de la route, signant leur arrêt de mort.

– Déclenchez le tir, ordonna Joseph.

– Vega 31 armé, verrouillé. Je confirme la séquence de tir des deux Vikhr en simultané, annonça l'opérateur d'une voix neutre.

Il souleva un clapet en plastique qui se trouvait en haut de sa console de tir. Il y avait un simple commutateur dessous, en métal brillant. Joseph voyait les gouttes de sueur sur son front, son regard fixe, comme hypnotisé. Comme lui, l'opérateur savait que son acte allait déclencher l'envoi d'un missile chargé d'explosif à haut pouvoir brisant, transformant son enveloppe d'acier en milliers de débris chauffés à blanc et coupants comme des rasoirs. L'opérateur eut un petit mouvement de tête dans sa direction, comme s'il demandait pardon. Puis il abaissa le commutateur.

– Tir déclenché, annonça-t-il d'une voix où perçait cette fois une certaine excitation.

Comme dans une production hollywoodienne, deux traînées de fumée enveloppèrent le Predator. Les missiles russes venaient de partir vers leur cible.

*

Oussama somnolait à l'avant du 4 × 4. Djihad était au volant car c'était le meilleur pilote de l'équipe, Gulbudin et Rangin dormaient profondément à l'arrière, leur fusil dans les bras. Le pick-up de protection suivait, avec Abdul et un policier dans la cabine et deux cousins d'Oussama sur le plateau arrière, des anciens moudjahiddines de l'Alliance du Nord. Tout à coup, Djihad lança un juron en dari.

– Que se passe-t-il ? demanda Oussama.

– La roue avant gauche patine.

Djihad se gara sur le bas-côté. Rangin et Gulbudin s'étaient redressés. Oussama descendit, suivi par ses hommes. Le 4 × 4 penchait fortement sur le côté, le pneu avant était complètement déchiré.

– On a dû rouler sur une pièce métallique, grommela Djihad. – Il avisa une carcasse de char russe, un peu plus loin. – À tous les coups, c'est un morceau de chenille, ça déchire les pneus comme du beurre.

Oussama s'étira.

– Je vais faire ma prière, nous n'aurons pas beaucoup d'autres occasions ce matin. Qui m'accompagne ?

Abdul et les trois Hazaras déclinèrent, au motif qu'ils devaient aider Djihad à changer le pneu. Oussama s'éloigna, suivi par Gulbudin et Rangin. Il déplia d'abord son tapis à quelques mètres des deux véhicules, avant de se raviser. Le bruit des hommes en train de changer la roue n'était guère propice au recueillement.

– Je m'éloigne un peu plus. Attention aux mines, avertit Oussama. Restez près de moi, sur la route.

Cinquante mètres plus loin, il s'arrêta, imité par ses deux compagnons. Ils étaient à peine accroupis qu'une énorme explosion retentit. Le souffle brûlant les balaya tandis que la pression leur écrasait les tympans. Son shalwar karmiz était en train de prendre feu, Oussama eut à peine le temps de l'éteindre en se roulant par terre avant de s'évanouir. Lorsqu'il reprit connaissance, les deux véhicules étaient en flammes. Des morceaux de corps désarticulés et sanglants gisaient partout, noircis par les flammes. Il secoua Rangin, qui ouvrit les yeux.

– Que s'est-il passé ? gémit-il.

– Nous avons été attaqués, dit Oussama.

Il se releva en grimaçant. Les alentours étaient vides, personne ne venait les achever. Ce n'était pas une embuscade des talibans. Ils étaient à l'arrêt, donc une mine ou un IED étaient également à exclure. Brusquement, il comprit. Ils avaient été visés par un missile, tiré par un drone ou un hélicoptère. Des dizaines de talibans avaient été rayés de la carte de la sorte. Oussama sentit la colère l'envahir. On l'avait pris pour cible comme un vulgaire terroriste, alors qu'il ne faisait que son travail.

– Qomaandaan, qu'est-ce qu'on fait ? cria Rangin, complètement déboussolé.

Les deux véhicules étaient détruits. Le 4 × 4 avait subi un tir direct, il n'était plus qu'une carcasse fumante. Quant au pick-up de protection, atteint par des éclats, il brûlait comme une torche. Rangin s'approcha en boitant.

– Qomaandaan ! Qu'est-ce qu'on fait ? répéta-t-il, affolé.

Le regard d'Oussama balaya la scène. Les morceaux de corps jonchaient la route et les environs, sur des dizaines de mètres. Deux silhouettes noircies achevaient de se consumer à l'intérieur du pick-up, dans un grondement de flammes ponctué par l'éclatement du plastique brûlant. Soudain, il entendit une sorte de ronronnement, à peine perceptible. Le drone, il revenait vers eux !

Il se jeta sur Rangin et le plaqua au sol, suivi de Gulbudin.

– Ne bougez pas, leur ordonna-t-il. Ils viennent vérifier que nous sommes morts.

– Mais qui ? lui cria Rangin.

– Tais-toi, sinon nous sommes morts.

\*

Au centre opérationnel, l'opérateur se tourna vers Joseph.

– J'annonce deux tirs au but. Je fais revenir le drone ?

– Non, qu'il vienne au contact, vérifions qu'il n'y a aucun survivant.

– OK, sir. Il a plus qu'il ne faut d'autonomie.

L'opérateur s'empara du joystick pour faire accomplir une large boucle au Predator. Deux minutes plus tard, le drone se trouvait à proximité immédiate des carcasses des deux véhicules. À cause de la fumée qui se dégageait, la visibilité était médiocre.

– On ne voit rien, grommela Joseph.

– C'est toujours comme ça. J'en vois assez pour confirmer que les deux véhicules ont été touchés par un tir au but. Ils sont complètement détruits.

– Vous voyez des corps ?

– Pas facile avec toute cette fumée, ils emportaient probablement des bidons de diesel. J'aperçois des morceaux éparpillés, dit l'opérateur. Regardez, là et là, ce sont des jambes. Là, on a un torse.

– Hum.

Le Predator entama une seconde boucle latérale. La fumée avait un peu diminué.

– En avant de la première voiture, j'ai trois corps, à environ cinquante mètres.

– Ils bougent ?

– Non. Ils sont morts.

– Faites descendre le Predator, ordonna Joseph. S'ils sont vivants, ils vont paniquer.

L'opérateur poussa sur le joystick. Ils virent le drone ralentir à l'écran, piquer du nez. L'immense engin passa quelques mètres à peine au-dessus des corps. Le drone fit une seconde boucle, de manière à refaire une série de photos.

– Ils n'ont pas bougé, annonça l'opérateur. Rien, aucun mouvement. Ils sont morts sur le coup.

– OK, ils ont l'air d'avoir eu leur compte, dit Joseph.

– Faisons rentrer le drone immédiatement, déclara alors le responsable. On ne peut pas prendre le risque que quelqu'un le repère.

Pour la première fois, Joseph montra un signe de nervosité.

– Négatif. Il doit rester le temps que l'équipe au sol arrive.

– Les Russes et les Chinois surveillent la région, sans compter les Pakistanais, les Turcs et les Iraniens. Les Français ont deux porte-avions avec des moyens d'interception. Cet appareil est censé ne pas exister. Il faut le faire revenir à la base en rase-mottes avant que quelqu'un l'ait repéré.

– On ne peut pas prendre le risque qu'un blessé s'échappe. Attendons que mes équipes arrivent, ils seront là dans une demi-heure.

– C'est la procédure, sir, répliqua l'officier, je suis tenu de l'appliquer. Même pour les opérations fantômes, il y a une procédure.

– C'est une procédure absurde, gronda Joseph.

– Je n'y peux rien.

Joseph sentit qu'il ne le ferait pas changer d'avis. Il tourna les talons.

– Il n'y aura pas de compte rendu officiel, comme prévu ! cria l'officier dans son dos. Vous transmettrez l'information à vos supérieurs, quels qu'ils soient.

Amin suivit Joseph. Le responsable était en train de déchirer ostensiblement l'ordre de tir en petits confettis. Il regarda ce qu'il en restait tomber en un mouvement gracieux dans la poubelle.

*

Oussama desserra son étreinte sur Rangin. Lorsqu'il avait entendu le Predator revenir sur eux, le jeune policier avait essayé de se lever pour s'enfuir, pris de panique, mais Oussama l'en avait empêché en le plaquant de ses bras puissants. Bien lui en avait pris : il était certain que le drone avait renvoyé des images d'eux immobiles, laissant croire à leur mort. Il se releva lentement. Ils avaient tous deux piteuse allure, avec leurs vêtements déchirés, le sang et la suie qui maculaient leur visage.

– Tu n'es pas blessé ? Rangin ? Gulbudin ?

– Non, qomaandaan.

– On n'a plus d'armes, regarde si tu peux récupérer un fusil.

Il revint quelques instants plus tard, les mains vides.

– Elles sont toutes brûlées ou en morceaux. Qu'est-ce qu'on fait ?

Oussama n'avait que son petit sac de voyage en cuir, qui avait étrangement échappé à l'explosion. L'enveloppe contenant les dollars donnés par le ministre de la Justice était toujours dans sa poche intérieure. Il avisa un petit chemin de terre qui grimpait la colline.

– Suivons-le, on arrivera peut-être à un village. Je ne veux pas continuer sur la route.

Le froid mordant ne rendait pas l'ascension aisée, d'autant que le chagrin d'avoir perdu des proches les accablait. Au bout de quelques centaines de mètres, Rangin s'effondra en sanglotant.

– Djihad. Il était comme un frère pour moi. Il ne méritait pas de mourir, et moi, je ne mérite pas de vivre !

Oussama le releva.

– Nous pleurerons nos amis plus tard, inch' Allah. Pour l'instant, il faut se mettre à l'abri. Allez, viens.

Les yeux verts d'Oussama luisaient avec une intensité incroyable. Rangin sentit la détermination farouche de son chef. Il repartit à l'assaut de la pente abrupte, galvanisé. Au bout de trente minutes de marche harassante, ils atteignirent le sommet de la colline. Oussama s'arrêta un instant, saisi par le paysage grandiose qui s'étendait devant leurs yeux. Des montagnes ocre à perte de vue, qui commençaient à s'éclairer d'une teinte pourpre avec le soleil levant. Il montra des phares qui trouaient la nuit, dans la vallée, à quelques kilomètres de là : une colonne d'une dizaine de véhicules.

– Vite, il faut passer de l'autre côté.

Il y avait un village misérable sur le versant opposé de la colline, quelques maisons de terre, une petite mosquée. Des paysans, des bergers habitaient là. Oussama aperçut une vieille Jigouli. Avec cette voiture, ils pourraient peut-être atteindre Kandahar et, de là, louer un 4 × 4 pour leur destination finale. Ils accélérèrent le pas, portés par la colère et l'envie de se mettre à l'abri de leurs poursuivants. Ils arrivèrent au village après vingt minutes de marche, presque au pas de course. Oussama était à peine essoufflé, mais Rangin, moins habitué que lui à l'effort de montagne, peinait. Quant à Gulbudin, il traînait la patte en serrant les dents, livide. Oussama se dirigea vers la plus grande maison, qui n'était pourtant qu'une masure. Une femme était en train de se soulager sur le côté, une pile de pierres plates à portée de la main. En les voyant, elle se couvrit la tête de son voile, sans s'interrompre pour autant. Ici, c'était déjà l'Afghanistan des montagnes. Oussama avait lu un jour, sous la plume d'un diplomate anglais, que dans cet Afghanistan-là, le seul élément de modernité était la kalachnikov. C'était un monde rude et violent, à mille lieues du modernisme de Kaboul, cette femme en train de déféquer à l'extérieur à même le sol était là pour le lui rappeler. Oussama frappa à la porte. Trois minutes plus tard, un visage hostile apparut dans l'entrebâillement.

– Salaam u aleikum, manda na bashi. La paix soit avec toi, puisses-tu ne pas être fatigué. Que ton corps soit fort, ta famille vigoureuse, commença Oussama.

L'homme lui répondit, la main sur le cœur. Lorsqu'ils eurent fini les salutations, il entrouvrit la porte un peu plus.

– Je suis de Kaboul, expliqua Oussama, je dirige en tant que qomaandaan une unité de police. On a tiré un missile sur ma voiture, tuant mes hommes.

– Pourquoi a-t-on voulu te tuer ? Tu es un taliban ? demanda l'homme.

Il n'était ni hostile ni amical, juste neutre.

– Non. Je suis simplement un *poulès* qui cherche à faire son travail. On veut m'en empêcher, mais je n'ai rien à voir avec les talibans. Ni avec le gouvernement Karzaï.

– Les kâfirs vont venir ici ?

– Peut-être.

L'homme les fit entrer. Ils le suivirent dans le salon. Le chef du village claqua des doigts, un enfant apparut. Il ordonna qu'on apporte du thé, du pain et du yaourt salé. D'une main, il fit signe à Oussama et à ses adjoints de s'asseoir.

– Si les soldats viennent ici, nous vous cacherons dans une pièce secrète, sous la cuisine, annonça le chef. Beaucoup d'hommes s'y sont réfugiés du temps des Russes.

Ils burent leur thé et avalèrent goulûment le pain et le yaourt qu'on leur avait servis. Rangin et Gulbudin reprirent des couleurs. Oussama se détendit un peu. L'ameublement était misérable, des tapis de laine brute, non teints, jetés à même le sol, un coffre, des coussins élimés, quelques boîtes en bois, grossièrement peintes, pour ranger le coran et les objets précieux. Une unique photo au mur, sur laquelle posaient deux jeunes hommes en tenue afghane traditionnelle, kalachnikov à l'épaule, accompagnés par des soldats assis sur un tank. Ils souriaient tous à l'objectif.

– Mes fils, dit le chef de village, surprenant le regard d'Oussama. Ils sont morts tous les deux.

Les tankistes portaient l'uniforme russe. Oussama se garda de tout commentaire : comprenne qui pourra... Une heure après leur arrivée, un homme vint se pencher à l'oreille du chef.

– Les deux voitures brûlées au bord de la route étaient les vôtres ? demanda le chef.

Oussama acquiesça.

– Des hommes les ont inspectées. Il y a plusieurs camions, une grue, des 4 × 4. Ce sont des nazaréens, mais pas des soldats américains, ils portent le même style de treillis que les *spetsnaz* russes. Certains sont en route pour le village, ils seront ici dans dix minutes, vous devez vous cacher.

Le chef les emmena dans la cuisine. Ils poussèrent ensemble la chaudière, une machine qui chauffait avec des galettes de bouse séchée. L'odeur âcre était à peine supportable. Dessous, il y avait une trappe. Oussama descendit le premier. La pièce secrète était minuscule, cinq ou six mètres carrés au maximum. Elle contenait des couvertures élimées qui sentaient le moisi, une vieille kalachnikov, ainsi que deux grenades portant des inscriptions en cyrillique. Gulbudin s'agenouilla avec une grimace de douleur. La trappe se referma sur eux, puis la chaudière racla sur le sol. Ils se retrouvèrent dans une obscurité complète. Un peu plus tard, ils entendirent des bruits dans la maison.

Des voix parlant l'anglais avec un accent étranger qu'Oussama ne put identifier. Les bruits de bottes s'accentuèrent au-dessus de leurs têtes. Trois ou quatre soldats visitaient la maison. Puis les voix décrurent, avant de disparaître. Beaucoup plus tard, la chaudière fut bruyamment déplacée, la trappe soulevée. Oussama aperçut la face du chef du village, hilare.

– Vous pouvez monter.

– Ils sont partis ? demanda Rangin.

– Ils vous cherchent dans les environs. Ils ont dit que trois terroristes s'étaient enfuis.

Oussama songea au drone. Il avait envoyé des images d'eux, allongés sur le sol. En ne retrouvant pas les trois corps, ceux qui avaient essayé de les tuer avaient compris qu'ils étaient bien vivants, et qu'ils s'étaient échappés.

– Ils t'ont dit nos noms ? demanda Oussama.

– Non, ils ont juste parlé de trois talibans.

Oussama s'épousseta. Les tueurs ne savaient pas qui avait survécu, les corps sur place étaient trop abîmés pour être identifiés. Mais s'ils étaient professionnels, et ils avaient prouvé qu'ils l'étaient, ils allaient les chercher sans relâche. Si eux-mêmes continuaient sur la même route, ils risquaient de tomber sur des barrages. Sans armes, ils ne pourraient pas faire face. Ils devaient emprunter une voie parallèle, ce serait plus long, deux jours au lieu d'un, avec plus de possibilités de sauter sur une mine, mais ils n'avaient pas le choix. Le risque valait le coup d'être pris.

– J'ai besoin de me rendre à Kandahar, reprit Oussama. Peux-tu me louer ta voiture, et quelqu'un pour me conduire ? Je te payerai l'essence et un dédommagement.

Le chef se récria qu'il n'attendait aucun dédommagement, était fier d'aider son frère en difficulté. Il chargea son fils, à qui appartenait la voiture, de les conduire.

– Qomaandaan, intervint Gulbudin, sans ma prothèse, je vous ralentirai… Je ne peux pas vous suivre.

Son adjoint avait raison, Oussama dut l'admettre. Cette fois, le chef accepta quelques dollars pour le cacher.

Oussama monta dans la Jigouli et ils partirent immédiatement. Le fils apprit à Oussama qu'il travaillait chez un grossiste en viande de Kaboul, son métier consistant à faire le tour des bergers des environs pour acheter des bêtes moins chères qu'aux marchés aux bestiaux. Il avait une quarantaine d'années, l'air malin, et deux femmes. Il avait payé la seconde grâce à son travail, mille cinq cents dollars et seulement deux chèvres, parce qu'elle était d'occasion et qu'il lui manquait cinq dents, apprit-il à Oussama.

Après une demi-heure de pistes caillouteuses à vingt kilomètres à l'heure, ils rejoignirent la route asphaltée, bien en amont du lieu de l'attaque. Ils ne tardèrent pas à passer devant. Oussama remarqua avec stupéfaction que les deux carcasses avaient été enlevées. La route avait été lavée au Kärcher, les morceaux de corps emportés. Il aperçut un unique bout de ferraille noircie, un peu plus loin, qui avait échappé à l'attention des soldats. Certes, l'ANA possédait un de ses principaux quartiers généraux à moins de cent kilomètres de là, mais seule l'Otan disposait de moyens de levage sophistiqués, et surtout de la capacité d'intervenir aussi rapidement et aussi efficacement. Pourtant, les soldats qui l'avaient pourchassé parlaient avec un accent et n'avaient pas d'uniformes officiels. Qui étaient-ils ? Des forces spéciales opérant anonymement ou des mercenaires ? Il entendit du bruit, vit un vieux camion surgir d'un virage. Aussitôt, il donna l'ordre d'accélérer. Très vite, les lieux du drame disparurent.

– Combien de temps jusqu'à Kandahar ? demandat-il.

– Il y a moins de cinq cents kilomètres. C'est à huit ou neuf heures par la route normale, mais la route secondaire est très mauvaise, surtout au début, répondit le fils du chef de village.

Le trajet sur la route de terre défoncée se révéla encore pire qu'annoncé. Ils s'arrêtèrent plusieurs fois, pour prier et se restaurer. Vers dix-huit heures, le fils demanda s'ils voulaient dormir à Qalat. Oussama n'avait pas trop envie de passer dans cette ville, pas assez éloignée du lieu de l'attaque. On pouvait les y attendre. Mieux valait chercher un village isolé. Ils étaient en plein cœur d'une région uniquement peuplée de Pachtouns, mais qui avaient la réputation non usurpée d'être les plus accueillants des Afghans, pour qui le sens de l'hospitalité n'est pas un vain mot.

Finalement, ne trouvant pas de village au bord de la route, Oussama décida qu'ils coucheraient tous dans la voiture. Il dormit mal. Il espérait que la nouvelle de sa mort n'avait pas été divulguée à sa femme. Avant son départ, il avait averti Malalai ainsi que Reza qu'il n'appellerait pas pendant quatre ou cinq jours afin de ne pas mettre ses ennemis sur sa piste.

Le lendemain matin, à l'aurore, le voyage reprit.

D'abord Qalat, ville importante car l'armée y avait une grosse garnison, puis Jaldak, qui n'était qu'un bourg endormi, même si les talibans en avaient fait un de leurs centres opérationnels avant 2001. La ville portait encore les stigmates des combats féroces qui y avaient eu lieu. Enfin, après trois heures de trajet, ils entrèrent dans Kandahar, l'ancienne capitale des talibans, peu après quatorze heures. La ville était depuis toujours un repaire de miliciens islamistes purs et durs, les choses n'avaient guère changé en dépit des dizaines de millions de dollars engloutis dans la reconstruction. Oussama se demanda combien avaient atterri dans les poches du ministre de la Sécurité et des autres politiciens corrompus qui pillaient le pays sans vergogne. Il y avait des soldats un peu partout, quasiment aucune femme, les rares se hâtant, la tête baissée sous leur burqa, toujours par paires. Les civils étaient hostiles ou marchaient à toute vitesse, l'air apeurés. Des brutes à tête de taliban les dévisageaient. Oussama n'avait jamais été confronté à une telle ambiance depuis 2001. Les talibans avaient déjà gagné, à Kandahar : la ville leur appartenait, en dépit des drapeaux officiels plantés un peu partout.

– Où voulez-vous aller ? demanda le chauffeur.

Oussama ne savait pas trop. Il n'avait jamais vu autant de barbes broussailleuses, ses ennemis étaient partout. Très vite, il réalisa qu'aucune femme ne conduisait. Kandahar était la ville la plus rigoriste d'Afghanistan, celle où l'islam le plus conservateur triomphait. Il ne pourrait jamais y louer un véhicule discrètement. Soudain, repensant à une conversation récente qu'il avait eue avec Malalai, il eut une idée.

– Allons au commissariat, ordonna-t-il.

– Mais vous avez dit que nous devions l'éviter, objecta Rangin.

– J'ai changé d'avis. Fais-moi confiance.

Le jeune policier se renfrogna. Dans cette foule hostile au moindre modernisme, il se sentait étranger, avec sa coupe de cheveux occidentale, son visage glabre et sa chemise rentrée dans son pantalon.

– Sors ta kurta, dit Oussama. Je vais nous trouver des turbans.

Il acheta deux couvertures, des chapelets de prière et deux turbans dans une échoppe sur Herat Sarak, la grande artère qui coupait la ville en deux. Enfin, la Jigouli s'arrêta devant le commissariat. Un écriteau flambant neuf annonçait ANP, Afghan National Police, en anglais, sur le fronton. Oussama remarqua que la pancarte était criblée de balles. Ambiance... Il pénétra dans l'enceinte.

– Je voudrais parler à la capitaine Kukur.

– Qui la demande ?

– Le mari de Malalai, son amie de Kaboul.

Kukur était la seule femme de l'ANP de Kandahar. Elle avait échappé à plusieurs reprises aux talibans, qui voulaient la tuer pour l'exemple. Elle avait réussi à reprendre son travail après la chute du régime, obtenant même une promotion qui en faisait désormais un officier. Elle avait toujours une matraque et un pistolet sur elle, mais était obligée de porter une burqa, comme toutes les femmes de Kandahar, quand elle sortait du quartier général de la police. Son combat pour les droits des femmes était connu dans tout le pays. Malalai lui avait révélé qu'elle était membre de la RAWA, elles s'étaient parlé plusieurs fois et s'admiraient mutuellement.

Oussama fut introduit dans une pièce minuscule. La capitaine Kukur était assise derrière un petit bureau de bois. Oussama remarqua un pistolet, posé à côté d'un ordinateur relié à un routeur wifi. L'argent de la Coalition n'arrivait pas qu'à Kaboul. La capitaine Kukur portait un simple *hidjab* et une robe large qui masquait ses formes. Ses mains étaient couvertes de bagues, et l'une d'elles tatouée au henné. Elle avait l'air dynamique, courageuse et intelligente, mais pouvait-il en être autrement chez une femme qui acceptait de braver ainsi les talibans au cœur de leur territoire ?

— Pouvons-nous parler ? demanda Oussama à voix basse. C'est très important.

Elle le fixa, surprise, avant de répondre :

— Oui. Mes adversaires sont nombreux, mais ils ne sont pas assez sophistiqués pour utiliser des micros. D'ailleurs, ce que je dis ou fais ne leur importe pas puisque je ne suis qu'une femme, un être inférieur. Seule compte mon existence, c'est la raison pour laquelle ils finiront par me tuer.

C'était vrai, bien sûr, Oussama l'avait toujours pensé, mais il fut stupéfait qu'elle soit aussi lucide sur son sort. Il repoussa un peu la porte, car il ne voulait pas qu'on l'entende, mais la fermer complètement eût été impossible, un homme et une femme non mariés n'ayant pas le droit de s'enfermer dans la même pièce. Il s'assit sur une chaise branlante.

— Vous êtes l'époux de Malalai ? murmura-t-elle.

— C'est bien moi. Oussama Kandar, qomaandaan de la brigade criminelle de Kaboul, répondit-il, à voix si basse qu'elle dut se pencher pour saisir ses paroles.

— Malalai m'avait dit que vous étiez le plus bel homme d'Afghanistan. Je dois reconnaître que c'est vrai.

Oussama se sentit rougir. La capitaine Kukur éclata de rire.

– Que voulez-vous ? Et pourquoi ce secret ?

À mots choisis Oussama lui expliqua sa situation, sans toutefois lui révéler l'endroit où il se rendait. Lorsqu'il eut terminé son exposé, il sut immédiatement à son attitude qu'elle allait l'aider.

– Vous aimez le danger, qomaandaan.

– Je n'ai pas vraiment le choix.

– Je comprends. – Elle écarta les bras, montrant le bureau nu dans lequel elle officiait. – Peut-être qu'une autre Afghanistan émergera de notre action. Un pays libre, tourné vers la modernité, débarrassé des intégristes, sans corruption.

– Là, c'est vous qui prenez un pari risqué !

Ils rirent de concert. Puis elle redevint sérieuse.

– Je suppose que vous voulez un 4 × 4, un chauffeur, un ou deux gardes du corps ?

– Vous supposez juste.

– La voiture, c'est sans problème, vous prendrez la mienne. Le chauffeur et les gardes du corps, ce sera plus compliqué. Ici, personne n'est vraiment sûr. Mais je connais un garçon qui pourra vous aider. Lui est de confiance, et il est pachtoun.

– Qui est-ce ?

– Mon fils.

Oussama tiqua.

– Ce que je fais est très dangereux. On m'a attaqué sans préavis. Votre fils risque sa vie. Je ne crois pas que ce soit une très bonne idée.

– Mon fils est en danger permanent, du seul fait qu'il est mon fils. Plusieurs groupes talibans seraient prêts à le tuer uniquement pour m'atteindre, moi. Vous aider ne sera pas plus dangereux que de vivre dans cette ville au jour le jour.

– Quel métier exerce-t-il ?

– Il est boulanger. – Kukur eut un sourire. – Il fait les meilleures galettes de Kandahar, probablement de toute la région. Il y a presque toujours la queue devant sa boulangerie. C'est un bon garçon, qui n'a jamais touché à un fusil de sa vie. Il a une seule femme, institutrice, et deux beaux enfants. Je suis fière de lui.

– J'accepte votre aide. Je vais vous dire où je vais.

Elle prit une carte d'état-major de la région, presque aussi détaillée que celle qu'Oussama avait utilisée à Kaboul. Ce dernier remarqua qu'elle portait des inscriptions en cyrillique.

– Elle servait aux forces spéciales russes, expliqua-t-elle, surprenant son regard. Elle date de très peu de temps avant leur départ, peut-être 1987 ou 88. Presque rien n'a changé depuis, aucune route n'a été construite, les villages sont les mêmes.

Cela suffisait, en soi, à décrire ce que le pays avait vécu depuis plus de vingt ans : rien qui ne soit susceptible d'être porté sur une carte…

– Le village est celui-ci, dit Oussama. Pamni Lilou. Vous connaissez ?

– Non. Il semble minuscule. C'est en pleine zone tribale.

– L'armée contrôle cette zone ?

– L'armée ne contrôle *rien* au-delà du parking de cette caserne. Et encore…

– Vous pensez que je peux y aller ?

– C'est dangereux. Même avec mon fils, vous risquez de vous faire massacrer. Votre barbe n'est pas assez fournie, ils auront vite fait de voir en vous un mécréant.

– Je ne peux plus revenir en arrière, avoua-t-il. Je dois rapporter ce dossier à Kaboul, quoi qu'il m'en coûte. Mais je ne veux pas mettre votre fils en danger, prêtez-moi juste une voiture, Rangin et moi, nous nous en sortirons très bien.

– Seul, vous ne trouverez pas. Et puis, vous parlez pachtoun avec un accent dari de Kaboul, on voit immédiatement que vous n'êtes pas de la région. Vous avez besoin d'un guide local. Mon fils vous retrouvera ici dans une heure. Laissez-moi faire.

Oussama ne lui proposa pas d'argent car elle en aurait été mortellement blessée. Mais il lui demanda où il pourrait acheter des armes et un fusil de sniper.

– Pour quoi faire ?

– Pour moi. J'étais sniper dans l'Alliance du Nord.

– Malalai ne m'en avait rien dit.

– Je ne m'en vante pas. Avoir tué des hommes n'est pas ce dont je suis le plus fier.

– Ce pays nous oblige tous à faire des choses dont nous ne sommes pas fiers.

Elle inscrivit un nom et une adresse sur un papier.

– Cet homme vous fournira toutes les armes dont vous avez besoin. Il travaille aussi bien avec les talibans qu'avec l'armée, méfiez-vous, c'est un véritable serpent.

Oussama la remercia avec toute la sincérité qui était en lui. Rangin l'attendait, au café en face du commissariat, devant un Coca-Cola, une boisson par ailleurs très à la mode chez les talibans depuis qu'une usine de fabrication avait ouvert au Pakistan. Oussama laissa le 4 × 4 au commissariat, il préférait aller au lieu du rendez-vous en taxi, car il ne connaissait pas Kandahar. La ville était fidèle à sa réputation, laide, plate, bruyante et sale. Il leur fallut plus de quarante minutes pour atteindre le lieu indiqué par la capitaine

Kukur, pourtant distant de moins de cinq kilomètres. Le taxi s'arrêta devant l'entrée d'un petit souk.

– Où est-ce ? demanda Oussama.

Le chauffeur eut un geste méprisant désignant l'intérieur. L'ambiance était étrange, Oussama avait l'impression que les marchands feignaient de ne pas le voir. Se retournant d'un coup, il réalisa que Rangin avait remis son pakol. Un chapeau typique des Tadjiks, que les Pachtouns du Sud détestaient presque autant que les Américains.

– Mets ton chapeau dans ta poche, ordonna-t-il, furieux. Toi, un Pachtoun, qu'as-tu besoin de porter un chapeau tadjik dans ce repaire de talibans ? Qu'as-tu fait de ton turban ?

– Je l'ai oublié au café, avoua Rangin. Je n'ai pas l'habitude des turbans. Pardon, qomaandaan.

Une fois Rangin nu-tête, la situation se normalisa. Plusieurs marchands les hélèrent pour leur vendre fruits, burqas, cartouches ou fortifiants sexuels. On trouvait de tout dans ce bazar, même les choses les moins avouables. Après plusieurs minutes dans ce dédale, ils arrivèrent enfin devant l'échoppe dont on leur avait donné le nom. Oussama ordonna à Rangin de l'attendre à l'extérieur.

L'échoppe vendait des casseroles et des cartouches, ainsi que du matériel de surplus militaire, treillis de l'armée américaine, russe, ou pakistanaise. Beaucoup de keffiehs, signe que des combattants arabes d'Al-Qaïda venaient se fournir ici, car ils étaient les seuls à en porter en Afghanistan. Oussama se demanda pourquoi le NDS tolérait un tel commerce en plein cœur de Kandahar. Le marchand s'approcha. Il arrivait à peine à l'épaule d'Oussama et était apparemment très impressionné par la prestance de son visiteur.

Après une série de salutations alambiquées, à la mode pachtoune, le marchand demanda à Oussama ce qu'il souhaitait.

– Je voudrais deux sacs à dos, deux gourdes, des gants, des bonnets, deux sacs de couchage, deux torches et une pelle, énuméra Oussama.

– J'ai des sacs de couchage de l'armée russe, mais ils ne sont pas de la meilleure qualité. Il y a mieux, mais ce sera plus cher.

– Montrez-moi.

Le marchand revint avec deux sacs de couchages enroulés dans leur housse de protection. L'un d'eux était troué de part en part.

– Matériel de l'armée italienne, ils viennent de la région d'Herat, dit le marchand. Ce sont les meilleurs sur le marché, meilleurs que ceux de l'armée américaine, ils sont utilisés par leurs troupes de chasseurs de montagne.

Oussama pointa le doigt sur le trou.

– C'est un impact de balle ?

– Je ne sais pas, noble visiteur. Peut-être ces Italiens ne voulaient-ils pas donner leur sac de couchage ? Peut-être ont-ils été tués par des talibans ? Nul n'a la réponse. Trois mille afghanis les deux.

Oussama négocia l'ensemble du matériel pour cent vingt dollars.

– J'ai besoin d'autre chose, dit-il. Du matériel qu'on ne trouve pas en vente libre.

Le marchand prit l'air rusé.

– Je peux trouver beaucoup de produits que d'autres n'ont pas. Que voulez-vous ?

– Une kalachnikov à crosse pliante. Un Dragonov avec ses munitions. Des grenades.

– C'est possible. Comment payez-vous ?

– En dollars, répondit Oussama, bénissant le ministre de la Justice pour sa prévoyance.

– Alors ce sera vingt pour cent moins cher. Cinq cents dollars pour le Dragonov, cent pour la kalachnikov et cinquante dollars pour dix chargeurs.

Ils négocièrent l'ensemble à trois cent quatre-vingts dollars. Oussama tendit les billets. Le marchand disparut dans l'arrière-boutique, revint quelques instants plus tard avec une couverture, qu'il déplia devant Oussama. Le Dragonov n'était pas récent, mais il était en bon état. Oussama vérifia le percuteur, la culasse et la lunette de visée, une Weiss, le must en la matière. Les grenades étaient d'un modèle russe fabriqué au Pakistan. Il aurait préféré des originaux, mais c'était sans doute trop demander, ici, à Kandahar.

– C'est parfait, puis-je avoir un sac plus discret ? demanda Oussama.

Gênés par les colis, Oussama et Rangin ne virent pas le jeune garçon chargé par le marchand de les suivre dès qu'ils auraient quitté la boutique.

## 16

Profitant de l'absence de Margaret, retenue pour une mission secrète hors du bureau, Nick avait passé plusieurs heures sur les bases de données de l'Immigration en utilisant ses codes d'accès. L'absence de réaction après ses recherches des derniers jours prouvait que son intuition initiale était juste : la sécurité intérieure de l'Entité fliquait ses communications *via* ses *login* et mot de passe personnels, mais ils ne pouvaient pas contrôler tous les ordinateurs en permanence. Aussi avait-il ouvert deux cessions en parallèle, l'une sur son ordinateur avec ses codes, l'autre sur l'ordinateur de Werner avec ceux de Margaret.

En dépit de ses efforts, il n'avait pas encore trouvé la moindre trace de la femme qu'il cherchait. Les Zahra étaient simplement trop nombreuses.

C'était rageant. Il avait des informations potentiellement explosives, mais, seul, il n'était pas capable de les utiliser pour retrouver ceux qu'il cherchait.

Finalement, il éteignit les deux ordinateurs. Plutôt que de continuer à tourner en rond, il se résolut à retourner à Zurich, dans la maison du fugitif. Il avait toujours l'impression d'être passé à côté de quelque chose lors de sa fouille précédente.

Rue Klein, rien n'avait changé. Au bout de trois heures de fouille, il n'avait rien trouvé de nouveau. Il finit par se laisser tomber dans le fauteuil du bureau. Il n'arrivait à rien. C'était trop rageant : tous ces progrès dans son enquête, toutes ces découvertes pour en arriver là !

Son regard balaya machinalement la pièce. Jusqu'à ce qu'un détail attire son attention. Une marque sur le mur, autour du tableau qui masquait le coffre. Il s'approcha, aux aguets. De près, c'était évident : une coloration de la peinture murale un peu plus foncée autour du cadre, sur quelques millimètres. Comme si la peinture autrefois protégée du soleil avait été exposée à la lumière récemment : le tableau était un peu plus petit qu'il n'aurait dû.

Il posa le doigt sur la signature. Un Manet. Un tableau comme celui-ci devait coûter une fortune. Il se mit en quête d'une facture, qu'il finit par trouver. Le tableau avait été acheté en 2002, chez Christie's à Londres, pour une valeur de quinze millions de livres.

Intéressant, songea-t-il. Le fugitif avait acheté ce tableau plusieurs années auparavant. Pourquoi l'accrocher ici, maintenant, à la place d'un autre ? Il décida de rechercher un autre endroit où il aurait pu le disposer. Il fit un tour complet de la maison, sans trouver d'emplacement probant. Qu'est-ce que cela pouvait bien signifier ?

Finalement, il décida de refaire un tour systématique de la maison. Il commença par la cave, où il ne s'était pas attardé la fois précédente. Elle était protégée par une porte blindée à double serrure et un dispositif d'alarme sophistiqué, heureusement débranché. Derrière la porte blindée se trouvait une salle voûtée d'une centaine de mètres carrés. Une climatisation maintenait la température à une douzaine de degrés. Nick frissonna. Les murs étaient couverts de rayonnages à vin, selon une disposition particulière, les bouteilles parallèles et non perpendiculaires au mur, ce qui permettait d'exhiber leur étiquette. Une sacrée cave, il devait y avoir deux mille bouteilles. Rien que des grands crus. Il passa un doigt sur les bouteilles. Mouton-Rothschild, Latour, Petrus.

Avisant un rayonnage vide, il s'approcha. Il ne s'y était pas intéressé lors de sa dernière visite. Il n'y avait aucune poussière à cet endroit, comme si on avait passé le balai récemment. Il ne restait que trois bouteilles, sur les quatre ou cinq cents que pouvait contenir le rayonnage. Il en prit une. Château Talbot, 1952, lut-il. Le niveau du liquide dans la bouteille était vraiment très bas, peu probable qu'il soit buvable. Il prit la seconde. Château Palmer, 1943. *Idem*, le niveau était trop bas, bien en dessous de l'épaule. La troisième était un Château Margaux, également très basse. Il la reposa. Il remonta chercher les factures.

Léonard avait acheté pour une véritable fortune de vins français au cours des cinq dernières années. Deux mille bouteilles pour un prix moyen de cinq cents francs suisses, cela faisait plus d'un million de francs suisses, calcula-t-il rapidement. Et cela sans compter les cent Cheval Blanc 1947, les trois cents Petrus 1982 et les deux cents Romanée-Conti qu'il avait payés à part lors d'une vente aux enchères, pour une somme équivalente. Or ces bouteilles n'étaient pas à la cave, Nick en était certain. Où pouvaient-elles bien se trouver ? Le rapport réalisé par l'Entité précisait que le fugitif ne sortait presque jamais, qu'il n'organisait pas de dîners chez lui. Il n'avait tout de même pas bu six cents bouteilles tout seul ? Une seconde, Nick pensa à un vol. Avant que la vérité ne s'impose à lui.

C'était tellement énorme qu'il éclata de rire. Pas étonnant que ses collègues soient passés à côté !

– Léonard, tu es un génie ! murmura-t-il.

Il se dirigea vers le tableau et le décrocha.

*

Le fils de la capitaine Kukur attendait Oussama et Rangin dans le garage du commissariat central, devant un vieux 4 × 4 Toyota couvert de poussière. Il s'appelait Abdullah, avait un profil d'aigle et une forte bedaine. Ses cheveux ébouriffés et une épaisse barbe rousse lui donnaient l'air juvénile.

– Ma mère m'a expliqué votre recherche, commença-t-il. Je suis conscient du danger, et je vous aiderai, autant que je le peux.

– Merci. Connais-tu la région où nous allons ?

– Superficiellement, j'y vendais parfois des galettes lorsque je débutais, mais les villageois ont rarement de l'argent liquide, et je n'aimais pas être payé en troc. J'ai arrêté d'y aller. Sachez aussi que plus on approche de Quetta, plus on s'enfonce dans la zone tribale. Ni l'armée ni la police ne vont jamais dans ce coin, seuls les talibans et les contrebandiers osent s'y rendre.

– Comment serons-nous reçus ?

– Je ne sais pas, avoua Abdullah. Cela dépendra des chefs de village. Certains sont très accueillants, d'autres peuvent être agressifs, voire cruels…

– Nous serons aussi prudents que possible. Partons maintenant, décida Oussama. Nous n'avons aucune raison de nous éterniser ici.

Ils s'entassèrent dans le véhicule. Il était si vieux qu'il n'avait même pas de climatisation, les sièges et le tableau de bord étaient en lambeaux, mais le moteur tournait bien. Ils sortirent rapidement de Kandahar, passèrent Takhteh Pol, qui était toujours le fief taliban qu'il avait été, avant d'obliquer sur une piste non goudronnée. Les montagnes, beaucoup moins hautes que dans le nord du pays, finissaient en pente douce, au sud-ouest, par un quasi-désert aux portes de l'Iran. Pourtant, très vite, Abdullah dut ralentir, tant la piste était en mauvais état. Rien ne poussait sur ces plateaux désolés qui se succédaient sans interruption sur des kilomètres. Tout était beige, de la même couleur uniformément beige. Ils aperçurent plusieurs fois des ruines, celles de villages détruits par les Russes ou les forces de la Coalition. Entre les nids-de-poule et le fossé qui bordait la route en permanence, leur vitesse ne dépassait pas trente kilomètres-heure. Mais au moins ne neigeait-il pas. Au contraire, le ciel était dégagé et le temps plus doux qu'à Kaboul, peut-être treize ou quatorze degrés. Vers dix-neuf heures, Oussama se rendit compte qu'il était impossible de continuer dans l'obscurité, ils risquaient à tout moment de basculer dans un précipice. À contrecœur, il ordonna qu'on arrête le 4 × 4 au milieu du chemin. Ils verrouillèrent leurs portières, s'enroulèrent dans leurs sacs de couchage après avoir mangé, et se préparèrent pour la nuit.

*

Le marchand écouta soigneusement le compte rendu du garçon qu'il avait chargé de suivre Oussama. L'homme qui avait acheté le fusil de sniper avait d'abord retrouvé son compagnon, puis un autre homme, devant le commissariat central. Ils avaient pris place dans un 4 × 4 cabossé et s'étaient engagés sur la route du Sud. Le garçon avait l'habitude de suivre certains clients pour le compte du marchand, indicateur zélé tant des talibans que du NDS. Il avait hélé une moto et, contre quelques afghanis, obtenu du chauffeur qu'il suive discrètement le 4 × 4. Ils l'avaient perdu à l'entrée d'un chemin de terre désolé, à trente kilomètres au sud de Kandahar. Le chemin s'enfonçait vers une région déserte, jura le garçon au marchand. Ce dernier déplia une carte. Il était surpris par la direction prise par son client, cette région était un véritable trou noir. Il n'y avait que des villages, souvent sans nom : des hameaux si petits que personne ne s'était jamais donné la peine de leur en donner un. Quand des voyageurs s'y rendaient, ils étaient livrés à eux-mêmes. Ils suivaient le plus souvent des indications d'anciens habitants de ces contrées, des indications du type « Après la quatrième montagne bleue, derrière la gorge à gauche de la route, prends un chemin. Au bout de vingt heures de marche, tu passeras un gué, le village est à droite, sur un autre chemin, à trois autres heures de marche ». Encore une fois, il se demanda ce que ces voyageurs pouvaient bien fabriquer là-bas. Le géant qui lui avait acheté le fusil de sniper était un homme habitué à commander, il l'avait senti à ses manières impérieuses, qui ne souffraient pas la contradiction. L'homme avait l'autorité d'un chef taliban, mais sa barbe était courte et entretenue.

Il n'était pas à l'aise avec son turban, comme s'il l'avait coiffé pour l'occasion. Le marchand ne pensait pas qu'il s'agissait d'un officier du NDS, dont il n'avait pas la morgue insupportable, mais il était probablement un officiel du régime. Ses vêtements étaient propres et ses mains non calleuses. Un contrebandier ? Il n'en avait pas l'air. Et puis il parlait pachtoun avec un léger accent dari, comme les habitants de Kaboul. Le marchand devait se décider : soit il gardait l'information pour lui, soit il dénonçait l'homme au NDS, soit il prévenait les talibans. Trois options radicalement différentes. Il réfléchit. Il avait beaucoup dénoncé pour le compte du NDS ces derniers mois, un de plus ou de moins ne changerait rien à l'affaire. Au contraire, les talibans prenaient chaque jour plus d'importance dans la région, leur rendre service aujourd'hui était un bon moyen de prendre date. Il continua à réfléchir. Si cet homme mystérieux n'était ni un contrebandier ni un homme du NDS, c'était peut-être un espion de la Coalition.

Les talibans seraient ravis d'égorger un traître de cet acabit, après lui avoir arraché les yeux et les parties génitales, pour l'exemple. Il enfila un patou et un turban, et se dirigea à grandes enjambées vers une petite mosquée à proximité de son échoppe.

Le mollah qui l'accueillit était jeune, il avait de curieux yeux bleus, la peau très blanche et des cheveux clairs qui le faisaient ressembler à un Anglais. Les similitudes s'arrêtaient là, car le mollah était un enragé à moitié fou. Tout le monde savait, à Kandahar, qu'il avait perpétré des atrocités à la fin du règne taliban, égorgeant et mutilant lui-même ceux contre qui des peines islamiques avaient été requises.

Il n'avait pas été inquiété, comme beaucoup, après 2001, et s'était contenté de se réfugier dans sa mosquée. Avertis de sa réputation de férocité, les policiers et les militaires l'évitaient, comme les officiels du régime, qui fermaient les yeux sur ses prêches enflammés. Le marchand lui raconta son histoire, insistant sur l'apparence soignée de son visiteur et la bonne connaissance qu'il avait des armes.

– Comment t'a-t-il payé ? demanda le mollah. En afghanis ou en dollars ?

– En dollars.

– Montre-moi les billets.

À regret, le marchand sortit la liasse. Le mollah l'examina avec attention.

– Regarde, dit-il, ces billets sont craquants, presque neufs, et les numéros se suivent.

– Qu'est-ce que cela veut dire ?

– Qu'ils sortent directement de la banque qui les imprime. Ce sont des billets fournis par les autorités américaines. Elles sont les seules à en avoir d'aussi propres.

– Vous pensez qu'il s'agit d'un espion, mollah ?

– Bien sûr, que c'est un espion, qui veux-tu qu'il soit ? Redis-moi sur quelle route ton homme les a vus filer.

Le marchand déplia sa carte. Le mollah prit quelques notes sur une feuille maculée de graisse, d'une écriture lente et laborieuse. Il était presque analphabète, ce que la plupart de ses fidèles ignoraient. Lorsqu'il eut terminé sa tâche, il repoussa la carte vers le marchand, mais empocha les billets.

– Tu as bien fait de venir me voir, Allah u Akbar. Je garde l'argent, car Dieu ne tolérerait pas que tu t'enrichisses en vendant des armes à un ennemi du vrai islam. Tu es d'accord avec moi ?

– Bien… sûr, bredouilla le marchand, maudissant sa légèreté.

– Nous n'oublierons jamais ce que tu as fait aujourd'hui, frère. Je vais immédiatement prévenir nos frères, dans la montagne. Nous allons attraper ces hommes et les interroger.

\*

La galerie s'appelait Joseph Stipowitz & P. Golan, c'était l'une des plus belles galeries de tableaux anciens de Zurich, selon la recherche rapide que Nick avait effectuée sur Google. Elle était protégée par une double porte blindée, avec un sas sécurisé entre les deux. La toile emballée grossièrement sous le bras, Nick fut introduit par une ravissante jeune femme, yeux noisette, cheveux auburn, jusqu'au fond du magasin, où elle l'installa devant un bureau en marqueterie.

– Que puis-je pour vous ? demanda-t-elle.

Elle portait un tailleur strict, un chemisier blanc, un collier et des boucles d'oreilles en perles. Nick sortit sa fausse carte du département fédéral de la Justice.

– Je voudrais avoir votre avis sur un tableau.

Il le déballa. Elle eut une moue excitée.

– Un Manet ! Montrez-le-moi.

– Il s'agit d'une œuvre importante. Ne vaudrait-il pas mieux demander à M. Joseph Stipowitz ? demanda Nick. Ou à M. Golan ?

– Il n'y a pas de M. Golan, il n'y a que Mlle Patricia Golan, c'est-à-dire moi, rétorqua la jeune femme d'un ton glacial. J'ai un doctorat avec mention d'histoire de l'art de l'université de Zurich, ainsi que des spécialisations de l'université de la Sorbonne et de la London School of Art. Est-ce suffisant pour vous, ou dois-je absolument appeler mon associé ?

– Ex…cusez-moi, bredouilla Nick. Je suis désolé.

L'experte empoigna le tableau, mais au bout de deux minutes, à peine, elle le reposa.

– C'est un faux.

– En êtes-vous certaine ? demanda Nick, pour la forme.

Ainsi, son intuition se révélait juste. Le fugitif avait pris le large avec ses vins et son tableau préférés, laissant une vulgaire copie. Tout était donc préparé, sans doute depuis longtemps. L'Entité cherchait un homme aux abois, alors qu'elle avait en face d'elle un organisateur retors.

– Pour être honnête, il est fort bien imité, néanmoins la peinture n'a ni la précision ni la patine d'un vrai Manet. Les pigments, même s'ils sont naturels, n'ont rien à voir avec ceux qu'utilisaient les peintres français de l'époque, ils brillent un peu trop. Le cadre est moderne, il a été vieilli artificiellement à l'acide. Le bois est un peu trop léger, ce n'est pas le chêne massif qu'on utilisait en France. La signature est assez proche de l'originale. Je le concède, l'ensemble sonne juste.

– Je vois, dit Nick. Combien coûterait une imitation pareille ?

– Vingt à trente mille francs au moins, voire plus. Le faussaire qui l'a peint a beaucoup de talent.

– Le vrai vaut-il toujours aussi cher qu'au début des années 2000 ?

– Sensiblement, les prix des œuvres uniques n'ayant guère baissé depuis la crise. Il y a de plus en plus d'acheteurs asiatiques.

– Si quelqu'un avait le vrai en sa possession, lui faudrait-il une autorisation pour l'exporter ?

– Aucune. Son propriétaire peut en disposer légalement comme il le souhaite, dès lors que le tableau est accompagné de son certificat d'authenticité, indispensable pour les douanes à la sortie du territoire en cas de contrôle. En revanche, il serait obligé de l'assurer pendant le transport et d'avoir recours à un spécialiste chevronné, les risques de dégradation sont trop importants pour ne pas y prêter une attention particulière.

Nick sentit son cœur s'emballer.

– Existe-t-il beaucoup de spécialistes en la matière ?

– Pas tant que ça, et tous ne sont pas sérieux. Pour des marchandises comme des tableaux anciens absolument uniques, il n'y a que deux cabinets qui comptent vraiment en Suisse. L'un est à Lausanne, l'autre ici, à Zurich. Si vous devez exporter une œuvre, ils s'occuperont de tout : emballage, transport sécurisé, livraison par des déménageurs spécialisés, assurance… Voulez-vous leurs coordonnées ?

*

Nick exultait. Le fugitif préparait donc son coup depuis longtemps. Il avait tout prévu avant sa disparition… sauf que Willard Consulting, son employeur, le prendrait de vitesse en essayant de l'éliminer, l'obligeant à fuir avant d'avoir réglé son problème de passeport.

Cela donnait un autre relief à l'affaire : quels que soient les secrets dont le fugitif était le dépositaire, il avait décidé de couper les ponts avec son ancienne vie et de s'enfuir avec sa nouvelle compagne, sans doute très loin de la Suisse. Si Nick découvrait où il avait expédié le tableau, tout serait réglé. Avec le nom sous lequel il se cachait et un lieu, la traque prendrait fin. Il eut un sourire : pour un homme seul, il ne s'était pas mal débrouillé. Dommage pour l'Entité qu'il n'ait aucune intention de lui révéler ses découvertes.

Il se rendit d'abord chez le premier courtier, mais ce dernier n'avait aucune trace d'une opération similaire. Il lui fallait donc aller à Lausanne.

Là, il gara sa voiture devant un immeuble en pierre de grande taille. La tour de Bel-Air, le premier gratte-ciel construit en Suisse, même s'il n'avait rien à voir avec les gratte-ciel américains. Le cabinet du courtier occupait tout le quinzième étage de la tour. À travers les cloisons vitrées, Nick aperçut des jeunes gens en costumes élégants, travaillant devant des écrans d'ordinateur, sérieux et concentrés. Nick présenta sa carte à l'accueil, demandant à voir un responsable. Il fut presque immédiatement introduit dans le bureau de Michel Louvin, le directeur général. C'était un homme à forte carrure, les cheveux coupés en brosse, qui évoquait plus un ancien militaire qu'un transporteur. Il fut immédiatement sympathique à Nick. Il demanda à revoir la carte professionnelle de ce dernier, lui offrit un siège après l'avoir examinée avec attention.

– J'ai déjà vu vos collègues de la police de Genève sur des problèmes d'importation d'œuvres volées, commença-t-il. Vous travaillez avec eux ?

– Cette enquête est menée à un niveau strictement fédéral, répondit Nick. Nous luttons contre un réseau de blanchiment d'argent entre l'Europe, les États-Unis et l'Asie, qui ne vole pas d'œuvres d'art mais utilise de l'argent sale pour en acheter.

– Je comprends mieux, dit l'homme en se détendant. Je suis à votre disposition.

– Nous soupçonnons un individu en particulier, un financier de Zurich, de blanchir de l'argent de la drogue en achetant des œuvres d'art et des vins anciens, qui sont ensuite réexpédiés hors de Suisse.

L'homme eut une moue.

– On voit parfois des œuvres volées achetées par des amateurs, mais le blanchiment… C'est une opération complexe avec des œuvres d'art, car il est difficile d'en acheter beaucoup, et de significatives, en cash. C'est théoriquement possible auprès d'acheteurs privés, hors des salles des ventes, mais cela arrive moins qu'on ne le pense. Ceux qui gagnent de l'argent en vendant de la drogue préfèrent acheter des villas ou des bateaux plutôt que des œuvres d'art. Pour le vin, c'est évidemment plus aisé, mais les montants ne pourraient pas atteindre les mêmes niveaux. À quelle expédition vous intéressez-vous en particulier ?

– Un tableau de Manet et près de six cents bouteilles de grands crus français. Expédition voilà quelques semaines ou quelques mois pour une destination inconnue. Le nom de l'expéditeur est Milton. Lionel Milton. Il possède un passeport suisse.

– Un Manet et des vins anciens, oui, ça me rappelle quelque chose. On a traité ce dossier il n'y a pas très longtemps.

Il pianota quelques minutes sur son ordinateur.

– Voilà… je l'ai. Nous avons réalisé une expédition sécurisée pour votre type, Lionel Milton. Cinq cent soixante-quinze bouteilles de grands crus français, valeur deux millions cinq cent mille francs suisses. Des bouteilles rarissimes, introuvables même en France. Le tableau était un Manet, valeur assurée de quatorze millions de livres sterling, nous avons appliqué une décote automatique au prix qu'il avait payé en vente aux enchères, à cause de la crise, il n'a pas discuté. Le titre du tableau est *Baignade au bord du lac*.

– Quand et où les avez-vous expédiés ?

– Le 25 février dernier. Nous les avons expédiés en Australie. Une adresse à Perth, au nom de Mlle Zahra Kimzi.

*

Le lendemain matin, Oussama et ses deux compagnons se remirent en route. Ils passèrent un plateau balayé par le vent, avant de descendre à flanc de colline dans une vallée large et peu profonde. Là, il y avait un ruisseau qui coulait, quelques arbres, saules et ormes. La température était remontée avec le soleil, ils durent bientôt ouvrir leurs fenêtres, en dépit de la poussière, pour ne pas cuire dans la voiture. Au bout d'une dizaine de kilomètres, Oussama remarqua que leur voiture penchait vers la droite.

– Nous avons un problème de pneu, dit-il.

Le pneu avant était en train de se dégonfler. Alors qu'ils travaillaient à le changer, des enfants surgirent. L'un d'eux leur envoya méchamment une pierre, qui toucha Rangin en pleine tête. Ce dernier poussa un cri de douleur, esquissa un geste vers son fusil. Oussama l'arrêta.

– Ne fais rien. Inutile de nous mettre les villageois à dos.

Ils remirent la roue en place et en profitèrent pour boire. Au moment où ils allaient repartir, Oussama vit arriver un groupe d'hommes, coiffés de turbans. Ils étaient misérablement vêtus, mais portaient tous des kalachnikovs en bandoulière. Abdullah pâlit. Oussama lui mit la main sur l'épaule.

– Reste calme. Je vais leur parler.

Ils étaient une bonne quinzaine. De longues barbes broussailleuses, des turbans crasseux, l'air farouche. Clairement, Oussama et ses compagnons n'étaient pas les bienvenus. Leur chef se tenait au milieu, il avait un morceau du visage en moins, la moitié du nez mal recollé, tordu, tandis que l'œil droit avait disparu, remplacé par un pli de peau brûlée. Il était horrible à regarder.

– *Bakhena ghuarum*, commença diplomatiquement Oussama en pachtoun. Longue vie à vous, que votre corps soit fort et votre famille robuste.

– Qui êtes-vous ? demanda l'homme brutalement. Que faites-vous ici ?

– Nous nous rendons dans un village. C'est à cinq heures de route d'ici, au-delà des collines, vers le sud. Il nous faut traverser vos terres pour nous rendre à notre destination finale.

– Ce n'est pas possible. Aucun étranger ne le peut. Vous devez partir immédiatement. Ou alors, venez avec nous jusqu'en bas de la rivière, nous pourrons y discuter plus tranquillement.

411

À ces paroles menaçantes, certains des hommes en armes qui accompagnaient le chef s'écartèrent, faisant mine de se déployer. Oussama n'avait désormais plus de doute sur le fait qu'il avait en face de lui un chef taliban.

– Nous n'avons pas l'intention de descendre jusqu'à la rivière, répliqua-t-il. Nous voulons monter, au contraire, vers le haut de cette colline, pour passer dans la vallée suivante.

– La rivière est agréable, insista le chef. Nous y serons bien.

Oussama sentait confusément que l'offre du taliban était un piège, ils devaient rester groupés, et près de la voiture. Il répliqua d'une voix sévère :

– Est-ce ainsi qu'un chef applique la *melmastia* ? Les Pachtouns de cette région ont-ils oublié les traditions ? L'hospitalité due aux voyageurs a-t-elle disparu ? Des étrangers vous ont-ils fait oublier les règles de notre culture ?

À ces mots, le chef se troubla. La melmastia, obligation d'accueillir dignement le visiteur quel qu'il soit et de l'aider dans la difficulté, était le cœur de la tradition pachtoune. Se le faire rappeler par ce géant aux étranges yeux verts renversait le rapport de force, tout en le mettant en difficulté devant ses hommes.

Le chef hésita.

– J'ai besoin de votre aide, reprit Oussama. Vous devez aider votre frère afghan dans la difficulté.

– Tu peux passer, se décida le chef. Je vois dans ton attitude que tu es un homme de vérité. Veux-tu boire un thé avec nous ?

– Je te remercie pour ton hospitalité, frère, dit Oussama, mais nous avons une longue route et certains seraient trop contents de nous attraper avant que nous n'atteignions notre destination. Il est plus prudent, pour nous et pour vous, que nous poursuivions notre chemin sans tarder.

– Comme tu veux, dit le chef. Longue vie à toi.

Il raccompagna Oussama personnellement jusqu'au 4 × 4. En ouvrant la portière, Oussama demanda :

– Qu'y a-t-il en bas, vers la rivière ?

Le taliban éclata de rire.

– C'est là que nous exécutons nos ennemis, car la rivière lave le sang. Nous y avons égorgé des Russes, mais aussi des soldats impurs de l'armée, et même un contrôleur des impôts. Ils sont nombreux à être morts, en bas, à côté du lavoir. Si vous étiez descendus tout à l'heure, vous seriez morts à l'heure qu'il est. Vous avez bien fait de refuser, Allah u Akbar !

Oussama remonta dans la voiture. Il y régnait une odeur aigre. La peur.

\*

Après huit heures harassantes, ils arrivèrent dans une nouvelle vallée. Ils avaient passé des dizaines de collines râpées, toutes identiques, emprunté des sentiers tellement étroits que le gros 4 × 4 pouvait basculer dans le vide à tout moment. Plus ils descendaient vers le sud, plus l'altitude diminuait et plus le paysage était désolé : des collines arrondies, arides, balayées par le vent, sans aucune forme de vie. Ils n'avaient pas vu un arbre depuis le début de la matinée. Enfin, au détour d'un virage, Oussama aperçut un ensemble hétéroclite de maisons en pisé accrochées à flanc de montagne. Pas d'électricité, bien sûr, rien qui rappelle le monde moderne. Oussama arrêta le 4 × 4 au milieu du hameau. Des enfants vinrent voir en criant ce qui se passait. Quelques burqas firent leur apparition, mais les femmes s'éclipsèrent dès que les trois hommes mirent pied à terre. Bientôt, un homme s'approcha d'eux. Il portait un pantalon coupé aux mollets, on voyait ses pieds noirs de crasse au travers de ses chaussures sans lacets. Trois autres hommes le suivaient, à distance respectueuse. À leur épaule, Oussama reconnut des Lee Enfield, des armes anglaises qui dataient de cent ans, celles qui avaient servi aux moudjahiddines au tout début de la guerre contre les Russes. Même les kalachnikovs n'avaient pas atteint ce village, c'était dire... Oussama se présenta au chef du village comme un ami de Wali Wadi venu récupérer un paquet qu'il avait laissé pour lui. Le chef plissa le font de concentration.

— Je suis certain de ne connaître aucun Wali Wadi, dit-il. Ce n'est pas un nom de chez nous. C'est un Tadjik ?

— Un Ouzbek, répondit Oussama, mortellement déçu – pourvu qu'ils n'aient pas fait tous ce chemin pour rien...

— Ton ami, ce Wali Wadi, n'est jamais venu dans ce village, affirma l'homme. Il n'y a que des Pachtouns, ici.

Oussama réfléchit. Il était certain que les coordonnées désignaient ce village. Wali Wadi n'avait pas caché ce plan pour rien.

— Wali Wadi habitait à Kaboul, insista-t-il. Peutêtre connaissait-il dans ce village quelqu'un à qui il aurait confié les documents que je cherche. Un ami qui serait venu les déposer pour lui.

Une lueur passa dans le regard du chef, vite dissipée.

– Je ne crois pas que cette personne connaissait quelqu'un de ce village. Nous sommes très pauvres, dit-il, nous manquons de tout. Crois-tu que nous vivrions de cette manière si nous connaissions quelqu'un à Kaboul ?

Oussama comprit que l'homme essayait de gagner un peu d'argent. Par pitié, il sortit une liasse de dollars.

– Je viens de loin pour ces documents. Je serais heureux de te dédommager pour ton aide.

D'autorité, il fourra les billets dans la main du chef. Ce dernier les compta avec soin. Il y avait de quoi nourrir le village pendant plusieurs jours, acheter de nouvelles chèvres. Le chef dit :

– Un de nos jeunes était parti pour Kaboul, voici sept ans. Il est revenu il y a quelques semaines, il est très malade. Peut-être connaissait-il ton ami.

– Peux-tu me mener à lui ?

– Oui.

Le chef les conduisit jusqu'à une petite maison, un peu à l'écart du village. Il entra sans frapper. Une femme était assise à même le sol, à côté d'une forme allongée sur un tapis. En s'approchant, Oussama s'aperçut que la forme enroulée dans des couvertures était un jeune homme. Il était maigre mais encore très beau, avec un visage qui évoquait un animal sauvage, des yeux clairs, des cheveux noirs collés au front par la sueur. Il était en proie à une forte fièvre.

– Qu'a-t-il ? demanda Oussama. Il faut le transporter à l'hôpital.

– Il est comme ça depuis des jours, dit la femme, on ne peut rien faire. Il a attrapé une maladie à Kaboul. *Deveney naroghey.*

Une maladie du sang. Oussama se pencha sur le garçon.

– Tu m'entends ?

– Oui, répondit l'autre d'une voix mourante.

– Qu'as-tu ? Nous pouvons te transporter à Kaboul.

– C'est trop tard. Je vais bientôt mourir.

– Qu'as-tu ? redemanda Oussama, certain de la réponse.

Le visage émacié, la fièvre, l'état général du jeune homme lui rappelaient trop la description que lui avait faite Malalai de certains malades.

– *Eydz*, souffla le jeune homme.

Le sida. Le garçon reprit son souffle, attrapa la main d'Oussama. Il avait une force étonnante, compte tenu de son état.

– Je l'ai chopé à Kaboul. Pour moi, c'est fini.

Oussama laissa sa main dans la sienne. Elle était brûlante. L'homosexualité était strictement interdite en Afghanistan, comme partout en terre d'islam, néanmoins elle était pratiquée par beaucoup de garçons, étant donné la difficulté à rencontrer des filles avant le mariage. Comme personne n'avouait ces pratiques à risque, la transmission du virus était facilitée. Quant au préservatif, les mollahs s'opposaient férocement à sa commercialisation comme à son utilisation, le qualifiant d'objet satanique destiné aux mécréants. À la place, ils prônaient la chasteté, seule digne du vrai islam, mais ce discours ne passait pas auprès des jeunes.

– Que voulez-vous ? demanda le jeune homme d'une voix rauque.

– Ce que Wali Wadi t'a donné.

– Où est-il ? Pourquoi ne vient-il pas le chercher lui-même ?

– Il a été assassiné. Je suis chargé de l'enquête. On l'a tué à cause du document que je viens chercher.

– Wali est mort ?

– Oui. Je suis désolé. Je pense qu'il n'a pas souffert, c'est sans doute arrivé très vite.

Le jeune homme resta figé, comme frappé par la foudre, avant de se mettre à pleurer doucement. Sa main tremblait dans celle d'Oussama. Il dit, entre deux sanglots :

– Dans mon sac, là-bas. Il y a un CD-Rom.

Oussama le trouva facilement. Sur la pochette, il était inscrit, en lettres occidentales : *Éléments du dossier Mandrake*.

– C'est ça ?

– Oui.

– Tu sais ce qu'il y a dedans ?

– Non. Je ne l'ai jamais ouvert.

– Beaucoup sont déjà morts pour le récupérer.

Les larmes du jeune homme redoublèrent.

– Ceux qui ont tué Wali, ils ont essayé de vous tuer, vous aussi ?

– Ils ont tué un de mes deux adjoints et plusieurs de mes hommes.

– Le CD, souffla le jeune homme, c'est la seule chose qui me reste de Wali, avec quelques photos. Ne le perdez pas.

– Je te promets que j'en ferai bon usage.

Le garçon ferma les yeux. Oussama eut l'impression qu'il venait de s'évanouir. Il rangea le CD dans sa poche intérieure, serra une dernière fois la main du jeune homme dans la sienne et se leva. Alors qu'il atteignait la porte, il entendit une voix faible demander :

– Wali ? Est-ce qu'il était contaminé ?

Oussama songea au test VIH pratiqué par son ami Katoun.

– Non. Il était sain. Ce n'est pas lui qui t'a transmis cette maladie.

Il eut l'impression de voir un sourire se dessiner sur le visage du mourant. Dehors, la nuit était plus noire qu'elle n'aurait dû. Abdullah et Rangin s'approchèrent, tendus et inquiets.

– Alors ?

Oussama sortit le CD-Rom de sa poche.

– Nous avons ce que nous cherchions.

– Qu'est-ce que c'est ?

– Je n'en ai aucune idée, avoua Oussama. On dirait un rapport électronique. Il faudrait un ordinateur pour le lire. Nous le ferons à Kandahar, chez ta mère.

– On y va ? demanda Abdullah. Il ne faut pas rester trop longtemps ici.

Oussama regarda le ciel, qui commençait à se couvrir d'étoiles. Rouler de nuit par les routes qu'ils avaient empruntées à l'aller serait une folie.

– Nous devons dormir dans ce village, annonça-t-il. Nous partirons à l'aube.

Le chef leur fit de grandes démonstrations de joie lorsqu'il lui annonça leur décision de rester dormir dans sa maison. Tandis qu'ils attendaient à l'écart, deux femmes nettoyèrent la pièce de réception,

cependant qu'une troisième mettait de l'eau à bouillir. On leur servit des œufs à la coque, du pain et
du yaourt aigre avec des herbes. Le pain contenait
des petits cailloux, car la farine avait été grossièrement moulue, sans doute avec une meule de pierre.
Il était plein de charançons qui craquaient sous la
dent, mais Rangin et Abdullah, affamés, mangèrent
de bon cœur, sous l'œil ravi du chef. Oussama, qui
pensait au jeune homme en train de mourir quelques
maisons plus loin, toucha à peine à son assiette. On
leur apporta des gâteaux sucrés, mais il n'avait toujours pas faim. Un homme vint se pencher à l'oreille
du chef pendant qu'on servait le thé.

– Le garçon vient de mourir.

Comme Oussama se levait, le chef demanda,
surpris :

– Où vas-tu ?

– Lui rendre hommage.

Il éclata de rire.

– Ce n'était pas un homme. Laisse les femmes
s'occuper de lui.

Oussama quitta la table. Il avait plu pendant le repas
et le chemin qui menait à la maison isolée était terriblement boueux. La mère du jeune homme parut étonnée de le voir entrer. Elle se précipita pour tendre un
drap dans la pièce, afin de l'isoler des femmes qui se
tenaient à ses côtés.

Oussama s'agenouilla près du lit. Il récita plusieurs versets du Coran. Qu'aurait pensé Wali Wadi
de cette maison misérable, au fond de ce village perdu,
lui qui vivait dans son palais ridicule, avec ses voitures de sport et son grotesque porte-papier toilette
doré en forme de canard ? Avait-il la moindre idée

de l'endroit où il renvoyait son ancien amant ? Pourquoi ne l'avait-il pas expédié en Russie ou au Pakistan dans une clinique privée ?

Après une heure aux côtés de la dépouille, Oussama rejoignit ses compagnons, las et déprimé, en dépit de sa découverte. Ils se couchèrent vers neuf heures, serrés les uns contre les autres pour se tenir chaud. Oussama salua en silence le courage de Rangin et d'Abdullah, puis il s'endormit.

*

Joseph sortit du dojo, une vaste pièce située dans les locaux de l'Entité, à peine fatigué par l'entraînement qu'il venait d'effectuer. Il était de retour à Berne, et pas mécontent d'avoir quitté l'Afghanistan. Il avait repris immédiatement son programme habituel. Une heure de lutte contre les deux meilleurs combattants de son équipe, suivie par une seconde heure de sport de salle. Il s'astreignait au même entraînement depuis l'âge de vingt ans. Ces efforts continus conjugués à l'expérience accumulée au cours de centaines d'opérations lui permettaient de rester au top niveau, là où la plupart des combattants de son âge étaient déjà sur le déclin, diminués par l'empâtement, les douleurs physiques ou le confort. Il s'essuya soigneusement, enfila son costume, ses chaussures de ville dotées de semelles en caoutchouc antidérapantes. Comme toujours après une séance intensive, l'adrénaline se ruait dans ses artères. Il se sentait palpitant, vif, aux aguets.

Il adorait cette sensation.

Il rejoignit son minuscule bureau, situé tout à côté de celui du général, alluma la lumière. Quelques documents étaient posés sur sa table de travail. Il se plongea dans ses dossiers. Soudain, on frappa à sa porte.

Son visiteur, Johannes Gobler, était le chef de la sécurité interne de l'Entité. Un homme en qui il avait toute confiance, ancien directeur de la sécurité d'une banque privée de Zurich. Un professionnel particulièrement compétent, à la limite de la paranoïa. Son rôle était double : assurer l'étanchéité de leurs locaux comme de tous leurs modes de communication et contrôler les équipes pour éviter toute défection. Joseph lui lança un regard interrogateur.

– Que se passe-t-il ?

Son subordonné s'assit en face de lui, le visage fermé. Petites lunettes cerclées de métal, fine moustache grise, cheveux rasés autour des oreilles, dos droit, maintien impeccable. Il posa sur le bureau un ordinateur portable, qu'il tourna vers Joseph afin que ce dernier puisse apercevoir l'écran.

– Vous souvenez-vous des caméras de sécurité que j'ai installées dans tous les bureaux l'année dernière ?

– Bien sûr, grogna Joseph, se demandant où Johannes voulait en venir.

– Elles sont couplées à des détecteurs de mouvements. Suivant vos instructions, dans votre bureau et celui du général, elles ne sont activées qu'en dehors des heures de travail, de vingt heures à sept heures, et durant le déjeuner. J'aimerais que vous regardiez ce que la caméra numéro trois a enregistré il y a peu.

Il appuya sur une touche du clavier. Un fichier vidéo commença à défiler. Le bureau du général. L'heure et la date étaient incrustées à droite de l'écran. 13 h 12. Les secondes défilaient. Soudain la porte s'ouvrit.

Nick entra. Il avait l'air inquiet. Il regarda autour de lui, avant de s'asseoir à la place du général. Immédiatement, il se mit à pianoter sur son ordinateur. Les secondes et les minutes défilaient toujours à droite de l'écran.

– Comment est-il entré ?

– Ce matin-là, le général avait fait désactiver le système de sécurité de sa porte. Cela faisait longtemps qu'il l'énervait.

– C'est stupide. Comment peut-on prendre de tels risques ?

– J'ai souligné les dangers que nous prenions, mais c'est lui le chef, je n'ai rien pu faire. Il m'avait promis de fermer son bureau à clef. Il ne l'a pas fait.

– Absurde ! Et le code de l'ordinateur, comment Nick a-t-il pu l'obtenir ? Seul le général est censé le connaître.

– Le général n'a probablement pas suivi mes consignes de paramétrage, remarqua Johannes. Je pense que la session de sa machine était constamment ouverte. Vous connaissez ses difficultés dès qu'on parle d'informatique…

– Qu'est-ce que c'est que ce bordel ! explosa Joseph. On sait ce que Nick a trafiqué ?

– Non. Je n'ai pas de mouchard sur l'ordinateur du général.

Le film continuait. Nick semblait passionné par ce qu'il lisait. Au bout de dix minutes, il se leva. La caméra capta son visage fermé, puis il disparut. Johannes Gobler stoppa sa machine.

– Dix minutes, cela laisse le temps de faire un tour assez complet de sa boîte mail. Ou de fouiller dans ses dossiers électroniques en profondeur. J'ai pensé que cela pourrait vous intéresser. Voulez-vous que je convoque Nick ?

– Êtes-vous fou ? Laissez-moi en parler d'abord au général.

Son ton glacial masquait sa fureur. Son subordonné sortit, après un petit salut de la tête. Joseph se dirigea alors vers le bureau de son chef.

– Général, nous avons un problème.

*

Partagé entre l'excitation et la crainte de ce qu'il allait découvrir, Nick conduisait sous une pluie fine et déprimante, les yeux dans le vague. Tout était gris. Il se demanda pourquoi il acceptait de vivre en permanence sous ce ciel plombé par les nuages, dans l'atmosphère étouffante de ces paysages étriqués, mités par l'urbanisation rampante. Il était un montagnard, il n'aimait rien tant que le ski et l'escalade de haute montagne. Cette vie n'était pas faite pour lui.

Il s'arrêta à un feu, derrière un trente-tonnes. Bientôt, il saurait. Avec une adresse en Australie, le faux nom du fugitif et la vraie identité de sa compagne, aucune chance qu'ils lui échappent encore très longtemps.

Il trouva une place dans la rue étroite qui bordait l'arrière du bâtiment où l'Entité avait ses bureaux. Avec la nuit, la chaussée était presque déserte, seuls deux ou trois passants se pressaient, la tête baissée, essayant d'échapper à la pluie et au vent. Le hall était tristement banal, une grande pièce carrée, avec des murs et un sol en marbre, égayée par quelques plantes vertes anémiques. Il salua le gardien de nuit, entra sa carte dans le lecteur pour ouvrir le portillon en plexiglas. Les bureaux de l'Entité se trouvaient au cinquième et dernier étage. Là, il y avait un dispositif autrement plus sérieux. Un sas en verre blindé opaque, équipé de caméras à l'entrée et à la sortie. Nick entra dans le sas, posa sa main sur la plaque de verre. Avec un bruit mat, la seconde porte s'ouvrit. Meubles, moquette, lithographies au mur, tout était fonctionnel. Le standardiste releva la tête de son magazine.

– Bonsoir, Arthur, dit-il.

– Bonsoir.

Il rejoignit son bureau, mais au lieu de s'asseoir à sa table de travail il s'installa devant celle de Werner. Comme les jours précédents, il alluma une cession avec son code, puis une seconde sur l'ordinateur de Werner avec celui de Margaret. Se connecter les unes après les autres aux bases de données spécialisées était un travail long et fastidieux car, en dépit des promesses gouvernementales, l'interconnexion était limitée. Au bout d'une trentaine de minutes, il acquit la certitude que Zahra n'était pas encore rentrée officiellement en Australie. Certes, une entrée clandestine par bateau était théoriquement possible, mais c'était une solution improbable compte tenu de l'efficacité des services d'immigration australiens. Jamais un homme aussi prudent que Léonard ne prendrait le risque que sa compagne se fasse arrêter puis expulser pour séjour clandestin. Ils étaient donc toujours ensemble, quelque part ailleurs. Restait à trouver où.

Au bout d'une heure, Nick tomba sur ce qu'il cherchait. L'information se trouvait dans une base de données de l'Immigration, sous la forme d'un échange de courriers numérisés. Le ministère de l'Immigration australien attendait de son homologue suisse des informations concernant Zahra Kimzi. Tous les citoyens afghans demandant des visas de long séjour étaient soumis à une procédure de sécurité spéciale, nécessitant des documents précis ainsi que des références des autorités des pays dans lesquels ils avaient séjourné précédemment. Le fonctionnaire suisse répondait dans un autre document qu'il ne disposait pas de certaines des pièces souhaitées par les autorités australiennes, ce qui n'étonna pas Nick. Les contrôles s'étaient durcis, il était beaucoup plus difficile pour Zahra d'obtenir un visa en Australie aujourd'hui qu'en Suisse en 1999. Le 11 Septembre était passé par là, même en Océanie.

Un autre document attira son attention. Une lettre manuscrite de Zahra aux autorités australiennes expliquant que le consulat afghan à Genève ne pouvait pas émettre les documents qu'elles demandaient. Problème administratif confirmé par le ministère suisse, après échange de lettres avec le consulat afghan. La réponse des Australiens était cinglante : sans ces documents, aucun visa ne pouvait être délivré. C'était à Zahra de les obtenir, par les moyens qu'elle jugerait bons, le reste n'étant pas de leur ressort. Une parfaite réponse de bureaucrate.

Les fugitifs n'étaient donc pas en Australie, comprit Nick, parce que Zahra ne pouvait pas encore y être légalement.

Elle avait besoin de documents administratifs pour son visa, des papiers qu'elle n'avait pas en sa possession. Un livret de famille et, surtout, un certificat de naissance original de moins de six mois qu'elle ne pouvait obtenir que dans son pays d'origine. La conclusion était limpide : c'était donc là-bas qu'elle était. En Afghanistan. Dans la gueule du loup, avec son amant.

C'était le moment de vérité. Il avait retrouvé le fugitif. S'il était un bon soldat, il donnerait l'information au général, l'Entité ne mettrait pas longtemps à mettre la main sur Léonard et Zahra, il aurait droit à la reconnaissance de ses chefs et, en ce qui le concernait, l'opération serait close. Les honneurs seraient pour lui, peut-être une promotion.

Sauf que…

Sauf que ses chefs lui mentaient depuis le premier jour. Il n'avait toujours aucune idée de la vérité qui les dérangeait au point d'avoir commis des actes aussi monstrueux que des tentatives d'assassinat contre des fonctionnaires d'un pays ami et un attentat en plein Kaboul. Il ne pourrait jamais faire confiance à des hommes aussi cyniques et cruels. Et même si c'était le cas, il n'avait plus envie de leur faire confiance. Il avait envie de les arrêter dans leur folie. Il avait envie de les détruire.

La porte de son bureau s'ouvrit brusquement.

– Margaret ! Qu'est-ce que tu fais là ? s'exclama-t-il.

Elle avait l'air inquiète. Personne ne pouvant les voir, elle le gratifia d'un baiser sur la bouche, avant de s'écarter de lui pour le regarder comme on découvre quelqu'un pour la première fois.

– Nick, je viens d'entendre une conversation dans le couloir. Il paraît qu'ils te recherchent.

– Qui, « ils » ?

– Trois K. Joseph veut te voir. Ils ont l'air armés et dangereux. Dis-moi, qu'as-tu fait ?

– Rien. Rien de grave, en tout cas. Tu es certaine qu'ils sont trois ?

– Oui.

Nick était pétrifié. Joseph n'avait aucune raison de se méfier de lui, il n'avait laissé aucune trace de ses recherches. Pourquoi étaient-ils après lui ? Son front se couvrit de sueur, il cacha brusquement ses mains sous la table pour que Margaret ne les voie pas trembler.

– Tu as l'air mal. Tu es malade ? demanda-t-elle.

– Non, j'ai la trouille, avoua-t-il. Écoute, tout va bien se passer, fais-moi confiance. Mais ne dis pas que tu m'as vu ici. Je peux compter sur toi ?

– Oui, mais…

– C'est important. Tu me promets ?

– Tu me fais peur, Nick.

Calmement, il se dirigea vers la sortie. Tout tourbillonnait dans sa tête. Il aperçut le hall d'entrée au bout du couloir. Le réceptionniste avait été remplacé par un jeune homme au visage dur, qu'il ne connaissait pas. Avant que ce dernier le remarque, il obliqua vers la cuisine, une vaste pièce dans laquelle les employés venaient se retrouver autour d'une boisson, à toute heure du jour et de la nuit. Deux hommes et une femme discutaient, des membres de l'unité d'analyse économique qu'il connaissait un peu. Ils le gratifièrent d'un accueil chaleureux. Il sentait les battements de son cœur dans son thorax, essayait de se calmer sans y parvenir. Il pouvait quitter le bâtiment en passant par l'escalier de service, mais que faire ensuite ? S'il s'échappait, il ne pourrait jamais revenir en Suisse. Il prit soudain conscience qu'il était dans une voie sans issue. Si l'Entité se méfiait de lui, on le pourchasserait jusqu'au bout du monde. La seule solution était

427

de filer à Londres, auprès de son père, et de demander la protection des autorités anglaises.

Il rejoignit son bureau. Personne ne l'y attendait. Il ouvrit le tiroir de sa table de travail : son arme de service avait disparu. Heureusement, ses chefs ignoraient qu'il en avait une autre dans sa serviette, le gros automatique qu'il avait utilisé lors de sa recherche de Yasmina. Il vérifia qu'il était chargé, avant de l'enfourner dans la poche de son blouson. La sortie principale étant désormais gardée par un K, il était hors de question de l'utiliser. Il se dirigea dans la direction opposée, vers la sortie de secours. Même l'Entité était obligée de respecter les règles de sécurité de la ville de Berne, qui envoyait régulièrement des inspecteurs du service d'incendie vérifier les immeubles. C'était la faille : le dispositif de sécurité avait pour objectif d'empêcher quiconque de pénétrer à l'étage de l'Entité, pas d'en sortir. Il ouvrit la porte qui donnait sur l'escalier de secours, se retrouva sur un petit palier. Une caméra était fixée au-dessus. Elle se mit en marche en ronronnant, activée par son détecteur de mouvements. Nick n'avait pas beaucoup de temps. Devant lui, il y avait une porte blindée. Il savait qu'elle n'avait ni poignée ni serrure de l'autre côté. Pourvu qu'aucune alarme n'y soit reliée : cela faisait partie des informations qu'on ne lui avait jamais données. Il poussa le pêne. Aucune sirène ne se déclencha. Il dévala une première série de marches, puis une seconde, avant de s'arrêter. Un bruit familier. Quelqu'un montait l'escalier à toute vitesse, en dessous de lui. Il empoigna maladroitement son pistolet, enleva la sécurité, reprit sa descente. Il se retrouva presque aussitôt face à deux hommes. Des quadragénaires aux cheveux courts, au visage dur, aux yeux morts. Des K. Il brandit son automatique vers eux.

– Bougez pas !

– On te cherche, Nick, répliqua l'un d'eux d'une voix posée. Joseph veut te parler. Range ton arme et suis-nous.

– Vos gueules, répliqua Nick d'une voix aiguë.

Les hommes n'avaient pas l'air inquiets, juste ennuyés par la situation. Comme si tout ça ne les concernait pas.

– Qu'est-ce qui te prend ? reprit l'un d'eux. Allez, suis-nous.

Il fit un pas en avant. Nick appuya sur la détente. Deux détonations claquèrent. Les balles partirent dans le plafond. Des morceaux de plâtre et d'un néon brisé tombèrent sur les K. Nick avait visé délibérément au-dessus de leur tête.

– Vos mains sur la tête. Vite !

– T'excite pas, mec, dit l'un d'eux en s'exécutant. On ne te veut pas de mal, juste discuter. Le général a des questions à te poser.

– Vos gueules. Couchez-vous. Allez, couchez-vous tout de suite !

Les deux hommes échangèrent un regard. Nick tira une nouvelle balle, au jugé. Cette fois, elle atteignit l'un des K à la cuisse, projetant du sang sur le mur. Il s'effondra.

– Merde. Je suis touché.

Il n'avait pas crié, à peine grimacé. L'autre tueur regarda Nick. Il n'y avait aucune trace de peur ni d'émotion sur ses traits. Rien. Néanmoins, il se coucha sur le sol, sans cesser de le regarder. Le palier était relativement grand, mais Nick constata qu'il serait obligé de passer très près du tueur pour descendre.

– Pousse-toi contre le mur, ordonna-t-il d'une voix plus ferme. Visage contre le mur. Allez, plus vite.

Il essayait de se rappeler ce qu'on lui avait appris lors de son stage d'entrée au SRS. Tout lui revenait avec une rapidité qui l'étonna.

– Maintenant, écarte les bras du corps. Écarte plus. Ramène-les en hauteur, dans le dos, au-dessus de ton corps. Voilà, continue. Maintenant, écarte les paumes, tourne-les vers l'extérieur.

L'agent de l'Entité se retrouva couché sur le ventre, les bras vers l'arrière, paumes tournées, une position très inconfortable qui rendait difficile tout mouvement. Alors seulement Nick avança, la crosse de son arme collée contre le torse pour la rendre moins accessible à une saisie. Les deux tueurs avaient appréhendé sa manœuvre et compris qu'ils ne pourraient pas lui arracher son automatique. Il passa à côté d'eux, le cœur à cent quatre-vingts pulsations-minute. Une fois le palier franchi, il dévala l'escalier. Il entendit le K indemne se relever. Deux détonations claquèrent, mais l'escalier était trop étroit pour que le tueur ait un bon angle de tir, les balles passèrent loin de lui. Une autre détonation retentit. Cette fois, la balle frôla son bras. Il ne voulait pas riposter, il savait qu'il n'était pas de taille. S'il se découvrait pour tirer, l'autre le toucherait à coup sûr. Il survolait les marches, ouvrit la porte de secours du rez-de-chaussée. Elle s'écrasa avec un bruit sourd sur des cartons posés contre le mur de brique. Il se trouvait dans une sorte de ruelle étroite entre deux immeubles. Il se mit à courir à toute vitesse en direction de la rue. Il reconnaissait l'avant de sa voiture, garée devant le *delicatessen*. Deux détonations claquèrent, assourdies par un silencieux. Il se retourna, répliqua lui aussi d'une balle, qui toucha le K en pleine poitrine. L'homme s'effondra, mais il eut le temps de tirer une nouvelle balle. Nick eut l'impression de prendre un coup de barre de fer dans la jambe. Il tomba, renversa une poubelle pleine de fruits pourris. Il perdait du sang. Enfin, il arriva jusqu'à la voiture. Il plongea dedans. Personne ne le suivait.

Bon Dieu, qu'il avait mal. Il était touché, il saignait. Le siège de sa voiture était déjà tout poisseux.

Un kilomètre plus loin, il avisa un parking, monta jusqu'à l'avant-dernier étage, coupa le moteur. En grimaçant, il retira son pantalon. La balle n'avait fait que frôler l'épiderme, dessinant un long sillon peu profond. La blessure saignait beaucoup, mais elle n'était que superficielle, constata-t-il. Seule une balle de calibre 22 avait pu provoquer une blessure aussi nette et fine. Le K n'avait pas voulu le tuer, seulement le blesser.

La plaie cicatriserait vite. Il fallait juste désinfecter et mettre un bandage. Il essaya de redémarrer, mais ses mains tremblaient tellement qu'il n'arrivait pas à tourner la clef de contact.

– Allez, vas-y, calme-toi, murmura-t-il.

Finalement, il réussit à repartir. Mais où aller ? Ils devaient déjà l'attendre chez lui. Ils connaissaient forcément le nom de toutes ses anciennes petites amies. Il roulait doucement, attentif à respecter les limitations de vitesse. Peu après, il s'arrêta devant une devanture brillamment éclairée. Un groupe de jeunes attendait devant l'entrée, sac de gym à l'épaule. Son club de sport.

Il mit les feux de détresse. Il sentait le canon du pistolet encore chaud dans la poche de son manteau.

Il ne lui restait plus que quatre ou cinq balles, pas de quoi arrêter un commando déterminé. Quelques minutes plus tard, il ressortit en boitant. Il avait caché son passeport clandestin dans son casier quelques mois plus tôt. À l'époque, il n'avait pas vraiment de raison d'agir ainsi, sinon par sécurité : dans son métier, on ne savait jamais de quoi demain serait fait. Il avait commencé à l'Entité par un stage à la division technique et savait comment fabriquer un document administratif. Il avait simplement pioché dans un lot de passeports belges. Avec les tampons officiels et tout le nécessaire disponible sur place, ç'avait été un vrai jeu d'enfant.

# 17

Oussama se réveilla le premier, vers six heures du matin. Il se glissa en silence hors de la maison. Le soleil n'était pas encore sorti des montagnes, mais on voyait poindre une aube rosâtre. Il prit son tapis, mû par l'envie soudaine de prier au sommet de la colline, au-dessus du village, là où il aurait une vue magnifique sur toute la région. Lorsqu'il l'atteignit, le soleil s'était dévoilé, jetant sa lumière sur les monts dénudés qui s'éclairaient d'orange et de gris, parsemés de nappes de brouillard. Le paysage était splendide, il le contempla en silence un long instant, le cœur étreint par un sentiment de plénitude. Allah avait créé cette beauté, quel dommage que les Afghans n'en profitent pas simplement, en paix.

Bientôt, il rentrerait à Kaboul et lirait le CD de Wali Wadi. Comme il lui était impossible de conserver de telles informations sans mettre sa vie en danger, il les donnerait au ministre de la Justice, ou même les publierait sur un site Internet quelconque : une fois dans le domaine public, il serait en sécurité. Il pensa à mollah Bakir, qui voulait ces informations, aux Occidentaux qui avaient essayé de le tuer. En réalité, il ne pouvait rien décider avant de savoir ce qu'il y avait précisément dans le CD et qui était impliqué.

Alors qu'il allait s'agenouiller pour prier, il remarqua un mouvement au loin. Il plissa les yeux pour mieux voir. Ce mouvement, il le connaissait par cœur, il l'avait vu des centaines de fois, lorsqu'il combattait avec les moudjahiddines, et plus tard, lorsqu'il avait rejoint l'Alliance du Nord. C'étaient les silhouettes d'un groupe d'hommes qui progressaient dans la montagne. Il en compta une vingtaine, certains à pied, d'autres à cheval. Un peu plus, même, peut-être vingt-cinq. Il pensa aux guerriers qu'ils avaient croisés la veille : ils n'étaient pas aussi nombreux. Les Occidentaux seraient venus avec des hélicoptères et des drones, seuls les talibans pouvaient se déplacer ainsi, à pied et à cheval. Une chose était certaine : s'ils restaient sur place, ils étaient morts. La seule solution était de s'enfuir pendant qu'il en était encore temps. Il dévala la pente en courant pour rejoindre le village. Rangin était en train de se laver le visage avec l'eau de sa gourde.

— Que se passe-t-il ? demanda-t-il devant l'air alarmé d'Oussama.

— Un groupe d'hommes en armes, ils sont à moins d'une heure de marche d'ici. Ils ont des chevaux, il faut fuir. Où est Abdullah ?

— Il dort.

— Va le réveiller, nous partons immédiatement.

Oussama chercha le chef de village. Il urinait accroupi, au milieu de la pierraille.

— La route n'est pas sûre vers l'est, annonça Oussama, j'ai aperçu un groupe d'hommes. Nous devons partir dans une autre direction.

Oussama pensa au plan qu'il avait lu, à Kandahar, avec la capitaine Kukur. Au sud-ouest du coin où il se trouvait, il y avait une zone baloutche. Là-bas, les talibans pachtouns n'iraient pas les chercher.

– Comment va-t-on au sud-ouest, reprit-il, vers la zone baloutche ? Y a-t-il un chemin praticable par une voiture ?

Le chef réfléchit.

– Il y a une piste qui part du village, en bas. Poursuis-la pendant deux heures. Tu arriveras au sommet d'une colline, la plus haute que tu puisses trouver ici. Ensuite, au lieu de redescendre dans la vallée, prends un chemin qui longe la colline, sur ta droite. Peut-être le chemin peut supporter ta voiture, peut-être il ne peut pas. Après une demi-journée de route, tu arriveras à une nouvelle crête, encore plus haute que celle d'avant, tu verras, on appelle cette colline la colline bleue. Faites attention aux mines, les Russes en ont largué des centaines dans ces montagnes. Des mines bondissantes et des mines *toy*, beaucoup d'hommes, de femmes et d'enfants sont morts. Après la crête, il y a un plateau. Les Baloutches vivent là, mais fais attention, ils n'ont pas l'hospitalité des Pachtouns, ils ne connaissent pas notre code. On raconte qu'ils égorgent les visiteurs égarés.

– Nous nous débrouillerons, affirma Oussama.

Ils partirent immédiatement. La piste était encore pire que celle qu'ils avaient utilisée à l'aller, le Toyota roulait au pas.

– De quoi voulait-il parler exactement, lorsqu'il nous a prévenus de nous méfier des mines bondissantes ? demanda Rangin. Et des mines toy ? Je pensais que toutes les mines fonctionnaient sur le même modèle.

– Les mines bondissantes sont des engins spéciaux que les Russes larguaient à la fin de la guerre, expliqua

Oussama. Elles se couvrent de poussière et de sable, à cause du vent, mais restent actives très longtemps. Quand on marche dessus, un ressort les projette en l'air, où elles explosent. Au lieu de t'arracher la jambe, les éclats te frappent à la tête et au torse. Elles sont redoutables. Quant aux mines toy, ce sont des modèles de poche, en plastique de couleur, qui ont été créés spécialement pour les enfants. Elles les attirent, à cause de leurs couleurs vives. Lorsqu'un enfant en ramasse une, il déclenche le détonateur à traction et elle saute. Dans ces monts, beaucoup d'enfants ont eu la main ou le bras arrachés à cause d'elles.

Rangin parut choqué par les explications d'Oussama. C'était un jeune de la capitale, il ne connaissait pas encore toutes les atrocités qui avaient été commises dans les campagnes, tant par les Russes que par les talibans. Oussama envia sa capacité d'indignation. Il y avait longtemps que, comme les anciens, il s'était habitué à toutes les horreurs, celles qu'on avait infligées à ce pays comme celles qu'il s'était infligées à lui-même.

– J'ai peur qu'ils nous rattrapent. On va plus vite qu'un homme à pied ? demanda Rangin, inquiet.

– À peine, reconnut Oussama.

Au sommet du col, Oussama prit les jumelles. Les talibans étaient tout près du village, les hommes à cheval étaient en train d'y rentrer.

– Ils ne vont pas tuer tout le monde ? demanda Rangin d'une voix angoissée.

– Non. Dans ces campagnes, la melmastia est impérative. On ne peut pas faire du mal à ces villageois pour avoir respecté le code d'honneur des Pachtouns en accueillant d'autres musulmans...

Un coup de feu interrompit les paroles d'Oussama. Blême, il reprit ses jumelles. Il vit des guerriers faire sortir des villageois de leurs maisons, les jeter à terre. Des tirs claquèrent, les silhouettes au sol tressaillirent sous les impacts, avant de s'immobiliser. Plus loin, un autre groupe emmenait des femmes, certaines en burqa, d'autres encore en tenue d'intérieur.

– Bon Dieu, ils sont en train de les massacrer, ces salauds ! s'exclama Rangin. Il faut y aller !

– Nous sommes trois et ils sont plus de vingt. Nous n'obtiendrions que de nous faire tuer, nous aussi.

Oussama espérait que les femmes seraient fusillées directement, comme les hommes, sachant pourtant qu'elles finiraient en réalité égorgées après avoir été violées de nombreuses fois. Les talibans mettraient le feu aux maisons après leur forfait et brûleraient les corps avec l'essence qu'ils trouveraient sur place. Ensuite, ils crieraient à la bavure de la Coalition, accuseraient un bombardement allié raté. Certains journalistes les croiraient, d'autres non, tout en rapportant tout de même l'information, car une guerre qui ne tue pas d'innocents n'intéresse personne. Beaucoup de massacres perpétrés par les talibans avaient ainsi été imputés aux bombardiers américains, accroissant le ressentiment d'une population mal informée et toujours prompte à croire aux atrocités commises par les forces d'occupation.

Ils roulèrent pendant deux heures sans incident, à la même vitesse exaspérante. De temps à autre, Oussama regardait derrière lui, avec les jumelles. L'écart avec leurs poursuivants s'était à peine accru. Ils étaient à la merci d'une panne ou d'un problème de route.

Comme en écho à ses pensées, Abdullah poussa soudain un juron.

– Que se passe-t-il ? demanda Oussama.

– On a crevé.

Ils changèrent fiévreusement le pneu. Les boulons étaient coincés, ils crurent qu'ils n'arriveraient jamais à enlever la roue. Ils repartirent enfin, après plus de trente minutes d'arrêt. Le col dont leur avait parlé le chef du village était visible au-dessus d'eux. Deux silhouettes apparurent au sommet. Des hommes coiffés de turbans, fusil à la main.

– Arrête la voiture, ordonna Oussama.

Il descendit avec le Dragonov. Le fusil lui était familier, avec sa crosse en bois massif et l'énorme lunette qui le surmontait. Il avait vécu avec le même pendant plusieurs années, s'était battu avec lui, l'avait serré contre lui la nuit, l'avait senti gronder contre sa joue avec un bruit de tonnerre chaque fois qu'il tirait. Il s'était juré de ne plus jamais utiliser un fusil à lunette, songea-t-il amèrement en faisant monter une balle dans le canon, mais que valaient les promesses en Afghanistan ? En maudissant les talibans, il posa le fusil sur le toit de la voiture, en équilibre sur une couverture, pour se donner une meilleure position de tir. La silhouette du premier homme lui apparut nettement, grâce à l'exceptionnel pouvoir grossissant de la Weiss. Il actionna les molettes de réglage. L'homme était à environ mille mètres, le vent était violent, ses cibles en mouvement. Oussama utilisait une cartouche puissante mais un peu lente. C'était un tir exceptionnel, que seul un tout petit nombre de snipers étaient capables de réussir dans de telles conditions. La détonation claqua comme un coup de canon dans le silence de la vallée. L'une des silhouettes se cabra, projetée en arrière tel un pantin. Oussama ne laissa pas le temps à l'autre taliban de réfléchir, il réarma, appuya sur la détente. Un nouveau grondement retentit. La tête de la seconde silhouette disparut, volatilisée par le projectile.

– Al Hamdullilah, vous les avez eus tous les deux. À presque un kilomètre de distance ! s'exclama Rangin, admiratif.

– Repartons, dit simplement Oussama, peu désireux de commenter ses exploits.

Lorsqu'ils atteignirent le col, ils virent les deux talibans morts sur le bord du chemin. Les balles du Dragonov ne leur avaient laissé aucune chance. Ils étaient figés dans des positions grotesques, les bras et les jambes écartés, comme s'ils avaient été surpris en pleine séance de gymnastique, couverts de sang. Rangin descendit de voiture pour prendre leurs armes, de vieilles kalachnikovs pakistanaises, et surtout leur radio, qu'il enfourna dans la voiture. L'un des hommes portait un poignard courbe, l'arme favorite des talibans pour égorger leurs ennemis. Il le jeta dans le fossé.

– Si on est attendus à chaque col, on ne s'en sortira jamais, dit-il.

– C'est une région presque désertique, je ne crois pas qu'ils puissent mobiliser des hommes facilement. Nous avons notre chance, répliqua Oussama.

Il y eut soudain un grand fracas. Le 4 × 4 partit violemment vers l'avant, comme poussé par une main géante, avant de s'immobiliser dans un grincement de ferraille. Ils descendirent pour constater les dégâts. La piste s'était effondrée, le Toyota gisait dans un trou, les deux roues arrière en l'air. Abdullah se pencha sous le véhicule, l'air catastrophé.

– L'essieu avant est tordu. Il faudrait un treuil pour sortir la bagnole de là. Elle est foutue.

– Continuons à pied, dit Oussama. Nous ne sommes plus très loin du plateau baloutche. – Il leur montra le haut de la montagne. – C'est après ce col. Nous sommes à moins de trois heures de marche, peut-être deux.

Ils se mirent en route, après s'être chargés d'un maximum d'eau, de vivres et de munitions. Soudain, Rangin poussa un cri :

– Regardez !

Oussama se retourna. Les cavaliers s'étaient détachés du groupe et se dirigeaient vers eux au galop. À cette vitesse, ils les auraient bientôt rattrapés. Il tendit le CD à Abdullah.

– Je vais les retenir avec le Dragonov. Tu es pachtoun, peut-être qu'ils te laisseront partir. Si tu t'en sors, confie ce CD à ta mère, qu'elle le donne elle-même au chef de la brigade du renseignement de la police de Kaboul. C'est mon ami, il s'appelle Reza, il saura quoi en faire. Tu iras voir ma femme, tu lui diras que je l'aime, que je regrette de ne pas finir ma vie à ses côtés.

Il étreignit les deux hommes, se mit en position, le fusil sur un rocher, et attendit. Il était obligé de laisser leurs poursuivants s'approcher, pour qu'ils soient à distance de tir. Le soleil chauffait son visage, il sentit bientôt une goutte de sueur lui tomber dans les yeux. Après moins de vingt minutes, Oussama jugea qu'ils étaient suffisamment près. Un kilomètre. Il regarda où étaient ses deux compagnons. Ils couraient plus qu'ils ne marchaient en direction de la crête. Ils l'auraient bientôt atteinte. Il se mit en position de tir et abattit le cavalier de tête. La balle lui traversa le visage, un nuage pourpre enveloppa l'arrière de son crâne, tandis que la détonation roulait dans la montagne. Il visa le deuxième cavalier, qu'il abattit comme le premier. Le troisième fit demi-tour précipitamment, mais il ne lui laissa aucune chance. Sa balle le frappa en plein dos, l'envoyant valdinguer sur le côté. Il se redressa, le fusil à la main. Les trois chevaux s'étaient arrêtés, inquiets. Oussama ne pouvait pas les laisser en vie, d'autres talibans les utiliseraient. Ils étaient trop loin pour qu'il aille les chercher à pied, il risquait de se retrouver face à la colonne de leurs poursuivants. Il les abattit tous les trois d'une balle bien placée. Que valaient trois bêtes alors que tant d'hommes étaient morts ? Pourtant, tuer ces splendides animaux acheva de le plonger dans une profonde tristesse. Il mit le Dragonov à l'épaule et courut rejoindre ses camarades, derrière la crête. Il l'atteignit après quinze minutes de marche, à bon rythme. Le spectacle lui fit chaud au cœur. Un immense plateau parsemé de broussailles, avec de-ci de-là quelques arbres maigrelets, s'étendait devant ses yeux, sur des kilomètres. Un peu plus loin, à moins d'une heure de marche, un bourg se dressait, dominé par le minaret d'une mosquée. Les Baloutches, des hommes de son ethnie. Ils étaient sauvés. Ses deux compagnons l'avaient aperçu et s'étaient arrêtés. Oussama hâta le pas. Soudain, il vit le jeune Abdullah sortir du chemin et se diriger vers un gros rocher, à une centaine de mètres. Il hurla :

– Abdullah, non ! Reste là où tu es !

Entendant ses cris, le jeune homme s'arrêta, mais il était trop loin pour comprendre. Il fit un signe de main amical à Oussama tout en se remettant à marcher, en déboutonnant son pantalon. Fiévreusement,

Oussama fit glisser la lanière de son fusil. Il fallait qu'il tire en l'air, pour attirer l'attention d'Abdullah. Au même moment, il y eut un craquement sec. Comme dans un cauchemar, il vit une sorte de disque gris jaillir du sol, au-dessus de la tête du jeune homme. Le disque explosa, frappant Abdullah de plein fouet. Le jeune homme exécuta une pirouette macabre, tandis que des morceaux de chair volaient dans toutes les directions. Comme Rangin s'apprêtait à aller le secourir, Oussama tira deux coups en l'air. Les détonations l'arrêtèrent. Oussama mit les mains en croix au-dessus de sa tête, lui enjoignant de ne pas bouger. Il le rejoignit rapidement.

– C'était une mine bondissante ? demanda Rangin, blême.

– Oui, reste là. Je vais marcher dans ses pas, pour aller jusqu'à Abdullah.

Le cadavre n'était pas beau à voir. Une jambe gisait à une quinzaine de mètres du corps, la tête avait été séparée du tronc, les autres membres étaient déchiquetés. Le corps était criblé d'éclats, percé de part en part. Oussama le fouilla, se souillant du sang de son compagnon, à la recherche du CD. Quand il le trouva, son cœur se serra. Le CD avait été touché. Le plastique avait fondu. Oussama baissa la tête. Il n'avait plus de disque. Il n'avait plus de piste. Il avait perdu.

Un groupe de villageois venaient à leur rencontre. Oussama regarda le sang d'Abdullah qui coulait. Ses propres mains, ses vêtements en étaient maculés. Comme par celui de Babrak avant lui.

Pour la première fois depuis la mort de son fils, il se mit à pleurer.

II

## 18

Le vieux 4 × 4 entra en grinçant sur le parking du poste-frontière de Torkham. C'était une ville sale et plate, avec ses maisons en torchis et en béton brut, un peu effrayante avec ses miliciens pachtouns, kalachnikov à l'épaule. Ici, tout le monde portait une arme.

– Allons boire un verre avant de passer la frontière, proposa le guide de Nick. Je préfère attendre la pause de midi, il y aura moins d'agents de l'ISI pakistanaise pour poser des questions.

– D'accord, dit Nick.

Il était épuisé par son voyage et sa blessure à la jambe qui continuait à le faire souffrir. Après sa fuite, il avait passé la frontière italienne en voiture. Là, il avait pris un bus pour Milan, où il s'était fait soigner, prétextant un accident domestique. Il avait sympathisé avec le chirurgien qui l'avait recousu, un jeune Sénégalais tout juste diplômé de l'université de Dakar, qui parlait un français parfait. Ce dernier, n'ayant probablement jamais vu de blessure par balle, l'avait soigné sans faire de scandale. Une fois recousu, Nick avait attrapé un avion pour Dubaï sous sa fausse identité, puis un second pour Islamabad.

Un trajet habituel pour les hommes d'affaires, les journalistes et les humanitaires qui travaillaient dans la région, rien qui puisse attirer l'attention de ses ennemis.

Bien qu'il ait revêtu des vêtements pakistanais et qu'il ne se soit pas rasé depuis deux jours, Nick avait l'air de ce qu'il était, un jeune Occidental un peu perdu dans un pays qu'il ne connaissait pas. On le guignait du coin de l'œil, souvent de manière hostile. Heureusement, la kalachnikov que son guide portait en bandoulière détournait toute question gênante. À Islamabad, il avait loué un taxi jusqu'à Peshawar, la capitale du Pakistan oriental, conduit par un chauffeur à moitié abruti et ne parlant pas un mot d'anglais. Il s'était arrêté en pleine ville pour prendre un second taxi et trouver le guide qui l'accompagnerait pour la fin de son voyage. Il avait dû acheter un permis administratif spécial, nécessaire pour pénétrer en zone tribale. Le permis était gratuit, mais le Home Department of Tribal Affairs étant aussi corrompu que le reste de l'administration pakistanaise, il lui en avait coûté près de deux cents roupies pour l'obtenir immédiatement. Prudent, il avait fait cinq photocopies du document et de son passeport et avait glissé dans chacune d'entre elles un billet de cent roupies. Aux quatre barrages où il avait été arrêté entre Peschawar et la frontière, les photocopies avaient fait merveille : les militaires pakistanais avaient empoché l'argent avant de le laisser repartir sans question. Au check point de Michni, il avait admiré l'extraordinaire panorama. La région était dangereuse, mais son guide armé, obligatoire pour tout Occidental à partir de Peshawar, paraissait sérieux. C'était un membre de la Khyber Agency, l'organisme officiel qui avait le monopole des gardes officiels pour les Occidentaux. Nick s'était fait passer pour un médecin belge travaillant pour une organisation humanitaire. Son guide avait eu l'air de le croire, même s'il avait insisté pour l'emmener choisir une arme au souk de Peshawar, sans doute le plus grand marché d'armes à ciel ouvert du monde, où l'on fabriquait et vendait de tout, du stylo-pistolet artisanal au lance-roquettes. Il avait eu l'air déçu que Nick refuse d'acheter quoi que ce soit pour se défendre.

Nick but son Coca-Cola tiède en silence, savourant ce moment de calme avant la dernière partie de son voyage. Entre Torkham et Kaboul, il y avait au moins dix heures d'autoroute, si tout se passait bien. De l'autre côté de la frontière, des dizaines de taxis attendaient les marchands afghans et pakistanais qui empruntaient cette route stratégique. En dépit de sa fatigue, Nick était un peu ému de franchir la fameuse passe de Khyber, une trouée à travers le massif de l'Hindu Kuch, les plus hautes montagnes afghanes, par laquelle des générations d'aventuriers avaient transité.

– Vous pensez que la suite du voyage se déroulera aussi bien ? demanda-t-il au guide, lorsqu'ils eurent terminé leur boisson.

– La route est très dangereuse, expliqua ce dernier dans son anglais haché. On va attendre un convoi militaire.

C'était une région pachtoune hostile aux pouvoirs en place, dans laquelle les talibans se déplaçaient librement, des deux côtés de la frontière. L'axe Peshawar-Jalalabad-Kaboul était l'un des plus importants du pays, sévèrement contrôlé, par l'armée pakistanaise à l'est, par l'armée afghane puis l'Otan à l'ouest. Cela n'empêchait pas les attaques régulières. Dès qu'on s'en éloignait de quelques kilomètres, on entrait en territoire ennemi.

Ils attendirent deux heures avant que plusieurs 4 × 4 blancs au sigle de l'Onu apparaissent. Son guide alla se renseigner. Il revint quelques minutes plus tard. Un large sourire éclairait son visage.

– Ils vont à Kaboul. J'ai dit que vous étiez médecin, ils acceptent de vous prendre. Vous devez les attendre de l'autre côté.

Nick salua son guide. Puis il mit son sac à l'épaule et se dirigea vers le poste-frontière, évitant les flaques de neige fondue du mieux qu'il pouvait. Le poste avait été refait côté pakistanais et un semblant d'ordre y régnait. Il paya cinq cents roupies pakistanaises à deux douaniers en guenilles, qui lui firent signe de passer sans lui poser la moindre question. Côté afghan, c'était un désordre épouvantable. Des soldats dormaient à même le sol, enroulés dans des couvertures pour lutter contre le froid. Partout, des marchands pachtouns résignés attendaient qu'on leur donne la permission de passer, d'autres discutaient à voix basse avec des douaniers aux mines patibulaires, préférant payer un bakchich de quelques centaines d'afghanis pour accélérer les procédures. Il glissa deux billets de vingt dollars à un douanier qui lui attribua sur-le-champ un visa humanitaire de trois mois. Dix minutes plus tard, il se retrouva sur un parking caillouteux.

*

Depuis son retour, Oussama avait passé la plus grande partie de son temps reclus chez lui. Obligé de faire un détour de près de cent kilomètres par l'ouest, dans un territoire hostile et désolé, escorté par un groupe de guerriers baloutches, il avait mis cinq jours à rentrer à Kaboul. Rangin et lui s'étaient d'abord arrêtés à Kajaki Dam, puis à Kandahar, où il avait annoncé lui-même à la capitaine Kukur la mort de son fils. Elle qui, depuis des années, supportait sans broncher les menaces de mort, les tentatives d'assassinat, les intimidations s'était effondrée, en larmes, sans qu'il puisse la consoler.

En y repensant, il avait envie de vomir. Dans n'importe quel pays du monde, le retour de deux policiers déclarés disparus aurait provoqué l'émotion de la population, voire déclenché un vaste mouvement d'opinion. Son témoignage aurait fait la une de la presse. Rien ne s'était passé. Le ministre de la Sécurité avait tout prévu, avec sa duplicité habituelle. Pendant l'absence d'Oussama, il avait engagé une opération d'intoxication rondement menée : tous les personnels du commissariat étaient persuadés qu'Oussama et ses hommes avaient été attaqués par un groupe de talibans qui avaient volé les véhicules avant d'emporter les blessés pour les supplicier. Leur retour avait fait l'effet d'une bombe, car tous étaient persuadés qu'ils étaient morts. Oussama avait donné les restes du CD détruit par la mine bondissante aux services techniques de la police, espérant un miracle, mais ces derniers avaient évidemment confirmé que les morceaux de disque étaient inutilisables. Ils avaient finalement été détruits, sur ordre direct du ministre. Oussama avait plaidé sa cause, expliqué qu'il avait été attaqué par un drone et non par des talibans, mais c'était peine perdue : il n'avait rien pour étayer ses dires. Les débris des deux véhicules détruits par les missiles s'étaient volatilisés, probablement déjà revendus à des ferrailleurs.

Oussama avait contre lui une puissante machine politico-militaire, c'était le pot de terre contre le pot de fer. Certes, il avait fait tout ce qu'il avait pu, mais le bilan de son enquête était sans appel : il avait perdu quatre de ses hommes, dont l'un de ses adjoints, plusieurs innocents étaient morts, le dossier Mandrake n'existait plus. En un mot, il avait échoué.

Totalement.

Comme si ce n'était pas suffisant, le ministre avait ouvert une enquête contre lui, pour manquement aux règles de commandement. Il ne doutait pas qu'il serait bientôt suspendu.

Il était en train de ruminer son échec lorsqu'on frappa à sa porte. Un jeune garçon se tenait sur le pas, une enveloppe à la main : l'envoyé de mollah Bakir. Oussama rentra dans son salon pour lire la lettre, élégamment calligraphiée sur un papier de belle qualité.

*Qomaandaan,*
*Mon informateur m'avertit que le ministre s'apprête à signer un mandat d'arrêt contre vous, qui sera délivré dans les heures qui viennent. Le ministre prépare son coup depuis plusieurs jours. Il a attendu que son collègue de la Justice parte en déplacement, ce matin, en Europe, pour lancer la procédure. Un procureur à sa botte signera votre incarcération. Le chef d'accusation est multiple. On vous accuse d'être sorti de Kaboul avec vos hommes, en dehors de votre zone de compétence,*

*sans ordre de mission, sur une route non sécurisée au préalable par l'armée, et vous êtes suspecté de connivences avec les talibans.*

*Vous serez incarcéré à Bagram, au secret, sans possibilité de voir quiconque, encore moins un avocat. De nouveaux adjoints sont déjà prêts à remplacer les hommes que vous avez perdus. L'un est un touran de Kandahar proche du ministre, l'autre un bredman du commissariat, un Pachtoun qui vous déteste. Leur ordre de mission est de « dératiser » votre service.*

*Essayer de résister ou de clamer votre innocence serait, dans ces conditions, totalement inutile.*

*Je vous conseille de vous cacher, le temps que l'on y voie plus clair. Envoyez votre femme en province. Si vos réseaux vous font défaut, je vous fournirai toute l'aide dont vous avez besoin, y compris des armes et de l'argent.*

*Ne perdez pas de temps. Vous êtes plus utile à ce pays vivant que dans la geôle sordide qui vous est destinée, et où je sais que vous mourrez « accidentellement ».*

*Il reste de l'espoir. Battez-vous !*

*Votre ami,*

*mollah Muhammad Bakir*

Oussama avait beau avoir l'habitude des coups durs, la missive l'accabla. Avait-il besoin d'un tel coup de massue sur la tête, après son échec dans les montagnes ? Néanmoins, il se reprit vite. Il mit quelques affaires dans un sac, attrapa tout l'argent rangé dans diverses boîtes disséminées un peu partout dans la maison. Un pistolet, plusieurs chargeurs de rechange, des grenades, sa fidèle kalach, son coran. Il n'avait pas grand-chose d'autre. Puis il déverrouilla la porte menant au débarras. Il dégagea un amoncellement de cartons pour accéder au mur du fond. Au couteau, il attaqua le mortier grossier qui dissimulait une cache aménagée dans une brique creuse. À l'intérieur il y avait deux passeports ouzbeks achetés à un trafiquant en 1998, à une époque où les talibans paraissaient invincibles. Le premier passeport était au nom d'Hamid Kadenis, le second de Malalai Kadenis. Il contempla celui de sa femme, songeur. Il ne lui avait jamais parlé de ce passeport, il avait volé une photo d'identité dans ses affaires, fait fabriquer le document en secret avant de le cacher. Elle ignorait encore qu'il avait songé à fuir son pays avec elle. Il avait eu honte d'agir de la sorte à l'époque, il avait toujours honte de cet épisode aujourd'hui, même s'il avait finalement choisi de quitter Kaboul et de se battre dans les montagnes contre les talibans. Il prit les deux documents, remit la cachette en ordre et retourna dans la maison.

Il était prêt à partir.

C'est à cet instant qu'on frappa à la porte de derrière, celle qui donnait sur la petite ruelle, que personne n'utilisait jamais. Intrigué mais pas vraiment inquiet, Oussama prit une arme. Les sbires du NDS auraient enfoncé la porte d'entrée principale. La caméra qu'il avait installée discrètement sur le toit de la maison voisine, braquée sur la porte, renvoyait l'image d'un homme seul en jean et blouson. Oussama ouvrit, son arme à la main. Il plissa les yeux, certain de ne pas le connaître.

– Commandant Kandar ? demanda l'étranger d'une voix douce.

Il était jeune, occidental, avec des yeux très bleus et des cheveux bouclés légèrement trop longs.

– Oui. Qui êtes-vous ?

– Je m'appelle Nick Snee. Puis-je entrer ?

– Pour quoi faire ? répondit Oussama très froidement en serrant la crosse de son arme un peu plus fortement.

– Je voudrais que nous parlions de Mandrake.

Oussama demeura d'abord interloqué. Enfin, il ouvrit plus grand sa porte. Il conduisit Nick jusqu'à son salon.

– Nous avons très peu de temps. Je dois quitter les lieux.

– Vous fuyez ? demanda Nick, surpris.

– Ce ne sont pas vos affaires. Qui êtes-vous et que voulez-vous ?

– Je travaillais pour une officine suisse chargée de missions très spéciales. Une structure secrète que nous appelons l'Entité.

– Je ne connais pas ce nom.

– C'est normal. C'est pourtant elle qui est responsable des misères que vous avez subies ces dernières semaines, attaques, attentats divers. Le ministre Khan Durrani n'est qu'un pion. L'attaque suicide au Hamad Café. Les moudjahiddines sur le chemin des bureaux de Wali Wadi. Le drone. C'était nous.

Oussama se leva, le visage blême.

– Espèce de salaud ! Comment osez-vous venir me narguer ? Sortez immédiatement !

– Je n'ai rien à voir avec cette infamie ! Je ne suis qu'un analyste. J'ai coupé les ponts avec l'Entité après avoir découvert ces forfaitures. Je veux vous aider.

C'est pour cette raison que je suis chez vous. Pour que nous nous battions ensemble contre ces assassins.

– Je ne comprends rien à ce charabia. Je vous repose la question : que voulez-vous exactement ?

– Que nous travaillions ensemble.

– Travailler ensemble ? Mais à quoi ?

– À récupérer Mandrake.

Oussama eut un rire amer.

– Vous ne connaissez donc pas les derniers événements ? Le rapport Mandrake est détruit. Je suis accusé par mes chefs. Tout est fini. Je suis désolé. Vous devriez rentrer dans votre pays et oublier cette histoire. Pour moi, tout est terminé. Définitivement.

– Mandrake n'est pas seulement le nom d'un dossier, c'est le nom d'un homme en fuite. Le rédacteur du dossier qui porte son nom. C'est lui, Léonard Mandrake, que je veux récupérer. Or, je sais qu'il se cache ici, en Afghanistan.

Mandrake… Oussama n'avait jamais imaginé que Mandrake puisse être une personne. Encore une faille de son enquête. Décidément, il était passé à côté de beaucoup d'informations, dans cette affaire. Trop. Il scruta le visage couvert de poussière de Nick. Le jeune homme avait l'air épuisé, mais son regard était franc, son attitude saine. Outre son travail de policier, des années à faire la guerre avaient aiguisé le jugement d'Oussama. Obligé de choisir des alliés de circonstance, il avait joué sa vie plusieurs fois à quitte ou double. Il sut instantanément qu'il pouvait faire confiance à ce garçon.

– Qu'est-ce qui vous fait croire qu'il est dans ce pays ?

Nick le lui expliqua.

– Il faut partir, dit Oussama lorsque Nick eut terminé. Je vais être arrêté si je reste ici.

– Mais… pourquoi ?

– Je vous expliquerai.

*

Joseph attendait dans son petit bureau que ses hommes retrouvent la trace de Nick. Il était sur le qui-vive depuis deux jours, essayant de rester aussi calme que possible. Quiconque ne le connaissait pas aurait pu croire qu'il s'ennuyait, au vu de son visage totalement neutre. Pourtant, les pensées s'entrechoquaient dans son esprit. La fuite de Nick avait révélé plusieurs événements d'importance. D'abord, il était clair qu'il avait parfaitement compris la manipulation dont il avait été l'objet. Plus grave, il avait également compris que l'Entité avait gravement violé la loi en essayant de tuer le commissaire Kandar. Joseph ne savait pas ce que Nick avait découvert dans l'ordinateur du général, mais il l'imaginait assez bien. Suffisamment pour provoquer un énorme scandale, et les envoyer tous en prison.

Il fallait qu'il le retrouve et qu'il le tue avant qu'il ne soit trop tard.

Comment Nick, un analyste n'ayant aucune expérience des opérations de terrain, avait-il pu disparaître ? Pour l'instant, Joseph n'avait pas la réponse, ce qui était un élément perturbant de plus. Dans son métier, les plus grandes catastrophes provenaient souvent de détails infimes de ce genre. De tout petits événements qui, mis bout à bout, faisaient perdre le contrôle total d'une situation.

Un homme frappa à sa porte et déposa une feuille sur son bureau. Toutes les heures, un de ses collaborateurs lui dressait une synthèse des informations collectées. Pour l'instant, ils n'avaient pas grand-chose. Ils étaient certains que Nick était passé en Italie, car sa voiture avait été trouvée dans un parking longue durée, de l'autre côté de la frontière. Il y avait des traces de sang à l'intérieur. L'équipe technique avait réalisé une recherche d'ADN dans les résidus sanguins, les résultats des tests étaient attendus dans les deux heures. Ce pouvait être une fausse piste, bien sûr, un leurre disposé là à leur intention, mais Joseph en doutait. Une équipe K avait été positionnée à Milan, avec un hélicoptère, pour leur permettre de couvrir une grande partie du territoire italien, au cas où. L'idée que Nick ait été plus malin que lui mettait Joseph dans une colère froide, proche de la rage. Il détestait l'échec. Il soupira. Maintenant, il fallait le trouver. Leur seul atout était qu'il était impossible à Nick de prendre un avion sans se faire remarquer. Cette réflexion lui donna une idée. Il appela un de ses hommes.

— Où sont rangés les stocks de passeports vierges ?

— Au coffre.

— Au service logistique et support ?

— Oui, chef.

— Nick a servi six mois dans ce service à son entrée à l'Entité. Allez voir s'il en manque.

L'homme revint quelques minutes plus tard, une boîte à la main.

— Il y a vingt-quatre passeports, je ne sais pas s'il en manque.

— Idiot. Tout est répertorié sur informatique.

Ils rejoignirent une analyste, une grande blonde un peu boulotte, qui se connecta au serveur central de l'Entité.

– Il devrait y avoir vingt-cinq passeports dans la boîte, déclara-t-elle.

– Cherchez le passeport manquant, ordonna Joseph.

– C'est le 5678XV79, annonça l'analyste quelques instants plus tard. Un passeport belge.

– Vérifiez s'il a été déclaré à une compagnie aérienne.

Elle ouvrit une nouvelle fenêtre pour entrer dans l'ordinateur central du département fédéral des Transports, lui-même interconnecté avec les bases de données de la plupart des pays européens. Un résultat apparut immédiatement. Une sortie du territoire italien, sur un vol à destination de Dubaï.

– C'est une erreur ? demanda le K, penché sur son épaule.

– Non. Non, ce n'est pas une erreur ! dit Joseph. Faites apparaître la photo.

Docilement, l'analyste cliqua sur une icône pour télécharger le dossier d'entrée du territoire correspondant au passeport. Avec les nouveaux systèmes biométriques, c'était devenu un jeu d'enfant. Une photo s'afficha rapidement à l'écran. C'était bien celle de Nick.

– Cherchez-moi tous les trajets effectués avec ce passeport. Faites un lien avec le passeport officiel de Nick Snee, triangulez, pour voir si vous trouvez des correspondances avec les compagnies qui ne déclarent pas spontanément leurs listings de passagers.

La blonde se mit à taper à toute vitesse sur son clavier. Quelques minutes plus tard, elle tourna l'écran dans leur direction.

– J'ai une seule correspondance. Un Dubaï-Islamabad sur FlyDubaï, une *low cost* locale.

– Qu'est-ce qu'il fout au Pakistan ? demanda le K.

– Il ne fait qu'y passer, crétin. C'est en Afghanistan qu'il se rend. Il va passer la frontière par le Khyber.

– Mais… pourquoi ?

Brusquement, Joseph comprit. C'était tellement énorme. Tellement inattendu.

– Kandar ! Il va retrouver le commissaire Kandar.

*

Cela faisait une drôle d'impression à Oussama de se retrouver traqué dans Kaboul par les services de la police qu'il servait loyalement depuis des années. Il y avait encore plus de soldats et de policiers aux aguets à tous les carrefours. La radio venait d'annoncer une attaque contre une caserne. Douze shahids s'étaient fait sauter les uns après les autres, permettant à trois combattants d'entrer dans l'enceinte par les brèches et de tirer à l'arme automatique sur tout ce qui bougeait. Les talibans continuaient leur petit jeu macabre du chat et de la souris.

– Où va-t-on, maintenant ? demanda Nick.

Oussama se mit un doigt sur la bouche : il avait l'impression que le chauffeur de leur taxi comprenait l'anglais, en dépit de ses dénégations. Il demanda à être déposé devant un petit café, à proximité de l'hôpital où Malalai travaillait. Une fois installé, Oussama pria Nick de lui faire un descriptif très complet de son enquête et de ses découvertes, ne l'interrompant que de temps à autre pour une question.

– Vous n'avez rien trouvé de plus précis concernant les relations nouées par Léonard Mandrake avec Wali Wadi ?

– Rien de plus que ce que je vous ai dit. Mandrake se rendait souvent au Pakistan, plusieurs fois par an, je suppose que Wadi l'y retrouvait. Ils avaient également des rendez-vous secrets un peu partout dans le monde. En fouinant dans des bases de données, j'ai retrouvé la trace de réservations de billets d'avion de Wadi pour Paris, Londres et Francfort, qui correspondent à des réservations de Léonard Mandrake aux mêmes endroits et aux mêmes dates.

– Mandrake détenait des données très sensibles et, d'une manière ou d'une autre, Wali Wadi y a eu accès, dit Oussama, pensif. Les a-t-il volées, se les sont-ils échangées ?

– Nul ne le sait. Ma seule certitude est que les dirigeants de Willard Consulting ont paniqué quand ils ont compris que des informations secrètes étaient en circulation. Ils ont essayé de faire le ménage seuls.

– Dortmund était chargé d'assassiner Wali Wadi à Kaboul, tandis qu'une autre équipe se chargeait de Mandrake à Zurich, continua Oussama. Après le semi-échec de ces tentatives, l'Entité est entrée dans la danse, et vous avec.

– Je crois que nous avons compris la bonne séquence. Maintenant, je dois vous poser une question franche : vous êtes en fuite, vos supérieurs ont mis votre tête à prix. Pouvez-vous encore m'aider à trouver Léonard et Zahra ?

Oussama eut un sourire triste.

– Ma situation est ce qu'elle est, mais ce pays est le mien. J'ai des réseaux d'amis partout. Où que Mandrake se cache, nous le trouverons.

Laissant Nick attablé au fond de la salle, il traversa la rue. Le service de Malalai était vide. Il héla une infirmière, se fit connaître. Celle-ci l'installa dans son petit bureau avant de partir chercher sa femme. Malalai surgit une dizaine de minutes plus tard.

– Pardonne-moi, j'étais au bloc. Un accouchement. C'est gentil de venir me voir. Tiens, moi aussi j'ai une surprise pour toi. – Elle farfouilla dans un tiroir avant d'en extraire un morceau de savon dont la couleur rappelait un loukoum, qu'elle brandit victorieusement. – Regarde, annonça-t-elle, triomphante. Je suis passée au souk, j'ai retrouvé du savon à la rose, c'est bien celui que tu adores, n'est-ce pas ?

Oussama sourit tandis que Malalai retirait sa coiffe de bloc.

– Soit dit en passant, je me suis fait insulter par un taliban, parce que je ne portais qu'un hidjab et non une vraie burqa. Ce charmant personnage m'a traitée de pute et de créature du diable. Il a menacé de me défigurer à coups de ciseaux. Je l'ai dénoncé à des policiers, mais ils ont ri ! Ils n'ont même pas fait semblant de partir à sa poursuite, alors qu'ils auraient très bien pu l'attraper.

– Il ne t'a pas fait mal, au moins ?

– Non, si on considère que cela ne fait pas « mal » de se faire insulter lorsqu'on va faire ses courses. Nous en avons discuté avec mes collègues de la RAWA hier. Tu savais qu'il n'existe pas de disposition dans le code pénal pour punir les hommes qui insultent les femmes ?

Oussama l'ignorait. Remarquant son air grave, Malalai se pencha en avant.

– Que se passe-t-il, Oussama ? Tu as l'air catastrophé.

Il lui expliqua la situation.

– Penses-tu pouvoir te cacher du NDS à Kaboul ?

– Quelque temps, oui. D'ailleurs, je ne sais pas si Mandrake est à Kaboul, peut-être devrai-je sortir de la ville pour le retrouver.

– Tu veux que je me cache, moi aussi ?

– Ce serait mieux. Fais-toi porter malade.

– Je vais me faire héberger chez une amie. Ce sera plus prudent que dans ma famille.

– Tu devras laisser ton téléphone ici. On peut te retrouver grâce à lui. Je vais faire de même. Si tu veux me parler, laisse un message à ton infirmière la plus sûre. Comment s'appelle-t-elle ?

– Amina. Et moi, comment pourrai-je te joindre ?

– Par mollah Bakir.

Elle l'embrassa.

– As-tu une meilleure chance de trouver les salauds qui ont tué tes hommes avec l'aide de ce jeune Occidental ?

– Je crois.

– Trouve-les, Oussama, et quand tu les auras retrouvés, punis-les.

*

Oussama quitta sa femme les larmes aux yeux. Il rejoignit Nick au café.

– Que voulez-vous faire, maintenant ? demanda ce dernier. Voir votre ami Reza ?

– Non.

– Pourquoi ?

– Il a un poste important, et on sait que nous sommes amis. Je ne voudrais pas le mettre en difficulté sans raison. Je préfère utiliser des sources moins voyantes pour avancer.

Il avait besoin de temps pour réfléchir. De temps et de beaucoup de caféine. Il commanda un double café turkmène, une rareté à Kaboul.

– Nous allons rencontrer quelqu'un qui peut nous aider, dit-il après avoir vidé sa tasse d'une gorgée. Mais je vous préviens, c'est un imam. Un homme qui a été dans le camp de vos ennemis.

Nick pâlit.

– Un taliban ?

– Modéré. Mais un taliban tout de même.

– Vous n'avez personne d'autre ?

– J'ai beaucoup d'amis sûrs, des anciens moudjahiddines ou des gens du commissariat, mais je crains qu'ils ne soient surveillés étroitement. Le NDS est très performant. Mollah Bakir est plus facile à approcher. Il m'a sauvé la vie, lorsque vos amis m'ont envoyé un groupe de tueurs pour m'assassiner.

– Pourquoi un taliban, même modéré, nous aiderait-il ?

– Je ne sais pas. Vous lui demanderez vous-même.

Ils hélèrent un taxi. Sur le trajet vers la mosquée, ils restèrent silencieux, assommés par la fatigue et la gravité de la situation. Un peu avant d'arriver à la mosquée, Oussama avisa une échoppe dont le patron était en train de fermer le rideau de fer, sur le bord de la route. Il arrêta le chauffeur.

– Que faites-vous ? demanda Nick.

– Vous ne pouvez pas vous rendre à la mosquée ainsi. Des espions du NDS peuvent rôder dans les parages. Vous devez vous déguiser.

– Mais je suis habillé comme un Afghan !

– Vous avez autant l'air d'un Afghan que moi d'un trader de Wall Street, répliqua Oussama. Vous devez devenir invisible. – Il désigna le stand de burqas d'un mouvement de tête. – Avec ça sur le dos, vous serez parfait.

– Oh, non !

Oussama le planta sur le trottoir pour aller acheter une burqa et tout l'attirail qui allait avec : tunique, pantalon.

– Allez vous habiller dans une des ruelles. Il fait nuit, personne ne vous remarquera.

Nick, une fois revêtu de la burqa, marchait difficilement sur le sol inégal.

– Alors ? demanda Oussama ironiquement. Êtes-vous à votre aise ?

– C'est nul, protesta Nick, on n'y voit rien, avec cette grille devant les yeux ! Comment peut-on obliger des gens à s'habiller ainsi ? C'est inhumain.

– Les Afghanes y arrivent bien, vous vous y habituerez, temporisa Oussama, tout en songeant aux protestations de Malalai.

Lui-même n'avait jamais essayé d'en revêtir une, ne serait-ce que pour ressentir ce que cela faisait d'être ainsi accoutré.

Ils poursuivirent leur chemin à pied, Nick suivant Oussama à grand-peine, comme une épouse soumise marchant derrière son mari. La mosquée était presque vide, quelques fidèles priaient en silence, agenouillés sur les tapis élimés. L'unijambiste reconnut Oussama.

Il fit mine d'empêcher Nick de le suivre, mais Oussama le stoppa d'un mouvement de main.

– Elle vient avec moi.

Mollah Bakir travaillait devant son ordinateur. À leur entrée, le visage du mollah s'éclaira d'un grand sourire, dont la sincérité ne faisait aucun doute. Il se précipita à leur rencontre.

– Frère Oussama, heureux de vous revoir sain et sauf. Vraiment, c'est une joie immense.

Ils s'étreignirent. Le mollah se tourna ensuite vers Nick.

– Votre épouse Malalai ? Elle a pourtant la réputation d'être allergique à la burqa.

– Vous pouvez enlever votre déguisement, dit Oussama.

Avec stupéfaction, mollah Bakir vit Nick apparaître. Son visage était rougi par la chaleur.

– Qui est-ce ?

– Un ami suisse. Je me souviens d'avoir vu des revues en anglais lors de ma première visite, je suppose que vous le parlez.

– Tout à fait. Bienvenue en Afghanistan, lança le religieux à Nick. J'ai étudié à Genève et à Cambridge lorsque j'étais jeune.

Il parlait un anglais parfait, avec l'accent snob des anciens élèves de collèges huppés.

– Qu'avez-vous étudié, en Europe ? demanda Oussama.

– La microbiologie cellulaire. Je crains même d'avoir commis un PhD.

– Mais alors… pourquoi êtes-vous devenu taliban ? demanda Nick, incrédule.

– Les talibans de 1995 et ceux de 2001 n'étaient pas les mêmes. En 1995, nous étions censés être un mouvement d'intellectuels. Il est vrai que mollah Omar, que je suspecte de ne pas savoir lire, et moi avions des relations plus que difficiles sur la fin. Mais je vous en prie, prenez place, je vais vous servir le thé.

Oussama le laissa officier. Ils laissèrent leur boisson refroidir en silence.

– Vous avez bien fait de venir me voir rapidement, dit mollah Bakir. Le ministre a déclaré que vous aviez laissé vos hommes se faire massacrer pendant que vous vous carapatiez lâchement dans la montagne.

– C'est une honte ! C'est un mensonge ignoble ! s'emporta Oussama. Moi, un moudjahid, fuir au combat ?

– Tous ceux qui vous connaissent le savent, à commencer par vos hommes. Mais que pèsent quelques policiers honnêtes face à la raison d'État ? D'ailleurs, je suis bien placé pour savoir qu'il n'y a eu aucune attaque des talibans sur cette route ces deux dernières semaines.

– Mes amis m'aideront.

– On les fera taire.

– Qui ça, « on » ?

– Des gens proches de la Coalition, répondit le mollah en lorgnant vers Nick. Américains, Français, Anglais, nous le saurons peut-être un jour. Quoi qu'il en soit, je suis certain que les Occidentaux sont impliqués. Des gens charmants, et tellement civilisés… Évidemment, assassiner quelqu'un avec un missile à cinq cent mille dollars tiré depuis un drone ultra-moderne, c'est beaucoup plus *politically correct* que l'égorgement cher à mes amis talibans. Les mécréants,

465

surtout les Américains, aiment la technologie, c'est plus fort qu'eux. Tuer avec un objet de haute technologie, pour eux, ce n'est pas vraiment tuer... Mais est-ce moralement préférable ? Je vous laisse réfléchir à cette très *intéressante* question.

– Pourquoi nous aidez-vous ? demanda Nick.

– Qui vous dit que je vais vous aider ? Vous n'êtes qu'un nazaréen, après tout.

– Arrêtez de jouer sur les mots.

Un petit sourire éclaira le visage rebondi de mollah Bakir.

– Vous avez raison. Je n'ai rien contre les mécréants, ils peuvent adorer le Dieu qu'ils veulent, ou même aucun puisque cela est, paraît-il, la dernière mode en Europe. Je respecte les croyances de tous, du moment que l'on nous laisse vivre comme bon nous semble, en musulmans respectueux du Livre. Que savez-vous des relations entre les talibans et les Occidentaux ?

– Vous avez accueilli Ben Laden et sa clique. Vous l'avez aidé à préparer des attentats contre l'Occident, dont celui du 11 Septembre. Voilà ce que je sais des relations entre les talibans et les Américains.

– Votre ami fait-il semblant d'être bête ou l'est-il vraiment ? demanda mollah Bakir en se tournant vers Oussama.

– Les attentats du 11 Septembre ont rendu les Occidentaux très nerveux, plaida Oussama. Et tout n'est pas faux dans ce qu'il dit.

– C'est vrai, reconnut le mollah. Vous êtes jeune et ignorant de certaines réalités locales. Sachez qu'avant que mollah Omar commette la faute impardonnable d'accueillir Al-Qaïda et ses amis arabes à bras ouverts, notre régime était bien accepté par les Occidentaux et nos relations avec eux très correctes. Jusqu'en 1997, nous étions même financés par Washington. Vous ne le saviez pas ? Au début de notre régime, ce fut la lune de miel avec les États-Unis : nous avions rétabli l'ordre. Nous avions supprimé presque totalement la production de l'opium, dont, soit dit en passant, ce pays assure maintenant, grâce aux troupes de la Coalition et au régime pourri du président Karzaï, près de quatre-vingts pour cent de la production mondiale. Nous entretenions des contacts réguliers avec des officiels occidentaux, ainsi qu'avec certaines sociétés internationales, qui avaient de grands projets pour notre pays. Notre révolution avait rétabli l'ordre dans un pays dévasté par l'incurie générale, les seigneurs de guerre, l'analphabétisme et les trafiquants de drogue.

— Rétabli l'ordre en réduisant en esclavage les femmes et en ramenant ce pays à l'âge de pierre…, répliqua Nick, cinglant.

— Ce pays vivait déjà à l'âge de pierre avant que nous y prenions le pouvoir… Depuis que l'empereur moghol Babur en a été chassé, soit très exactement au XVe siècle de votre calendrier impie. Quant aux excès de notre régime, c'était une révolution… et toutes les révolutions ont leurs excès.

— Pas autant que la vôtre !

— La nôtre a été l'une des moins sanglantes des derniers siècles. Pensez aux Français. Aux trente ou quarante millions de morts de la Révolution culturelle chinoise. Cela n'empêche pas vos gouvernements d'accueillir les dirigeants chinois avec tous les honneurs. Pourtant, les hommes au pouvoir en Chine aujourd'hui sont-ils radicalement différents de ceux d'il y a quarante ans ? Non. Étudiez donc l'Histoire, que vous ignorez, jeune homme, et évitez-moi les discours moralisateurs et simplistes. Ce n'est pas parce que je porte un turban que je suis borné. Les choses sont toujours plus compliquées qu'elles semblent l'être, dans ce monde cruel et multipolaire, comme le disent les commentateurs occidentaux...

Cette grande déclaration faite, mollah Bakir se resservit égoïstement un thé, l'air très content de lui, laissant leurs verres vides.

— Nick, mollah Bakir est notre ami. Vous pouvez lui faire confiance. Je m'en porte garant.

— D'accord, bougonna Nick.

— De quoi avez-vous besoin ? demanda le mollah en leur servant du thé, cette fois. Je peux vous aider à vous cacher, vous procurer des informations. Des armes. Tout ce que vous voulez, en fait.

— À Kaboul, nous n'avons besoin de rien, répondit Oussama. Mais je retiens la proposition, car si nous devons aller en zone pachtoune, il nous faudra de l'aide. Merci, mollah, pour vos informations, sans vous j'aurais sans doute été arrêté.

Oussama se leva et étreignit le mollah. Ce dernier paraissait minuscule, coincé contre la grande carcasse d'Oussama. Il serra cérémonieusement la main de Nick, avant de les regarder quitter la pièce, un drôle de sourire aux lèvres.

*

— Qu'en pensez-vous ? demanda Nick lorsqu'ils furent dans la rue.

Il avait remis sa burqa et marchait encore plus péniblement dans l'obscurité presque complète de la rue.

468

– Il veut savoir ce qu'il y a dans le rapport. Il faudra comprendre pourquoi plus tard.

– Pour faire du tort à l'Otan, c'est évident ! s'emporta Nick.

– Pas sûr. Mollah Bakir est un révolutionnaire, un nationaliste croyant, plus qu'un islamiste. Il pense que le régime actuel s'effondrera et, ce jour-là, il espère jouer un grand rôle dans le retour d'un gouvernement taliban plus modéré. Détenir des informations sur les Américains ou tout autre grand pays de l'Otan pourrait l'aider à obtenir leur soutien, le moment opportun.

– La Suisse n'est pas membre de l'Otan, ni de la Coalition.

– Toute cette affaire dépasse la Suisse. Ce n'est pas la Suisse qui a prêté un drone à l'Entité pour me tuer. Seuls les pays de la Coalition possèdent des drones.

– Alors, c'est ça ? Mollah Bakir veut qu'on l'aide à monter un dossier pour faire chanter l'Otan ?

– Nous verrons le moment venu. Pour l'instant, nous devons prouver notre innocence. Une fois le dossier Mandrake rendu public, nous pourrons laver notre honneur, prouver la forfaiture de ceux qui ont essayé de nous détruire.

– Si vous le dites… Où allons-nous, maintenant ?

– Voir Abdul Dost, un ami. Il est à la retraite aujourd'hui, mais nous avons longtemps travaillé ensemble. Il a été le patron de la brigade des stupéfiants de Kaboul. C'est un homme intègre, c'était un grand policier, très respecté.

Oussama héla un taxi qui les emmena dans le quartier de Karte Parwan. L'absence d'éclairage public était compensé par des braseros allumés un peu partout par des marchands ambulants. Une foule improbable se pressait sur les trottoirs. Ils roulèrent encore un kilomètre, passant dans un quartier assez miséreux, plongé pour le coup dans une obscurité presque totale, avant qu'Oussama arrête le taxi devant une maison qui portait encore des impacts de balles des combats de 1995-1996. Une cheminée fumait sur le toit. La porte s'ouvrit sur un Afghan rondouillard, avec une épaisse moustache poivre et sel.

– Toi ? Entre, vite.

Nick les suivit dans une petite entrée, puis dans une pièce enfumée qui servait à la fois de salon et de salle à manger. L'homme leur désigna quelques coussins.

– Veux-tu que mon épouse s'occupe de la tienne ?

Nick se débarrassa de sa burqa.

– Un ami suisse. Nous avons des problèmes, commenta Oussama sobrement. Il faudrait que nous dormions ici.

– Je suis au courant, le NDS est venu me poser des questions sur toi. On sait que nous sommes amis, il y avait un guetteur devant ma maison aujourd'hui, tu as de la chance d'être venu de nuit. Demain matin, nous passerons par l'arrière.

Oussama se rembrunit. Abdul Dost était un de ses vieux amis, mais ils ne s'étaient pas vus depuis près d'un an. Si le NDS l'avait ciblé, c'était que tous ses amis et collègues proches étaient sous surveillance.

– Tu vas avoir du mal à leur échapper, renchérit l'ancien policier, comme s'il lisait dans ses pensées. Si je suis surveillé, tous ceux qui peuvent t'aider le sont aussi. Tu devrais te tirer de Kaboul. Va te cacher à Farah ou près de la frontière iranienne, en pays baloutche. Là-bas, les indicateurs du NDS se feront lyncher s'ils s'intéressent à toi.

– Je dois finir une mission avant. Nous recherchons un couple qui se cache ici, à Kaboul. Un Suisse et une Afghane. Tu peux m'aider ?

– S'ils sont dans un hôtel ou une guest house, je les trouverai. Dans le cas contraire, je n'ai plus de réseaux très actifs, il me faudra plus de temps, et de l'argent.

– *A priori*, ils ne connaissent personne à Kaboul. Essaie d'abord les hôtels. Le Suisse a cinquante-deux ans, l'Afghane environ vingt-cinq. Elle vient chercher des papiers administratifs dont elle a besoin pour obtenir un visa australien.

– Tu as leurs noms ?

– Nous pensons que l'homme possède un faux passeport au nom de Léonard Milton. La femme utilise probablement son vrai passeport, au nom de Zahra Kimzi.

L'ancien policier parut rassuré d'avoir autant d'éléments.

– Je vais sortir immédiatement pour aller voir quelques amis, qui m'aideront. J'aurai tes renseignements demain en fin de matinée, au plus tard. En attendant, vous devez vous cacher. Vous n'avez qu'à utiliser la chambre d'Hamid pour la nuit.

Oussama savait qu'il faisait référence à son fils unique, assassiné vingt ans plus tôt par le KGB, pour cause de résistance aux côtés des moudjahiddines. Ni lui ni sa femme ne s'étaient jamais remis de sa disparition.

L'ancien policier les conduisit jusqu'à une petite pièce, échappée d'un autre temps, avec des posters de chanteurs afghans oubliés depuis longtemps, des maquettes de Mig russes et même des vêtements soigneusement pliés sur les étagères. Comme si Hamid allait revenir le lendemain.

– Je vais dormir par terre, sur le tapis, dit Oussama.

– Non, laissez-le-moi, protesta Nick. Prenez le lit, vous serez mieux.

Le policier à la retraite posa la main sur l'épaule de Nick.

– Vous êtes un jeune homme courageux et je suis fier que vous vous battiez pour nous au côté d'Oussama. Prenez le lit de mon fils, je suis content que quelqu'un comme vous y dorme.

Nick s'endormit presque immédiatement, épuisé, mais Oussama eut du mal à trouver le sommeil. Il se sentait traqué dans sa propre ville. Même lorsqu'il avait rejoint le maquis, du temps des Russes puis des talibans, il n'avait jamais eu cette impression terrible d'être dans les griffes d'une machine pareille, alliant les réseaux humains aux technologies les plus secrètes.

\*

Le jet se posa sur la piste de Bagram à quatre heures trente du matin. C'était un triréacteur capable de voler de Zurich à Kaboul d'une seule traite, avec vingt personnes à bord. Il était immatriculé au Panamá, au nom d'une société écran, mais appartenait en réalité à l'Entité. L'avion roula sur le tarmac avant de se garer un peu à l'écart. L'aéroport était calme, à cette heure, seuls volaient des drones et des avions de reconnaissance. Un Hercules C-130 ronronnait, en attente de décollage. L'échelle de coupée du jet se déplia et les hommes commencèrent à descendre, Joseph à leur tête. Outre quatorze tueurs membres de deux équipes K, chacun portant deux gros sacs avec ses armes, il y avait deux analystes et trois spécialistes informatiques.

Cinq 4 × 4 attendaient en file indienne, un peu plus loin. Les hommes se répartirent entre les véhicules, qui démarrèrent immédiatement. Un des agents de l'Entité avait réservé la même *safe house* que lors de leur précédent séjour. Les hommes qui l'investirent avaient dormi pendant le vol, ils étaient prêts à intervenir immédiatement, s'il le fallait. À l'intérieur du bâtiment, tout était prêt pour les recevoir : une quinzaine d'ordinateurs reliés à une connexion wifi sécurisée, des téléphones portables cryptés, du matériel de montagne. Joseph commença immédiatement à affecter les diverses missions à ses hommes. Une équipe se connecterait aux bases de données des hôtels et guest houses de Kaboul afin d'étudier les fiches de tous les étrangers qui y étaient logés. Une autre prendrait contact avec le NDS, pour faire le compte rendu de tous les contacts qu'Oussama Kandar était susceptible de solliciter à son retour et vérifier l'état de la surveillance dont il faisait l'objet. Il regarda sa montre. Si Nick se cachait dans cette ville, avec ou sans le flic afghan, il était certain de le retrouver.

\*

Abdul Dost n'avait ni connexion wifi sécurisée ni ordinateurs, et pas davantage d'équipes à sa disposition, mais il savait travailler à l'ancienne, vite et bien. Il commença par se rendre à l'Intercontinental de Kaboul, le meilleur hôtel de la ville, situé à vingt minutes du centre-ville, sur une colline jouissant d'une vue imprenable. Revers de la médaille, son relatif isolement en faisait une cible de choix : trois automitrailleuses gardaient la route qui y menait, appuyées par des dizaines de soldats équipés d'armes lourdes. Plusieurs des réceptionnistes travaillaient comme indicateurs pour lui lorsqu'il était encore dans la police, l'un d'eux le reconnut aussitôt et se précipita pour le saluer. Le flic à la retraite avait encore les moyens d'envoyer en prison n'importe quel Kabouli se livrant au trafic de drogue, ce qui était le cas de la majorité des employés d'hôtel. Il obtint rapidement la liste des clients. Il n'y avait aucun Léonard Milton et les seules personnes répondant au signalement de Mandrake étaient des hommes d'affaires ou des correspondants de presse. L'ancien flic prit la direction du Golden Star, que tous les Kaboulis connaissaient car il était situé dans le seul immeuble de grande hauteur de la ville. Là encore, il joua de chance en tombant directement sur l'un de ses anciens contacts, à présent directeur adjoint de l'hôtel. La vérification lui prit plus de temps, car il y avait trois couples et deux hommes prétendument seuls dont la description collait avec celle qu'Oussama lui avait fournie. Mais, après une fouille de leur chambre, il s'avéra qu'il ne s'agissait pas des bonnes personnes. Pas découragé, Abdul Dost se rendit ensuite au Safi Landmark, un hôtel élégant quoique moins réputé que les deux précédents. Une explosion suicide avait détruit une partie de la façade, quelques semaines plus tôt. Là aussi, il fit chou blanc. Il passa ensuite quatre heures à faire le tour des hôtels moins prestigieux et des guest houses, sans résultat. Plusieurs établissements attaqués dans les derniers mois avaient été fermés, lorsqu'ils n'avaient pas été carrément rasés. Vers midi, il regarda sa montre. Il avait épuisé toutes les possibilités. Il pensa soudain qu'il avait oublié le Serena, situé à côté de Zarnegar Park. Autrefois appelé Kabul Hotel, il avait été racheté par l'Aga Khan. On racontait que certaines suites dépassaient en luxe tous les autres hôtels de Kaboul, avec même des saunas privés. Un commando l'avait attaqué, plusieurs mois plus tôt. L'ambassadeur d'Australie avait failli y laisser la vie. L'hôtel avait-il rouvert ? Dernièrement, Abdul Dost avait passé des semaines dans sa famille, en province, où les journaux arrivaient au compte-gouttes. Il pouvait avoir manqué l'information. Il reprit sa vieille Toyota, une ruine qui tenait avec du fil de fer, et rejoignit, de l'autre côté de la Kaboul River, une grande artère qui menait au Serena. La rue était barrée par des chicanes, gardées par des policiers nerveux. Une fois arrivé devant l'hôtel, il constata qu'il était en activité, avec toute l'agitation qui le prouvait : taxis, limousines, vigiles de sécurité, barrages de soldats de l'ANA, et même quelques mercenaires occidentaux, avec oreillettes et M4 en bandoulière. Il lui fallut pas mal de temps et d'entregent pour passer la double porte blindée anti-attentats suicides, puis les portiques de sécurité. Le hall était d'une beauté saisissante, un mélange d'architecture afghane traditionnelle, d'œuvres d'art anciennes et de matériaux modernes. Abdul siffla entre ses dents, impressionné. Il n'aurait jamais imaginé que Kaboul puisse accueillir un hôtel d'un tel luxe. Plusieurs hommes en costume noir, les vestes déformées par les armes qu'ils portaient, se tenaient dans le hall, cassant un peu l'ambiance… Fort heureusement, la plus grande partie de l'ancienne équipe du Kabul Hotel avait été reprise, il ne tarda pas à apercevoir l'une de ses connaissances. L'homme était toujours concierge. Abdul Dost l'avait autrefois tiré d'un mauvais pas, il serait coopératif. Ce dernier le salua d'ailleurs d'un grand sourire.

– Salaam u aleikum, *degarman*. Bienvenue, *kouch aamadeyn*.

– Bonjour, bonjour, salua le flic. Mais je n'étais pas lieutenant-colonel, tu me fais trop d'honneur, juste capitaine.

– J'ai entendu dire que vous étiez à la retraite, vous avez repris du service ?

– Pour une affaire. Je cherche un couple qui se cache peut-être ici. Un Suisse accompagné par une Afghane. Ils sont arrivés ensemble d'Europe. Lui utilise peut-être un passeport au nom de Lionel Milton.

Le concierge fronça les sourcils.

– Milton, ça me dit quelque chose. – Il chercha dans son ordinateur. – Milton, je l'ai. Suite 308. Il est arrivé il y a cinq jours, il n'a pas bougé depuis. Je ne l'ai pas vu, pas une seule fois. Il mange dans sa suite. Je n'ai rien sur une femme, elle n'est pas enregistrée. – Il releva la tête de son écran. – L'étranger a probablement donné un bakchich au réceptionniste en s'enregistrant. Certains clients font ça, quand ils sont accompagnés d'une maîtresse.

Très excité, Abdul opina. Il lui glissa un billet de deux cents afghanis, en lui faisant promettre de garder le silence. Il bondit dans sa voiture.

Le concierge retourna à son travail, sans se rendre compte qu'un de ses adjoints avait entendu la conversation. Ce dernier était un jeune Pachtoun, récemment revenu de Londres. C'est lui qui assurait une partie des gardes de nuit, il était en poste lorsque le Suisse du nom de Milton s'était installé à l'hôtel. Le Suisse lui avait donné cinq cents dollars pour le prévenir si quelqu'un venait se renseigner sur lui. Il se glissa hors de la conciergerie.

– Je reviens dans cinq minutes.

Dans le hall, il prit l'escalier de secours qui menait aux chambres et monta quatre à quatre jusqu'au premier étage. Là, il emprunta l'ascenseur jusqu'au troisième. Il courut jusqu'à la porte 308, frappa.

– Qui est là ? demanda une voix d'homme en anglais.

– Le concierge, celui que vous avez vu le premier jour.

La porte s'ouvrit. Le Suisse le dévisageait, l'air inquiet. Il portait un simple jean et un polo.

– Que se passe-t-il ?

– Quelqu'un est venu se renseigner sur vous. Un flic.

L'homme devint livide. Il ouvrit un peu plus grand la porte. Le concierge aperçut furtivement une jeune femme d'une grande beauté, mais déjà elle avait disparu dans la chambre.

– Racontez-moi.

– C'est un flic à la retraite que le concierge en chef connaît. Il voulait savoir si vous étiez ici, vous et cette jeune femme.

– Il connaissait mon identité ?

– Oui, il a cité votre nom, Lionel Milton. Lorsque mon chef lui a confirmé que vous logiez bien ici, il lui a donné deux cents afghanis pour garder le silence et il est parti.

Mandrake lui fourra une liasse de dollars dans la main et referma brutalement la porte. Zahra apparut par l'entrebâillement de la chambre.

– Que se passe-t-il ?

477

– On nous a trouvés.

Elle mit la main devant sa bouche, horrifiée. Mandrake la prit par les épaules.

– On ne peut pas rester ici, il faut filer.

– Quand ?

– Maintenant.

– J'aurai mes papiers dans cinq jours !

– Je sais, mais si on attend cinq jours, nous sommes morts.

– Tu veux qu'on aille dans un autre hôtel ?

– C'est impossible, ils connaissent ma fausse identité. Il faut s'enfuir hors de Kaboul.

– Où ?

– Je ne sais pas ! Laisse-moi réfléchir, il faut trouver une solution, et vite.

Après quelques instants de silence, Zahra reprit la parole :

– Je ne me suis pas enregistrée à l'accueil, donc ils ne connaissent pas mon nom. On pourrait se réfugier dans mon village.

– Où est-ce ?

– À deux cents kilomètres d'ici, au nord-est, près de la frontière pakistanaise. De là-bas, on peut aussi remonter encore plus vers le nord, vers le Tadjikistan et les autres pays de l'ex-Union soviétique.

– Serons-nous en sécurité ? Que se passera-t-il si des flics appellent sur place, dans ta famille, pour se renseigner ?

Zahra s'approcha de lui, mit sa main sur la sienne.

– Mon chéri, là-bas, il n'y a pas le téléphone, pas d'Internet, pas d'électricité. Il n'y a rien. C'est dans le Nouristan, la région la plus sauvage d'Afghanistan.

Ni la police ni l'armée n'y vont jamais. Personne ne nous y trouvera.

– Y a-t-il des talibans ?

– La dernière fois que j'y suis passée, c'était l'un des rares districts dont les talibans avaient été chassés par les habitants, sans l'aide des Américains.

– C'est peut-être envisageable, alors, reconnut Mandrake, une nuance d'espoir dans la voix. Mais ce pays est en pleine guerre. La route pour y aller est-elle dangereuse ?

– Je ne sais pas. Mais avec de l'argent, on doit passer. J'y suis bien arrivée toute seule avec ma mère, avant qu'elle ne soit tuée.

Mandrake hocha la tête.

– OK, on tente le coup, nous n'avons pas le choix. Je vais nous trouver une voiture. Partons tout de suite.

*

Joseph tournait comme un lion en cage dans la pièce surchauffée où les analystes s'activaient. Le ministre avait averti lui-même le NDS que Kandar était en fuite, sans doute à Kaboul. La ville grouillait d'indicateurs : avec sa taille hors du commun, le flic afghan ne pourrait pas passer inaperçu très longtemps. Ce n'était qu'une question de jours avant qu'on le retrouve. Ses analystes travaillaient sans relâche depuis le matin, épluchant les fiches d'hôtel de tous les étrangers, à la recherche de profils comparables à ceux de Nick. Ignorant si ce dernier s'était enregistré sous son vrai nom, les hommes de l'Entité examinaient chaque fiche manuellement. Lorsqu'ils en auraient terminé avec les hébergements disponibles à Kaboul, ils passeraient aux autres villes d'Afghanistan, avec l'aide du NDS. Cela prendrait le temps qu'il faudrait.

– Monsieur ! s'écria soudain un des analystes. Je crois que j'ai quelque chose. Mais c'est tellement incroyable, j'aimerais que vous veniez voir vous-même.

– Nick ?

– Non, monsieur. Mandrake. Il est enregistré sous le nom de Lionel Milton. Serena Hotel de Kaboul, suite 308.

– Qu'est-ce que vous racontez ? Léonard Mandrake ? Il est ici, sous un faux nom ?

– Oui, monsieur. Jugez vous-même.

Joseph prit la fiche. Il connaissait le visage de Mandrake par cœur, il n'y avait aucun doute : c'était bien lui. Qu'est-ce qu'il foutait ici, à Kaboul, sous une fausse identité ? Le dernier endroit où il serait venu le chercher.

– C'est bien lui, patron ?

– Oui.

– Qu'est-ce qu'il fiche là ?

– Je ne sais pas. Cela fait dix ans qu'il trafique avec ce foutu pays, il y a peut-être des réseaux amis que nous ignorons.

– Qu'est-ce qu'on fait ?

Une onde de chaleur bienfaisante parcourut le corps de Joseph, comme chaque fois qu'il retrouvait un homme en fuite. L'instinct du chasseur. Tout le monde avait cherché Mandrake, en Europe, en Asie, aux États-Unis, mais c'était bien lui qui l'avait trouvé le premier.

La boucle était bouclée : Mandrake mourrait en même temps que Nick et le flic afghan. La disparition des trois apporterait une solution aux problèmes qu'il devait résoudre. Définitive.

– Équipez-vous, ordonna-t-il à ses hommes. Armes, gilets pare-balles. Intervention immédiate.

\*

Oussama descendit le premier de voiture, suivi par Nick. Abdul Dost leur avait prêté des armes qu'ils avaient dû laisser dans leur voiture, au coin de la rue. Il était interdit de se garer en face de l'hôtel, quant à rentrer une arme à l'intérieur, c'était tout bonnement impossible, même avec une carte de police. L'hôtel était entouré d'un haut mur en béton recouvert de stuc. La porte principale comportait un double système de barrières contre les attentats suicides, renforcé d'énormes chicanes en béton. Au premier contrôle de sécurité, des vigiles armés de fusils d'assaut, Oussama montra sa carte. Le vigile lui fit un salut militaire et les laissa pénétrer dans l'enceinte.

À l'intérieur, ils subirent le portique à rayons X, avant de pouvoir entrer dans la cour pavée bordée d'arbres. Ils passèrent devant le comptoir, comme s'ils étaient clients, empruntèrent le couloir qui desservait les deux ascenseurs menant aux suites.

– Prenons l'escalier, proposa Oussama.

Un vigile était en poste à chaque palier. Le couloir du troisième étage était en marbre blanc, agrémenté d'une épaisse moquette. Les murs étaient couverts de panneaux de bois précieux. On entendait le chant des oiseaux, dans le jardin. Nick était sidéré par le luxe de l'établissement. Enfin, ils se retrouvèrent devant la porte 308. Oussama tapa légèrement.

– *Room service.*

Comme personne ne répondait, il héla une femme de chambre, brandissant sa carte.

– Police. Ouvrez cette porte, s'il vous plaît.

Effrayée, elle obtempéra, avant de fuir à toutes jambes. Ils pénétrèrent dans la suite.

– Vide, dit Oussama.

Il restait des affaires dans le placard, quelques journaux, il était clair que les deux fuyards avaient pris le large rapidement. Nick montra le coffre de la chambre.

– Ils n'ont même pas pris la peine de le refermer. Il reste des billets.

– Quelqu'un les a prévenus qu'on s'intéressait à eux, dit Oussama.

– C'est foutu, dit Nick.

– Pas sûr. Venez.

Alors qu'ils montaient dans la voiture, Nick avisa un convoi de trois 4 × 4 hérissés d'antennes qui s'arrêtait un peu plus loin, juste devant l'hôtel. Plusieurs Occidentaux en descendirent, en treillis de combat, fusil d'assaut à la main. Oussama démarra brutalement. Ils virent un groupe d'hommes se précipiter vers l'entrée. Mais l'un d'entre eux resta sur le bord de la route, les dévisageant. Joseph.

– Vite, fuyons. C'est un homme de l'Entité.

– Il nous a repérés ?

La réponse vint sous la forme de deux 4 × 4, qui démarrèrent en trombe pour se lancer dans leur direction.

– Ils nous ont reconnus ! Avec cette guimbarde, on n'a aucune chance, dit Nick, blanc comme un linge.

Oussama accéléra. Il tourna dans Chirahi Pashtunistan, s'engagea dans une rue encombrée de camionnettes et de motocyclettes, aussi vite qu'ils le pouvaient.

– Ils gagnent sur nous, dit Nick.

– Je sais.

Oussama tourna deux fois à droite, sur les chapeaux de roues, manquant de s'écraser contre des voitures garées le long du trottoir. Nick vit passer le dôme d'une grande mosquée.

– C'est la mosquée Id Gah. Pas loin, il y a le souk Shor, dit Oussama. On va les semer là-bas.

Il tourna à nouveau dans une route défoncée. La voiture se mit à tanguer. Au même moment, il y eut un claquement sec. Un trou apparut dans la lunette arrière.

– Ils nous tirent dessus ! hurla Nick.

– J'ai vu, répondit Oussama sobrement.

Il conduisait vite et bien, les lèvres serrées, concentré, obtenant le maximum de la vieille guimbarde.

– Prenez la kalachnikov, ordonna-t-il. Videz le chargeur sur eux.

Nick saisit l'arme maladroitement. Il se pencha à la portière, essayant de viser. Le vent lui envoyait de la poussière dans les yeux. Il appuya sur la détente, sentit les douilles brûlantes lui sauter au visage, retomber dans la voiture avec un cliquetis métallique. Le 4 × 4 qui les suivait ne modifia en rien sa course, accélérant même.

– Je les ai loupés. Le chargeur est vide.

– On y est presque.

Oussama pila, donnant au même moment un grand coup de volant. La voiture partit presque à angle droit, tapa de l'aile contre un mur de pisé, l'écrasant dans une gerbe de poussière. La vitre passager explosa sous le choc. Oussama braqua, et la voiture repartit de plus belle. La ruelle était si étroite que la petite Toyota passait à peine. Les deux rétroviseurs disparurent, arrachés par les murs des maisons qu'ils frôlaient. Les 4 × 4 les suivaient à toute allure, défonçant les murs dans un grondement, projetant des débris dans toutes les directions. Seules les calandres émergeaient de ce chaos de poussière et de bruit, se rapprochant un peu plus chaque seconde.

— Ils nous rattrapent ! cria Nick.

— Ça va être bon...

Un feulement sourd retentit. Le premier 4 × 4 décolla, avant de s'enfoncer dans le sol, comme aspiré par l'avant. Le capot disparut dans la chaussée, tandis que les roues arrière se soulevaient de plus d'un mètre. Le second 4 × 4 le percuta immédiatement dans un bruit de tonnerre. Sous le choc, le premier véhicule se dressa presque à la verticale. Il y eut une sorte d'explosion, une gerbe d'eau jaillit. Bouche bée, Nick vit deux hommes s'extirper maladroitement du deuxième véhicule, le visage en sang, pistolet prolongé d'un silencieux à la main. Joseph et un de ses K. Puis Oussama tourna dans une nouvelle ruelle, aussi étroite que la précédente, et leurs poursuivants disparurent. Il éclata de rire.

— Avec deux de mes adjoints, nous avons poursuivi un homme, il y a trois ans, qui nous a échappé grâce au même stratagème. Il avait une petite voiture et nous un Ranger. Dans ce quartier, les canalisations ont été refaites par un entrepreneur véreux, proche du frère de Karzaï. Pour économiser l'argent sur la réfection de la chaussée, il a glissé les tuyaux sous des planches de bois et mis le goudron directement. Comme le sol est meuble, la chaussée s'effondre dès qu'un gros véhicule roule dessus. La mairie voulait la refaire, mais l'argent a été volé. – Oussama rit de nouveau. – Je m'étais dit que si un jour j'étais poursuivi, c'est ici que je sèmerais mes poursuivants. Pour être franc, je ne pensais pas que cela arriverait.

Il avait l'air très content de lui, nullement stressé par le fait qu'ils venaient d'échapper à la mort. Nick, dont le cœur battait encore follement, ferma les yeux. Ils roulèrent un quart d'heure dans des rues anonymes, puis Oussama gara la voiture. Il cacha les clefs sous le tapis de sol, héla un taxi.

– On retourne chez votre ami ?

– Impossible. Ils ont le numéro de la plaque, le NDS doit déjà être en route.

– Où va-t-on, alors ?

– Pour l'instant, je ne vois que mollah Bakir. On avisera plus tard.

# 19

Dans la pénombre rassurante de la pièce, Oussama réfléchissait, allongé sur le matelas que mollah Bakir avait mis à sa disposition, tandis qu'il allait faire son prêche de trois heures de l'après-midi. Il essayait d'imaginer Léonard Mandrake obligé de fuir, dans ce pays en guerre qu'il ne connaissait pas. Où pouvait-il aller ? Sa fausse identité découverte, il avait besoin d'un nouveau passeport pour prendre l'avion, chose impossible à trouver à Kaboul. Aller en Iran était impensable, se rendre au Pakistan très risqué : les services secrets y étaient trop puissants. Mais tout n'était pas perdu pour autant. Mandrake disposait de millions de dollars sur des comptes secrets. Il pouvait louer un avion privé, au nom d'une société-écran, à partir du Tadjikistan ou de l'Ouzbékistan. Les anciennes Républiques soviétiques d'Asie centrale étaient de véritables passoires, avec de l'argent il pourrait s'acheter de nouveaux passeports auprès des mafias locales. Pour l'instant, la chose la plus sensée à faire, pour lui, était de se mettre à l'abri quelque part pour une ou deux semaines, afin d'organiser son départ de manière sérieuse. Où pouvait donc se cacher un homme qui ne connaissait rien à l'Afghanistan ? Oussama pensa à Zahra, sa compagne. Elle avait encore de la famille sur place, puisqu'elle était venue dans son village en 2002, avec sa mère, après la chute des talibans. Elle s'était forcément enregistrée auprès des autorités de police. Il y avait une petite chance pour qu'elle ait donné son adresse de destination, dans son village natal, plutôt que celle d'un hôtel. À l'époque, elle n'avait aucune raison de se méfier. Oussama attendit que le mollah revienne de son prêche pour se porter à sa rencontre.

– J'ai besoin d'un service. Il faudrait faire une recherche auprès de la police des frontières au sujet d'une personne qui est revenue au pays en 2002. La compagne de Léonard Mandrake.

– C'était il y a longtemps, frère Oussama. Vous pensez que l'information existe toujours ?

– Oui. Les Russes avaient équipé la police des frontières d'ordinateurs avant de partir, dès 1980. Je connais mes collègues, ils ont été formés par le KGB : ils gardent tout, ne jettent rien. Cette information est stockée quelque part. Il faut juste la trouver.

– Alors, nous l'aurons. Donnez-moi le nom de cette jeune fille.

Le mollah héla un petit garçon. Il lui remit le papier, lui murmura quelques mots à l'oreille. L'enfant partit en courant.

– Inch' Allah, bientôt nous aurons votre information. En attendant, cette maison est la vôtre.

\*

L'information leur revint deux jours plus tard, au début de la matinée, sous la forme d'un autre petit garçon, porteur d'un mot plié dans un coran, dont mollah Bakir s'empara avec avidité.

– Zahra Kimzi s'est bien rendue en Afghanistan en mai 2002. Elle est arrivée le 14 mai, avec sa mère, elle est repartie le 2 juin, seule. Sa mère a été tuée dans un bombardement de l'ANA près de son village. Une erreur de tir de mortier. Vous étiez au courant ?

– Oui.

– Elle a donné une adresse. Un village, dans le Nouristan, qui s'appelle Kir.

– Vous connaissez ?

– Non. Mais je comprends mieux pourquoi le nom de famille de cette fille me paraissait inhabituel. C'est une Nouristani.

Oussama faisait grise mine. Les Nouristanis étaient une ethnie controversée. Païens, ils n'avaient été convertis à l'islam qu'à la fin du XIXe siècle. Ils pratiquaient, depuis, l'islam le plus rigoriste de la région. Ils étaient maltraités tant par les Pachtouns que par les Tadjiks, constituant une sorte de lumpenprolétariat comparable aux intouchables en Inde. Qu'une tribu soit restée à l'écart du mouvement général d'islamisation du pays depuis plus de mille ans pouvait sembler étrange, mais l'était moins lorsqu'on connaissait cette partie de l'Afghanistan. Le Nouristan était une des régions les plus sauvages au monde. Presque désertique, elle se dressait aux confins de l'Hindu Kuch. L'altitude moyenne y était presque partout supérieure à trois mille cinq cents mètres, avec de nombreux plateaux au-dessus de quatre mille cinq cents mètres et des dénivelés effroyables, même pour un pays montagneux comme l'Afghanistan. Le réseau routier était presque inexistant et difficilement praticable l'hiver. En un sens, c'était l'endroit idéal pour se cacher.

– Aller au Nouristan fin mars ne sera pas une partie de plaisir, remarqua le mollah. Attendez, je vais chercher une carte.

Il était pour le moins étrange qu'un imam conserve chez lui des cartes militaires, mais avec mollah Bakir, plus rien n'étonnait Oussama. Ils la déplièrent sur la table, car elle mesurait six ou sept mètres carrés. Des centaines de villages y figuraient, avec parfois une indication à la main, en russe, à côté. Oussama aperçut un trait rouge en dessous de Wama, où une importante attaque talibane contre l'ANA avait eu lieu, deux ans plus tôt... Après avoir un peu tâtonné, ils finirent par trouver Kir, le village de Zahra. Il se trouvait à une centaine de kilomètres au nord-ouest de la ville d'Arandu, au milieu de nulle part. L'altitude précise n'était pas indiquée, mais il y avait des pics à quatre mille cinq cents mètres à proximité immédiate à l'ouest, et d'autres de la même altitude au nord.

– Cet endroit est en enfer. Pas de routes, des montagnes terriblement élevées. Vous y rendre va nécessiter une véritable expédition. En plus, cette région est infestée de talibans.

– Zahra a bien réussi à s'y rendre avec sa mère, sans protection.

– C'était en 2002, les talibans n'étaient pas les bienvenus là-bas. Mais depuis les opérations de la Coalition, des milliers de combattants islamistes ont convergé dans cette région parce qu'elle est la plus difficile d'accès, plus encore que les montagnes de Tora Bora. La situation y est devenue rigoureusement

490

inverse : de sûre, elle est désormais l'une des plus dangereuses du pays.

– Zahra doit l'ignorer, remarqua Nick sombrement. Ils sont allés se jeter tout droit dans la gueule du loup.

Ils digérèrent quelques instants ces mauvaises nouvelles.

– Je dois m'y rendre. Je n'ai pas le choix.

– Je ne voudrais pas me mêler de ce qui ne me regarde pas, dit mollah Bakir sombrement, mais je ne vois pas comment vous passerez. Même vous, qomaandaan, vous n'avez aucune chance. Alors, votre charmant camarade… Les combattants locaux ne feront qu'une bouchée d'un blondinet comme lui. De plus, il n'y a pas que les talibans. Vous allez devoir emprunter des routes encore enneigées, dans un environnement naturel totalement hostile, par des températures comprises entre moins quinze et moins trente degrés, avec des chutes de neige, des crevasses, des éboulements, des avalanches. Aucun Occidental n'y va jamais, même les *French Doctors* l'évitaient durant la guerre contre les Russes.

– J'ai l'habitude de la montagne, rétorqua Nick.

– Cet endroit n'a rien à voir avec les Alpes. On ne parle pas de ski.

– Je suis un montagnard. Je ne suis pas venu ici, au bout du monde, pour me terrer dans une mosquée. N'essayez pas de me faire changer d'avis.

– C'est absurde, rétorqua Oussama.

– Je vais venir avec vous, moi aussi, annonça le mollah. Seuls, vous allez vous faire massacrer.

– C'est trop dangereux ! protesta Oussama. Vous n'avez aucune raison de prendre de tels risques pour nous.

491

– Vous arriverez peut-être là-bas tous les deux, mais, une fois sur place, comment pensez-vous convaincre des villageois qui détestent le pouvoir ? Avec votre allure et votre accent dari de la ville, ils vont vous prendre pour un seigneur baloutche ou, pire, un ami du régime. Vous ne tiendrez pas deux heures. Et je ne parle pas de votre ami. Moi, je suis connu de tous les Afghans. Tout le monde sait que je suis un ancien du Conseil secret des talibans. Les gens ne savent pas que mollah Omar me déteste, qu'à la fin du régime il voulait m'enfermer ou me tuer. Tout le monde me prend encore pour son ami. Or dans ces régions proches de la frontière pakistanaise, il est adoré.

– Le voyage sera physiquement très dur. Pensez-vous le supporter ?

Le mollah eut un geste pour montrer la pièce dans laquelle ils se trouvaient.

– Je m'amollis, ici.

– Dans ce cas, je vais m'occuper du matériel, dit Oussama. Retrouvons-nous ici dans deux heures.

Il se rendit directement chez un marchand de voitures proche de la mosquée Moulavi Abdul Mateen. L'homme était un Hazara roué mais sérieux. Quatre ans plus tôt, Oussama l'avait lavé des accusations de meurtre proférées contre lui par son beau-frère, un traître qui voulait récupérer son affaire. Il lui avait sauvé la vie, car un juge corrompu l'avait déjà jeté en prison, dans une cellule collective uniquement peuplée de Pachtouns. Le garagiste accueillit Oussama à bras ouverts. Après les salutations d'usage, et l'inévitable chaï brûlant, Oussama entra dans le vif du sujet.

– Je dois me rendre dans les montagnes, dans le Nord. Il me faut un 4 × 4 solide, capable de monter des pentes enneigées. Tu pourrais me louer une jeep Volga ou un Kamaz ?

Le marchand fit la moue.

– Combien êtes-vous ?

– Trois à l'aller, peut-être cinq au retour. Je ne peux pas utiliser de véhicule officiel.

– Je sais que vous avez des ennuis, qomaandaan. Un indicateur du NDS est passé me voir hier, pour me demander de les prévenir si vous veniez ici pour chercher une voiture. Ils savent ce que vous avez fait pour moi.

– Je vois, répondit Oussama sobrement.

– Vous m'avez sauvé la vie, qomaandaan, reprit l'homme chaleureusement. Vous pouvez avoir confiance, je ne dirai rien. J'ai une Volga et un Cherokee, mais je ne veux pas vous les vendre. Il vous faut quelque chose de plus puissant, surtout si le NDS en a après vous. J'ai un Toyota presque neuf, il appartenait à un chef de guerre qui a été abattu par les Américains. Il est blindé et il a un moteur V8 en parfait état. Venez voir.

Le véhicule, un Land Cruiser châssis long, était impressionnant avec son pare-buffle, ses vitres teintées, ses pneus neige. Deux gros fils d'antenne partaient du toit jusqu'à une sorte de mât métallique soudé au pare-chocs avant.

– Un dispositif radio ultramoderne, pour brouiller les bombes télécommandées. – Le marchand tapa contre une vitre, qui ne renvoya aucun son. – Voyez, c'est du B7. Les vitres et les portières peuvent résister à une rafale de kalachnikov. Ce 4 × 4 peut rouler à plus de cent kilomètres-heure, malgré son poids. Le seigneur de guerre a fait installer un treuil spécial à

493

l'avant, pour se dégager en cas de chute dans une crevasse de neige. Il y a cinquante mètres de câble dans le coffre. C'est le véhicule qu'il vous faut.

Il ouvrit le hayon, montrant des équipements grand froid, blousons, gants, bonnets, tout l'attirail permettant de se déplacer dans les montagnes l'hiver. Un équipement standard pour les trafiquants de drogue. Dans une couverture, Oussama découvrit deux kalachnikovs à crosse pliante et même un fusil AKM. Dans une caisse, des dizaines de chargeurs et plusieurs grenades.

– J'ai récupéré ce 4 × 4 le lendemain de l'arrestation, je n'ai rien touché car je comptais la vendre à un autre seigneur de guerre.

– Pourquoi le NDS t'a-t-il laissé la voiture ?

Le marchand eut un sourire rusé.

– Ils ont juste récupéré la drogue et remplacé cette voiture par une autre, une vieille Lada. C'est elle qui a été enregistrée dans le registre des saisies. Pour celle-ci, j'ai un arrangement avec l'inspecteur-chef, c'est un cousin de ma seconde femme. Il prend cinquante pour cent de la vente.

Oussama hocha la tête. Un bakchich classique, un de ceux qu'il avait toujours refusés à titre personnel.

– Je n'ai pas tant d'argent que cela. Combien m'en coûtera-t-il pour une semaine ? demanda Oussama, certain de la réponse.

– Qomaandaan, je suis votre obligé ! Je serais mortellement blessé de vous demander le moindre afghani pour cette voiture. Gardez-la deux semaines, si vous voulez.

Oussama lui serra la main, ému, et l'homme l'étreignit, à la mode traditionnelle des Hazaras.

– Bonne chance, qomaandaan. Puisse Allah vous aider à tuer tous vos ennemis, ainsi que les amis de vos ennemis. Puissiez-vous revenir encore plus fort de votre périple. Je prierai Allah pour vous.

Lorsqu'il rejoignit la mosquée, Nick et mollah Bakir étaient déjà prêts. Ils avaient tous deux enfilé des manteaux en laine marron, entassé des sacs en plastique remplis de bouteilles d'eau et de boîtes de conserve à leurs pieds. Mollah Bakir s'installa à l'avant du véhicule, Nick à l'arrière. Aucun ne fit de commentaires en voyant les armes et le matériel amassés dans le coffre. Quand ils quittèrent Kaboul, le soleil disparaissait derrière les montagnes, ourlant les crêtes environnantes de pourpre. Oussama mit les phares et s'engagea sur la route de Kunduz, pour le dernier périple de sa mission.

*

Concentré sur sa conduite, Oussama évita au dernier moment un troupeau de chèvres qui avait fait une halte au milieu de la route gelée. Il freina, dérapa, mais le 4 × 4 s'arrêta avant de percuter le moindre animal. Ils avaient tué deux chèvres en moins de trois heures et, chaque fois, un berger avait surgi, la main tendue. À croire que les animaux étaient laissés au milieu de la route à dessein… Ils roulaient depuis cinq jours et avaient épuisé depuis longtemps l'eau et les vivres. Ils avaient d'abord emprunté la grande route en direction de Kunduz, traversant la vallée du Panshir que ni les Russes ni les talibans n'avaient jamais réussi à arracher au commandant Massoud, puis avaient obliqué à proximité de la passe de Khawak, à près de quatre mille mètres d'altitude. Ils avaient alors pris une petite route défoncée à flanc de montagne, atteignant la ville d'Atiti, une modeste bourgade de montagne, puis la ville de Nouristan elle-même, qui avait donné son nom à la région. À deux reprises, des villageois leur avaient confirmé avoir aperçu un gros 4 × 4 immatriculé à Kaboul, avec un étranger et une femme à l'intérieur. Oussama avait réalisé que ce n'était pas une bonne idée de leur part de se déplacer avec un véhicule aussi peu discret dans une région comme celle-là, mais il était trop tard pour en changer. De surcroît, ils se sentaient rassurés par le blindage du Toyota, même si les carcasses de blindés russes qu'ils avaient croisées tout le long de la vallée du Panshir, puis sur la route de Kamdesh, prouvaient que ce n'était qu'une protection relative dans un environnement aussi violent que le nord de l'Afghanistan. La route elle-même était particulièrement dangereuse, un étroit ruban d'asphalte en piteux état et de terre gelée traversé de congères et de plaques de verglas qu'il fallait parfois détruire à la pioche. Lorsque arrivait un camion, il fallait rouler au pas et se croiser au millimètre pour éviter de tomber dans les ravins qui bordaient la route, parfois avec des à-pics de plusieurs centaines de mètres. Des dizaines de carcasses rouillaient au fond des gouffres, preuve s'il en était de la dangerosité du trajet. Bien qu'habitué à vivre à la dure, Oussama était frappé par le dénuement des habitants. Ils croisaient d'ailleurs peu de véhicules, quelques Toyota ou Jigouli hors d'âge, des vieilles voitures qui tenaient par des bouts de ficelle, des camions bringuebalants, jamais de 4 × 4 modernes. La neige recouvrait tout, le temps était habituellement froid pour une fin de mois de mars, avec des pointes à moins vingt-cinq degrés. Les villageois qu'ils croisaient étaient emmitouflés dans d'invraisemblables épaisseurs de vêtements et de couvertures, mais ils conservaient leur dignité et une fière allure, avec leurs yeux verts et leurs épais cheveux roux. Les Nouristanis, protégés par leur éloignement et leur culture païenne, s'étaient peu mélangés au reste des Afghans. Mollah Bakir leur avait expliqué que, selon la légende, ils étaient les descendants directs des combattants macédoniens d'Alexandre le Grand, fondateur de Kaboul, qui s'étaient réfugiés dans le nord du pays après l'effondrement de son empire. Difficile d'imaginer, pourtant, que l'armée du plus grand soldat de l'Histoire ait fini dans ces pauvres vallées du bout du monde.

Un peu avant Kamdesh, ils firent halte dans un village misérable, à l'embranchement d'une des pistes qui partaient dans la direction qu'ils suivaient. Oussama alla discuter avec un villageois.

– Qu'Allah soit avec toi, que ton corps soit fort, commença-t-il. Comment est la piste ?

– Elle est praticable, expliqua le villageois.

– Tu en es certain ?

– Un camion est passé la semaine dernière. Il est tombé dans le ravin et tous ses occupants sont morts, mais la route, elle est bonne, vous passerez, inch' Allah.

– Comment est la sécurité ?

– Elle est bonne, mais il y a beaucoup de groupes armés.

– Des talibans ?

– Des bandes originaires du Pakistan et de la région de Kaboul. Ils ont été chassés par l'armée et se sont réfugiés par ici.

– Ce sont des talibans, alors ?

– Oui, des talibans. Très méchants, confirma le villageois.

Oussama se demanda s'il était stupide ou si c'était la coutume locale de ne jamais répondre directement à une question. Comme un autre villageois s'approchait, Oussama demanda si on pouvait acheter de la nourriture.

– Non, pas de nourriture. Rien, ici.

– Pas d'œufs ?

– Non, rien. Pas d'œufs, pas de viande, pas de fromage. Rien.

Oussama sortit deux billets.

– Nous avons des œufs, du fromage, de la viande, annonça le villageois. Suivez-moi.

Oussama revint confirmer à ses amis qu'ils pourraient se restaurer au village. Ses deux compagnons étaient plutôt mal en point. Le mollah avait le mal des montagnes et des courbatures à cause de l'air raréfié. Il descendit péniblement de la voiture, marchant à petits pas comme un vieillard. Quant à Nick, il avait attrapé une dysenterie que les médicaments n'arrivaient pas à endiguer. Ils devaient s'arrêter toutes les heures pour lui permettre de se soulager sur le bord de la route.

Devant les maisons miteuses, Nick eut une grimace. Les deux nuits précédentes, ils avaient dormi dans des pièces minuscules et mal chauffées avec parfois jusqu'à dix villageois serrés les uns contre les autres pour se tenir chaud, dans une atmosphère presque irrespirable. La plupart de ces pauvres hères ne s'étant pas lavés depuis la fin de l'été précédent, l'odorat de Nick était soumis à rude épreuve. Pourtant, il endurait ces désagréments sans se plaindre. Oussama était impressionné par le changement qui s'était opéré en quelques jours chez le garçon, révélant une capacité d'endurcissement qu'il n'aurait jamais crue possible chez un Occidental de sa génération. Paradoxalement, mollah Bakir avait plus de mal à supporter ces conditions de vie spartiate, la nourriture pourrie, les odeurs fortes. Entre ses études à Cambridge et ses périodes de faste dans le gouvernement taliban, le subtil imam avait oublié ce que c'était que de vivre à la dure… Toutefois, il essayait de faire bonne figure et conservait son humour en toute circonstance, que son vocabulaire fleuri et l'inimitable accent oxfordien des expressions dont il truffait à dessein son discours rendaient encore plus grinçant.

– Ah, magnifique, dit-il en voyant les maisons de pisé recouvertes de neige sale. Cet endroit de *villégiature* va surpasser tous les autres, j'en suis certain.

Le villageois les introduisit dans sa maison. Un homme avait placé les plats, sans assiettes individuelles, à même les couvertures crasseuses posées sur le sol en terre battue. Pas de fourchettes ni de couteaux, bien sûr, dans ces régions reculées on mangeait avec une simple cuillère en bois ou avec les doigts. Ils commencèrent par les habituels œufs à la coque, le must de tout villageois afghan.

– Je crois que je ne pourrai plus jamais manger d'œufs à la coque de ma vie, soupira Nick, déjà verdâtre.

Mollah Bakir s'agenouilla avec difficulté sur un tapis élimé, aidé par un villageois impressionné, à qui Oussama avait indiqué l'identité de leur invité. Bientôt, des galettes et du yaourt firent leur apparition. Le yaourt était aigre et tourné, en dépit du froid. En fait, il était carrément immangeable, mais Oussama l'avala de bonne grâce. Nick recracha sa première cuillère. Il se précipita à l'extérieur, les mains sur l'estomac, mais ne put s'empêcher de souiller son pantalon. Un des hommes se mit à rire, découvrant une bouche édentée, bientôt imité par son voisin, puis par tous les convives. Mollah Bakir rit aussi de bon cœur.

– Cette nourriture est ignoble, cet endroit infect, ces gens des sauvages. Nous sommes vraiment au bout du monde, ici. Saviez-vous que certains Nouristanis vénèrent encore des idoles en secret ? C'est d'autant plus étrange que leurs frères croyants sont souvent les plus obtus qui se puissent imaginer.

– J'ignorais qu'un mollah pouvait considérer des croyants comme « obtus », remarqua Oussama en finissant son yaourt.

– La croyance ne doit pas être un bloc. Elle doit comporter une forme de doute existentiel envers les préceptes du Coran, qui sont des règles datées et souvent obscures. Je considère que tout est interprétable dans le Coran, sauf l'existence de Dieu et du Prophète, naturellement. Mes frères imams de l'université du Caire ont popularisé ma théorie sous la forme dite du « doute raisonnable du croyant éclairé », mais je crains que ces concepts compliqués n'aient du mal à percer dans un *gourbi* tel que celui-ci.

Il avala une gorgée de yaourt, fit la grimace.

– Par exemple, les populations de ces régions reculées n'ont jamais accepté le nouveau code matrimonial que j'avais réussi à imposer, lorsque mollah Omar écoutait encore un tout petit peu ce que je proposais. Ces gens sont pires que les pires des Pachtouns !

Oussama découvrait au fur et à mesure du voyage à quel point mollah Bakir avait été un personnage important au début de la révolution talibane. L'épisode auquel il venait de faire référence était l'une des seules réformes des talibans favorables aux femmes. En effet, le code pachtoun excluait totalement les femmes des successions, alors que le Coran leur attribuait traditionnellement la moitié de la part d'un homme. Les talibans avaient donc rendu obligatoire l'instauration d'une demi-part au profit des femmes, ce qui leur avait valu une forte opposition de beaucoup de tribus. Oussama avait lu dans un journal que la véritable cassure entre modérés et rigoristes du gouvernement taliban datait de cette réforme.

– J'ignorais que vous étiez à l'origine de cette loi. Mon épouse pensait qu'elle était une mauvaise réforme, car introduire une demi-part revenait à accepter qu'une femme vaut la moitié d'un homme.

– Malalai se trompe, frère Oussama. Mieux vaut la moitié de quelque chose que la totalité de rien. Les réformes ne sont pas si faciles à faire accepter par l'opinion publique, dans ce pays. Les rétrogrades sont toujours plus acharnés à empêcher les réformes que les forces du progrès, et souvent mieux organisés. Je n'aurais jamais pu faire entériner une égalité de traitement entre hommes et femmes.

– Mais le vouliez-vous ?

– Ce que je voulais n'avait aucune importance, dès lors que les chances d'aboutir étaient nulles. En politique, seule compte l'efficacité : mieux vaut pas de discours et un petit mouvement dans le bon sens qu'un grand discours et pas de mouvement du tout.

Ils se turent car une nouvelle fournée d'œufs à la coque arriva. Nick était revenu, après avoir changé de pantalon. Il réussit à en avaler trois coup sur coup, avec un peu de pain moisi. Il toussa ; l'atmosphère était irrespirable dans la pièce, à cause des galettes de bouse qui se consumaient dans la chaudière. C'était pourtant un honneur que les villageois leur faisaient, car ces galettes nauséabondes au fort pouvoir calorifique étaient rares et chères.

– Avez-vous vu un kâfir dans une grosse voiture avec une femme afghane, ces deux derniers jours ? demanda Oussama lorsque le dîner fut fini.

Le villageois éclata de rire, imité par les autres.

– Oui. Il était très malade. Toujours dans le fossé. Il répétait : « *Tachnaab da koujaas ? Tachnaab da koujaas ?* »

« Où sont les toilettes ? » L'estomac de Léonard Mandrake n'avait pas mieux résisté au voyage que celui de Nick. L'échange arracha un sourire à mollah Bakir.

– Savez-vous où ils sont partis ?

– Vers Kir. Mais les talibans les cherchent. Nous leur avons dit de ne pas continuer, dangereux. *Khaana bourou*, « Rentrez chez vous », mais ils n'ont pas écouté. Ils vont avoir de gros problèmes.

– Les talibans les ont enlevés ? demanda Oussama, catastrophé.

– *Chaayad*. Peut-être.

Il fut impossible de leur arracher plus de détails, soit qu'ils n'en aient pas, soit qu'ils ne veuillent pas en donner.

\*

Le lendemain matin, la neige avait recouvert l'ensemble des montagnes environnantes d'une nouvelle couche immaculée. Le paysage était grandiose. Une nature sauvage et crue, où l'homme n'avait pas sa place. Oussama partit prier un peu plus loin, pour jouir du panorama. Lorsqu'il revint, Nick et mollah Bakir étaient prêts. La dysenterie de Nick s'était calmée pendant la nuit, les médicaments faisant enfin leur effet. Les villageois refusèrent les cinq cents afghanis qu'ils voulaient leur donner, car c'était un honneur, dirent-ils, d'accueillir mollah Bakir dans leur maison. Ce dernier insistant, le chef de village accepta finalement l'argent.

– J'achèterai deux moutons, pour ma future femme, dit-il en souriant.

Dans beaucoup de villages, il fallait payer un ou deux chevaux et plusieurs moutons, en plus de plusieurs milliers de dollars, quand on voulait une seconde épouse vierge. Les villageois les plus pauvres émigraient en Iran ou dans des pays du Golfe, ils se saignaient aux quatre veines pour payer des dots absurdes, représentant plusieurs années de salaire. Quand un mari était déçu de sa femme, après avoir déboursé autant, il la brûlait ou la vitriolait et demandait le remboursement de la dot. À Kaboul, personne ne se battait vraiment pour abolir ces coutumes, à part les talibans.

– L'économie de la dot est la seule chose qui fonctionne bien dans ce pays, avec les attentats suicides et le bakchich, lâcha mollah Bakir, toujours en verve.

Ils passèrent toute la journée dans la voiture, roulant en moyenne entre vingt et vingt-cinq kilomètres à l'heure, au milieu des congères et des crevasses. Oussama conduisait du mieux qu'il pouvait, mais le 4 × 4 était peu maniable, à cause du blindage. Ils tombèrent deux fois dans des crevasses, dont ils ne sortirent que grâce au treuil. Ils s'arrêtèrent dans un autre village pour la nuit, encore plus pauvre que le précédent. Lorsque le chef apprit que mollah Bakir était l'un de ses invités, une grande agitation s'empara de la maisonnée. Ils dînèrent d'œufs à la coque, de riz recuit et d'une sorte de ragoût qui consistait en de maigres morceaux de viande baignant dans un bouillon nauséabond. Le chef de village semblait très fier de partager de la viande avec eux. Elle était d'évidence faisandée, mais la refuser eût été une marque de mépris, Oussama l'engloutit donc avec le riz malodorant. Mollah Bakir et Nick ne purent en avaler plus d'une bouchée. L'air malheureux du gourmand mollah devant cette horrible pitance était presque comique. Ils finirent le dîner avec des berlingots de lait concentré sucré qui portaient le drapeau américain. Un des cadeaux distribués par la Coalition dans les villages. Oussama était surpris que l'aide arrive jusqu'ici. Le chef but le lait concentré, puis il écrasa l'emballage sous son pied, avant de cracher dessus.

– Américain, dit-il. Mauvais.

Oussama se garda de l'imiter. De son temps, les vrais moudjahiddines n'acceptaient pas les cadeaux des Russes qu'ils combattaient.

Ils se réveillèrent tôt le lendemain matin, vers cinq heures. Oussama aurait bien dormi une ou deux heures de plus, mais le chef de village voulait absolument faire sa première prière avec le célèbre mollah Bakir avant le lever du jour. Dehors, il faisait un froid mordant, probablement moins vingt degrés. Oussama insista néanmoins pour aller au puits. Il se mit en caleçon et se lava à l'eau froide, avec un petit morceau de savon que lui avait prêté le chef. Après sa toilette, il se sentit mieux. Il enfila des sous-vêtements et une chemise propres. Au moment de partir, Nick dut faire brûler de l'essence sous le moteur pour le réchauffer et leur permettre de redémarrer. Ils reprirent leur route harassante. Une nouvelle nuit passa, toujours un village misérable, puis une matinée morne, rythmée par les crevasses qu'il fallait franchir et les plaques de verglas qui gênaient leur progression. À l'arrière du 4 × 4, les jerricans vides bringuebalaient. Oussama avait calculé qu'il leur restait trois jours d'essence. Vers quinze heures, alors qu'ils avaient passé un col enneigé, Nick montra du doigt une forme noire, au bord du ravin, à quelques mètres de la route. Un Land Cruiser neuf, immatriculé à Kaboul, couché dans le fossé.

*

Le 4 × 4 avait piteuse allure, renversé, couvert de neige. Une des portes était restée ouverte, découvrant les enveloppes vides des airbags qui pendaient. L'essieu avant était complètement tordu. Oussama coupa le moteur. Le silence les enveloppa immédiatement, un silence impressionnant, seulement rompu par le mugissement du vent. Pas un arbre, pas une maison, pas un oiseau, rien qui vive à l'horizon. Seulement des pierres noires, de la neige et des glaciers.

Oussama descendit de quelques mètres dans le ravin pour inspecter la voiture. Les deux pneus arrière étaient déchiquetés. Il passa le doigt sur les lambeaux, examinant la jante.

— On leur a tiré dessus avec un fusil de chasse ou un shotgun. Les tireurs étaient au moins deux, il y a des impacts à gauche et à droite.

Il remonta difficilement, à cause de la paroi gelée. Nick dut lui prêter main-forte.

– Quelqu'un leur a barré la route, reprit-il. Mandrake a dû essayer de passer quand même, on leur a tiré dessus par l'arrière. Le véhicule est tombé dans le ravin, heureusement il a été arrêté presque immédiatement par la déclivité du terrain. Ils ont eu de la chance que cela ne se soit pas produit en amont, car ils auraient dévalé deux ou trois cents mètres.

– Vous pensez qu'ils sont blessés ?

– La voiture est en bon état, je n'ai vu aucune trace de sang à l'intérieur. Le pare-brise est intact, personne ne l'a touché lors du choc. S'ils n'ont pas été abattus depuis leur capture, ils doivent être en bonne santé.

Nick regarda autour de lui. À trois cent soixante degrés, c'était le même paysage grandiose, hostile et désert.

– Où peuvent-ils être ? murmura-t-il.

Ils reprirent leur voiture, roulant encore plus doucement, maintenant que le danger était devenu réalité. La route s'enroulait autour des montagnes, interminable. Une demi-heure plus tard, environ, Oussama freina brusquement. Le 4 × 4 patina, tangua sur une plaque de verglas, avant de s'immobiliser au travers de la route. Une dizaine d'hommes leur barraient le chemin, armes braquées vers eux. Ils avaient l'air déterminés, dangereux, brandissant de vieilles kalachnikovs rouillées, des fusils à répétition datant du début du siècle dernier, mais aussi des fusils de chasse et des grenades. Bien qu'ils soient protégés par leur véhicule blindé, Oussama coupa le moteur et décida d'aller discuter avec eux.

– Ne sortez surtout pas de la voiture, ordonna-t-il à Nick. Verrouillez les portes dès que je serai sorti. En cas de problème, essayez de faire demi-tour et enfuyez-vous.

Il sortit, les mains bien en évidence.

– Allah soit avec toi, dit-il en saluant celui qui semblait être le chef, et avec tes hommes. Je te salue au nom d'Allah le Tout-Puissant et Miséricordieux.

– Qu'Allah soit avec toi, répondit le chef taliban.

Il était jeune, avec des yeux très bleus soulignés de khôl, et un visage qui devait être beau sous la barbe hirsute teinte au henné. Son dari était fortement mâtiné d'accent pachtoun.

– Ces montagnes sont interdites aux soldats et aux kâfirs. Que venez-vous faire ?

– Nous ne sommes ni des soldats ni des kâfirs. Nous venons en paix.

– Ta voiture est trop belle, seuls les kâfirs et les marchands à la solde de Karzaï peuvent s'en acheter de pareilles, répondit le chef, menaçant.

– Al Hamdullilah, je suis venu ici accompagné du grand mollah Bakir, l'ami et le confident de mollah Omar. Il est dans la voiture. Tu peux le saluer, il consentira à te parler, mais baisse ton arme, car personne ne menace mollah Bakir, sauf les kâfirs, et Allah les punira pour leurs crimes, énonça Oussama d'une voix forte.

Un murmure parcourut le groupe. Jugeant le moment opportun, mollah Bakir ouvrit sa portière et descendit majestueusement, le ventre en avant, coiffé de son turban. Il tendit sa main, que le chef s'empressa d'embrasser.

– Mollah Bakir ! Mollah Bakir ! Allah u Akbar ! se mirent à glapir les talibans, se pressant autour du mollah.

Lorsque la ferveur fut un peu retombée, Oussama dit au chef taliban :

– Il y a un Occidental avec nous. C'est un *dhimmi*, un chrétien inférieur, mais un ami de l'islam et des combattants de Dieu. Je te demande de lui faire bon accueil.

Il fit signe à Nick qu'il pouvait descendre. Le chef lui jeta un regard venimeux, puis il s'en désintéressa.

– Que faites-vous ici ? demanda le taliban à mollah Bakir. Pouvons-nous vous aider ?

– Nous cherchons un nazaréen et sa compagne. L'Otan les recherche aussi pour les tuer. Je suis venu pour les ramener à Kaboul.

– Nous les avons capturés hier matin, aux premières lueurs de l'aube. Ils avaient une voiture immatriculée à Kaboul, comme les collaborateurs du régime, et beaucoup d'argent dans la voiture. Nous avons pris leurs dollars et leurs afghanis. Il y avait des couvertures, aussi, et des bottes, ainsi que de la nourriture, du riz, du mouton, des galettes, du sucre, des boîtes de conserve, une boussole et un fusil. Nous avons tout pris pour nos guerriers, Allah u Akbar.

– Et eux, où sont-ils ?

Le chef prit un air buté et ne répondit pas. Pressentant une catastrophe, Oussama répéta :

– Où sont-ils ?

– Au village. Mais nous avons vendu le kâfir.

– Vendu ? s'exclama Oussama. À qui ?

– À un groupe de grands guerriers de la région. Le Herz-e-Islami.

Oussama vit mollah Baki pâlir à l'énoncé du nom.

— Pourquoi l'avez-vous vendu, pour l'amour de Dieu ?

— Nous ne sommes pas assez puissants pour négocier une rançon avec la Coalition. Le Herz-e-Islami a l'habitude des otages. Ils ont dit qu'ils nous donneraient cinq cents dollars, cinq chevaux, vingt moutons et deux cents kilos d'oignons.

— Ils sont déjà au village ?

— Peut-être. Nous verrons en revenant, al Hamdullilah ! Rien ne se traitera tant que je ne serai pas de retour.

— Nous devons parler à l'étranger, dit mollah Bakir. Il a une grande valeur pour nous. Nous te donnerons plus de dollars que le Herz-e-Islami. Beaucoup plus.

— Et la fille ? dit soudain Oussama. Qu'en as-tu fait ?

— Aller avec un nazaréen est un crime, c'est une vicieuse ! J'en ai parlé avec l'imam du village, et il a rendu sa décision, Allah u Akbar. C'est un homme sage, il sait lire et compter jusqu'à dix !

— Qu'a-t-il décidé ?

— L'imam dit que la fille a trahi l'islam et nos lois en sortant avec un homme sans son père ni son frère. Et que le Coran, notre saint Livre, interdit le mariage d'une musulmane avec un kâfir s'il ne s'est pas converti avant le mariage. La fille a commis les crimes les plus graves. Elle devait donc être punie.

— Qu'avez-vous fait, pour l'amour de Dieu ?

— L'imam a décidé dans sa grande sagesse que la fille devait signer un mariage musulman avant de mourir et satisfaire les guerriers qui se battent pour la charia et le saint Livre contre les kâfirs. Nous sommes trente guerriers, tous courageux, nous avons tous beaucoup donné pour Allah. La fille a été mariée à chacun de nous avant d'être punie selon le saint Livre.

– Vous l'avez tous violée et lapidée ! s'exclama mollah Bakir, horrifié.

– Pas violée, mollah, consommée, selon les règles de l'islam, qu'Allah soit loué, elle y a pris beaucoup de plaisir. Nous sommes tous vigoureux. J'ai consommé mon mariage le premier, hier en début d'après-midi, et encore avant la prière de cinq heures, et encore après la prière. J'ai consommé mon mariage toute la soirée, Allah m'est témoin que la santé était avec moi, j'étais fort comme un taureau. Puis Abdul a consommé, et Muhammad après lui, et Hazrat après Muhammad, et Younous après Muhammad. Toute la nuit. Abdullah, Zalmay, Bismullah, Wahid, Sebghatollah, Jarollah, Zarar... tous l'ont honorée de leur ferveur, et Allah m'est témoin qu'elle était grande. Peut-être que la fille n'a pas encore été lapidée, peut-être certains guerriers ont-ils mis du temps pour consommer leur mariage, eux aussi.

– Allons-y, ordonna mollah Bakir. Montrez-nous le chemin. Je vais parler à votre imam.

Le visage fermé, le chef tapa des mains, et sa troupe se mit en route. L'autorité de mollah Bakir était telle qu'il ne lui serait pas venu à l'idée de la mettre en cause. Le groupe avait été rejoint par un enfant avec trois ânes. Le chef et deux de ses hommes montèrent sur les ânes, suivis par leurs guerriers, puis par le Toyota. L'épaisse couche de neige gênait la marche des ânes, ils ne devaient pas dépasser quatre ou cinq kilomètres à l'heure.

Ils étaient abattus. Oussama avait connu des moments d'une violence extrême pendant la guerre, mais c'était la guerre, et Kaboul restait une grande ville, relativement civilisée. Ici, il prenait peu à peu conscience que son pays n'était pas ce qu'il avait cru ces derniers temps. Il avait vécu trop longtemps coupé de la réalité de l'Afghanistan profond. Ici, dans le Nouristan comme à Kandahar, aucune des règles auxquelles il croyait n'avait cours. Il pensa au combat de Malalai pour le droit des femmes. Elle n'y parviendrait jamais !

Ils continuèrent à rouler au pas, puis les hommes empruntèrent un chemin de traverse, tout en leur faisant signe de continuer tout droit par la route. Oussama accéléra.

– Vous avez pâli lorsque le taliban a cité le nom du Herz-e-Islami, demanda Nick à mollah Bakir. Vous connaissez ce groupe ?

– Malheureusement, oui. Il a été créé par mon pire ennemi.

C'était la tuile absolue. Oussama avait l'impression que tout se liguait contre eux. Qu'avaient-ils donc fait au ciel pour mériter un tel acharnement ?

– Dites-nous ce qu'il en est, continua Nick. Au moins qu'on sache à quoi s'attendre.

– Il y a en Afghanistan un seigneur de guerre appelé Gulbuddin Hekmatyar. Avec Massoud et Dostom, il était le principal artisan de la lutte contre l'Armée rouge, et l'un de ceux qui ont permis le renversement des communistes. Lorsque nous avons commencé notre conquête de l'Afghanistan, en 1996, Hekmatyar a trahi Dostom et Massoud pour se ranger de notre côté, nous aidant ainsi à prendre le pouvoir. Nous avons siégé ensemble au Conseil suprême des talibans. C'est un islamiste fervent, favorable à la charia, bien sûr, mais sa conception fruste de l'islam est très différente de celle d'un lettré. Hekmatyar préconisait l'éradication de tous ceux qui ne pratiquent pas un islam « correct ». Il a été de ceux qui ont poussé aux massacres contre les Hazaras, parce qu'ils étaient chiites, par exemple. Je me suis opposé à lui dès le début de notre gouvernement. Hekmatyar avait un bras droit appelé Emir Beg. Emir Beg était si cruel que tous le craignaient, même chez les talibans. Par exemple, il a amputé de la main des dizaines de personnes uniquement parce qu'elles utilisaient du papier toilette au lieu de pierres plates. Le Coran ne parle pas de papier toilette, disait Emir Beg, donc celui qui l'utilise est un impie, il commet un crime contre le Coran. De même pour ceux qui rasent leur barbe, jamais le Coran ne dit que le Prophète, qu'Il soit loué, s'est rasé, donc tous ceux qui se rasaient étaient, selon lui, coupables de crime. Emir Beg est analphabète, je le soupçonne de n'avoir jamais lu le Coran, mais il avait beaucoup de charisme et les gens s'inclinaient devant sa force. J'ai essayé de m'opposer à lui. D'abord en arguant devant mollah Omar que le Coran ne parle pas non plus de la kalachnikov, des 4 × 4 ou de l'électricité, or nous les utilisons, c'est donc que le Coran ne doit pas être lu de manière littérale. Je n'ai pas été écouté. J'ai alors décidé de rallier à ma cause d'autres imams du Conseil secret des talibans, effrayés eux aussi par la violence d'Hekmatyar et d'Emir Beg. Nous avons été aidés par les atrocités qu'ils perpétraient dans les territoires dont ils avaient le contrôle. Mollah Omar n'a pas osé s'attaquer à Hekmatyar, mais nous avons réussi à obtenir la disgrâce d'Emir Beg grâce à l'affaire du cercueil.

— Qu'avait-il à voir avec ça ?

– Il était en visite d'inspection aux douanes, ce jour-là. C'est lui qui a ordonné les coups de fouet.

Oussama ne connaissait que trop cette histoire. En 2000, un riche émigré avait demandé à ce que son corps soit rapatrié en Afghanistan après sa mort. Les talibans avaient ouvert le cercueil lors de son entrée en douane, craignant qu'il ne contienne des substances interdites d'importation. L'homme, occidentalisé, était glabre. En découvrant que le cadavre ne portait pas de barbe, contrairement aux prescriptions du saint Livre, ils avaient été pris de fureur et avaient ordonné qu'il lui soit porté quatre-vingts coups de fouet, en châtiment. L'affaire, rendue publique, avait contribué au discrédit du régime, soulignant jusqu'à la caricature l'absurdité des lois talibanes.

– Je vois. Que s'est-il passé par la suite ?

– Le jour où Emir Beg devait être arrêté, il a été prévenu et a fui dans ces montagnes. Je savais qu'il était nourastani, mais je pensais qu'il se cachait bien plus au nord, au-dessus de Barg-e-Matal.

– Vous en veut-il vraiment ? Vous n'étiez pas seul à décider, après tout.

– J'ai eu un rôle moteur. J'ai détruit sa carrière, je l'ai obligé à fuir comme un chien avec ses hommes. Il avait du pouvoir, l'oreille de mollah Omar, une grande maison à Kandahar, des gardes du corps, de jeunes danseurs et des femmes différentes avec qui il pouvait être marié, pour une seule nuit, par des imams complaisants. Donc, pour répondre à votre question, je pense qu'en effet il me hait. S'il m'attrape, il me fera subir le châtiment spécial qu'il applique à ses ennemis personnels.

– À savoir ?

– Il me crèvera les yeux, me coupera les doigts, le nez et la langue, et m'arrachera les organes génitaux. Ensuite, il me laissera mourir à petit feu. Il paraît qu'on meurt d'infection en deux ou trois semaines, parfois plus. – Il eut un rire sans joie. – Mes amis, frère Oussama, cher Nick, si nous tombons entre ses mains, je crains que ce traitement ne s'applique également à vous.

*

À leur arrivée au village, le chef s'avança vers eux à grands pas.

– Ils sont dans le verger, un peu plus bas, avec l'imam. Ils vont commencer la lapidation !

Ils coururent derrière lui. Après la dernière maison, ils virent que les habitants s'étaient rassemblés sur un plateau enneigé. Une femme vêtue d'une tunique déchirée, cheveux au vent, était assise sur les talons, entravée par une sorte de laisse de chanvre. Oussama reconnut Zahra. Cette femme aux cheveux emmêlés et au regard vitreux, prostrée dans la neige, n'avait plus grand-chose à voir avec la beauté de la photo. Une femme en burqa tira sur la laisse mais Zahra ne réagit pas, elle s'effondra dans la neige, comme prise de catatonie. Un enfant leva alors le bras et lui lança une pierre, bientôt suivi par un autre. En quelques instants, une dizaine de cailloux atteignirent Zahra, sans que cette dernière réagisse.

– *Estaad cho !* hurla Oussama. Arrêtez-vous !

Surpris, les bras qui s'apprêtaient à lancer de nouvelles pierres retombèrent. Oussama posa son fusil par terre et s'agenouilla à côté de Zahra. Elle avait le front déchiré et de multiples blessures. Horrifié, il vit que du sang coulait à l'intérieur de ses cuisses, rougies par des croûtes séchées. Les soldats l'avaient déchirée en la violant.

– Nous allons vous sauver, murmura-t-il en anglais.

– C'est trop tard, répondit-elle, les yeux révulsés.

Pendant qu'il la relevait, mollah Bakir apostrophait la foule :

– Les mécréants doivent être punis, ainsi que les musulmanes qui ont des relations avec les kâfirs, c'est vrai, mais cette femme n'avait jamais eu de relation avec l'étranger, ce que vous ne pouviez pas savoir. Quant à l'étranger, c'est un ennemi de Bush et d'Obama, un ennemi des petits Satans, un ami du peuple afghan. Vous devez les libérer.

– Qui êtes-vous pour nous dire ce que nous devons faire ? demanda soudain un vieil homme, dont la barbe teinte au henné atteignait presque la ceinture.

– Et toi, frère, qui es-tu ?

– Je suis l'imam de ce village, je dis la loi.

– Sais-tu lire ?

– Non, mais j'ai appris le saint Ouvrage, je peux le réciter par cœur, de la première à la dernière sourate. Et toi, qui es-tu ?

– Je suis mollah Bakir, ami de mollah Omar et ancien membre du Conseil secret des talibans.

À ces mots, l'imam se jeta à genoux, tandis qu'un murmure parcourait la foule.

– Mollah Bakir, gloire à toi ! Puisses-tu tuer beaucoup de mécréants ! lança soudain un homme d'une voix forte. Mort aux juifs, mort aux chrétiens !

– Nous obéirons à tes ordres, car tu es l'ami de cheikh Ben Laden, le saint homme ! cria un autre.

Pendant quelques minutes, on n'entendit que les cris d'allégresse des villageois, qui se précipitaient autour de mollah Bakir, qui pour toucher ses vêtements, qui pour embrasser sa main.

– Mollah, puisses-tu aider cheikh Ben Laden à détruire tous les juifs et les croisés ! hurla l'imam.

Mollah Bakir tendit une main magnanime vers lui.

– Relève-toi, car tous les musulmans sont frères, et nul imam ne doit s'agenouiller devant un autre qu'Allah. Et maintenant, mon frère, amène-nous à l'étranger.

Oussama s'arrêta en chemin pour faire monter Zahra, toujours inexpressive, dans la voiture, puis il rejoignit en courant mollah Bakir, l'imam et le chef. Les villageois s'écartaient de son chemin, il avait conscience que sa carrure et son fusil de sniper causaient un certain émoi parmi la population, qui n'avait jamais rencontré d'homme aussi grand que lui. Le chef s'arrêta sur le seuil d'une hutte en terre sèche, devant laquelle on avait déblayé la neige. Deux barbus équipés de fusils de chasse gardaient l'entrée.

– Allez-y, proposa mollah Bakir en anglais à Oussama. Il vaut mieux que je reste dehors avec ces messieurs, si *sophistiqués* et à l'hospitalité si *charmante*.

Un poêle diffusait une maigre chaleur. Un homme était accroupi au fond de la pièce, dans la pénombre, accroché à une chaîne par le mollet. L'autre bout de la chaîne était relié à un anneau scellé dans le mur. Il avait la tête baissée et respirait péniblement.

– Léonard Mandrake ? demanda Oussama.

L'homme releva la tête, surpris. Oussama reçut d'abord le choc de deux yeux farouches, encore habités par la volonté de se battre. Mandrake avait des croûtes séchées sur le visage, le nez cassé, la lèvre fendue. Il avait de toute évidence été battu comme plâtre, mais il conservait toute sa dignité, héritage de l'homme de pouvoir qu'il avait été. Oussama s'attendait à trouver un fugitif affolé, il avait en face de lui un homme calme, essayant encore de maîtriser une situation qui lui échappait. Mandrake dévisagea Oussama avec intensité.

– Qui êtes-vous ?

– C'est compliqué à expliquer, je vous raconterai plus tard, si nous nous en sortons. Mon nom est Oussama, je suis policier. Je suis venu de Kaboul pour vous sauver.

– Me sauver ? répéta Mandrake. Zahra, comment va-t-elle ?

– Sauvée de justesse, au moment où les villageois s'apprêtaient à la lapider. C'était à une minute près.

– Est-ce qu'ils l'ont… enfin, vous voyez…

– Elle a besoin de soins médicaux, mais elle est en vie, c'est le principal.

Oussama ouvrit le cadenas, aida Mandrake à se relever. Ce dernier chancela, Oussama dut le soutenir pour qu'il ne s'effondre pas.

– Désolé. Je n'ai pas l'habitude de l'altitude et j'ai attrapé la dysenterie.

Oussama passa son bras autour de ses épaules.

– Venez, je vais vous porter.

– Mon sac, là-bas.

– Nous n'avons pas le temps.

– C'est important.

– Votre rapport ?

– Oui.

Oussama attrapa la sacoche en cuir. Lorsqu'ils sortirent, bras dessus, bras dessous, un murmure de mécontentement parcourut les villageois. Sentant qu'il était temps d'intervenir, mollah Bakir fourra une liasse de billets dans la main du chef de village et leva les bras au-dessus de sa tête.

– Mes frères, j'ai donné à votre chef beaucoup d'afghanis, de l'argent offert par mollah Omar lui-même. Cent mille afghanis !

Un nouveau murmure s'éleva. C'était une somme énorme pour un village aussi pauvre.

– Avec cet argent, reprit mollah Bakir, vous pourrez acheter des chevaux et des moutons, des poules et des chèvres, des oignons et de l'ail, des œufs en quantité. Al Hamdullilah !

– Allah u Akbar, Allah u Akbar ! scandèrent les hommes en retour.

Ils retournèrent vers la voiture, entourés par la foule en liesse, qui continuait à invoquer Dieu, Ben Laden et la gloire des talibans dans un vacarme épouvantable. Nick sortit de la voiture en courant pour aider Oussama. Même la vue d'un autre Occidental ne parvint pas à freiner l'enthousiasme des villageois, dont les cris reprirent de plus belle.

– Dépêchons-nous, dit Nick, il faut se barrer avant que les islamistes ne débarquent.

Délicatement, Nick installa Mandrake à l'arrière du Toyota. Soudain, il entendit un grondement sourd au lointain, s'amplifiant de seconde en seconde. Il se redressa, alarmé.

– Qu'est-ce que c'est ? hurla-t-il à l'adresse de mollah Bakir.

Oussama, lui, avait déjà compris. Ce bruit, il l'avait entendu des dizaines de fois lorsqu'il combattait les Russes. C'était celui d'hélicoptères en approche dans une vallée, cachés par les flancs des montagnes environnantes.

– Ce sont nos ennemis, dit-il.

Au même moment, un énorme hélicoptère de transport apparut, suivi par un second, puis un troisième. Les trois engins oscillèrent au-dessus du village, telles des libellules géantes, puis ils se posèrent délicatement. Avant que les rotors ne s'arrêtent, les portes latérales des engins s'ouvrirent dans un même mouvement et des soldats en jaillirent, armes à l'épaule, à l'horizontale. Malgré le bruit assourdissant des moteurs, Nick entendait les cris des officiers qui galvanisaient leurs hommes. Un villageois leva son fusil, il fut aussitôt couché par une rafale qui le toucha en plein torse. Un autre subit le même sort. Plusieurs autres s'égaillèrent, leurs fusils à la main, mais des rafales bien ajustées les envoyèrent bouler au sol. En une poignée de secondes, le terrain fut nettoyé. Nick remarqua alors que les soldats ne portaient pas l'uniforme de l'armée régulière, mais des treillis noirs, sans signe distinctif. Deux hommes descendirent en même temps d'un des hélicoptères. L'un était un géant noir, l'autre un homme aux cheveux blancs, en parka et élégant costume foncé, incongru en ce lieu.

– C'est Joseph, le patron des équipes K, murmura Nick à Oussama. Nous sommes foutus.

– Ne bougez pas, répondit Oussama, c'est inutile de nous faire tirer comme des lapins. Ils sont trop nombreux.

Un nouveau bruit de moteur leur fit lever la tête. Un drone passait à basse altitude. Il décrivit une boucle au-dessus d'eux, avant de remonter sous les nuages. Pendant ce temps, les tueurs de l'Entité étaient en train d'investir le village, leurs armes tendues devant eux. Quelques rafales isolées claquèrent. Joseph examinait la scène d'un œil critique. Soudain, il aperçut Nick et Oussama. Il pressa le coude de son voisin et lui désigna le 4 × 4. Nick et ses compagnons virent un sourire se dessiner sur le visage du géant.

– Que se passe-t-il ? demanda Mandrake, depuis l'intérieur du Toyota.

– C'est foutu, lâcha Nick. On nous a retrouvés.

– Qui ?

– Mes anciens collègues suisses. Ceux qui travaillent pour Willard Consulting.

– Ils ne travaillent pas pour eux, lâcha Mandrake. Ils travaillent pour la CIA.

Joseph s'approchait, suivi par le géant, qui tenait un imposant fusil à pompe noir. Il se planta devant eux. Aucun sentiment ne se lisait sur son visage. Juste un vague ennui.

– Tu as fait fort, Nick. Vous avez failli nous avoir, une nouvelle fois.

– Comment nous avez-vous retrouvés ?

– Par le loueur de voitures qui a fourni le 4 × 4 à votre ami Mandrake. Un satellite a fini par le retrouver : une carcasse de 4 × 4 neuf seule au milieu des routes de montagne, ça se voit. Ensuite, nous avons demandé l'aide de l'Otan, qui a envoyé des dizaines de drones de reconnaissance. Un opérateur a remarqué l'animation inhabituelle qui régnait dans ce village, j'ai compris qu'ils y avaient été faits prisonniers. Nous avions raté l'arrivée de mon cher collègue et de son ami afghan, mais je suis ravi de vous avoir tous pour la fête finale.

Il eut un sourire sans joie.

– Finale dans tous les sens du terme, pour vous et pour toi, Nick. Dommage, tu n'as pas pu t'empêcher de tout gâcher.

– Tout gâcher ? Vous m'accusez de tout gâcher ? Vous êtes fou !

Joseph secoua la tête.

– Tu ne comprends rien, espèce d'idiot. C'est pour cela que tu vas mourir.

– Vous êtes un assassin. Aussi malfaisant que ceux que vous combattez.

– Tu es vraiment naïf. Tu n'as aucune idée du monde dans lequel nous vivons. Aucune idée de ce qui se trame en coulisse. Ton confort, ta petite vie mesquine, tu les dois à des gens comme moi.

– Vous avez assassiné des dizaines d'innocents à cause de ce maudit rapport. Pourquoi ?

– Pas seulement à cause du rapport, Nick. À cause de ceux qui le cherchent.

– Qui ?

À ce moment, il se passa un événement étrange. Une fraction de seconde, ils eurent l'impression que le visage du géant noir au shotgun se déformait, comme malaxé. L'instant d'après, sa tête explosa, tandis qu'une détonation retentissait. Deux autres soldats s'effondrèrent. Joseph se jeta instinctivement au sol, avant de courir se mettre à couvert.

– Que se passe-t-il ? hurla Nick.

– Nous sommes attaqués, répliqua Oussama. Ce sont des talibans.

Des Afghans coiffés de turbans, hurlant des phrases incompréhensibles, surgissaient de tous les côtés. Plusieurs rafales s'abattirent sur les hommes de l'Entité, qui ripostèrent avec leurs fusils d'assaut et leurs lance-grenades.

– Ce sont les hommes du Herz-e-Islami ! lança mollah Bakir d'une voix blanche. Regardez là-bas. C'est Emir Beg, je le reconnais.

Ils virent un homme qui descendait majestueusement de la montagne, en pleine poudreuse, entouré de guerriers se déployant tout autour du village. Une véritable armée. Une roquette s'abattit sur un des hélicoptères, le détruisant instantanément. Très rapidement, le combat fit rage entre les combattants islamistes et les hommes de l'Entité, moins nombreux mais beaucoup mieux entraînés. En quelques minutes, une vingtaine de cadavres de talibans jonchaient déjà le sol.

– Tirons-nous ! hurla Nick. C'est notre seule chance !

– Surtout, ne vous relevez pas, avancez courbés jusqu'à la voiture, ordonna Oussama.

Au moment où il ouvrait la portière à mollah Bakir, une balle s'écrasa contre la carrosserie blindée. Joseph les visait avec un fusil équipé d'une lunette. Un second coup de feu retentit. À l'intérieur de la voiture, Mandrake poussa un cri de douleur, tandis qu'une gerbe de sang éclaboussait la vitre. Oussama referma la portière avec un cri de rage. Le tueur épaula de nouveau, visant Oussama, cette fois-ci. Ce dernier s'engouffra dans le véhicule par l'autre côté, protégé par la carrosserie blindée. Il effectua un demi-tour brutal et réussit à reprendre la piste. Plusieurs dizaines d'impacts étoilèrent les vitres du véhicule, sans qu'aucune se brise. Outre Joseph, des talibans les avaient pris pour cible. Le second hélicoptère explosa. Puis la route tourna, et ils ne virent plus rien.

– Comment va Mandrake ? demanda Oussama.

– Il est touché en plein torse, du côté du cœur. Il a perdu connaissance. Il y a beaucoup de sang.

– Merde, merde et merde !

Soudain Nick, penché sur Mandrake, annonça :

– Ça y est, il est mort. Zahra fait une hémorragie massive. Elle va mourir très vite, elle aussi, si on ne fait rien.

– Je n'ai pas de matériel de transfusion dans la voiture, pas de morphine, rien. On est à deux jours de route de la première ville.

– Elle est foutue.

Oussama ouvrit sa vitre. Ils entendirent les crépitements de la fusillade au loin, qui continuait à faire rage.

– Les talibans étaient près de deux cents, je n'ai compté qu'une vingtaine de soldats, maximum, du côté de l'Entité. Ils n'ont aucune chance, dit le mollah.

– Pas sûr, objecta Nick. Les K sont tous d'anciens commandos, les meilleurs dans leur domaine. Votre ami Emir Beg a du souci à se faire.

– Ces talibans sont fous, ils vont perdre des dizaines d'hommes, peut-être plus. Ils n'ont donc pas peur de la mort ?

– Emir Beg aimerait plus que tout au monde m'avoir entre ses mains, répondit mollah Bakir. S'il a appris que j'étais dans la région, il a pu croire que les étrangers étaient là pour nous capturer. Il a couru tous les risques pour nous attraper à leur place.

En dépit de la neige et du verglas, Oussama accéléra.

– Il y avait un drone, il devait tourner autour de nous depuis une heure ou deux, en altitude. Comment se fait-il qu'il n'ait pas repéré les talibans avec ses caméras infrarouges ? demanda Nick.

– Les talibans ont pu le remarquer à la jumelle. Ils ont probablement appliqué un leurre que nous utilisions déjà du temps des Russes. On avance protégé sous une couverture qu'on recouvre de neige et d'eau glacée. Du coup, la chaleur corporelle est indétectable par les capteurs infrarouges du drone. Je l'ai fait plusieurs fois, les hélicoptères russes ne m'ont jamais attrapé. Une méthode que nous, moudjahiddines, avions apprise des commandos français et anglais qui nous entraînaient.

Plus tard, Nick prit le pouls de Zahra.

– Je n'ai plus rien. Elle est morte.

Oussama loucha sur le sac que Mandrake lui avait donné.

– Ouvrez-le, ordonna-t-il.

Nick en sortit deux CD et un gros dossier, protégé par une épaisse couverture en plastique transparent.

– Le dossier Mandrake, dit Oussama. Finalement, ils n'ont pas tout gagné.

## 20

*J'espère que vous n'êtes pas un des membres des officines lancées à mes trousses par la CIA depuis plusieurs semaines, auquel cas j'aurais tout perdu, même la capacité à envoyer derrière les verrous les pires gangsters que l'Europe et l'Amérique aient portés depuis de nombreuses années. Des gangsters policés, qui ont fait de longues études, qui portent costume de marque et cravate de prix, mais des gangsters tout de même.*

*Mon nom est Léonard Mandrake.*

*J'ai cinquante-deux ans, je suis directeur financier et membre du conseil d'administration de Willard Consulting. Je viens d'une famille pauvre. Orphelin très jeune, j'ai été placé en famille d'accueil. Mes résultats à l'école m'ont permis d'obtenir des bourses pour étudier dans les meilleures universités. Je suis très vite devenu un spécialiste financier reconnu. Brillant, sans famille, désireux de devenir riche, naturellement discret, j'étais une recrue de choix pour Willard Consulting. J'ai gravi tous les échelons, jusqu'à devenir l'un des membres de son puissant et secret comité directeur.*

*Après l'invasion de l'Irak, Patrick Willard, fils de Nestor Willard, le fondateur de l'entreprise, a estimé que nous pouvions profiter de la situation pour amasser des sommes colossales, grâce à l'argent de la reconstruction. Patrick est un homme médiocre, uniquement mû par le goût du lucre. Willard Consulting a mis en œuvre une machinerie très perfectionnée, destinée à détourner l'argent de la reconstruction, que Patrick a utilisée d'abord en Irak puis en Afghanistan. En cinq ans, ces sommes se sont montées à environ huit milliards de dollars : cinq milliards en Irak et trois en Afghanistan.*

*En tant que directeur financier de Willard, j'ai mis en place le montage qui a permis de détourner cet argent. J'en ai largement profité à titre personnel, puisque j'ai accumulé plus de cent vingt millions de dollars ces dernières années, placés dans des paradis fiscaux. Chaque membre du conseil d'administration de Willard a touché environ la même somme. Patrick Willard a, quant à lui, touché près de quatre cents millions de dollars.*

*Le rapport qui suit détaille la méthodologie utilisée. J'y ai joint toutes les preuves que j'ai pu réunir ces six derniers mois : extraits de comptes bancaires aux îles Caïmans, aux Bahamas, à Hong-Kong, et bien sûr en Suisse.*

*Faux certificats de bonne fin pour des usines ou des bâtiments imaginaires. Commandes gonflées de carburant, d'eau potable et de toutes sortes de produits de première nécessité. Commandes d'armes fantômes destinées à des régiments imaginaires. Au total, ce dossier comporte deux cents documents originaux, qui prouvent les accusations que je porte.*

*Les sommes détournées peuvent sembler disproportionnées, mais beaucoup d'autres se sont servis. Uniquement en Afghanistan, trente-cinq milliards de dollars ont été dépensés pour la reconstruction depuis cinq ans, et j'estime que près de quatre-vingts pour cent de cette manne ont été volés. En Irak, les vols sont bien plus importants.*

*En Irak et en Afghanistan, deux intermédiaires véreux avaient pour mission de « gérer » les responsables publics locaux dont nous achetions le silence. Leurs noms : Ahmed Ben Gazi en Irak, Wali Wadi en Afghanistan. Tous les deux ont été assassinés ces derniers jours, sur ordre d'une officine travaillant pour Willard Consulting, mais je suspecte que les vrais commanditaires sont de hauts responsables de la Maison-Blanche, proches du président précédent, dont les noms sont cités en annexe. Car il s'agit d'un scandale d'État : sans la complicité de responsables gouvernementaux américains, occidentaux et des Nations unies, ces vols organisés n'auraient pas été possibles.*

*Les entreprises impliquées dans ce détournement sont au nombre de douze : une d'ingénierie, trois de génie civil et bâtiment, trois spécialisées dans les technologies de l'eau et des réseaux, une de commerce, les autres sont des sociétés d'armement. Toutes ces entreprises sont honorablement connues, elles sont, pour neuf d'entre elles, cotées en Bourse, à Wall Street, Londres et Francfort, et pèsent des milliards de dollars.*

*La méthode de détournement comporte trois schémas distincts.*

Le premier consiste à répondre à des appels d'offres truqués pour de grands équipements civils : usines de traitement des eaux, de production électrique, de fabrication de produits de première nécessité. Une fois l'appel d'offres gagné par le consortium, l'équipement fait l'objet d'une fausse livraison, après qu'une ébauche de bâtiment est sortie de terre. Le « bâtiment » est détruit avant son inauguration officielle par un attentat, imputé aux rebelles irakiens ou afghans. La preuve du forfait disparaît ainsi d'elle-même : qui va vérifier qu'un tas de gravats ne correspond pas à ce qu'il était censé être ? Plus de deux cents grands équipements publics ont été concernés, pour un montant cumulé de un milliard neuf cents millions de dollars.

Le deuxième schéma consiste à livrer des produits ou équipements périssables fantômes : fausses livraisons d'essence, d'eau potable, de rations alimentaires, de farine, de produits de première nécessité. Ces fausses livraisons sont en outre surfacturées, avec des surcoûts de l'ordre de trente à cinquante pour cent justifiés par les problèmes d'approvisionnement liés aux bandes armées qui sévissent dans les deux pays. Des dizaines de milliers de fausses rotations de camions prétendument équipés de gardes de sécurité ont été facturées aux autorités irakiennes et afghanes de reconstruction. J'estime que près du quart de l'essence, de l'eau potable, des engrais, du sucre et de la farine achetés par les gouvernements afghan et irakien ces trois dernières années n'existaient pas. Au total, ce schéma de détournement a permis de subtiliser deux milliards sept cents millions de dollars.

*Le troisième schéma consiste à répondre à des appels d'offres militaires truqués : contrats de techniciens et de spécialistes payés deux à trois fois leur prix ; équipements dernier cri facturés au prix fort et remplacés à la livraison par des matériels dépassés achetés au marché de l'occasion ; fausses livraisons d'armes. Des centaines de chars, de véhicules blindés, de munitions, d'équipements de guerre électroniques, de lance-roquettes, de jeeps... commandés par ces pays n'ont jamais été livrés, pour la simple raison que les divisions qu'ils étaient censés équiper n'existent pas. Plusieurs rapports officiels, dont l'un du Sénat américain, ont prouvé dès 2006 que près de vingt pour cent des effectifs de l'armée irakienne n'existaient que sur le papier. Mais personne ne s'est jamais posé la question des équipements de ces unités fantômes. Les membres de la commission des affaires étrangères américaine que nous avons achetés ont bloqué toute enquête sérieuse. Si l'on avait vraiment cherché, on aurait découvert que plus de quatre-vingt mille soldats irakiens imaginaires ont mangé des rations alimentaires, bu de l'eau en bouteille, utilisé des litres d'essence, consommé des uniformes, tiré des cartouches... Le même phénomène a eu lieu en Afghanistan. Ce dernier schéma de détournement a permis de subtiliser près de trois milliards et demi de dollars.*

*Moi, Léonard Mandrake, je suis l'inventeur de ces trois schémas de détournement. C'est moi qui les ai conçus, moi qui les ai mis en place, moi qui les ai gérés, moi qui ai dispatché les commissions.*

*Voilà un an, j'ai décidé de mettre un terme à ces activités illicites. Remords trop tardifs ? Je ne cherche pas à me faire excuser ou plaindre. J'ai largement profité de ces détournements, ils m'ont rendu riche. Je pensais au départ que détourner l'argent n'avait pas de conséquences sur les populations locales. J'ai compris, trop tard, que mes actes avaient des conséquences réelles. Des personnes n'étaient pas soignées parce que les hôpitaux dans lesquels elles étaient censées être accueillies n'existaient pas, même si on avait payé pour qu'ils soient construits. D'autres tombaient malades car elles buvaient de l'eau croupie, les usines de purification n'étant jamais sorties de terre. D'autres, des femmes, des enfants, mouraient sous les balles des insurgés, parce que les unités chargées de les protéger n'existaient que sur le papier. Je pensais n'être qu'un voleur, j'étais en réalité un assassin. Un assassin qui ne voyait jamais ses victimes, mais un assassin tout de même.*

*Rencontrer Zahra a changé ma vie.*

*J'étais cynique et misanthrope, j'avais le cœur sec, j'ai découvert que j'étais capable de sentiments.*

*J'ai préparé un dossier complet, non pour dénoncer mes malversations mais pour me couvrir. J'assume ma lâcheté, mais je n'aspirais qu'à cesser mes turpitudes et à vivre heureux avec Zahra. J'ai acheté discrètement un vignoble en Australie, un lieu de paix dans un endroit retiré, où personne ne viendrait me chercher. Malheureusement, j'ai été trahi par l'avidité de Wali Wadi, qui a volé des documents compromettants sur nos opérations. Il a contacté Patrick Willard pour le faire chanter, pensant que jamais des financiers suisses vivant à des milliers de kilomètres de l'Afghanistan n'oseraient s'en prendre à lui. C'était sans compter avec la peur de Patrick Willard d'être démasqué. Wali Wadi n'a réussi qu'à provoquer un processus de destruction dont il a été l'une des victimes quasi immédiates. Quant à moi, j'étais condamné par le même processus : Willard a compris que ces documents n'auraient jamais dû exister. Que j'étais en train de monter un dossier, pour m'enfuir ou les faire chanter, comme Wali Wadi. Si je ne marchais plus dans la combine, je n'étais plus des leurs. Si je n'étais plus des leurs, je devais mourir.*

*J'écris ces lignes à Kaboul, où je suis réfugié, en attendant que Zahra obtienne le certificat de naissance que les autorités australiennes lui demandent pour entrer dans le pays. Je pensais avoir échappé temporairement aux tueurs lancés à mes trousses, mais si vous lisez ces lignes, c'est que j'ai commis une erreur, ou qu'ils sont plus forts que je ne l'imaginais.*

*En gardant ces documents, vous vous mettez en danger de mort. Je vous demande de les envoyer aux Nations unies, à la BBC, à CNN, aux médias internationaux et aux sites Internet dont la liste est jointe en annexe. Diffusez-les le plus largement possible, c'est votre seule chance de ne pas subir le même sort que moi.*

*Si Zahra meurt avant moi, je ne demande qu'une seule chose : être enterré à côté d'elle, reposer à ses côtés pour l'éternité. Ni fleurs ni marbre, je ne mérite aucun luxe, seulement une sépulture simple à côté de celle qui a sauvé mon âme.*

*Je vous souhaite plus de chance que je n'en ai eu à la fin de ma vie. Sachez que le remords et la honte ont été mes compagnons tout au long des derniers mois.*

*Léonard Mandrake*

Nick reposa le dossier. La tête lui tournait.

Les vingt-quatre paires d'initiales correspondaient aux bénéficiaires de cette gigantesque escroquerie. Vingt-quatre noms, donc : de grandes entreprises américaines mondialement connues, mais aussi deux sénateurs, un membre de la commission des affaires étrangères, un républicain, et un autre démocrate. Trois anciens collaborateurs de haut niveau du président Bush, liés au monde des affaires. Et puis... il y avait une personne très particulière. Un des plus proches conseillers de l'ancien président Clinton, un de ses amis personnels, un individu que le monde entier connaissait. Il avait touché cent trente-trois millions de dollars.

Nick comprenait maintenant l'acharnement de Willard et de l'Entité. Ce serait le scandale du siècle. L'Amérique en serait salie durablement. Il n'était pas certain que la présidence Obama survive à un scandale pareil, même si le président n'y était personnellement pour rien.

Il soupira, ferma l'ordinateur portable, s'allongea sur le lit pour réfléchir, fixant le plafond sale.

Ils avaient mis cinq jours à rentrer à Kaboul. Une couverture posée sur le capot du 4 × 4, recouverte d'eau glacée tous les quarts d'heure, avait suffi à éliminer la signature thermique de la voiture, ce qui leur

532

avait permis de passer au travers de la surveillance des drones lancés à leur poursuite par l'Otan. Léonard Mandrake et Zahra étaient enterrés au bord de la route, dans une tombe improvisée. Mollah Bakir avait conduit une courte cérémonie œcuménique, récitant même un *Notre Père* chrétien pour le Suisse. Ils avaient empilé quelques pierres sur la tombe avant de repartir, sans un regard. Plus tard, ils avaient laissé le religieux, atteint d'une forte dysenterie, dans un village équipé d'un dispensaire, où il pourrait reprendre des forces avant de rentrer à Kaboul par ses propres moyens.

Nick avala une gorgée d'eau à même une bouteille. Il se sentait en sécurité, dans cette petite pièce située à l'arrière de la maison de Kalkana, l'écrivain des intouchables : personne ne viendrait les chercher ici, au cœur de ce bidonville. Oussama l'attendait à côté. Il ferma les yeux, évaluant les diverses possibilités.

La plus sûre consistait à tout publier sur Internet. Une fois le dossier rendu public, personne n'aurait de raison de s'attaquer à lui ou à ses nouveaux amis. Mais il n'était pas possible d'estimer les conséquences géopolitiques de telles révélations : c'était juste trop énorme. Ce ne serait pas un scandale, mais un tsunami.

Des heures plus tard, alors que la nuit était tombée depuis longtemps, la solution lui apparut. Évidente.

# Épilogue

Cinq jours plus tard, en début d'après-midi, un jet privé se posa à Bagram. Deux hommes en costume en descendirent, accompagnés par une dizaine d'autres en treillis. Ils s'engouffrèrent dans des 4 × 4 blindés, qui firent route immédiatement vers Kaboul. L'un des hommes en costume se connecta au compte indiqué par Nick *via* son téléphone crypté. Le message disait simplement : « Arrivé. » Quelques secondes plus tard, il reçut un message en retour : un numéro de téléphone, qu'il composa.

– Nick, ici Julius Wartoni. Tu reconnais ma voix ? Je suis arrivé à Kaboul. Je suis accompagné d'un conseiller de la Maison-Blanche.

– Je vais vous donner les coordonnées GPS de l'adresse où me retrouver, répondit Nick. Pas la peine de préciser à ceux qui vous accompagnent que, s'ils déconnent, le rapport sera sur Internet dans les deux heures.

– Reste calme, mon garçon ! lança l'avocat, d'une voix où perçait une forme de panique. Surtout, ne fais rien qui puisse compromettre la situation. Tu as ma parole.

Nick avait proposé à Oussama de conclure un accord avec les Américains. La présence de Julius

Wartoni, un de ses anciens maîtres de stage, était leur garantie. Il avait une confiance aveugle dans le Suisse qui, avant de devenir un avocat respecté, avait été secrétaire général adjoint de l'Onu. Wartoni était un homme puissant, incorruptible, intouchable, parfaitement au fait de la politique internationale, la petite comme la grande. Pour la première fois depuis son arrivée en Afghanistan, Nick se détendit. Il leva le pouce en signe de victoire vers Oussama.

– Tout se déroule comme prévu, dit-il.

Trois quarts d'heure plus tard, trois véhicules s'engouffrèrent dans le bidonville. Ils empruntèrent un lacis de ruelles tortueuses, avant de stopper à l'endroit correspondant aux coordonnées GPS transmises par Nick. Avant même que les chauffeurs n'arrêtent leurs moteurs, la porte de la maison de Kalkana s'ouvrit sur Oussama, kalachnikov à la main, l'œil aux aguets. Comme un garde du corps qui les accompagnait s'apprêtait à descendre, l'homme de la Maison-Blanche l'arrêta.

– Non. Ce sera juste Nick Snee, maître Wartoni, le commandant Kandar et moi.

Quelques instants plus tard, l'ancien secrétaire général adjoint de l'Onu, l'Américain, Nick et Oussama étaient assis autour d'une table, dans la pièce principale de la maison. La tension était palpable. L'Américain posa un sac sur la table. Il en sortit une sorte de grosse boîte en métal carrée qui grésillait.

– Cette machine produit des signaux électroniques destinés à empêcher toute interception de notre conversation. Êtes-vous d'accord ?

– Oui.

Il se gratta la gorge.

– Pour commencer, je vous confirme que nous venons en amis. Nous savons que nous pouvons compter sur votre droiture. Pour votre gouverne, sachez aussi qu'il existe un dossier très complet sur mollah Bakir. Il est considéré comme un interlocuteur acceptable. De même, commandant Kandar, vous êtes un héros de guerre respecté. Je m'engage personnellement à ce que votre sécurité à tous trois soit garantie. C'est un engagement formel du président en personne.

– Heureux de vous l'entendre dire, répliqua Oussama. Dois-je comprendre que vos collègues n'enverront pas leurs drones quand nous quitterons cette maison ?

Pour la première fois depuis le début de la conversation, un sourire éclaira le visage de l'Américain.

– Il y a eu suffisamment de dérapages dans cette affaire. L'objet de cette réunion est d'y mettre un terme. Mais, Nick, vous me confirmez, les yeux dans les yeux, que le commandant Kandar et vous êtes les deux seuls à avoir lu ce rapport et que vous n'en avez pas fait de copie ?

– Je vous le confirme.

– Bien.

Il inspira profondément.

– Nick, commandant, maître, des personnes ont commis des fautes inexcusables. Elles ont frauduleusement utilisé le pouvoir que le peuple, notamment le peuple américain, leur avait confié. Nous allons agir. Le président des États-Unis est catastrophé par cette affaire, d'autant qu'un de ses collaborateurs éminents a cru devoir autoriser cette « Entité » à s'affranchir de toute loi pour récupérer Léonard Mandrake. Il m'a demandé de faire cesser ce carnage insensé, ma mission étant de résoudre cette situation au mieux. Je veux préciser ce que signifie « au mieux » : cela veut dire arrêter cette machine infernale, réparer là où nous le pouvons, punir, mais sans créer un scandale qui n'aurait que des conséquences malheureuses. Sommes-nous d'accord sur ce point, monsieur Snee, commandant Kandar ?

– Oui.

– Au préalable, il a été décidé que toutes les personnes qui se sont personnellement enrichies dans cette affaire devront rendre l'argent. Toutes. Si elles ne le font pas, il n'y aura pas d'enquête du FBI ni des services des pays occidentaux concernés, mais une action directe et sans appel.

– Qu'entendez-vous par « action directe et sans appel » ? demanda Oussama.

– L'argent ou la vie. Le président a signé un finder ordonnant que toute action soit prise à titre de représailles, y compris une fin avec un extrême préjudice.

Il se tourna vers maître Wartoni :

– C'est l'expression utilisée par la CIA lorsque quelqu'un doit mourir. Ceux qui ont des positions officielles les abandonneront, poursuivit-il, de même que tous les dirigeants des entreprises qui ont participé à ces montages. Tous devront démissionner. Ces démissions seront naturellement étalées sur l'année, pour éviter que les médias établissent un lien entre elles. Nous avons également décidé de mesures plus… définitives concernant Willard Consulting et l'Entité. Ces deux sociétés seront dissoutes, leurs archives détruites. Elles cultivaient le secret, leur disparition n'alertera personne. S'agissant de leurs fondateurs… – Il se gratta la gorge, l'air gêné. – ils sont morts tous les deux dans leur sommeil la nuit dernière. Arrêt cardiaque. Si des autopsies étaient menées, elles ne révéleraient rien d'anormal. La disparition de ces deux personnes clôt, à notre sens, le sujet.

Il reporta son attention sur Nick, croisa les mains sous son menton.

– Avez-vous d'autres questions concernant les organisateurs du cartel ?

– Non, dit Nick après une hésitation.

L'Américain se tourna vers Oussama.

– Commandant Kandar, je voudrais ajouter que le contexte de cette affaire est probablement plus complexe que vous ne l'imaginez.

– Il me semble pourtant très clair.

– Ah oui ? L'est-il vraiment ? Pensez-vous que votre implication dans cette enquête soit le pur fruit du hasard ?

Comme Oussama ne répondait pas, l'Américain insista :

– Je répète ma question. Était-il normal que vous soyez impliqué dans cette enquête ?

– Vous pensez que je joue un double jeu ?

– Absolument pas. Dites-moi, qui vous a mis sur l'enquête ?

– Je ne sais pas, avoua Oussama de mauvaise grâce. J'ai été prévenu par un agent de police de mon commissariat que je ne connais pas personnellement, ce qui est normal : il y a quatre mille hommes dans ce bâtiment. Mais je ne vois pas ce que cela vient faire dans cette discussion.

– Quel âge avait ce policier ?

– Jeune, moins de trente ans.

– Un signe particulier ?

539

– Par Allah, à quoi riment ces questions ?

L'Américain posa une photo devant Oussama.

– Reconnaissez-vous cet homme ?

La photo montrait un Afghan jeune, en train de marcher dans la rue. On distinguait clairement la cicatrice qui lui barrait la joue gauche.

– C'est lui. Le planton qui m'a prévenu du suicide de Wali Wadi. Comment avez-vous eu sa photo ?

– Cet homme est dans notre base de données. En réalité, il n'est pas policier mais membre de la sous-direction du contre-espionnage électronique du NDS, avec le rang de capitaine. Il s'appelle Abdul Muhammad Kantor. Mais, dans cette affaire, Kantor ne travaillait pas pour le NDS. Nous pensons qu'il est le responsable clandestin du réseau afghan d'une puissance étrangère.

Plusieurs photos rejoignirent la première. On y voyait Kantor, en compagnie d'un Asiatique, attablé au fond d'un café.

– Qui est l'autre homme ? demanda Nick, intrigué. Un Hazara ?

– Il s'appelle Zhao Lin. Il a le titre de conseiller culturel à l'ambassade de Chine, mais, en réalité, il a rang de colonel. C'est le vrai responsable pour la région du Guoanbu, les services secrets chinois.

– Je ne comprends plus, dit Oussama. Que viennent faire les Chinois dans cette affaire ?

– Les Chinois sont de plus en plus actifs en Afghanistan et en Irak, non pour lutter contre le terrorisme dans la région, mais pour monter des dossiers contre nous, Occidentaux. Ils savent que toutes les guerres donnent lieu à des dérapages financiers ou à des détournements. Ils agissent donc activement pour la recherche d'informations compromettantes, dans le cadre de la lutte d'influence souterraine qu'ils mènent contre les États-Unis et l'Otan pour s'arroger le lithium et les métaux rares dont on a découvert des gisements dans le sous-sol afghan. En sortant le rapport Mandrake, ils auraient détruit toute légitimité de notre action ici. Ils nous auraient chassés du pays et auraient mis la main sur ce qu'ils veulent : les ressources minières dont l'industrie chinoise a désespérément besoin. Nous avions noté une augmentation très nette de l'intensité des signaux électroniques entre l'ambassade chinoise à Kaboul et le siège du Guoanbu un peu avant la mort de Wali Wadi, puis dans les jours qui ont suivi son décès. Nous en avions tiré la conclusion qu'ils étaient au courant de l'affaire, d'une manière ou d'une autre. Wali Wadi les a probablement approchés en même temps que Willard, pensant qu'il pourrait obtenir un bon prix de ses informations en faisant monter les enchères auprès d'eux. Heureusement, ils n'ont pas eu le temps de conclure la transaction. Comme les Chinois se savaient incapables de mener l'enquête sur place sans se faire repérer, ils ont décidé qu'il leur fallait un enquêteur local, doué, non corruptible, susceptible de s'opposer au ministre, mais qu'ils contrôleraient à distance sans qu'il s'en doute. C'est ainsi qu'ils ont pensé à vous, commandant Kandar.

– Je ne suis pas une marionnette. Jamais je n'aurais donné à des étrangers des informations sur cette enquête ! s'exclama Oussama. Et puis comment auraient-ils pensé à moi ? Je ne connais pas cet Abdul Muhammad Kantor. Ni aucun Chinois.

– Vous, non, mais votre collègue, le patron de la section du renseignement de la police de Kaboul, oui.

Une nouvelle photo rejoignit les autres. Son ami Reza assis dans le même bar, en pleine conversation avec le colonel chinois.

– Vous le connaissez, n'est-ce pas ?

Un intense étonnement se lut sur le visage d'Oussama, mélangé à quelque chose d'autre. Du dégoût. De la tristesse.

– Lorsque vous étiez en stage à Moscou, jeune policier, lui était à Pékin. C'est sans doute là qu'il a été recruté.

Oussama avait l'air perdu, tout à coup. Comme si la trahison de son ami, l'homme sur qui il avait compté tout au long de cette enquête, lui avait porté un coup fatal.

– Nous avons enquêté. Depuis quelques années, il reçoit tous les mois une somme sur un compte discret à la Bank of China, à Macao. En contrepartie, il les aide. Votre ami vient ainsi de faire l'acquisition d'une villa au bord de la plage, à Dubaï. Il compte s'y installer pour ses vieux jours avec une très jolie femme. Reza était l'atout secret du Guoanbu. C'est certainement lui qui a eu l'idée de vous faire entrer dans le jeu, à votre insu. Lui qui était chargé de garder l'œil sur votre enquête. Si vous aviez trouvé quoi que ce soit, les Chinois en auraient été avertis *illico*. Ils se seraient arrangés pour récupérer le rapport, ou une copie, tout cela grâce à Reza. Objectivement, c'était un beau coup, l'un des plus beaux qu'ils aient failli réussir depuis des années.

Trop choqué pour répondre, Oussama regarda l'Américain reprendre les photos pour les ranger dans sa sacoche comme si de rien n'était.

– Vous comprendrez aisément que nous ne soyons pas désireux de permettre à ces gens de ramasser la mise. Un dernier point : commandant Kandar, vous retrouverez votre brigade dès demain. Le président Obama appellera tout à l'heure le président Hamid Karzai pour lui demander, pardon, non, pour exiger que vous ne soyez plus inquiété.

Un silence de quelques secondes s'installa.

– Je sais que toutes ces décisions ne forment pas un tout parfait, qu'elles n'effaceront pas les souffrances que vous avez vécues. Mais, dans la vie réelle, il n'y a jamais de scénario rose. Il n'y a que des scénarios gris, parfois gris clair, parfois gris foncé. – Il soupira. – C'est la manière la plus élégante que nous ayons trouvée de clore cette affaire. Définitivement.

Julius Watroni se tourna vers Nick.

– Comme toi, j'aurais préféré une autre issue, des sanctions plus dures contre un certain nombre de personnes. Les envoyer en prison, par exemple. Mais, vois-tu, dans la vraie vie, cette solution est la seule envisageable. Ce n'est pas du cynisme, seulement du réalisme. Nous savons aussi que toi comme tes amis vous garderez le secret sur cette affaire. C'est indispensable, aucun de nous n'a le choix. – Il loucha vers le CD posé sur la table. – Maintenant, pouvons-nous récupérer cette… chose ?

Oussama se leva lentement. Des pensées tourbillonnaient dans sa tête à toute vitesse. Il aurait aimé une autre fin, mais il ne pouvait pas changer le monde. Les complots entre grandes puissances, la Chine, l'Otan, les dossiers et les comptes secrets, les trahisons de ses amis, les chausse-trapes : tout cela était sale et trop complexe pour lui. Il est juste un flic honnête qui essayait de faire son travail avec justice. Sans un mot, il poussa le CD vers l'avocat.

Puis il partit rejoindre Malalai.

# Remerciements et bibliographie

Je cite ici mes ouvrages préférés, pour ceux qui souhaiteraient approfondir leur connaissance sociologique, géopolitique et historique de cet extraordinaire pays. Deux ouvrages de référence : Doug Beattie, *An Ordinary Soldier : Afghanistan, a Ferocious Enemy*[1], et le très beau *Unexpected Light : Travels in Afghanistan*[2], de Jason Elliot. Deux livres pour mieux comprendre l'histoire récente du pays : *Taliban, the Power of Militant Islam in Afghanistan and Beyond*[3], d'Ahmed Rashid, et *Afghanistan, Where God Only Comes to Weep*[4], de Siba Shakib. Je recommande aussi le récit de voyage de Rory Stewart, *The Places in Between*[5], et *Hidden War, a Russian Journalist's Account of the Soviet War in Afghanistan*[6], d'Artem & Artyom Borovik, une plongée malheureusement toujours d'actualité dans les difficultés de la lutte anti-insurrectionnelle en Afghanistan. Enfin, *Au cœur du chaos*[7], d'Ariane

1. Simon & Schuster, 2008.
2. Copyright Jason Elliot, 1999.
3. I. B. Tauris, 2010.
4. Century, 2002.
5. En français sous le titre *En Afghanistan*, Albin Michel, 2009.
6. Grove/Atlantic, 1992.
7. Denoël, 2008.

Quentier, et *Femmes d'Afghanistan*[1], d'Isabelle Delloye, sont à lire.

Tous mes remerciements pour leur aide au ministère de la Défense, à l'ambassade de France à Kaboul, notamment à l'ambassadeur et à l'attaché pour la sécurité intérieure. L'accès à leurs services donné par les chefs du Criminal Investigation Department, par les médecins de l'Institut médicolégal et par les techniciens du laboratoire de la police scientifique afghane m'a été précieux. Un grand merci aussi à la société Géos ainsi qu'à tous ceux qui ont assuré ma sécurité, avec une pensée particulière à Mohamad Shaker, Khuda et Muhamad Esa, et, bien sûr, à Ahmad Muslem Hayat, un grand moudjahid sur lequel beaucoup a été écrit.

Un immense merci à Stéphane Nicolas, infatigable ami des Afghans et le meilleur connaisseur de ce pays que j'aie rencontré, et à tous ceux qui m'ont aidé par leur soutien ou leurs analyses et dont le nom ne peut être reproduit ici : ils se reconnaîtront.

Comme d'habitude, ce roman a fait l'objet d'une relecture attentive d'Orélie, d'Élisabeth et de ma mère, qui y ont consacré énormément d'efforts : qu'elles en soient chaleureusement remerciées. Nathalie Théry, mon éditrice, m'a accompagné pendant plus d'une année de ses conseils toujours avisés, et toujours suivis, dans ce difficile travail de relecture, au côté de la direction et de toutes les équipes impliquées de Robert Laffont, dont j'aimerais saluer ici l'enthousiasme et le professionnalisme.

Un dernier remerciement, enfin, pour mon épouse, qui a été à mes côtés, sans faille, tout au long de l'écriture de cet ouvrage : merci pour sa patience, il en fallait.

---

1. Phébus, 2002.

RÉALISATION : NORD COMPO À VILLENEUVE-D'ASCQ
IMPRESSION : CPI FRANCE
DÉPÔT LÉGAL : MARS 2019. N° 139042-2 (2044433)
IMPRIMÉ EN FRANCE